岩波文庫

31-197-1

大江健三郎自選短篇

岩波書店

目　次

Ⅰ　初期短篇

Ⅱ　中期短篇

Ⅲ　後期短篇

大江健三郎自選短篇

I　初期短篇

奇妙な仕事

付属病院の前の広い鋪道《ほどう》を時計台へ向かって歩いて行くと急に視界の展ける十字路で、若い街路樹のしなやかな梢の連りの向こうに建築中の建物の鉄骨がぎしぎし空に突きたっているあたりから、数知れない犬の吠え声が聞こえて来た。風の向きが変わるたびに犬の声はひどく激しく盛り上がり、空へひしめきながらのぼって行くようだったり、遠くで執拗に反響しつづけているようだったりした。

僕は大学への行き帰りにその鋪道を前屈みに歩きながら、十字路へ来るたびに耳を澄ました。僕は心の隅で犬の声を期待していたが、まったく聞こえない時もあった。どちらにしても僕はそれらの声をあげる犬の群れに深い関心を持っていたわけではなかった。

しかし三月の終わりに、学校の掲示板でアルバイト募集の広告を見てから、それらの犬の声は濡れた布のようにしっかり僕の体にまといつき、僕の生活に入りこんで来たのだ。

病院の受付では、そのアルバイト募集については全く関係していないということだった。僕は守衛にしつこく訊ねて、木造の倉庫が残っていたりする、病院の裏へ入って行った。

その倉庫の一つの前で女子学生と幾つか年上の学生(つまり院生)とが、中年の、長靴をはいた顔色の悪い男から説明を受けていた。僕は院生のうしろに立った。男は僕を瞼《まぶた》の厚い眼で見つめ、軽くうなずいて説明をくりかえした。

犬を一五〇匹殺します、と男はいった。専門の犬殺しが一人向こうで準備していますが、明日から三日ほどで処理していただく。

病院で実験用に飼っていた一五〇匹の犬を英国人の女が残酷だということで新聞に投書し、それらの犬を飼いつづける予算も病院にはないので一度に殺してしまうことになり、その男が犬の処分を引き受けた。皆さんも解剖のことや犬の習性についてや、いろいろ勉強にもなることですから。

男が服装や時間の注意をして病院へ入って行くと僕らは肩をならべて学校の裏門の方へ歩いた。

ペイはずいぶん良いわね、と女子学生がいった。

君は引き受けるつもり? と驚いて院生が訊ねた。

引き受けるわ、私は生物をやっているんだし、動物の死体には慣れてるわ。

僕も引き受ける、と院生がいった。

僕は十字路で立ちどまり耳を澄ませたが犬の声は聞こえなかった。街路樹の葉を落とした枝を夕暮れの風が口笛のような音をたてて渡っていた。駈《か》けて二人に追いつくと院生が僕を詰問するように見つめた。

こちらは文科だけど、引き受けるよ、と僕はいった。

翌朝、僕は草色の作業ズボンをはいて出かけていった。犬殺しは三十歳くらいの背の低い、しかし逞しい筋肉の男だった。倉庫前に作られた囲いの中へ僕が犬を引いて行き、犬殺しが殺して皮を剝《は》いだ死体を院生が運び出して男に渡した。女子学生は皮の整理をした。仕事は捗《はかど》って朝のうちに十五匹を処理した。僕はすぐ仕事に慣れた。

犬置場はコンクリートの低い塀に囲まれた広場だった。一メートルごとに打った杭の列に犬が一匹ずつ結びつけられていた。犬はおとなしかった。一年近くそこで飼われているうちに敵意をかきたてる習慣をなくしてしまったように、僕が塀の中へ入って行っても吠えなかった。病院の事務員の話によると犬たちはこれという理由もなく突然吠えはじめ、それがすっかり静まるまでには二時間かかるが、外から塀の中へ入って行くくらいでは吠えないのだそうだった。犬たちは吠えなかったが僕が入って行くと一斉にこちらを見た。一五〇匹の犬に一斉に見つめられるのは奇妙な感じだった。三百の脂色《やにいろ》の曇りのある犬の眼に映っている三百の僕の小さいイマージュ、と僕は考えた。それは小さい身震いを僕に感じさせた。

犬たちは極めて雑然としていた。ほとんどあらゆる種類の犬の雑種がいた。しかし、それらの犬は互いにひどく似かよっていた。大型の犬や小型の愛玩用の犬、それにたいていは中型の赤犬が杭につながれていたが、それらは互いに似かよっていた。どこが似ているのだろうな、と僕は思った。全部、けちな雑種で痩せているというところか。杭につながれて敵意をすっかりなくしているというところか。きっとそうだろうな。僕らだってそういうことになるかもしれないぞ。すっかり敵意をなくして無気力につながれている、互いに似かよって、個性をなくした、あいまいな僕ら、僕ら日本の学生。しかし僕はあまり政治的な興味を持ってはいなかった。僕は政治をふくめてほとんどあらゆることに熱中するには若すぎるか年をとりすぎていた。僕は二十歳《はたち》だった。僕は奇妙な年齢にいたし疲れすぎてもいた。僕は犬の群れにもすぐ興味をなくした。

しかし、スピッツとセパードの混血としか思えない不思議な犬を見つけた時は、おかしさが虫のように体中を走りまわった。犬はセパードの頭をし、白い毛をふささ、暖かい風になぶられていた。僕は声をあげて笑った。

こいつをごらんよ、と僕は院生にいった。スピッツとセパードが交尾している恰好はひどくおかしいよ、きっと。

院生はむっと唇をとがらせ顔をそむけた。僕はそのあいまいな中型犬に運び紐《ひも》をとりつけて塀から引きだした。

犬殺しが棒をさげて待っている板囲いの中へ犬を引っぱって僕は入って行く。背にすばやく棒を隠して犬殺しはなにげなく近づいて、僕が紐をもったまま充分に距離を犬からあけると、さっと棒を振りおろし、犬は高く啼《な》いて倒れた。それは息がつまるほど卑劣なやりかただった。腰の革帯から抜きとった広い庖丁を犬の喉にさしこみ、バケツへ血を流し出してから、あざやかな手なみで皮を剝ぎとる犬殺しを見ながら僕は生あたたかい犬の血の臭いと特殊な感情の動揺とを感じた。

なんという卑劣さだろう。しかし今、眼の前で犬を処理している男の機能的な卑劣さ、すばやく行動化された卑劣さは、すでに非難されるべきではないと思われた。それは生活意識の根底で極めて場所をえている卑劣さだった。僕はあまり激しい怒りを感じない習慣になっていた。僕の疲れは日常的だったし、犬殺しの卑劣さに対しても怒りはふくれあがらなかった。怒りは育ちかけ、すぐ萎《な》えた。僕は友人たちの学生運動に参加することができなかった。それは政治に興味を持たないこともあるが、結局、持続的な怒りを僕が持ちえなくなっているせいだった。僕はそのことを時々、ひどく苛だたしい感情で思ってもみるが、怒りを回復するためにはいつも疲れすぎていた。

まっ白く皮を剝がれた、こぢんまりしてつつましい犬の死体を僕は揃えた後足を持ちあげて囲いの外へ出て行く。犬は暖かい匂いをたて、犬の筋肉は僕の掌《て》の中で、跳込台の上の水泳選手のそれのように勢いよく収縮した。囲いの外で院生が待っており、彼は受けとった犬の死体が自分の体に触れないように注意しながら運んで行く。そして僕は死んだ犬から外した運び紐をさげて新しい犬をつれ出しに行くのだ。

しかし五匹めごとに犬殺しは囲いから出て来て一服し僕は土にじかに腰を下ろした彼の周りを歩きながら彼と話した。立ちどまると犬殺しの体からはやはり生あたたかい犬の臭いがし、それは犬の死体そのものよりもっと生なましかったから僕は何げなく顔をそむけながら歩きまわった。女子学生は囲いの中で毛皮を整理していた。ひどく血に汚れた皮は水洗場で洗いおとすのだ。

俺に毒を使えとすすめるやつがいるんだ、と犬殺しはいった。

毒を?

そうなんだ、俺はしかし毒は使わない。毒で犬を殺す間、日陰でお茶を飲んでいるようなことを俺はしたくない。犬を殺す以上は、犬の前に棒をもって立ちふさがらなくちゃ本当でないだろう。俺は子供の時からこの棒でやって来たんだ。犬を殺すのに毒を使うような汚いまねはできない。

そうだろうなあ、と僕はいった。

それに、毒を使うとね、死んだ犬が厭《いや》な臭いをたてるんだ。犬には良い匂いをたてて、湯気をあげながら皮を剝《む》かれる権利があるとは思わないか。

僕は笑った。

そうだ、その権利があるんだ、と犬殺しはまじめにいった。俺は毒つかいどもとは訳がちがう。俺は犬を好きだからな。

洗うための毛皮をさげて女子学生が出て来た。彼女の厚ぼったく血色の悪い皮膚は青いままで上気していた。血に濡れ、厚く脂のついた毛皮は重く、ごわごわしていた。それは濡れた外套《がいとう》のように重かった。僕は女子学生が水洗場へ運ぶのを手伝った。

あの男にはね、と毛皮をさげて歩きながら女子学生はいった。伝統意識のようなものがあるわ。棒で殺すことに誇りを持っているのね。それが生活の意味なのよ。

あの男の文化だ、と僕はいった。

犬殺し文化ね、と感情のない声で女子学生はいった。似たりよったりだわ。

え？　なにが。

生活の中の文化意識、と女子学生はいった。桶屋の技術が桶屋の文化だ、そういう文化が生活としっかり結びついた本当の文化だ、というようなことを評論家が書くでしょう。あたりまえなことでね。ところが、一つ一つ実例をあたってみるとね、そんなにきれいごとじゃないのよ。犬殺しの文化、淫売の文化、会社重役の文化。汚らしくて、じめじめして根強くて、似たりよったりよ。

ひどく絶望したものだな、と僕はいった。

絶望しているわけでもないのよ、と女子学生は意地悪な眼で僕を見かえしながらいった。こうして犬の毛皮を水で洗う仕事だってするしね。脚気の新薬も飲んでいるし。

その厭らしい文化に足をつっこもうとしているの？

足をつっこむとかなんとかいうのじゃなくてね、もうみんな首までどっぷりつかっているのよ。伝統的な文化の泥で泥まみれなのよ。簡単に洗うことはできないわ。

僕らは水洗場のコンクリート床へ皮を投げだした。掌が強く臭った。

ほら、と女子学生は屈みこんで浮腫《むく》んだふくらはぎを指の腹で押して見せた。青黒い窪みができ、それはゆっくり回復したが、もとどおりにはならなかった。

ひどいでしょ、いつもこうなのよ。

たいへんだな、と眼をそむけて僕はいった。

女子学生が毛皮を洗う間、僕はコンクリートの台に腰をかけて芝生でテニスをしている看護婦たちを見た。看護婦たちは球を打ち損じるか、体を丸くして笑うかしていた。

私はね、ペイをもらったら火山を見に行くわ、と女子学生がいった。貯金してあるのよ。

火山を見に？　と僕は気のない返事をした。

火山はおかしいなあ、と女子学生はいい、静かな声で笑った。彼女は疲れきった眼をしていた。水に両掌をひたしたまま彼女は空を見あげていた。

君はあまり笑わないね、と僕はいった。

ええ、私のような性格だと笑うことはあまりないのよ。子供の時だって笑わなかったわ。それで、時々、笑いかたを忘れたような気がするとね、火山のことを考えて涙を流して笑ったわ。巨《おお》きい山のまん中に穴があいていてそこからむくむく煙が出ているなんて、おかしいなあ。女子学生は肩を波うたせて笑った。

君はお金をもらったらすぐ行くの？

ええ、とんで行くわ。山に登りながらおかしくて死にそうだと思うわ。

僕は台の上で不安定な体を支えながら寝て、空を見上げた。雲が魚のように光り陽がまぶしかった。陽よけにかざした掌が生ぐさく臭った。僕の体のすみずみまで犬の臭みがしみこんでいる、と僕は思った。犬を二十匹殺した後の僕の掌は耳をなでるためにしか犬に触れなかった僕の掌とはちがう。

僕は仔犬を買おうかな、と僕はいった。

え？

雑種のとてもけちな赤犬を買うよ。その犬はね、一五〇匹の犬の怨みを全身に背負うということになるんだ。顔が歪《ゆが》むほど僻《ひが》んだ厭な犬になるだろうな。

僕は笑ったが女子学生は唇を硬く噛みしめていた。

私たちはとても厭らしいわ、と女子学生はいった。

僕らは倉庫の前へ帰って行った。犬殺しと病院の事務員が話していた。その傍で院生が熱心に話を聞いていた。

でも、病院にはその予算がありませんよ、と事務員がいった。私たちの病院からはもう犬は関係がなくなったんだし、飼育係は他の仕事に今日から移りました。

でも今日処理が終わることにはならないよ、と犬殺しはいった。

昨日までで、犬の飼育は終わりです。

飢えさせておくのか、と苛立って犬殺しがいった。

病院の残飯をやっていたんで、飼育係さえいたらね、飢えさせるということにもならないだろうけど。

俺が餌を作るよ、と犬殺しがいった。残飯はもらえるね。

いいですよ、残飯置場を見ますか。

今ちょっと見ておこう。後で俺が犬に配るから。

私も手伝うわ、と女子学生がいった。

よせ、と激した声で院生がいった。

犬殺しも事務員もおどろいて院生の赤らんだ顔を見た。

よせ、そんな恥しらずなことはよせ。

え？ と当惑して犬殺しがいった。

明後日までには全部殺してしまうんだろう？ それに餌をやって手なずけるなんて卑劣で恥しらずだ。僕はすぐに殴り殺される犬が、尾を振りながら残飯を食べることを考えるとやりきれないんだ。

今日はせいぜい五十匹しか殺さないんだ、と犬殺しが怒りを押さえた声でいった。後の百匹を飢えさせておくのか。そんな残酷なことはできないよ。

残酷な、と院生は驚いていった。残酷なだなんて。

そうだ、残酷なことを俺はしたくないんだ。俺は犬を可愛がっている。

犬殺しは事務員と倉庫の間の暗い通路へ入って行った。院生はぐったりして囲いにもたれた。彼のズボンは犬の血に汚れていた。

残酷なだなんて、あいつはどうかしてるよ、と院生はいった。あいつのやり方は卑劣だな。

女子学生は冷淡に地面を見下ろして黙っていた。地面には犬の血の濃緑色に光る汚点《しみ》があった。それは駱駝《らくだ》の頭の形をしていた。

え？　卑劣だとは思わないかい。

そうだろうな、と僕は投げやりにいった。

院生は蹲《しゃが》みこみ眼をふせて暗い声でいった。僕はあの犬たちが低い壁に囲まれてじっとしていると考えるとやり切れないんだ。僕らは壁の向こうを見ることができる。あいつたちには見えない。そしてあいつたちは殺されるのを待っているんだ。

壁の向こうが見えたところでどうにもならないわ、と女子学生がいった。

そうなんだ。そのどうにもならない、ということが僕にはやりきれない。どうにもならない立場にいて、しかも尾を振りながら餌を食べているんだ。

僕らは院生をもてあましていた。僕は運び紐をぐるぐる振りまわしながら次の犬を引き出しにいった。今度は一番巨きくて耳のたれたやつにしよう、と僕は考えた。

夕暮になり五十四目の犬の処理が終わると僕らは水洗場へ体を洗いに行った。犬殺しは洗い終わった毛皮を丁寧にそろえて縄でしばっていた。犬の処理を病院から請けおった男もやって来た。僕らは手や足を洗い終わって犬殺しの仕事を見まもっていた。

犬の死体はどうしてるんです、と院生が訊ねた。

あすこで、ほら、焼いているんだ、と男はいった。

僕らは死体焼却場の巨きい煙突を見上げた。そこから淡い桃色がかった柔らかな色の煙が空へ上がっていた。

でも、あすこは人間の死体を焼くためでしょう？　と院生がいった。

犬殺しが振りかえって鋭い眼で院生を見つめた。

え？　犬の死体と人間の死体と、どうちがうんだ。

院生はうつむいて黙っていた。僕は彼の肩が小刻みに震えているのを見た。ひどく苛立っているんだな。

やはり、ちがうわね、と女子学生が煙突を見上げたままいった。

誰も答えなかった。少し間がぬけるほど後で、え？　と僕がいった。

煙の色がちがうのよ。ふだん人間を焼いている時より少し赤みがかって優しい色だわ。

赤ら顔の大男の死体を焼いているのかもしれないよ、と僕はいった。犬にきまってるわ。もっとも夕焼のせいであんなに良い色をしているのかもしれないけど。

僕らはまた黙って煙を見上げた。犬殺しは束にした犬の毛皮をかつぎ上げた。夕焼けた空を背にして彼は黒々と逞しかった。

明日は良い仕事になりそうだな、と満足して犬殺しはいった。え？　良い日だよ、明日は。

翌日はよく晴れた良い日だった。犬の処理を請けおった男は来なかったが作業は順調に進行し、予定の三分の二が午前中に終わった。僕らは疲れていたが、比較的陽気だった。ただ、院生だけが苛々して不機嫌だった。彼はズボンの汚れを気にしていたし、犬の臭いが昨夜風呂に入った後もまだ体中に残っていた、と不平がましくいっていた。爪の間に犬の血がこびりついていてとれないんだ。それに石鹸でどんなにこすっても犬の臭いがとれない。

僕は生気のない院生の掌を見た。細い指の先で爪は伸びて汚れていた。

あなたがこの仕事を引き受けたのは失敗ね、女子学生がいった。

そんなことじゃないんだ、とますます苛立って院生はいった。僕が引き受けなかったとしても僕の代りにこの仕事をやる男の爪にはやはり犬の血がこびりついて離れないし、そいつの体中は生なましく臭うんだ。僕はそれがやりきれないんだ。

あなたはヒューマニタリアンね、と味けない声で女子学生はいった。

院生は血ばしった眼を伏せて黙っていた。

院生は次第に苛立って行った。そして犬殺しが話しかけても満足に受け答えしなかった。犬殺しは気を悪くしていた。

僕がセッター風の雑種の犬を運び紐で引いて来ると犬殺しは囲いから出て煙草を喫《の》んでいた。少し離れて院生は犬殺しに頑固に背をむけて立っていた。

僕は犬を連れて散歩でもしているように犬殺しに近づいて行った。

そこへつないどきな、と犬殺しがいった。

僕は囲いの入口の杭に運び紐を結んだ。

ここの犬はどれもおとなしいな、と犬殺しは退屈した声でいった。仔牛ほどの大きさでひどく獰猛なのがどこでも一匹ぐらい、いるものなんだがな。

そういう犬はやりにくいだろうな、と僕は欠伸《あくび》をかみ殺して眼に涙をためながらいった。

そういうのは、とやはり欠伸をかみ殺しながら、うるんだ眼で犬殺しはいった。おとなしくする方法があるんだ。こんなにして。

暴れられると。

犬殺しはゆるめた革帯の間から関節に毛の荒々しく生えた掌を押しこもうとした。

よしてくれ、と院生が叫んだ。そういう卑劣で厭らしい話は聞きたくない。

俺は仔牛のような犬をおとなしくする方法を話しているんだぜ、と犬殺しがいった。

院生は唇を慄《ふる》わせていた。僕は君のやり方を卑劣だといってるんだ。君のやり方は厭らしい。犬だってもっと上品なあつかわれ方をされて良いんだ。

お前さんはそんなことといって仔犬一匹殺せないんだろう、とやはり青ざめた犬殺しが唇の周りに唾液をぶつぶつふきだしていった。

院生は唇を噛みしめて犬殺しを睨みつけていた。それから急に犬殺し棒をひろいあげると囲いの杭につないだ犬に向かって走って行った。犬は棒を振りかぶった院生に激しく吠えた。院生はたじろぎ、しかし進んで行き、跳びかかってくる犬の耳の上に一撃を加えた。犬は跳ねとばされ囲いに打ちつけられて悲鳴をあげたが死ななかった。口から血を嘔《は》きながら苦しがっていざり歩いた。院生は立ちどまったまま荒い息をして犬を見つめていた。

おい、やっつけろ、と犬殺しが怒りをふくんだ声で叫んだ。犬を苦しめるな。

しかし院生は動かなかった。口を開き、息を喘《あえ》がせながら、ぶるぶる震えていた。犬は痙攣《けいれん》しながら紐を張りきらせて腰を引きずり動いていた。僕は駈けて行き、院生の掌から棒をもぎとると、おとなしい眼をあげて血を嘔いている犬の鼻面をなぐりつけた。犬は鳥のような声で吠え、倒れた。

君はひどいことをする、と院生がいった。

え？

君は卑怯だ。あの犬は無抵抗で、弱りきっていた。

怒りが僕の喉をつまらせた。しかし僕は後ろを向き、犬の首から運び紐を外した。僕は院生に興味を持っていなかった。

君は筋が良いよ、と犬殺しが近づいて来ていった。筋が良くないと、犬殺しの仕事も危険でね。

しかし僕はそれほど筋が良いわけではなかった。午後おそくなってから僕は皮膚病に罹《かか》った中型の赤犬に腿を咬みつかれた。

僕がその赤犬を引いて囲いの入口まで行った時、女子学生が血に汚れた毛皮をさげて出て来た。それを見ておびえた赤犬が暴れるのを運び紐を引き締めて静めようとした僕に赤犬は激しく跳びかかり腿に咬みついた。囲いから出て来た犬殺しがすばやく赤犬を引き離したが腿は痺れたように無感覚だった。

ひどい悲鳴をあげたわね、と女子学生がいった。赤犬に咬まれたくらいで。

血が靴下を濡らした。犬殺しが殴り殺した犬の口を押しひらいて見ていった。

ひどい歯でかんだものだな、老いぼれてぐらぐらしているよ。汚い歯だな、ほら。

僕は貧血した。のろのろした動作で女子学生が僕の体を支えるのを僕はぼんやり感じていた。院生に見られたくなかった。

僕は皮張りの長椅子に寝そべっていた。看護婦は僕の裸の腿に丁寧に繃帯を巻きつけた。

痛む？　と看護婦が訊ねた。

痛まないよ。

そうだと思うわ、と看護婦は立ち上がり僕を見下ろしていった。歩いてみなさいよ。

僕はズボンをずり上げ、歩いてみた。

繃帯のせいで少し筋肉が引きつるようだな。

いいわ。治療費は後で注射の時、ちゃんとした計算書をあげるわね。

え、注射だって？

そうよ、恐水病になりたくないでしょ。

僕は長椅子に腰を下ろし眼を伏せた。爪の周りの皮膚のささくれだった掌《て》が膝の上で慄えた。

恐水病か。

そうよ。

あの予防注射はそんなに簡単じゃないんだろ。

生きるか、死ぬかよ。時にはね、と看護婦はそっけなくいった。

ああ、と僕は呻《うめ》いた。なんだかひどく落ちこんでしまったな。

何を考えているの？

犬の歯なみのことさ、と僕は怒っていった。

おおい、と誰かが叫んでいた。おおい、おおい。

僕はドアを開き、裏口の階段を下りて行った。倉庫の前に犬殺したちが集まっていた。

そしてそのまん中に警官がいて僕を振りかえり見つめた。僕はゆっくり近づいて行った。

警官は僕の名前と住所を手帳に書きこんだ。

どうしたんです、と僕は訊ねた。

警官は顎《あご》をしゃくって黙っていた。

え？

あの男は肉ブローカーだって、と女子学生がいった。ここの犬の肉をね、肉屋へ売りこんでいたのよ。肉屋が訴えたので、どこかへ逃げちゃったそうよ。

僕は黙って女子学生を見つめていた。

私たちのペイはおしまいよ。

ああ。

あの男が逃げたのじゃだめだわ。

僕は犬殺しと院生を見た。二人とも、あいまいな白けた表情をしていた。

でも、病院で治療を受けたりした費用はどうなるんだ。

犬にかまれたのはあの男でも騙された肉屋でもないわ。

警官がしっかりした声でいった。参考に呼び出すかもしれないから。

呼び出すといっても、と院生が不服そうにいった。僕らが犬の肉を売ったわけじゃないでしょう。

犬を無やみに殺すことだけでもおだやかではないんだ。

僕らだって、何も好きこのんで。

警官は院生を相手にしないで広場をつっきって行った。

みんな黙っていた。僕は傷が少しずつ執拗に痛みはじめるのを感じていた。それは静かにふくれあがった。

何匹殺したかしら、と女子学生がいった。

七十匹。

あと八十匹いることになるわね。

どうしよう？　と院生がいった。

帰るよ、と犬殺しが不機嫌にいった。そして犬殺しは囲いの中へ道具を取りに入った。

僕らは鋪道へのアーケードへ向かって歩きはじめた。女子学生が僕に体をすりつけるようにしていった。

え？　痛むでしょう。

痛むさ、それに注射もしなけりゃいけないんだって。

ひどいものね。

ああ、ひどいね、と僕はいった。

夕焼けはじめていた。犬の一匹が高く吠えた。

僕らは犬を殺すつもりだったろ、とあいまいな声で僕はいった。ところが殺されるのは僕らの方だ。

女子学生が眉をしかめ、声だけ笑った。僕も疲れきって笑った。

犬は殺されてぶっ倒れ、皮を剝がれる。僕らは殺されても歩きまわる。

しかし、皮が剝がれているというわけね、と女子学生はいった。

全ての犬が吠えはじめた。犬の声は夕暮れた空へひしめきあいながらのぼって行った。

これから二時間のあいだ、犬は吠えつづけるはずだった。

死者の奢《おご》り

死者たちは、濃褐色の液に浸って、腕を絡みあい、頭を押しつけあって、ぎっしり浮かび、また半ば沈みかかっている。彼らは淡い褐色の柔軟な皮膚に包まれて、堅固な、馴《な》じみにくい独立感を持ち、おのおの自分の内部に向かって凝縮しながら、しかし執拗に体をすりつけあっている。彼らの体は殆ど認めることができないほどかすかに浮腫を持ち、それが彼らの瞼《まぶた》を硬く閉じた顔を豊かにしている。揮発性の臭気が激しく立ちのぼり、閉ざされた部屋の空気を濃密にする。あらゆる音の響きは、粘つく空気にまといつかれて、重おもしくなり、量感に充ちる。

死者たちは、厚ぼったく重い声で囁《ささや》きつづけ、それらの数かずの声は交じりあって聞きとりにくい。時どき、ひっそりして、彼らの全てが黙りこみ、それからただちに、ざわめきが回復する。ざわめきは苛立たしい緩慢さで盛り上がり、低まり、また急にひっそりする。死者たちの一人が、ゆっくり体を回転させ、肩から液の深みへ沈みこんで行く。硬直した腕だけが暫く液の表面から差し出されており、それから再び彼は静かに浮かびあがって来る。

僕と女子学生は、死体処理室の管理人と医学部の大講堂の地下へ暗い階段を下りて行った。階段の磨滅した金属枠に濡れた靴底が滑り、そのたびに女子学生は短い声をたてた。階段を降りきるとコンクリートの廊下が低い天井の下を幾たびも折れて続き、その突きあたりのドアに死体処理室と書きこんだ黒い木札がつりさげてあった。ドアの鍵穴に大きい鍵を差しこんだまま、管理人は振りかえって僕と女子学生を検討するように見つめた。広いマスクをつけ、ゴムびきの黒い作業衣を着こんだ管理人は小柄でずんぐりして、骨格が逞しかった。聞きとりにくい声で管理人が何かいったが、僕は頭を振り、管理人のゴム長靴を履いた頑丈な両脚を見おろした。僕も長靴を履くべきだったのかもしれない。午後からは忘れないで履いて来よう。女子学生は事務室で借りた大きすぎるゴム長靴を履いて歩きにくそうだったが、額にたれた髪とマスクの間で鳥のように力強い光のある眼をしていた。

開かれたドアの向こうから夜明けの薄明に似た光と、濃くアルコール質の臭いのする空気が、むっと流れ出て来た。その臭いの底に、もっと濃く厚ぼったい臭い、充満した重い臭いが横たわっていた。それは僕の鼻孔の粘膜に執拗にからみついた。その臭いが僕を始めて動揺させたが、僕は白っぽい光のみちた部屋の内部を見つめたまま、顔をそむけないでいた。

「マスクをかけな」と管理人が語尾を不自然に明瞭に発音していった。

僕は看護婦に着せてもらった作業衣のポケットを探り、マスクを取りだして急いでかけた。乾いたガーゼの匂いが激しくした。ドアの内側の把手《とって》を握ったまま、管理人が振りかえり僕に顎《あご》をしゃくっていった。

「今から怖気づいたのかい？」

女子学生は意地悪な眼で僕を見た。僕は顔がほてるのを感じながら白いタイルを敷きつめた広い室内へ入って行った。靴が高い音をたて、それは部屋の壁に複雑に反響し、濃密な空気に鈍い切口の罅《ひび》を入れた。

壁はすっかり白い石灰質の塗料を吹きつけてあり清潔だったが、不自然に高い天井には所どころ脂色《やにいろ》の汚点《しみ》があった。部屋の半分はタイルを敷きつめた床で、そこには四基の解剖台が抽象的な平板さでひっそり立っていた。僕はその一つに近づき、表面に張られた大理石が柔らかい艶《つや》をもって光り汗ばんでいるのを見た。両掌をその上に置き、僕は正面の広い壁に沿って部屋の半分を占めている長い水槽を見つめた。それは内部を幾つかに区切られて、一メートルほどの高さの縁は床と同じ質のタイルで張ってあり、小さい区切りごとに揚蓋《あげぶた》が付いていたり、いなかったりした。そして濃褐色のアルコール溶液に浸って、そこには一面に彼らが浮かんでいた。

僕はそれを見つめたまま立っていた。羞恥からのほてりが皮膚の奥の根深いところで、しこりのように固まり、そのまま熱くひそんでいた。僕は顔を半ば隠してしまう広いマスクの上から両頰に掌を押しあててみた。息をつめて彼らを、僕の肩ごしに女子学生は見つめ、それから敏捷に小さい身震いをした。

「照明が良くないな、電灯をつけるほどでもないが」と管理人がいった。「朝から電灯をつけると事務室がうるさいからね。文学部でもそうだろう?」

僕はうなずいてから高い天井の隅の細長い天窓を見上げた。汚れたガラスの向こうから、白い光が水っぽく差しこんでいた。冬の薄曇りの朝のようだ、と僕は考えた。こんな光の朝、僕はよく霧の中を歩いたものだった。動物のように口の中へしのびこみ膨れあがる霧に喉をくすぐられて笑ったり咳きこんだりしながら。僕は落着きが戻って来るのを感じて、水槽に視線をかえした。白い光の中で、死者たちはじっとしていた。僕は彼らの裸の皮膚に天窓からの光が微妙なエネルギーに満ちた弾力感をあたえているのを見た。あれは触れた指に弾んだ反撥を感じさせるだろうか。脚気の腓《ふくらはぎ》のようにぐっと窪むのかな。

「冬の光みたいだな」と僕はいった。

しかし天窓の向こうには初夏のあざやかな光があふれて、明るい空と澄んで明晰な空気があるのだ。僕は銀杏《いちょう》の茂りの下を歩いて朝の敷石道を医学部の事務室まで来た。

「年中こうなんだ」と管理人はいった。「夏でも暑くなくて、いつもひんやりしている。

学生が椅子を持って涼みに来る事もある」

頬の、厚い皮膚の底でほてりが融けて行くのを僕は快楽的な気持で感じていた。

「ゴム手袋を肱《ひじ》の上できつく締めつけるんだ」と管理人がいった。

「アルコール液がしみこむと、作業がやりにくくなるからな」

僕は赭土色《あかつちいろ》のゴム手袋を念入りに締めつけた。ゴム手袋の内側にこびりついた水滴が掌の甲や腕首を濡らした。

「洗った後でよく乾かしておけばいいんだ。看護婦の連中が怠けやがって」と管理人は剛《かた》い毛の生えた太い掌を、手袋に突っこみながらいった。

「でも、もっと臭うのかと思った」と女子学生がいった。

「え?」と管理人はいって女子学生を振りかえった。「今のうちはね」

僕は女子学生が右掌の手袋をうまく締められないでためらっているのを見、手伝ってやった。女子学生は柔らかく大きい掌をしていた。

「靴は?」と管理人がいった。

「僕は昼から取り換えるつもりだけど」

「やはり長靴の方がいい。アルコール液がはねこむといつまでも臭うから」とおどかすように管理人はいった。「足指の間に入るとね、むれて厭《いや》な臭いだ」

僕は管理人の言葉が聞こえないふりをして、水槽に近づいた。タイルが淡く変色している水槽の縁に両手を支えて、僕はアルコール溶液に浸っている死体の群がりを見た。始めに医学部の事務室で仕事の説明を聞いた時、事務員はほぼ三十体だろうといっていたが、死体は水槽の表面に浮いているものだけでもその数を明らかにしのいでいるようだった。

「他の死体の下に潜っているのや、底に沈んでいるのもあるのでしょう?」と僕は訊ねた。

「浮かんでいるのは比較的、新しいものだけなんだ。古いと、どうしても底に沈むから。それに解剖の実習をやる学生は上に浮かんでいる新しい死体を持って行きたがるしね」

「古い死体というと、何年くらい前なのかしら」と女子学生がいった。

「その向こうの揚蓋の下にいるのは十五年ほどたっているね」と管理人は短い腕を伸ばしていった。「下に沈んでいるのなら、ひどく古いのがいくらでもあるよ。戦争の前からこの水槽は掃除しないでそのままなんだ」

「なぜ今度、新しい水槽に移しかえることにしたんだろう」と僕はいった。

「文部省で予算をくれたからだろう」と管理人は冷淡にいった。「移したところで、どうにもなりはしないんだ」

「何が?」

「こいつらのことさ」

「どうにもなりはしないね」と僕もいった。「全くどうにもなりはしない」

「厄介なだけだ」

「ひどく厄介だな、ほんとに」

しかし、僕に関する限り、この仕事は厄介なだけ、ではなかった。僕は昨日の午後、アルコール水槽に保存されている、解剖用死体を処理する仕事のアルバイターを募集している掲示を見るとすぐ、医学部の事務室へ出かけて行った。僕は、自分が文学部の学生であることを不利な条件だと考えていたが、係の事務員は極めて急いでいて、僕の学生証をしっかりあらためる事もせず、すぐ僕を死体処理室の管理人に紹介し、仕事は一日で終える予定だといった。僕が事務室を出る時、英文学の教室で度たび会った事のある女子学生がドアの外で順番を待っており、僕らは会釈しあったが、その時はまだ、彼女も同じ仕事に応募したのだとは思わなかった。

「仕事は九時から始めよう」と吹きつけた塗料の斑《まだら》が暗さに馴れた眼にはっきり見分けられる高い壁に、きっちり塡《は》めこまれた時計を見上げて、管理人がいった。「その前に一服するとしよう」

解剖台の一つに腰をかけて煙草を喫《の》みはじめた管理人に僕はいった。「あの時計は誰のためだろう。この部屋に運びこまれる死体のためだとしか考えられないな」

「誰だってこの部屋に始めて入った男は、むだ口をききたがる」と厚くめくれた唇の間で煙草をぐしょぐしょに濡らした管理人はいった。

「ところが俺は三十年もここへつとめているんだ」

女子学生が肩をすくめて声をたてないで笑い、僕は黙りこんで部屋を見まわした。入口のドアとそれに接した壁にある隣室へのドアには内側から木札がかかっている。それには赤い正確な活字体で、立入禁止、禁煙と書きこまれていた。そして水槽にはぎっしり死体がつまって沈みかかっていたり浮かび上がったりしている。それらを見ていると言葉が喉の内側で膨れあがり、こみあげてきた。

「死体が何年間もしっかりして医学部の地下に沈んでいるというのは、なんだか定まりのつかない感じだろうな、当人にとっては」

「定まりはついているよ」と管理人はいった。「定まりはついているんだ。それでも、この水槽で何年も浮かんだり沈みこんだりしているのは悪い感じではないな。体があるというのは立派なことだよ」

「僕もこの水槽に沈むかな」

「俺がうまい具合に底の方へ押しこんでやる」

「僕は二十歳《はたち》だからそんなに早くじゃないけど」

「若いのも沢山くる」と管理人はいった。「ところが、そういうのはすぐに医学部の新入生が持って行ってしまうんだ。規則を作らなきゃいけないな」

僕は作業衣の脇の穴から腕を突っこんで、学生服のポケットから腕時計を取り出した。

壁の時計より五分ほど進んでいて九時だった。

「仕事は今日一日で終わるかしら」と僕はいった。「表面に浮いているものだけでも、かなりかかりそうだな」

「底に沈んでいる分は付属病院の雑役夫がアルコール液を流し出した後で処理する。沈んでいる古いのは使いものにならないだろうし、俺たちの仕事は解剖の教材になるものだけ、向こうの水槽に移すことなんだ。底には全く何が沈んでいるか知れたものじゃない」

「深いのかしら」と女子学生が死体たちの間の濃褐色のアルコール溶液を見つめていった。「ひどく深そうね」

管理人はそれに答えないで解剖台から下り、ゴム手袋をした太い両掌を打ち合わせて奇妙な音をたてた。

「ゴム手袋はしっかり乾かしておかないとべとべとしてやりきれないな」と管理人はいい、艶のない、日焼けした皮膚で包まれた頑丈な首をうなだれて、手袋の中の指を執拗に動かし続けた。

この男と一緒に仕事するのは、そんなに不愉快ではないだろう、と僕は軽い安堵の気持で思った。管理人の短い額は深い皺《しわ》で覆われて、それは管理人が笑う時も、刻まれたままでびくびく痙攣《けいれん》した。五十歳あたりだろう、そして殆ど同じように老けこんだ妻と、工員の息子を持っていて、官立大学の医学部につとめていることを誇りにしているのだろう。

時には、さっぱりした服を着こんで場末の映画館へ出かけるのだろう。

「死体運搬車を取って来る」と管理人は煙草と唾を吐き出していった。

「私も行くわ」と女子学生がいった。

「あんたには番号札と台帳を取りに来てもらう」

そして管理人は僕を振り返っていった。「向こうの水槽へ行って見といてくれよ」

僕は管理人たちが出て行くと隣室へのドアを開きに行った。ドアは白い塗料の粉をこぼしながら軋《きし》らないで開いたが、それを開いたまま固定する装置はなかった。僕は廊下から紙屑を拾って来てそれをドアに喰いこませた。ドアの向こうの一周り小さい部屋に新しい水槽が作られて、それには白濁したアルコール溶液が満たされていた。高い天窓からの光が水槽を霧のように白く光らせ、死体が全く浮かんでいないそれは、広びろとしていた。僕は新しい水槽の溶液を透かして底の深みを見ようとしたが溶液は不透明な膜のように光を遮断した。僕は靴音が高いのを気にしながら、古い水槽の部屋へ戻って行った。

管理人たちはまだ帰って来てなかった。僕は始めて僕一人で数知れない死者たちと向かいあっていた。僕は解剖台の一つの上に掌をのせ、暫くそのままいてから、水槽へ近づいて行った。

濃褐色の溶液に浸って死者たちはじっとしていた。僕は死者たちに性別のあること、顔を溶液に突っこんで背と尻とを空気にさらしている小柄な死体が女のそれであり、揚蓋の支えに腕をからんでいる死体が男の強く張った顎をしており、その短く刈った頭部に腰をすりつけている死体が不自然に高く盛り上がって、縮れた体毛のこびりついている女の陰《いん》阜《ぶ》を持っていることに気づいた。しかし、性別はそれらの死者を殆ど区別するものではなかった。死者たちは一様に褐色をして、硬く内側へ引きしまる感じを持っていた。皮膚はあらゆる艶をなくしており、吸収性の濃密さがそれを厚ぼったくしていた。

これらの死者たちは、死後ただちに火葬された死者とはちがっている、と僕は考えた。水槽に浮かんでいる死者たちは、完全な《物》の緊密さ、独立した感じを持っていた。死んですぐに火葬される死体は、これほど完璧に《物》ではないだろう、と僕は思った。あれらは意識と物との曖昧な中間状態をゆっくり推移しているのだ。それを急いで火葬してしまう。あれらには、すっかり物になってしまう時間がない。僕は水槽をうずめた、完全にその危険な推移を終えた《物》たちを見守った。それらは確かな感じ、固定した感じを持っていた。これらは、床や水槽や天窓のように硬くて安定した《物》だと僕は考え、小さい震えのような感動が体を走るのを感じた。

そうとも、俺たちは《物》だ。しかも、かなり精巧にできた完全な《物》だ。死んですぐ火葬された男は《物》の量感、ずっしりした確かな感覚を知らないね。

そういう事だ、と僕は思った。死は《物》なのだ。ところが僕は死を意識の面でしか捉えはしなかった。意識が終わった後で《物》としての死が始まる。うまく始められた死は、大学の建物の地下でアルコール漬けになったまま何年も耐えぬき、解剖を待っている。

僕は水槽の縁に体を擦りつけている中年の女の死体の硬い肉付きの腿をゴム手袋をした掌で、軽く叩いてみた。それは弾性のない、しかし柔軟な抵抗感を持っていた。

私の腿は生きていた間、ずっと良い形だったけど今となっては少し長すぎるかもしれないわ。

良くできた櫂《かい》のようだと僕は思いながら、その女が軽い布地の服を着こんで鋪道《ほどう》を歩く姿勢について考えた。少し前屈みだったかもしれないな。

長く歩くとそうなったけど、いつもは胸を張っていたわよ。

乱暴にドアを開き、女子学生が小型の書類箱を抱えて入って来るのを見て、僕はうしろめたい事をしていたように、素早く水槽から離れた。続いて管理人が白エナメルを塗った運搬車を押して入って来た。

運搬車は大柄な男を載せるのに充分なだけの広さと長さをそなえていた。それは僕が盲腸の手術をした時、載せられた車付きの台を思い出させたが、もっと剝《む》き出しで、もっと白っぽくメカニックだった。運搬車にはゴムタイアを填めた小さな車が七個ついており、柔軟に回転して、解剖台に沿って止まった。管理人は先端に黒いゴムの筒をかぶせた細い竹竿をかついでいた。

「それは何に使うんです」と僕は竹竿を壁に丁寧に立てかけている管理人に訊ねた。

「死体を手許に引きよせるのに使うんだ。もう何年もこれを使っている。これは良くできているんだ」

僕は、一度立てかけた竹竿を取りあげ両手に軽く支えて水槽を見つめている管理人が、技術者のように自信に充ちた感じ、熟練した感じを持っているのを驚きながら認めた。この仕事に誇りを持っているのだろう、子供たちに時には特別見学許可を取ってやるかもしれない、と僕は思った。しかし人間は、いろんな事に誇りを持つことができるものだな。女子学生は書類箱を新しい水槽の部屋へ置きに行ったが、その置場所に迷っている様子だった。

「始めよう」と戻って来た女子学生に竹竿を渡して管理人はいった。女子学生はそれを解剖台の上に投げだした。

仕事は極めて容易だったが、一つの死体を処理しおえるためには、かなりの時間を要した。しかし注意力を常に集中している必要はなく、僕は少しずつそれに慣れていった。

水槽のなめらかなタイル張りの縁に運搬車を横づけにすると運搬車の死体を載せる台は水槽と同じ高さだった。僕と管理人は運搬車の両側に立ち、水槽に体を屈めて死体を一つ選び出すと、その肩と腿の上部を両手で支え、褐色のアルコール溶液のしたたる死体を持ち上げる。死体は硬直していて、材木のように取りあつかいやすかった。死体を背を下にして、運搬車の上に置くと、僕らはゆっくり車を押して解剖台の間を通りぬけ、新しい水槽の部屋に入り、その水槽の縁に同じように車を密着させて死体を持ち上げ、白っぽいアルコール溶液の中へ滑りこませる。死体はぐっと沈んで行き、すぐに静かな速度で浮かび上がった。それから、女子学生が、書類箱から取り出した番号札を持って屈みこみ、死体の踝《くるぶし》をしっかり摑まえ、右足に古い木の番号札が結びつけてあるものには左足の拇指《おやゆび》に、あるいはその逆の場合には右足の拇指に、それを結びつける。番号札には焼印で記号と数字が記入されていた。そして、頭部を深く水槽に突っこんで足だけ持ちあげている死体の踝を、女子学生が軽く押しやりながら離すと、死体はすっと水槽の中央へ進んで行った。それから女子学生は台帳に古い番号と新しい番号とを柔らかい鉛筆で大きく書きつけるのだ。

この単純な作業の繰返しを、僕らは黙りこんで熱心にやり続けた。古い水槽と新しい水槽との間のタイル張りの床に茶褐色の濡れた帯ができ、その上を時々、空滑りして軋みながら運搬車はのろのろ行ったり来たりした。時には死体の中に、ひどく重いものがあったし、極めて軽いものもあった。

中年の男の死体で信じられないほど軽いものがあった。新しい水槽で伸びのびして浮かんでいるそれを、木札を取りつけるために摑まえようとしている女子学生のとまどいを見て、僕は始めてその死者が片足であることに気づいた。運搬車の台の上で寝そべっている死体を、僕はあまり注意深くは見なかったのだ。死体はどれも似かよっていて、興味を激しく惹く個性的なものは無かったし、マスクをかけていてもアルコールの強い臭いと、その奥に沈澱している粘っこい死者の臭いは侵入して来て、それは時には耐えがたいほどだったから、僕らは死体から顔をそむけながら運搬した。そのために、運搬車から突き出ている死体の腕が解剖台につかえて、運搬車が転覆しかけたりした。

腕が拡げられたまま硬直している若い女の死者を僕らは運搬車に積み上げたが、それは球体のように不安定で、すぐに滑り落ちようとした。管理人は水槽の縁に載っている死体の腕に両手をかけて折りまげた。腕は木のような音をたてて抵抗し、それから、剝き出しの下腹部の上に重ねられた。管理人は、作業衣の袖に額をこすりつけて汗をぬぐい、僕は顎をしゃくってから運搬車を押した。

その死者を新しい水槽に沈めようとした時、僕の濡れたゴム手袋から、摑んだ両腿が滑り落ち、死体はアルコール溶液をはねちらした。

「気をつけてくれ」と管理人が、むっとしていった。「見ろ、俺の長靴に少しはねこみやがった」

女子学生も、作業衣に散ったアルコール溶液をゴム手袋ではらい落としながら、僕を非難にみちた眼で見た。

「とても滑りやすくて」と僕はいった。「しっかり握っていたんだけどなあ」

「比較的新しいのはよく滑るんだ」と管理人は、水槽に沈んで、なかなか浮かんで来ない死体を注意深く見はりながらいった。

それから、やっと表面に出て来た死体の踝を摑むと、女子学生から番号札を受けとり、素早くまきつけて、その死体を鷹揚《おうよう》な仕方で押しやりながら管理人はいった。「番号札がとれると後が面倒だからな。手荒くあつかうといけないんだ」

「そうだな」と僕は答えたが、手荒くという言葉はおかしい気がした。骨が軋んで折れるような音をたてるほど押しつけて腕を曲げるのは、手荒なことではないとこの男は思っているのだろう。それは足の、浮腫のある拇指にくくりつけた木札を決して毀損したり、なくしたりしないから。

「手荒なことはしない」と僕は片手で運搬車を引きずりながら陽気な感情でいった。

「大切なことだよ」と管理人はいった。

壁の時計が正午を指した時、僕らはまだ、十人の死者を新しい水槽へ移したにすぎなかった。僕らはまのびした時報を打つ時計の音を聞きながら、小柄な、しかしがっしりした死体を運搬車へ積みあげた。

「大学の構内で、時報を打つ時計はここだけなんだ」と管理人がいった。

「不思議だな」

「え?」

僕は激しい空腹を感じていた。しかし、食事を前にすると、急に食欲を失いそうな感じでもあった。

「この男は兵隊だった」と管理人が、新しい水槽に沿って停めた車の上の死者を見下ろしていった。

「戦争の終わりに、脱走しようとして衛兵に撃たれたという話だった。解剖する筈だったのに、終戦で取りやめになってね。俺はこの男が連れこまれた時のことを、よく覚えているよ」

僕は、兵隊が、細い腕首に頑丈な掌をつけているのを見た。兵隊は他の死者と同じように、ごく小さく見える頭部をしていた。死者たちの頭部は、生きている者の頭部にくらべて、ずっと小さく、重要性も軽く感じられ、胸や膨れた腹部ほど切実には関心を惹かなかった。しかし、僕は強いて想像力を働かせ、この男は生きている間、おとなしい思いつめた動物のような表情をしていたにちがいない、と考えた。この男が十年ほど前のある夜更け、激しい決意をしたのだ。

「これを終わったら食事にしよう」と管理人がいった。「番号札をつけて来てくれ」

女子学生は一人でこの部屋に残るはめになるのをおそれて、ためらっている様子だった。

「僕がつけて行くよ」

「頼むわね」と急いで僕に硬い木質の番号札を渡し、管理人についてドアの方へ歩きながら女子学生はいった。

そして僕が既に褐色にそまり始めたアルコール溶液を探り、兵隊の踝を摑もうとして苛立っていると、木札はゴム手袋の指の間をすりぬけて水槽に落ちこみ、どこに行ったのか分からなくなった。僕は左手で、兵隊の踝を握ったまま、体を押しつけあっている死体の間を探した。兵隊は僕の掌に摑まれて、硬直していた。

脱出したいだろうな、今こそ、ほんとの監禁状態なのだから。そうでもないよ。時々そういうことをやる者たちもいるがね。

信じないな、と僕は考えた。

「昼食はパンにしますか」と女子学生がドアの隙間から頭だけ覗かせていった。

「木札をなくしたから、探しているんだ。すぐ行くよ。行ってから定《き》める」

君が信じようと信じまいと、明るい褐色の皮膚をして階段を昇って行ったやつもいる。こんな所にいると、いろんな事を思いつくのだ。しかし俺はじっとしている。

兵隊の腕と脇腹との間に、木札は浮かんでいた。僕は兵隊の腰を押しやって木札を拾いあげた。兵隊は肩をアルコール溶液にぐいと沈みこませ、浮きあがる前に、ゆっくり回転した。

戦争について、どんなにはっきりした観念を持っているやつも、俺ほどの説得力は持っていない。俺は殺されたまま、じっとここに漬かっているのだからな。

僕は兵隊の脇腹に銃創があり、そこだけ萎《しぼ》んだ花弁のような形で、周りの皮膚より黒ずんで厚ぼったく変色しているのを見た。

君は戦争の頃、まだ子供だったろう？

成長し続けていたんだ。永い戦争の間、と僕は考えた。戦争の終わることが不幸な日常の唯一の希望であるような時期に成長してきた。そして、その希望の兆候の氾濫の中で窒息し、僕は死にそうだった。戦争が終わり、その死体が大人の胃のような心の中で消化され、消化不能な固型物や粘液が排泄されたけれども、僕はその作業には参加しなかった。そして僕らには、とてもうやむやに希望が融けてしまったものだった。

俺は全く、君たちの希望をしっかり体中に背負っていたことになる。今度の戦争を独占するのは君たちだな。

僕は兵隊の右足首を持ちあげ、形が良かったにちがいない太い拇指に、木札を結びつけた。

僕らとは関係なしに、又そいつが始まろうとしていて、僕らは今度こそ、希望の虚しい氾濫の中で溺死しそうです。

君たちは政治が嫌いなのかい？　俺たちは政治についてしか話さない。

政治？

戦争を起こすのは今度は君たちだ。俺たちは評価したり判断したりする資格を持っているんだ。

僕にも評価したり判断したりする資格がむりやり押しつけられそうですよ。ところが、そんな事をしている間に僕は殺される。それらの死者の中で、この水槽に沈めるのは、ごく選ばれた少数でしょう?

僕は兵隊の、体操選手のように簡潔で逞しい頭部、もじゃもじゃに縮れた髪が短く刈りこまれている、形の良い頭部を見つめた。この男は唇の周りに、綿密に生えそろった不精《ぶしょう》髭《ひげ》とそれにつながる乾いた皮膚とを、兎が咀嚼《そしゃく》するように動かしながら、腹の底から出す強い声で話しただろう。ところが眼には、確信がなくて、ひどく卑劣だったかもしれないな。僕はF5の番号札が、拇指の背に、ぴったり固定したのを確かめると、踝を離し、兵隊の体を強く水槽の奥へ押しやった。ゆるやかに、巨きい船のようにゆったりして、兵隊は小さい顎をあおむけたまま進んで行った。

管理人室では管理人だけが長椅子に寝そべっており、その横に女子学生の作業衣と手袋が置かれていた。

「あの人は?」と僕は訊ねた。

「水洗場へ手を洗いに行ったよ」

僕は作業衣と手袋をはずし、丸めて木椅子の上に置くと外へ出た。ドームの暗い石畳を走りぬけ、外光の中へ入って行くと、風景は新しい光に満ちており、空気が爽やかだった。仕事をした後の快活な生命の感覚が僕の体に充満した。指や掌に風があたり、それが官能的な快感を惹きおこした。指の皮膚が空気を順調に呼吸している、と僕は思った。

僕は付属病院前の濃い灰色の煉瓦を敷きつめた広い坂を下って行った。法医学教室の閉じた低い窓に面して広びろした柔らかな葉をつけた灌木が強く輝く緑色に茂り、その下枝に肩を触れながら僕は歩いた。鋪道には付属病院の入院患者が寝着のままで、厚いスリッパをはき、ゆっくり歩いていた。それは春さきの硬い水を泳いでいる鮒《ふな》のような感じだった。僕は胸をはり、深く息を吸いこみながら、歩いた。健康さが、僕の体の中で幾たびも快楽的な身震いを起こした。僕は靴紐を結びなおすために体をまげ、自分があれらの死者たちから、はるかに遠くにいる、と満足して思った。自分の体の柔軟さが喉にこみあげてくるほど感動的で新しいのだ。紅潮した頰の上で僕の眼は濡れた椎の実のようにつやつやと光っているだろうと僕は考えた。

坂の上からギプスを体中にはめた少年を載せた手押車を押して、中年の看護婦が下りて来ると、僕を追いぬいて行った。僕はズボンの埃をはらってから体を起こした。僕は看護婦の肩が静かに上下するのを見、少年のよくブラシをかけた頭髪が、淡い金色に光るのを見た。僕は歩幅をひろげ、彼女たちに追いついて行った。僕は明るい音にみちた言葉で看護婦や少年に話しかけたいと思いながら、暫く看護婦に並んで歩いた。看護婦は僕に、好意にみちた微笑をむけ、僕はそれに答えるために、微笑みながら少年のギプスをいれた肩に軽く指をふれた。この少年は僕を優しかった兄のようだと考え、長い間静かなもの思いにふけるだろう。

　僕はそのまま数歩あるき、少年の顔を覗きこんだ。それは、少年ではなかった。固定された頭をまっすぐ立てたまま、血管の膨れた額をした中年の男が、苛立ちと怒りにみちた眼で僕を睨んでいた。僕は男の憎悪が暗く沈んでいる眼を、それが可能な限り右横顔に引きつけられて僕を睨みつけているのを見た。

　僕はそのまま立ちどまり、明るい光のあふれる空気の中を看護婦たちは進んで行った。僕は茫然として立っていた。僕の体一面に、急激にものうい疲れが芽生え、育った。あれは生きている人間だ。そして生きている人間、意識をそなえている人間は体の周りに厚い粘液質の膜を持っており、こちらを拒む、と僕は考えた。僕は死者たちの世界に足を踏みいれていたのだ。そして生きている者たちの中へ帰って来るとあらゆる事が困難になる、これが最初の躓《つまず》きだ。僕はこの仕事に自分が深く入りこみすぎ、そこからうまく出られなくなるのではないか、と不吉な感情で思った。

　しかし、僕は今日の午後をずっと働いて、その報酬を受けとる必要があるのだ。僕は水洗場の方向へ駈《か》け出して行き、脇腹が痛みはじめても駈けやめなかった。女子学生は、コンクリート床の上に素足で立って、水道の蛇口からの水を足に受けていた。

「なぜ走って来たのよ」と喘《あえ》いでいる僕に女子学生がいった。

「僕は若いから時どき駈けたくなるんだ」と僕はいった。

「あなたは、ほんとに若々しいわ」と笑わないで女子学生はいった。

僕は女子学生の厚ぼったい皮膚が黄ばんでいる広い顔を見た。顔一面の注意力が弛緩しているように、女子学生は疲れてだらけきった表情をしていた。僕よりきっと二つは年上なのだろう、と僕は思った。

「私、艶のない皮膚をしてるでしょう？」と女子学生が、まばたかない強い眼で僕を見かえしていった。「妊娠しているせいよ」

「え？」と僕はいった。

女子学生は平気で甲の厚い足に水を流していた。僕は靴下を脱ぎ、コンクリート床に下りて隣の蛇口をひねり、水の噴出を直接に足指や踝にあてた。

「こんな事やっていいの？　それで」と僕は控え目な声でいった。「体に悪くないのかな？」

「知らないわ」と女子学生がいった。

僕は袖をまくりあげ、丁寧に両掌をこすりつけて洗った。女子学生はすばやく石鹼を僕に渡してくれ、乾いているコンクリート床の縁へ上がって足を陽に干しはじめた。

「男の子には、私の感情は分からない」と女子学生はいった。

僕は頑《かたく》なに閉じた薄い唇を掌の甲で拭っている女子学生を見つめて、黙っていた。

「受胎して、見っともない恰好になって行く自分を見ている時の感情は分からない」

「そりゃ分からないと思うけど」と僕は当惑していった。

「妊娠するとね、厭《いや》らしい期待に日常が充満するのよ。おかげで、私の生活はぎっしり満ちていて重たいくらいね」

僕はポケットから広いハンカチーフを取りだして足を拭った。「手術することだな」

「そうよ。だから手術料をかせいでいるの」と女子学生はいった。

「うんと貰えたら、一番良い部屋に入院するといいね」

「私の友達は、手術がすむとすぐ、自転車に乗って帰って来たそうだわ」

僕らは押しころした声で笑い、医学部の建物へ向かって歩き始めた。

「私がもし、このままじっとしていたら、どうなると思う?」と女子学生がいった。「十箇月私が何もしないでいたら、それだけで私は、ひどい責任を負うのよ。私は自分が生きて行くことに、こんなに曖昧な気持なのに、新しくその上に別の曖昧さを生み出すことになる。人殺しと同じくらいに重大なことだわ。唯じっとして何もしないでいることで、そうなのよ」

「君は病院に行って処理することにしているのだろう? その費用のために、こんな仕事をしているんだし」と僕は自信のない声でいった。「君はじっとしている訳じゃない」

「私はその人物を抹殺したという責任をまぬがれないわ。彼はレスラーみたいに巨きくなる権利を持っているのかもしれないし、その事がむだなことだと定める資格が私にあるかしらね。私はまちがった事をしようとしているのかもしれない」

「君は彼を生むつもりがないんだろう？」

「ないわ」

「それなら、簡単だ」

「男の子にとってはね」と激しく女子学生はいった。「それが殺されたり、育ちつづけたりするのは、私の下腹部の中でなのよ。私は今も、それにしつこく吸わぶられているのよ。傷みたいにそれの痕が残るのは私によ」

僕は黙って、女子学生の苛立ちが手で摑める物のように僕に向かって押しよせるのを受けとめていた。僕には理解できない部分が根深く、この女子学生の意識の中に居すわっているのだろう。そして、それは僕にはどんな関係も持たない。

「私はやりきれないどんづまりに落ちこんでしまったわ。自分が無傷でそこから這い出る方法はありはしないのよ。私はもう自分で気にいったやり方を選ぶ自由なんかない」

「大変だな」と僕は欠伸《あくび》をかみころして、眼がむずがゆくなるのを感じながらいった。

「大変だわ」と急に白けた声で女子学生はいった。「疲れてしまうわよ」

昼食をすまし、後かたづけをする女子学生を残して僕と管理人が死体処理室へ下りて行くと古い水槽の部屋の解剖台の周りに、二人の医学部の学生と中年の教授が立っていた。

僕らが近づこうとするのを教授が制し、僕らは水槽にそって立ったまま、解剖台の上を見つめた。そこには十二歳ほどの少女の新しい死体が置かれていた。死体は僕に向かって広く両肢を開き、それへ教授の指導で、学生の一人が血液を凝固させるためのホルマリン液と色素を注射していた。

死体に屈みこんでいた学生が注射器を持って体を起こすと、僕はそれまで学生の白衣の背にかくされていた少女のセクスがあけひろげに、僕の前にあるのを見た。それは張りきって、みずみずしく生命感にあふれていた。それは強靭に充実して、健康でもあった。僕はそれに惹きつけられ、愛に似た感情でそれを見まもっていた。

君は激しく勃起したな。

僕は恥じてそこから眼をそらし振りかえって、水槽の中の死体を見た。彼らの全てが僕の背を執拗に見つめていたような気がし、僕は彼らにうしろめたかった。僕は管理人をうながして、その一つを持ち上げ、運搬車にやや手荒に載せた。

僕らが解剖台の間を通りぬけようとした時、僕の曲げた肱《ひじ》が学生の腰に触れた。それまで僕に全く注意をはらわなかった、そのよく肥えて白い頬をした男は僕を振りかえり、鋭い声で咎めた。

「君、注意しないか。危ないじゃないか」

僕は彼の丸っこい指に注射器が握られているのを見ながら、眼をふせて黙っていた。

「おい、聞こえないのか」

僕は学生の顔を見あげた。彼の顔にかすかな狼狽《ろうばい》のけはいが浮かび、すぐに消えたが、彼はもう僕を咎めなかった。そして、意識した熱心さで死体に屈みこんだ。僕は少女のクリトリスが植物の芽に似ているのを素早く見た。車を再び引きながら、なぜあの男は僕を見つめて狼狽し、僕から眼をそらしたのだろう、と僕は考えた。それは僕の根深い所で陰険な不快感と結びついた。あいつは僕を、賤しい人間のように見た。僕は、わざわざゆっくり死体をおろし、それに新しい木札を取りつけることにも時間をかけ、管理人が苛立って、僕の手許を見つめているのにかまわないで木札の紐《ひも》を何度も結びなおした。あの男は僕を、賤しい人間を見る者の不快さを感じながら見ていた。そして僕を咎める気持をなくした。その上、できるだけ早くその不快感から逃れるために死体へ屈みこんだ。それも、自分のその感情が正当であることを教授と仲間に承認を強いるような、明らかな、わざとらしさで注射器をかざしながら。あれはなぜだろう。あれは、どういうことだろう。

僕は紐を、しっかり締めつけると、半白の頭髪を短く刈った死者の小さい顔を見た。それは、ある種の両棲動物に似ていた。

君のことを、あの学生は、俺たちの同類、少なくとも俺たちの側のもの、と見たんだろう。

僕が君を、運搬車に載せて運んでいたからだろうか。

ちがうとも。むしろ、君が俺たちの同類の表情、汚点のようなものを、体中に滲ませているからだ。始め君が管理人に対して感じた優越を考えて見ればいい。

僕は体中が拭いきれないほど汚れているような気がし、また体中のあらゆる粘膜が死者の臭いのする微粒にこびりつかれて強張《こわば》っているような、いたたまれない気がした。

隣の部屋でドアを開き、出て行く靴音がした。僕は水槽の縁についていた手を離し、古い水槽の部屋に戻って行った。管理人は運搬車を押して先に帰っていた。解剖台には、濡れた麻布が覆ってあり、その傍に教授だけが残っていた。あの布の下で、あんなに生命にみちたセクスを持つ少女が《物》に推移し始めているのだ、すぐにあの少女は、水槽の中の女たちと同じように堅固な、内側へ引きしまる褐色の皮膚に包まれてしまい、そのセクスも脇腹や背の一部のように、決して特別な注意を引かなくなるだろう、と僕は考え、軽い懊悩《おうのう》が体の底にとどこおるのを感じた。

管理人と並んで水槽を覗きこんでいた教授が僕を振りかえって、死体を見るような眼のまま、僕の体中を見まわした。

「君は、新しい傭員なのか?」

「アルバイトの学生です。死体を移す仕事の間だけ来ています」と管理人がいった。

僕は曖昧に礼をし、教授の眼に好奇心に充ちた表情が浮かぶのを億劫《おっくう》な気持で見た。

「え?　アルバイト」と教授は横に開いた血色の良い耳を振りたてていった。「君は、ここの学生なの？」

「ええ、文学部です」

「ドイツ語？」

「いいえ。フランス文学科にいます」

「ああ」と満足に堪えない調子で教授はいった。「卒論は誰を書くの？」

僕はためらってから、思い切っていった。「ラシーヌです。ジャン・ラシーヌ」

教授は顔中、皺だらけにして、子供のようにだらしなく笑った。

「ラシーヌをやる学生が死体運びとはねえ」

僕は唇を噛んで、黙っていた。

「こんな事、何のためにやっているんだ？」と教授は、強いて真面目な顔になろうとしながら、しかし笑いに息を弾ませていった。「こんな仕事」

「え？」と僕は驚いていった。

「死体について、学問的な興味でもあるのかね」

「お金をほしいと思って」と僕は、率直さをよそおっていった。

そして僕の予想した通りに、教授の内部で何かが衝突し、うまく行かなかった。教授は硬い表情になっていった。

「こんな仕事をやって、君は恥ずかしくないか？　君たちの世代には誇りの感情がないのか?」

生きている人間と話すのは、なぜこんなに困難で、思いがけない方向にしか発展しないで、しかも徒労な感じがつきまとうのだろう、と僕は考えた。教授の体の周りの粘膜をつきぬけて、しっかりその脂肪に富んだ体に手を触れることは、極めて難しい気がした。僕は疲れが体にあふれるのを感じながら、当惑して黙っていた。

「え? どうなんだい」

僕は眼をあげ、教授の嫌悪にみち苛立っている顔を見た。その背後に立って僕を見つめている管理人の顔にも、蔑みの表情があらわなのを見て、僕は激しい無力感にとらえられた。この手ごたえだけ重い、不可解な縺《もつ》れをとくことはできないな。生きている人間を相手にしているのでは、決してそれは、やれないな。

僕は竿を取りあげて水槽に屈みこみ、壁ぎわの揚蓋の下で背を半ばこちらに向けて沈みかかっている、がっしりした首筋の男の死体を引きよせようとしたが、それは動かなかった。僕は背後に、管理人と教授の眼を感じながら、竹竿を死体の下に差しいれて、押しあげようとしたが、死体は限りなく重かった。どうしたのだろうな、どこかが、引っかかっていて思うままにならない。これは、なぜ重いのだろう。

管理人が近づいて、僕から竹竿を取りあげると、それを死体の脇の下へ深く押しいれて、二、三度、軽くよじった。死者は力なく浮きあがり、竹竿を押しかえすように体を回した。

「君には何一つうまくできないんだな。このごろの学生は定まってそうだ」と管理人がいった。

僕は頑なに、水槽へ屈みこんだまま、死者が近づいて来るのを待ち、背や首筋に、教授の執拗な視線のまといつきを感じ続けた。死者は重い荷物をささげた男のように腕の筋肉を強張《こわば》らせ、顎を突き出して近づき、僕はアルコール溶液をはねちらしながら、そのよく肥えた肩を荒あらしく捉えた。

「もっとうまく摑まえろよ」と押しかぶせるように管理人がいった。

しかし僕は午前に比べて、作業にかなり熟練していたのだ。女子学生が戻って来ると、仕事が順調に運び始めると午前よりずっと、能率が上がった。管理人は壁に接して沈みかけているような死体を、彼の竹竿で極めて巧みにたぐりよせ、また新しい水槽で入口の側に群がっている死体を押しやって分散させ、次の死体を滑りこませる作業を容易にした。

三時近くなると、体がゴムの作業衣の下で汗ばみ始め、手袋に触れる手の甲がむずがゆかった。僕らは時どき廊下に出て、作業衣を外し、体を拭った。しかし、どうかするはずみに、冷《ひ》んやりした空気が首筋から入って来ると、悪寒で身震いするほどだった。僕は空気の底に沈澱する臭いにかまわないで度たびマスクを外し、鼻孔いっぱいに空気を吸いこんだ。

仕事は快調に進行し、僕らは黙りこんで、働き続けたが、時どき、作業は手洗いへ行くために中断された。僕らは作業衣と手袋をとり、揃って廊下に出て行く。最も時間をかけて、後れて戻って来るのは女子学生だった。廊下で手持ぶさたに待っている僕に、駈けて戻って来た女子学生が低い声でいった。

「男の子は良いわね」

「え？」と僕はいった。

「簡単にできるでしょ。女だと面倒で厭《いや》になるわ」

僕は曖昧にうなずき、管理人が僕らの会話へ加わろうと近づくのを避けて室内へ入って行った。女子学生は執拗に僕の耳へ口を近づけるために体をすりよせながらいった。

「トイレで蹲《しゃが》みこんでいるとね、死んだ人たちが私の剝き出しのお尻を支えに来るような気がするのよ。ぎっしり私の後に死んだ人たちがかたまって、私を見つめているみたい」

僕は女子学生の濃い隈のある瞼やざらざらした頰の皮膚をまぢかに見ると、疲れが濡れて重い外套《がいとう》のように体を包むのを感じた。しかし僕は低い声で笑った。

「するとね」と女子学生は自分も声だけ笑いながら粗い睫《まつげ》を伏せていった。「私のお腹の皮膚の厚みの下にいる、軟骨と粘液質の肉のかたまり、肉の紐につながって肥っている小さいかたまりが、この水槽の人たちと似ているように思えてくるのよ」

「君はとても疲れているんだな」と僕は女子学生をもてあましていった。

「両方とも人間にちがいないけど、意識と肉体との混合ではないでしょ？　人間ではあるけれど、肉と骨の結びつきにすぎない」

《物》であるという事だな、人間でありながら、と僕は思ったが、女子学生の言葉を理解できないふりをし、手袋と作業衣とを着け始めた。僕は女子学生が、おそらくは疲れのせいで饒舌《じょうぜつ》になり、馴れなれしすぎるのを厄介に感じていた。

「思いつきにすぎないけど」と自分も作業衣の袖に腕を差しこみながら興味をなくした声で女子学生はいった。

「思いつきさ」と僕も冷淡にいった。

「おい」と新しい水槽の部屋で管理人が叫んだ。「新規の番号札は、もうこれっぽっちしかないのか。来てみてくれないか」

女子学生は大きすぎるゴム長靴をばたばた鳴らして駈け出し、アルコール液のしたたりが作った褐色の帯の下で足を滑らせ、ひどく不様な恰好で倒れた。起き上がった時、女子学生は唇を噛みしめ、体中をおびえが走りまわるような表情をして黙っていた。僕の喉までこみあげて来た笑いが急に消えた。

午後五時に、表面に浮かんでいるすべての死者を僕らは新しい水槽に移し終え、付属病院の雑役夫がアルコール溶液を流し出しに来るまで、ひとまず管理人室に上がって休むことにした。雨が降りはじめていた。夕暮れた空気の奥で、講堂の時計塔が霧に包まれ、城のようだった。図書館の煉瓦壁にも、半透明な霧の膜がからみつき、よく発達した黴《かび》に似ている。僕と管理人は夕食の代りの餡パンをよく食べたが、女子学生は殆ど食べなかった。僕らは降りつづける雨を見ながら、食後の時間を黙ってすごした。僕は自分の胃の中の消化の動きを感じていた。

「あなたには、お子さんがおありでしょう?」と不意に女子学生がいった。

「え?」と狼狽した管理人がいった。「あるよ。それがどうしたんだ」

「妊娠の初期に、精神的なショックが激しいと、良くありませんか。たとえば奇怪なものを見るとか」

「それは悪いだろうな。はっきりした事は知らないよ」と管理人は考えこんでいった。

「それで?」

「いいえ」と女子学生が急いでいった。「なんという事もないけど」

「俺に子供がある事がおかしくはないだろう」と疲れて不機嫌な声で管理人はいった。

「長男は結婚して、子供もあるよ」

女子学生は、管理人の子供の話に興味を持っているふりをしていたが、それを聞いてはいなくて、自分だけの考えにふけっている様子だった。

「俺に最初の子供が生まれた時には、不思議な感情だったたな」と管理人がいった。「毎日死んだ人間を、何十人も見廻って歩いたり、新しいのを収容したりするのが俺の仕事だ。その俺が新しい人間を一人生むというのは不思議だな、むだなことをしているような気持だった。俺は死体をいつだって見ているのだから、いろんな事のむださが、はっきり分かってね。子供が病気になっても医者にかけなかった。ところが子供は頑丈に育つ。そして、その子供が又、子供を生むとなると、俺は時どき、どうしていいか分からないな」

女子学生は黙っていた。管理人は欠伸《あくび》をし、眼を涙でうるませて、ひどくがっかりした表情を僕にむけた。

「え？　いろんな死んだのを見ているとね、子供の成長に熱中できないね」

「そういうものかなあ」と僕はいった。

「長男が生まれた年に俺が木札をつけた死体が今でもじっと沈んでいて、それほど変色していないからね。熱中できないな」

「どちらに？」

「どちらにも熱中できないよ」と管理人はいった。「まあ、時には生きがいを感じることもあるがね。あんたみたいに若い学生が、あの部屋で働くのはどうだい？　変な気持だろう？」

「変な気持でないこともないな」

「希望を持っていても、それがぐらぐらしないか？　あれを見ると」

「僕は希望を持っていない」と僕は低くいった。「希望がないなら」と激して管理人がいった。「どうして学校へなんか行っているんだ。ここは競争が激しくて難しいだろう。その学校に入って、しかもこんなアルバイトまでして、なぜ勉強しているんだ」

僕は色の悪い唇を震わせ、その両端に唾液の小さい沫《あわ》をためて僕を見つめている管理人の疲れた顔を見て、とうとう面倒な所へ入りこんでしまったな、と考えた。いつだって、こんな所へ入りこむと、こんぐらかって来る。説得する事はできない。特に、こういう男に理解させることは難しい。それに、この男に理解させて、それがどんな効果を持つだろう。しかも、こういう男を説得しようとして、頭が歌いすぎた喉のように乾いてほてるまで議論し続けたあと、僕は自分自身に帰ってくるのだ。そして、自分がひどく曖昧で、まず自分を説得しなければならない厄介な仕事が置きっぱなしになっている事に気がついて、やりきれない、慢性の消化不良のような感情になる。損をするのは、いつも僕だ。

「え？　どういう事なんだ。あんたはもう絶望したなんていっていられる年頃でもないじゃないか。けちな女学生みたいな事いうなよ」

「そういう事じゃなくて」と僕は自信なくいった。「希望を持つ必要がないんだ。僕はきちんとした生活をして、よく勉強しようと思っている。そして毎日なんとか充実してやっているんだ。僕は怠ける方じゃないし、学校の勉強をきちんとやれば時間もつぶれるしね。

僕は毎日、睡眠不足でふらふらしているけれど勉強はよくするんだ。ところが、その生活には希望がいらない。僕は子供の時の他は希望を持って生きた事がないし、その必要もなかったんだ」

「あんたには虚無的なところがある」

「虚無的かどうか知らないが」と僕は、女子学生が僕らに全く無関心で黙っている事に、苛立ちながらいった。「僕は一番良く勉強する学生の一人だ。僕には希望を持ったり、絶望したりしている暇がない」

「分からないな」と管理人がいった。

僕は口を噤《つぐ》み、ぐったりして椅子の背に体をもたせかけた。こういう事は話しようが無いな、僕に説得力のある言葉が見つからないという事でもなさそうだ、と僕は白けた気持で思った。

女子学生が急に立ち上がり、部屋の隅に行って、ハンカチーフの中に少し吐いた。僕は追いかけて行き、痙攣している女子学生の背を軽く掌でたたいた。女子学生は、背をよじってそれを避け、振りかえって、うるんだ眼で僕を見あげながらいった。

「私、どうもおかしいのよ。さっき地下室で転んだでしょ。あのせいじゃないかしら」

「え？」と僕は喉に絡んだ声でいった。

「下腹のあたりが締めつけられて苦しいのよ」

「看護婦を見つけて来てくれ」と管理人がいった。

僕は管理人が女子学生を長椅子に坐らせている間に、急いで部屋の外へ出て行った。僕は医学部付きの看護婦の控室へ階段を駈けのぼった。乾いた舌が歯茎にひくひく触れ、背が一面に汗ばみ始めるのを感じた。作業衣を最初に出してくれた中年の看護婦が、束にした棒雑巾を床に置いて縛《しば》りなおしていた。僕は走るのを止めたが、廊下の石床にゴム長靴が粘液質の強い音をたてるのを抑えることができなかった。僕の体の深みに、統制できない、ぐいぐい頭を持ちあげてくる曖昧な感情があるのだ。

「アルバイトの仲間が少しおかしいんです」と僕は看護婦の、しみのいっぱいある、艶つやした小さな顔を見下ろしていった。

「どうしたの、え?」と看護婦は首を突きだして、色の悪い歯茎を見せながらいった。

「仲間って、あの女の子?」

「来てください」と僕はいった。

看護婦と一緒に階段を下りながら僕は、低くいった。「妊娠しているんだそうです。今日の午後、地下室のタイルの上で転んだから、そのせいで、もしかしたら」

「ひどい事をするわね」と看護婦はいった。「厭な話だわ」

そうだな、厭な話だ、と僕は思った。こう執拗に絡みつかれては、やりきれないな。女子学生は小鼻の周りに小粒の、きらきらする汗をいっぱい浮かべて屈みこんだ姿勢から、体を起こした。疲れきってぼんやりした、悪い表情をしており、僕は胸をしめつけられた。

看護婦は白っぽく乾いた、小さな掌を女子学生の額にあてながらいった。「どうなの、苦しいの？」

「ええ、なんだか」とうわずった幼い声で女子学生がいった。

「控室へいらっしゃい。先生に来ていただくから」と看護婦は僕に向かっていい、ドアにもたれて心配そうなぎごちなさで女子学生を見まもっている管理人の横をすばやくすりぬけて出て行った。

「歩けるのか」と管理人が僕にいった。

僕は頭を振り、女子学生の肩を支えてゆっくり廊下に出、すぐに屈みこもうとする女子学生の肩に回した腕に力をこめた。階段を上がり始める所で、女子学生が歯を喰いしばって呻《うめ》きを耐えるのを僕は感じた。僕は女子学生が屈みこむままに任せ、女子学生はハンカチーフに胃液を少し吐いた。汚れたハンカチーフをそのまま、そこへ棄てて立ち上がり、女子学生は僕に向かって口を歪《ゆが》めて見せた。

「今ね、私は赤ちゃんを生んでしまおうと思い始めていたところなのよ。あの水槽の中の人たちを見ているとね、なんだか赤ちゃんは死ぬにしても、一度生まれて、はっきりした皮膚を持ってからでなくちゃ、収拾がつかないという気がするのよ」

全く、この女子学生は罠《わな》にひっかかってしまっている、と僕は考えた。

「君は面倒なところへ入りこんでしまったな」と僕はいった。

「おとし穴よ」と女子学生が喘いでいった。「こんな事だと思っていたわ」

控室の横の小さな部屋の入口で、看護婦が待っていた。女子学生がそこへ連れこまれるのを僕は廊下に立って見まもり、それから、ドアを閉ざして引きかえした。

管理人室に戻って来ると病院の制服を着た雑役夫が二人来ており、長椅子に腰かけて煙草を喫《の》んでいた。そして、窓枠にもたれた管理人と、医学部の助教授らしい若い男とが話しこんでいた。アルコール溶液を流し出しに来たのだな、と僕は思ったが、雑役夫たちは手持ぶさたに煙草の煙を吐きちらしているし、助教授と管理人は苛立って議論しており、様子がおかしかった。僕は管理人たちに近づいて行った。

「事務室の手ちがいだ」と助教授が念を押すようにいった。「古い死体は全部、死体焼却場で火葬する事に定まっている。それは、医学部の教授会での正式な決定なんだ。君の仕事は、今日の昼の間に、死体を整理しておいて、焼却場のトラックに引き渡す事だろう？僕は、もうすっかり準備ができたと思って、この人達に来てもらったんだ」

管理人は狼狽して蒼ざめていた。「そんな事いって、新しい水槽はどうするんです。掃除して、アルコール溶液を入れかえただけで、ほっておくんですか？」

「新しい死体を収容する事になっている。考えて見たまえ。使えなくなった古い死体をだよ、新しい水槽に、わざわざ移すなんて、意味がないじゃないか」

僕は管理人が追いつめられた小動物のように、激しい絶望的な敵意にみちた眼で助教授を睨みつけるのを見た。管理人は、唇の周りに唾液をいっぱいためて拳を硬く握り、唸るような声でいった。

「古くなって使えない死体なんていうが、三十年もこの水槽を管理して来たのは、俺なんだぞ」

「使えない、というのはね。医学的な見地からなんだ。使ってみても正確な効果を期待できない、という事です」と助教授は管理人を相手にしないで、むしろ僕の方に向きなおりながらいった。「それに医学部では、新しい死体に困っていない。だから、この際、一応古い死体を全部処理する事にして、文部省から予算も下りたんだ」

管理人は黙りこみ、眼をふせて考えこんでいた。

「とにかく、仕事を始めようじゃないですか」と雑役夫の一人が煙草を靴で踏みにじりながらいった。「準備してない、といったところで、焼却場の予定は組まれてあるし、トラックも持って来たんだからね」

「始めて下さいよ」と助教授はいい、管理人を振りかえった。「え？　仕方がないじゃないですか。事務室はとっくに閉まったんだし、明日文部省から視察に来るんだ」

黙ったまま管理人は作業衣を取りあげ、僕らは地下室への階段を下りて行った。雑役夫は手押式の吸上げポンプとゴムホースを肩にかついで、それが階段の手摺《てすり》に鈍い音をたてて、ぶつかり続けた。こういう話だと、むだ働きした事になるな、と僕は思った。手ちがいが事務室にあるのだったら、アルバイトの報酬はやはり、はらってくれるのだろうか。面倒になりそうだな、時間の計算などで割が悪くなるかもしれない。僕は助教授に追いついて訊ねた。

「僕は今日、死体を新しい水槽に移す仕事をやったんですけど、事務室で最初、アルバイトの申込みをした時から、こんな話でしたよ」

「事務室が何をいったか知らないが、そんな仕事は、むだだろう？　今夜、死体焼却場へ運ぶという事は前から定まっていたんだ」

「でも、手ちがいは向こうなんだから、報酬はきちんと、はらってくれるでしょうね」

「まるで必要のない仕事をしてかい？」と助教授は冷淡にいった。「僕は知らないよ。管理人に聞いてみることだな」

僕は、ことさらにゆっくり降りて来る管理人を振りかえったが、管理人は黙ったまま、苛立たしげに顔をそむけた。

「ひどいものだな」と僕はいった。

「一応、死体の運び出しを手伝えよ。それから報酬のことは、君の方で事務室と交渉するんだな」と助教授がいった。

「でも、僕は始め、午後六時まで働くという約束だったんだけれど。超過した分だけ、割増しをしてくれる事はありえないし」

助教授はそれに答えないで、素早くマスクをかけると死体処理室の入口のスイッチを押した。電灯の光の下では、新しい水槽に浮かんだ死者たちの皮膚は、硬く引きしまった感じを失って、ぶよぶよと脹れぼったかった。そしてそれらは、天窓からの光で見るより、ずっと醜くよそよそしかった。

水槽に近づいて行き、屈みこんで助教授がいった。「おい、これを見ろよ。新しいアルコール溶液が、すっかり変色してしまったじゃないか」

振りかえった彼の顔は怒りに斑《まだら》な紅潮を浮かべていた。そして彼は、答えないでいる管理人へ強い語調でいった。

「おい、責任は君にあるんだからな。これは君の進退問題だよ。明日までに、もう一度新しい溶液を入れかえるのが、まにあわなかったら、それは君の責任だよ。溶液の費用だって、君、安くはないんだよ」

「この分じゃ、夜明けまでに作業をすませるのは、おぼつかないな」と雑役夫の一人がいった。

「おぼつかないなんて、いっちゃ困るよ」とそれへ押しかぶせて助教授はいった。「明日の午前中に、文部省の視察があるんだ。それまでに両方の水槽を清掃して、溶液を入れかえる事に定まっているんだ」

「責任は取りますよ」と喉の奥で圧しつぶされたような低い声で管理人がいった。「取ればいいでしょう?」

「そうですか」とますます冷淡に助教授はいい、肩をそびやかした。

僕らは作業衣をつけ、ゴム手袋をはめて、死体運びを始めねばならなかった。二人ずつ組み、死体を持ちあげ、廊下へ運び出し、医学部の解剖学教室へ通じるエレヴェーターで運びあげると、その死体積出口に荷台を押しつけている焼却場のトラックへそれを積みこむ。トラックには別の雑役夫がいて、手伝ったが、作業は困難で、すぐに息ぎれして、僕は体が汗まみれになるのを感じた。しかも、雨は霧のように細かくなってはいたが降り続き、トラックへ積みこむ時、死体積出口から乗り出した僕の首筋や頬を濡らした。トラックの荷台へはうまく死体を乗せることが難しく、雑役夫たちは手を滑らせ床の上へ死者の一人を横転させた。

「大切にあつかってくれ」と怒りにふるえる声で管理人が叫んだ。

「ぜいたくなものだな、こいつら」と雑役夫が低い声でいった。

すっかり夜になり、僕らは熱心に仕事を続けたが、仕事は捗《はかど》らなかった。管理人が、解剖台に腰かけて腕ぐみし、不機嫌に僕らの作業を見守っている助教授に、躊躇したあと卑屈な声でいった。

「付属病院に電話して、雑役夫を何人か、よこしてもらったらどうです。余分の人数を。これだけじゃ、とてもやれません」

「君が電話してくれよ」と助教授はいった。「この部屋の作業は君の責任だろう?」

管理人は、むっとし、しかし気弱く肩をすくめて事務室への階段を上がって行った。

僕は、その間助教授が僕と組んで、仕事を続ける意図を全く持っていないらしいのを見て、女子学生の寝ている部屋へ、階段を駈け上がった。

ドアを開くと、看護婦はいなくて、長椅子に体を毛布に包んだ女子学生が小さく横たわっており、僕を振りかえった。

「どうだったの?」と僕はいった。

「まだ分からない。先生が皆、ごたごたで忙しいんだって。明日、文部省から、誰か来るせいですってさ」と女子学生は顔をしかめていった。「看護婦さんが、付属病院へ行ってくれているのよ。苦しくはなくなったけど、とても起き上がれないわ」

「ずっと一人で待っていたの?」

「仕方がないでしょ」

僕は長椅子の傍へ木椅子を引きよせ、それに坐ってからいった。

「事務室がまちがっていたらしくてね、昼の間僕らがやった仕事はむだらしいんだ。病院から雑役夫が来て、死体を全部、運びだしている」

「どうするの？」

「火葬にするんだって」

「じゃ」と女子学生が弱よわしい声でいった。「私たちが、新しい水槽へ運びこんだり、番号札をつけたりしたのは、すっかり、むだな訳ね」

「変な話だよ」

女子学生が体をよじり、小さな声をたてて笑い、それが細長い部屋の壁につきあたり、短く反響した。僕も笑ったが、笑いは喉のあたりで粘ついて声にならなかった。僕は女子学生の体からずり落ちた毛布を掛けなおした。僕の腕の中で、女子学生の体は、ひくひく痙攣《けいれん》し、笑いが女子学生の皮膚の下を、息をひそめて駈けまわっているようだった。

「私は台帳に記入したのよ、新しい番号と古い番号とを並べて線を引きながら」

そして女子学生は新しい笑いに顔を真っ赤にしたが、それは声にならず、すぐに熄《や》んだ。立ちあがって僕はいった。「トラックに積みこむ仕事が夜明けまでに済むかどうかも、分からない。僕らの報酬のことも、はっきりしないんだ」

女子学生は眉をひそめ、寒さにかじかんだような顔になり、そこには笑いはすっかり、影をひそめていた。

「あなたは、臭うわね」と女子学生が急にいい、顔をそむけた。「とても臭うわ」

僕は女子学生の頑なに天井を見上げたままの、逞しい首が少し垢じみているのを見おろし、君だって臭うよ、という言葉を嚙みころした。

女子学生は非常に老けた、疲れきった表情をしており、それは病気の鳥のような感じだった。僕自身が、こういう表情になるのは我慢できない。

「出て行ってよ、臭いが厭なのよ」と女子学生がいった。

僕は汗に濡れた体がすっかり冷えて来るのを感じ、作業衣の襟を喉にまきつけて部屋の外へ出た。

解剖学教室の前で、管理人が前屈みに急いで来るのに会った。管理人は僕に体をすりよせて来ると、力のない声でいった。

「時間外で、もう雑役夫は来れないそうだ。この人数で今夜中に、仕事をやってしまうのは難しい」

「仕方がないなあ」と僕はいった。

「あんたは、最初、事務室で仕事の説明をしたのが俺でなくて、事務の男だったことを覚えているだろう？　覚えといてくれよな」

僕は、曖昧にうなずき、僕の肩に置かれた管理人の重い掌を外して解剖学教室へ入り、死体積出口へ行った。

暗い窓口から、トラックの数段に重なった積台の上の、数かずの死者の足うらが白く浮きあがって見え、それらはひどくよそよそしかった。僕は眼をこらして、よく見たが暗くて、死者の足の拇指に結びつけた木札は見えなかった。

エレヴェーターが低い回転音をたてて、ゆっくり上がって来ると、雑役夫たちが死体を運び出した。彼らは積出口から、箱をおくり出すように死体をおくり出し、灯《ひ》のあたらない暗い空間から、逞しい腕が出てそれを支え、トラックの積台の一つに押しこんだ。死者は少し身動きし、足うらを扇形に開いて安定した。

「おい、怠けるなよ」と雑役夫の一人が僕にいった。

「え?」とトラックの積台の下から腹を立てた声がした。

僕は廊下に出た。

今夜ずっと、働かなければならないだろう、と僕は考えた。それは極めて困難で、億劫《おっくう》な、骨のおれる仕事だと思われた。しかも、事務室に、報酬をはらわせるためには、僕が出かけて行って交渉しなければならない。僕は勢いよく階段を駈け下りたが、僕の喉へこみあげて来る、膨れきった厚ぼったい感情は、のみこむたびに執拗に押しもどして来るのだ。

他人の足

僕らは、粘液質の厚い壁の中に、おとなしく暮らしていた。僕らの生活は、外部から完全に遮断されており、不思議な監禁状態にいたのに、決して僕らは、脱走を企てたり、外部の情報を聞きこむことに熱中したりしなかった。僕らには外部がなかったのだといっていい。壁の中で、充実して、陽気に暮らしていた。

僕は、その厚い壁に触れてみたわけではない。しかし、壁はしっかり閉ざしており、僕らを監禁していた。それは確かなことだ。僕らは、一種の強制収容所にいたのだが、決してその粘液質の透明な壁に、深い罅《ひび》をいれて逃亡しようとはしなかった。

それは、海の近い高原に建てられた、脊椎《せきつい》カリエス患者の療養所の、未成年者病棟だった。十六歳の僕が最も年長で、次は十五歳の唯一人の少女、残りの患者は五人とも十四歳だった。僕らの病棟は、個室とサンルームから成っていて、僕らは二人ずつ個室へ配られて夜を過ごしたが、昼の間は、大きいサンルームに寝椅子を並べて、日光浴した。僕らは、静かな子供たちだった。ひそひそ囁《ささや》きあうとか、声を殺して笑うとかしながら、あるいは黙りこんで、僕らは褐色に皮膚の灼けた体をじっとさせていた。時々、大声で叫んで、看護婦に便器を運ばせるほかは、長く単調な時間を、僕らはじっとして生きている。

僕らは殆ど、歩き始める可能性を、将来に持っていなかった。院長は、おそらくその理由で、僕らを大人の病棟から広い芝生を隔てて独立している一棟に集めて、特殊な社会の雛型《ひながた》を作りあげさせる事を意図していたのだし、それは、かなり成功していた。その時も、十四歳の少年の一人が、複雑な方法で自殺未遂し、その後サンルームの隅で黙りこんでいた他は、みんな快楽的に生きていたのだ。

しかも僕らは、快楽に恵まれていた。それは、僕らの係の看護婦たちが、シーツや下着を汚されることをおそれて、あるいは彼女たちの小さな好奇心から、そして殊に、今までの習慣から、僕らに手軽な快楽をあたえてくれたからだった。僕らの中には、時どき昼の間も係の看護婦に、車つきの寝椅子を押させて個室へ帰り、二十分ほどたって、頰を紅潮させた看護婦を従えて、得意げに戻って来る者がいた。僕らは彼を忍び笑いで迎えた。

僕らはゆったりし、時間について考えず、快楽にみちて暮らしていた。しかし、その男が来て、凡《すべ》てが少しずつ、しかし執拗に変わり始め、外部が頭をもたげたのだ。

ある五月の朝、その男は両脚にかさばるギプスをつけて、サンルームに現れた。皆、彼を意識的に無視して低い声での会話や忍び笑いを続けていたが、彼は気づまりな様子だった。暫く、ためらったあと、彼は寝椅子が隣りあわせていた僕に話しかけた。

僕は学部に進むところだったけど、と彼は低く細い声でいった。両脚をだめにしちゃったんですよ。三週間たって、ギプスを外してみて、どうなるか定《き》まるんだけど、きっと、だめだろうと医者がいってました。

僕は冷淡にうなずいた。僕を含めて、この病棟の若い患者たちは、お互いの病状について話したり聞いたりすることに、飽きあきしていたのだ。

君はどうなの？　と学生は僕を覗きこむように肩をあげていった。ひどいカリエスなんですか。

自分の病気の事まで覚えていられないよ、と僕はいった。僕が覚えてなくても、一生病気は僕を見棄てないからね。

辛抱強くしなければだめよ、と僕の寝椅子の背に倚《よ》りかかっていた看護婦がいった。そんな投げやりな事いわないで、辛抱強くなってよ。

僕は辛抱強くなくても、足は理想的に辛抱強いからね。

僕が君に話しかけた事、不愉快でしたか、と喉につまった声で学生がいった。

え？　と驚いて僕はいった。

僕は慣れていないから。

あんたたち、仲良くしてね、と看護婦がいった。今夜から、あんたたち二人が一緒の部屋に寝てもらうわ。他の人は子供でしょ。

手で動かすことのできる大きい車輪のついた寝椅子を近づけて来た少年の一人が学生にいった。

君、僕の血液検査表を見た？

いいえ、と当惑して学生はいった。

入口のドアに張ってあるよ、と少年は考えぶかそうにいった。僕は、六種類の検査を受けたんだけど、どれも陰性だったんだ。部屋の中で、寝椅子に乗っかってるだけじゃ、性病にはならないね、と医者が、がっかりしていったよ。

その、たびたび繰り返された冗談に、皆忍び笑い、看護婦は下品な声をあげて笑ったが、学生は頬を赤らめ唇を嚙みしめて黙っていた。

車椅子を動かし、仲間の方へ帰って行きながら、少年は聞こえよがしにいった。

変な奴だよ、笑わねえんだ。

そして又、低く押し殺した笑いが起こり、少年は、わざわざ膨れ面をしてみせていた。

僕は学生と同じ部屋で夜をすごすことを、億劫《おっくう》に感じた。その午後、学生は黙りこんで考えており、夕食のあと、同じ病室へ運びこまれるまで、僕は平常と同じ暮らし、ぼんやりして芝生の上の陽の翳《かげ》りを見守っている暮らしを続けたが、意識の深い隅で、僕は学生を気にかけていた。

看護婦が、シーツをかけた毛布で僕を包んだ後、学生のベッドに近づいて行った。僕は、看護婦の赤茶けた頭髪の揺れ動く向こうの、学生の裸の腹部の白い膨らみを見守っていた。欠伸《あくび》が、喉の奥で、小さい梨のように固まり、なかなか出て来ない。

よせ、と激しく学生がいった。よせ。

学生は羞恥で顔の皮膚を厚ぼったくし、喘《あえ》いでいた。その下腹部から顔をあげ、濡れてぶよぶよしている唇を丸めて看護婦が意外だという感じでいった。

私は、あなたの体を、いつも清潔にしておきたいのよ。今済ましておいた方が、下着が汚れなくていいわ。

学生は、息を弾ませ、黙って、看護婦を睨みつけていた。

ほら、ごらんなさい。ほら、と看護婦は、学生の下腹部を見おろしていった。あなたは正直じゃないわ。

シーツを掛けてくれ、と屈辱で嗄《しゃが》れた声で学生はいった。

そして、看護婦が金盥《かなだらい》にタオルをいれて、部屋から出て行くと、彼は声をひそめて泣き始めた。僕は小さな虫のような笑いが喉の奥からあふれ出てくるのを、注意深く押さえていた。暫くたって、曖昧な声で学生が、いった。

ねえ。君、起きてるんだろう？

ああ、と僕は眼を開いていった。

僕は犬みたいな扱いを受ける、と学生がいった。僕は子供の時、犬を発情させて遊んだ事があるけど、今発情させられるのは僕だ。

ひどく孤独な気持なのだろうな、と僕は思い、学生の方に向きなおっていった。

君は僕に羞《は》ずかしがったりすることはないぜ。僕らは皆、看護婦にそうさせる習慣なんだ。

そんな事はいけない、と学生がいった。僕はそんな習慣には我慢できない。

そうかなあ、と僕はいった。

君たちも、あんな事を我慢してはいけないんだ、と学生は熱心にいった。明日、サンルームで皆にその事をいうよ。僕らは生活を改良して行く意志を持つべきだ。僕はサンルームの雰囲気にも耐えられないものを感じていたんだ。

政党でも作ることだな、と僕はいった。

作るよ、と学生がいった。僕は皆と、この療養所の生活を検討したり、国際情勢を話しあったりする会を作る。そして、戦争の脅威についても話しあうだろう。

戦争だって？　と僕は驚いていった。僕らは、そんなものに関係ないぜ。

関係がないなんて、と学生も驚いた声を出した。僕と同じ世代の青年が、そんなことをいうなんて考えてもみなかった。

この男は外部から来たんだ、粘液質の厚い壁の外部から、と僕は思った。そして、体の周りに外部の空気をしっかり纏いつかせている。

僕は、この姿勢のままで何十年か生きるんだ、そして死ぬ、と僕はいった。僕の掌に、銃を押しつける奴はいないさ。戦争は、フットボールができる青年たちの仕事だ。そんな筈はない、と苛立って学生は僕を遮った。僕らにも発言権はあるんだ。僕らも平和のために立ち上がらねばならない。

足が動かないのさ、と僕はいった。立ち上がりたくてもね。僕らは、この一棟に漂流して来た遭難者なんだ。海の向こうのことは知らないよ。

そんな考えは無責任すぎる、と学生がいった。僕らこそ、手を繋《つな》ぎあって、一つの力になる必要がある。そして、病院の外の運動と呼応するんだ。

僕は誰とも手を結ばない、と僕はいった。僕は立って歩ける男とは無関係だ。そして、僕と同じように歩けないで寝ている連中、彼らは僕の同類で、執拗に体をこすりつけてくるし、僕らは同じ表情、同じ厭《いや》らしさを持っている。僕は彼らと手を繋ぐのも断わる。同類だったら、なおさらじゃないか。僕らは結ばれているんだ。

賤しい者らの団結だ、壮健でない者の助けあいだ、と僕は怒りに喉を膨らませていった。僕はそういうみじめな事はやらないぞ。

学生は不服そうな顔をしながら、それでも僕の剣幕に押されて黙りこんだ。僕はベッドの金属枠を外し、看護婦に秘密にしている睡眠薬を取り出して素早く飲むと、眼を閉じた。胸が激しく動悸を打っていた。看護婦が入って来ると、いつもの鳩のような含み笑いをしながら、僕の下腹部に手を入れたが、夢うつつで僕はそれを拒んだ。あいつが自分の欲望に耐えている間、僕も耐えてあいつを見張ってやる、と僕は考え、看護婦が消灯して出て行くと、柔らかい粘土層へ穴をあけるように、自分の睡りの中へもぐりこんでいった。

翌朝から、学生は彼の運動を始めた。彼は周りの寝椅子の少年たちに、熱心に話しかけ、軽い揶揄《やゆ》のまじった冷淡さであしらわれながら、決して黙りこまなかった。彼は午前の間中、寝椅子の車輪を押して動きまわり、愛想よく話しかけていた。そして、昼食のあと、看護婦の口から、学生が昨夜、断乎として、あのありふれた日常的な小さい快楽を拒んだ話をひそひそ打ちあけられると、少年たちは、皆一しきり低い声で笑ったあと、軽い興味を学生に持ち始めた様子だった。そして、少しずつ彼の周囲に集まり、夕方には、円形に寝椅子を並べて少年たちは、学生と話していた。その中には、いつも花の栽培の本だけ読んでいる少女のカリエス患者まで加わっていた。

しかし僕は学生を避けてサンルームの隅でじっと寝そべったまま、天井にあるしみが駱《らく》駝《だ》の頭部に似ているのを見つめたりしていた。僕は不思議な、孤独な感情をもてあましていたのだ。昨日までは、一日中黙っていて楽しく充実していたのに、今日は喉がほてったり、むくむく動きそうだったりする。

僕は横で、やはり学生の周囲に近づかないで、黙りこみ、吸血鬼の本を読んでいる、自殺未遂の少年に話しかけた。

吸血鬼、恐いか？

少年は眼の周りにどす黒い隈のある痩せた顔をのろのろ傾け、僕を見つめてうなずいた。不断なら少年は僕の声が聞こえなかったふりをして、本を読みつづける筈だった。僕は少年も、学生の周りで、おずおずした笑い声をたてたり、熱心に話したりしている少年たちの集りを気にしているのだ、と思った。

あれは恐いなあ。吸われている時、自覚症状がないというのがやりきれないね。

吸血鬼伝説にも、いろいろあるから、と考えこんで、奇妙にかすれた声で少年は答えた。吸血鬼が来るといいと思ってね、窓を開けて寝たことがある、と僕はいった。僕の萎《しな》びて赤んぼうの腕みたいな足をね、大きい吸血鬼がせっせと吸うと思うと、おかしいし、恐くて、体がばらばらになりそうだった。

僕は低い声で笑ったが、少年は笑わなかった。振りむくと、少年は唇を固く嚙みしめていた。僕はぐったりして寝椅子の背に頭を倒し、小さい音をたてた。学生と少年たちは、たびたび笑った。そしてその笑いは、いつものくすぐったい卑猥な笑いとは微妙に異なっているのだ。あいつは、あいつらは、うまくやっていやがる、と僕は苦い感情になって考えた。

政党の具合はどうだい？と僕は、その夜個室に帰ると学生に訊ねた。

僕の話を皆、よく聞いてくれるんだ、と学生が真面目にいった。皆の生活が変わって行くよ、きっとそうなるんだ。

選挙もやれよ、と僕はいった。スピーカーを病院の事務所で借りるのさ。

僕は君にも、グループに入ってほしいと思っている、と学生は腹を立てないでいった。

僕はベッドの中で体を動かした。下腹と、腰の関節のすぐ下の皮膚がむずがゆく痛かった。腰や下腹をぽりぽり引っ搔《か》きながら、僕は学生の言葉を反芻《はんすう》した。しつこい奴だな、僕まで引き込もうと思っている。

結局、ここで回復しなければならないのは、正常さの感覚なんだ、と学生がいった。僕らも正常な人間だという確信なんだ。そうしたら、いろんな事に異常な反応をしなくなるよ。

僕らは正常でないじゃないか、と僕はいった。

正常だと考えるだけでいいんだ。

欺瞞だな。

僕はそう思わない。自分が正常だと考えたら、皆に日常の誇りが帰って来るよ。そして生活がきちんとしてくると思うんだ。

看護婦が二人、便器を提げて入って来た。僕は、髪を栗色に染めている大柄な看護婦に軽がると抱えあげられ、便器にまたがった。自分の尿の臭いがむっと来る。背の低い看護婦は、学生の剝《む》き出しの尻を短い掌で支え、注意深くその下を見守っていた。

たいした日常の誇りだよ、と僕はいった。

便器にまたがったまま、紅潮した顔をむりに振りかえって学生がいった。

そうなんだ。誇りを回復する事が必要なんだ。

厭ねえ、零《こぼ》さないでよ、と学生の看護婦がいった。

僕は、力をいれたため鼻孔をひくひく膨らませる看護婦にベッドへ戻されながら、小さい声で笑った。

翌日、自殺未遂の少年が、面会に来た両親に会うために、一般病棟へ運ばれて行ったので、僕は一人だけ部屋の隅に横たわり、学生の集りを見守っていた。学生は看護婦に、日刊紙を数種、買って来させ、それを彼の周りに集まったカリエスの少年たちに解説しながら読んで聞かせた。新聞より小説が面白いし、猥雑な空想がもっと面白いという理由で、僕らは新聞を読まなかった。毎日、交通事故の死亡者数の載っている新聞、それが僕らにどんな関係があったろう。しかし、今、学生の周りで少年たちは口をだらしなく開き、熱心に聞きほれている。ソヴィエトの大学制度について綿密に説明している学生の上気した声が僕を苛立たせた。この病棟にいる唯一人の少女は、妹が優しい兄を見つめるような眼で、学生のよく動く唇を見つめ、学生の寝椅子に片手をかけており、それも僕を苛立たせた。

午睡のあと、あおむけに寝たまま僕は、浅い睡りの後の奇妙に体中が熱くて、むずがゆい感覚を、暫く味わっていた。隣に、少年が面会から帰って来ており、看護婦が平板な調子の言葉を、執拗に繰り返していた。

ねえ、勇気を出すのよ。そして手術をなさい。お母様が泣いて頼んでらしたじゃないの。ねえ、勇気を出しなさい。男でしょ?

僕は手術しない、と少年が頑《かたく》なにいった。僕は歩きたくないよ。手術がうまくいって、歩いたり走ったりできるようになっても、僕は一生チビのままなんだ。僕は手術なんか飽きあきしてるよ。

ねえ、勇気を出すのよ。病気は治さなければならないものよ。あなたは、歩かなきゃいけないのよ。人間は歩くようにできてるでしょ。ねえ、勇気を出すのよ。

僕は厭だ。手術しても治るかどうか分からないって医者がいってたじゃないか。

治ったら自転車にだって乗れるのよ。ねえ、勇気を出しなさいよ。

おい、と僕は首を挙げて、看護婦にいった。ほっといてやれよ。

看護婦は少年の寝椅子から体を起こし、疲れと敵意のこもった眼で僕を見た。少年は、僕の言葉を聞かなかったように、熱心に学生たちの集りを見守っていた。

その夜、満足した表情で学生がいった。

僕は今日、アジアの民主主義国家が、世界の動きに対して、どんな意味を持つかを中心に、説明したんだ。誰一人、毛沢東を知らないんだからなあ。僕は、僕らの会を《世界を知る会》という名にしようと思うんだ。家から、いろいろ資料を取りよせるよ。

熱心なものだな、と僕は努めて冷淡にいった。社会主義国家における、身体障害者の更生という研究でも皆でやるといいや。

あ、と学生は眼を輝かせていった。僕はそんな特集を、何かの雑誌で読んだことがある。思い出して明日、話そう。

この男は、本当にこんなに単純なのだろうか、それとも僕を厭がらせるためにわざわざ単純さをよそおっているのだろうか、と僕は考えた。しかし、どちらにしても学生は、無神経な感じにくさの甲冑《かっちゅう》で身をよろっていて、僕の言葉はそこから全部はねかえって来る。僕は自分が、一日中緊張していた後のように、深い所で疲れきっているのを感じた。

学生を中心とする集りは非常にうまく成長している様子だった。少年たちが、あまりに柔順に学生の指導をうけていることが、僕を無力感にみちた苛立ちにさそった。学生が来て一週間たつと、サンルームの空気は、以前のそれとすっかり変わった。そこには、ひそひそ話や、低く押し殺した卑猥な笑いは聞こえなくなった。サンルームは明るい笑顔で時どきいっぱいになった。看護婦たちもたまには、学生たちの会に参加したし、院長がその雰囲気を喜んで学生たちのために定期刊行物を数種、予約してくれたりした。そして、重要な事は、皆が、かつて看護婦から得ていた衛生的な快楽、日常的な小さい快楽を棄てさったことだった。僕は看護婦のもらす言葉の端ばしから、それを確かめた。そして僕自身も、それについては、少年たちと同じ生活の変化を被っていることを曖昧な苛立ちと一緒に気づくのだ。

その変化について、学生は、カリエス患者の少年たちが、すっかり自分たちの病棟を異常な小社会と考えることになれていたのが、学生の単純な行為を通じて、自分たちも決して異常な小社会に住んでいるのではないと知ったせいだといっていた。

そして学生は、人の良さそうな小さい眼をぱちぱちやりながら付けたしたものだった。

誰にだって正常な生活は魅力があるし、誇りも回復するんですよ、ね？　そうでなくちゃ、社会が成立しないと思うんだ。君も僕らのグループに入ればいい。

しかし僕と自殺未遂の少年は彼の集りに入らないで、孤立を続けた。少年はサンルームの隅でいつも学生たちを見守っているくせに、学生が呼びかけると急に冷たい、無表情な殻にとじこもって聞こえないふりをした。そして、終日看護婦につきまとわれ、手術することをすすめられていた。看護婦も始めの熱心さは失って、惰性的な繰返しを少年の耳もとで囁くだけにすぎなかったが、根深い執拗さは彼女の声音にこもっていた。

あなただけよ、治る可能性のあるのは。ねえ、手術して歩きなさいよ。勇気を出すのよ、やってみなさいよ。損にはならないわよ。

そのうち僕は微熱が出始め、それを僕が最近、神経過敏になっているせいだと診断した院長は、昼の間も僕が個室に止まる許可をあたえた。僕は昼の間ずっと、暗い個室で幾何の問題を解いて暇つぶしをした。しかし、サンルームからの笑い声が聞こえるたびに、僕は証明の糸口を見失ってしまって、始めからやりなおさねばならないことに気づくのだ。

学生が病棟に来て三週間目の朝、学生は看護婦二人に別棟の診療室へ運ばれて行き、午後になってギプスをつけたまま個室へ帰って来た。そして学生は、僕にも看護婦にも話しかけないで黙りこんだまま、ずっとベッドに寝ていたが、睡っているわけではないらしく、時々、身じろぎしていた。僕は学生に、なにげなく話しかけたいのを、努力して我慢していた。

僕は、だめらしいんだ、と夕食の後で学生が疲れきり眼のふちに隈のできた顔でいった。僕の両脚はやはりもういけないらしいと、医者がいったんだ。

僕は黙ったまま、うなずいて窓のガラスの向こう、木立の向こうの、夜の空のぐったりした杳《はる》かな連なりを見た。それは豊かに水をたたえた運河のようだった。

僕はもう、一人で街を歩けない、と学生がやはり窓の向こうの夜を見つめながらいった。フランス人に一生会えない。船に乗ることも泳ぐこともできない。

僕は初めて学生に対して、優しい感情が湧くのを感じていった。

思いつめることはないよ、僕らはきっと六十歳くらいまでおとなしく生きるんだ。

六十歳、と息がつまったような声で学生がいった。この不安定な、窮屈な姿勢のままで、あと四十年生きるんだ。寝椅子に寝そべったままで僕は三十歳になり、四十歳になる。

嚙みしめた歯の間で学生は呻《うめ》いた。

こちらも四十歳になるだろう、と僕は考えた。四十歳の僕は分別くさい顔をして、いつも穏やかに微笑しているだろう。そして看護婦に抱えられて便器にまたがるのだ。僕の萎びた腿の皮膚はかさかさして脂がなく、しみがいっぱいできているだろう。まったく、辛抱強くなければならないな。

空が運河みたいだろう? と僕はいった。大きい船がゆっくり航行しているようだな、暗い航跡を曳いて。

僕には自由なんて、もうなくなった、と考えこんでいた学生がいった。

良い色をした、豊かな自由が船のように、空の運河を溯る、と僕は思った。

翌朝、僕らはお互いにぎごちなかった。学生は僕に弱音を吐いたことを、非常に恥じている様子だった。そして、学生はその日から、彼のグループの活動にもっと熱中し始めた。彼は僕に、そのグループへ加わることを、もう勧めなかった。僕は相かわらず個室にじっとしていたので、学生たちの動静は分からなかったが、看護婦にそれとなく訊ねたところによると、学生たちは、新しい運動を始め、それは、原水爆禁止のための声明文を新聞に送りつける事らしかった。夜、個室へ戻ってからも、学生は僕に話しかけようとはしないで、鉛筆を細く尖らせ、せっせと短い文章を書いていたが僕は全く興味のないふりをしていた。

ある朝、サンルームが度はずれて騒がしく、感動した叫び声や、快活な笑いが聞こえて来た。僕は自分を抑制するための空しい努力をした後、看護婦を呼んで、何週間ぶりに、サンルームへ寝椅子ごと運んでもらった。

学生の周りに集まった脊椎カリエスの少年たちが、一枚の拡げられた新聞を覗きこんでは、陽気にざわめいていた。僕は、部屋の隅で相かわらず孤立している少年の横に、寝椅子を留めさせ、できるだけ平静を装って、彼らの騒ぎを見守った。数人の看護婦が、彼らの背後から、感嘆の声をあげては、その新聞を見下ろしていた。学生が興奮した声で繰り返し読みあげていたが、僕には聞こえなかった。僕の横で少年は苛立ちながら耳をすましていた。

僕をサンルームへ運んで来た看護婦が、学生たちの集りの中から戻って来て、僕にせきこみながらいった。

新聞にここの事が載っかってるのよ。あの子たちの送った手紙が長く載っていてね、皆の名前まであるわ。活字で、きちんとよ。

そして看護婦は、左翼新聞の名前を、印象的に強く発音していった。

あれによ、あんな有名な新聞に、二十センチも書いてあるのよ。原水爆に抗議する、脊椎カリエスの子供たち、ですって。凄いわね。

学生グループの中から、誰かが大声で少年に呼びかけた。

おい、君も来いよ。君の名前も載っかってるんだ。来いったら。

少年は、びくっと体を震わせ、努力して上半身を起こした。その寝椅子を、駈《か》けよって来た看護婦が引っぱって行った。少年の細い肩を学生が優しく叩き、皆が一斉に笑う声が部屋をみたした。僕は眼をそむけた。

午後になって、自殺未遂の少年は、学生たちの快活な励ましに送られて、サンルームを運び出されて行った。手術する勇気が出たのだろう、と僕は考えた。あいつたちの馬鹿さわぎも、すっかりむだな訳ではないな。

しかし、その夜、学生が僕に控え目な声で話しかけると、すぐに僕は頑なになるのだ。それは自分で制御できない。

皆で文集を作ってね、と学生はいった。新聞や外国大使館に送りつけるつもりだ。原水爆反対というテーマに統一してね。とにかく、僕らも外の社会と結びつけるということが、皆に分かってもらえて嬉しい。

新聞が君たちのことを取り上げて報道するのは、と僕はできるだけ冷静な口調でいった。それは、君たちが脊椎カリエスだからさ。数知れない人たちが、君たちの弱よわしい障害者の微笑を憐れみながら、あれを読むんだ。ごらんよ、障害者もこんな事を考えるとさ、とかいいながらね。

君が皆の前でそんなことをいったら、承知しないぞ、と怒りに声を震わせて、学生がいった。

しかし、自分の言葉に、最も激しく絶望的に腹を立てていたのは僕自身なのだ。だから僕は、その夜消灯のあと、看護婦が、隣室の少女を寝椅子のまま、僕らの部屋に運んで来て学生のベッドに並べて出て行った時も、睡ったふりをして黙っていた。

嬉しくて、睡れないのよ、と少女は低い声で学生に弁解した。今夜中、誰かと話していたいわ。私たちにも、力があるのね。

学生たちは長い間、ひそひそ話していたが、僕はできるだけ意識をそこから逸らした。しかも僕には、睡眠薬を取り出すために腕を動かすこともできないので、苛立ちながらじっとしていた。夜明けがた、ギプスの音を鈍く響かせ、学生が上半身を起こして少女に接吻した。唇の触れあう、濡れた柔らかい音がしていた。僕は優しい感情に充たされていったが、その奥に、押しあげて来る怒りの感情もあるのだ。僕は朝まで睡れなかった。

翌日、朝食のあとで学生は診療室へ運ばれて行った。僕は昼近くまで浅い睡りをねむり、それから、頭の皮膚の下で虫が這い続けているような、寝不足の感情のまま、サンルームに出た。学生は戻ってきていなくて、屈託ない良い表情をした少女をかこんで、少年たちが低く合唱していた。

あおむけに寝椅子に横たわった脊椎カリエスの少年たちの歌は、高い天窓のあたりへ上がって行き、ふりそそいで来た。僕はそれを聞きながら、うつらうつらしていた。そして、急に歌がやみ、静けさが充満した。僕は限りなく重い腰をずらし、上半身を起こして広い窓ガラスの向こうを見た。

診療室の開かれたドアの前の青く光る芝生の上を、臆病な動物の仔のように、学生がゆっくり歩いていた。僕は胸をしめつけられた。学生は、注意深く、しっかり芝生を見つめながら三メートルほど歩き、引き返した。看護婦と医師が、職業的な冷淡さでそれを見守っていた。学生は額をあげ、歩幅をひろげて歩いた。彼の胸をはった体に陽の光、五月の陽の光があふれていた。

拍手が起こった。僕は少女を含めて、カリエスの子供たちが皆、幸福そうに拍手しているのを見た。拍手の音はガラス窓を透し、響いて行ったが、学生は決して僕らの病棟を見返らなかった。あの男は、はにかんでいる、と僕は思った。感動が喉にこみあげた。あの男は、僕らの周りの壁に罅《ひび》を入れ、外への希望をはっきり回復したのだ、と僕は喉を燥《かわ》かせて考えた。僕の心の中で、小さいが形の良い、希望の芽が育ち始めた。

学生が、看護婦に軽く支えられて診療室へ入って行き、ドアが陽ざしの中で音をたてて閉じられると、サンルームには、溜息をもらすように深く呼吸する音がみち、それから、皆騒がしくしゃべり始めた。どの少年も、夢中になって高い声をたて、発作のように激しく笑った。少女は誇りにみちた固い表情をして、しきりにうなずいていた。僕は、やはり彼らから離れて孤立していたが、彼らと肩を叩きあい、声高に話しあいたい気持でいっぱいだったのだ。

僕らは待っていた。しかし学生は、なかなか帰って来なかった。看護婦が昼食を知らせに来たが、僕らの誰一人それに答えなかった。僕らは辛抱強く待ち続けた。午後二時近くなり、空腹が息苦しくしたが、僕は待っていた。少年たちも話し疲れ、ぐったりした表情で寝椅子に倒れ、しかし熱心に待ち続けていた。何年の間、この待ちくたびれる辛い感情を忘れていたことだろう、と僕は思った。僕はずっと時間について無関心だったのに、今は時計を見あげることばかりしている。

そして、サンルームのドアが開き、柔らかい空色のズボンをはいた学生が戻って来た。ドアの把手《とって》に手をかけたまま、立っている学生に、期待にみちた数かずの視線が集まった。学生は曖昧な、固い表情をしていた。なにか、うまく行かない、しこりのようなものがあるのだ。こんな筈はない、と僕はせきたてられるように考えた。これはどうしたのだろう。あの男はよそよそしい。自分の足の上に立っている人間は、なぜ非人間的に見えるのだろう。こんな筈ではなかった。

学生は自分のためらいを押しきるように胸をつき出し、こわばった微笑を浮かべて、少年たちに近づいて行った。

少年の一人が、寝椅子から腕を差しのべ、おずおずした声でいった。

ね、君の足に触らせてくれないか。

初めて、安心した笑いが部屋にみちた。学生は意識した快活さで少年に体をよせた。少年は、最初指で学生の腿にふれ、それから静かに両掌でそれを支え、こすり始めた。少年は執拗にその動作を繰り返し、やりなおした。僕は少年が口を半ば開き、眼を瞑《つむ》って熱っぽい息を吐いているのを見た。

急に体を引き、邪慳《じゃけん》な声で学生がいった。

よしてくれよ、よせったら。

学生と少年たちの間の不思議な均衡が破れ、粉ごなに砕けた。脊椎カリエスの少年たちと健康な青年との間の、意地悪い冷却がその後を埋めた。学生は狼狽《ろうばい》して顔を赤らめ、少年たちと共通の表情を取り戻そうとつとめているようだったが、横たわっている少年たちは既にそれを受けつけなかった。学生は皆から拒まれ、自分の下肢に支えられて胸をはっていた。

タカシさん、とサンルームの入口に立った中年の女が、横柄に僕らを見まわして呼びかけた。タカシさん、早くいらっしゃい、タカシさん。

僕は、その女が学生とそっくりの、強靭で下品な顎《あご》を持っているのを見た。学生は振り返り唇を歪《ゆが》めて、そのままドアへ歩いて行った。ドアを閉ざす時、学生が僕に訴えかけるような弱よわしい視線をむけたが、僕は冷淡に顔をそむけた。

ドアが閉じられ、厚い粘液質の壁の罅は、癒合《ゆごう》した。皆、あっけにとられたように、ぼんやりして黙っていた。看護婦がひどく遅れた昼食を運んで来て、僕らは全く食欲の無い人たちのやり方で、陰気な音をたてながら、それを食べた。少女は、食後、個室に引き籠もった。午後は長かった。僕らはぐったりしていた。よく育った芝生の上を建物の影が縮んで行き、空気がさむざむしてきた。

おい、と僕は看護婦を呼んだ。おい、僕を個室へ帰してくれよ。

寝椅子に横たわったまま運ばれて、僕が廊下へ出る時、サンルームの中にあの聞きなれた、卑猥な忍び笑いが起こった。それは、何週間かの間、すっかり消え去っていた押し殺した笑いなのだ。僕の寝椅子を押している看護婦が、僕の耳に熱い息を吹きかけていった。

おしっこしたいの？　怖い顔してるのね。

結局、僕はあいつを見張っていた。そして、あいつは贋《にせ》ものだったのだ、と僕は考えた。勝利の感情が湧きおこりかけて、急に消えた。そして暗い拡がりが静かに体を寄せて来た。唇を固くひきしめ、個室のドアの閉まる音を背後に聞いてから僕はいった。

僕を清潔にしておきたいんだろう？

え？　と看護婦がいった。

下着を汚されたくないんだろう？

看護婦は当惑して僕を見つめており、それから猥雑さと優しさの交じった表情に変わった。

わかったわ、と少し息を弾ませて看護婦はいった。わかったわ。近頃、皆少し変だったじゃない？　私そう思っていたのよ。

初めに、乾いて冷たい掌が、荒あらしく触れた。看護婦は満足そうに繰り返していた。

なんだか変だったわよ、近頃ずっと。

飼育

　僕と弟は、谷底の仮設火葬場、灌木の茂みを伐り開いて浅く土を掘りおこしただけの簡潔な火葬場の、脂と灰の臭う柔らかい表面を木片でかきまわしていた。谷底はすでに、夕暮と霧、林に湧く地下水のように冷たい霧におおいつくされていたが、僕たちの住む、谷間へかたむいた山腹の、石を敷きつめた道を囲む小さい村には、葡萄色《ぶどういろ》の光がなだれていた。僕は屈めていた腰を伸ばし、力のない欠伸《あくび》を口腔いっぱいにふくらませた。弟も立ちあがり小さい欠伸をしてから僕に微笑みかけた。

　僕らは《採集》をあきらめ、茂った夏草の深みへ木片を投げすて、肩を組みあって村の細道を上がった。僕らは火葬場へ死者の骨の残り、胸にかざる記章に使える形の良い骨を探しに来たのだったが、村の子供たちがすっかりそれを採集しつくしていて、僕らには何ひとつ手に入らなかった。僕は小学生の仲間の誰かを殴りつけてそれを奪わねばならないだろう。僕は二日前、その火葬場で焼かれた村の女の死者が炎の明るみのなかで、小さい丘のように腫れた裸の腹をあおむけ、哀しみにみちた表情で横たわっているのを、黒ぐろと立ちならぶ大人たちの腰の間から覗き見たことを思い出した。僕は恐かった。弟の細い腕をしっかり摑み僕は足を速めた。甲虫の一種が僕らの硬くなった指の腹にしめつけられてもらす粘つく分泌液のような、死者の臭いが鼻孔に回復してくるようなのだ。

僕らの村で野天の火葬をしなければならなくなったのは、その夏の始まる前の長びいた梅雨、執拗に長い間降りつづけ洪水を日常的にした梅雨のためだった。僕らの村から《町》への近道の釣橋を山崩れが押しつぶすと、僕らの小学校の分教場は閉鎖され、郵便物は停滞し、そして僕らの村の大人たちは、やむをえない時、山の尾根づたいに細く地盤のゆるい道を歩いて《町》へたどりつくのだった。《町》の火葬場へ死者を運ぶことなどは思いもよらない。

しかし《町》からすっかり隔絶されてしまうことは僕らの村、古いが未成育な開拓村にとって切実な悩みを引きおこしはしなかった。僕ら、村の人間たちは《町》で汚い動物のように嫌がられていたのだし、僕らにとって狭い谷間を見下ろす斜面にかたまっている小さな集落にあらゆる日常がすっぽりつまっていたのだ。しかも夏の始めだった、子供たちにとって分教場は閉じられている方がいい。

村の入口の敷石道の始まる所で、兎唇《みつくち》が犬を胸にかかえて立っていた。僕は弟の肩を押しつけながら杏《あんず》の老木が深ぶかとおとす影のなかを走り、兎唇の腕のなかの犬を覗きこみに行った。

「ほら」と兎唇が腕を揺すり犬を唸らせた。「見ろよ」

僕の前に突きだされた兎唇の腕には周りに血と犬の毛のこびりついた咬み傷がいっぱいなのだ。兎唇の胸にも、太く短い頸《くび》にも咬み傷が芽のようにふきでている。

「ほら」と兎唇は重おもしくいった。

「俺と山犬狩りに行く約束を破ったな」と僕は驚きと口惜《くや》しさに胸をつまらせていった。

「一人で行ったんだろ」

「お前を呼びに行ったんだぞ」と兎唇は急いでいった。「お前がいなかったから」

「咬まれたなあ」と僕は狼のように狂暴な眼をし鼻をふくらませる犬を指さきで軽くふれながらいった。「巣へ這いこんだのか」

「喉をやられないように、皮帯をまきつけて行ったんだ」と兎唇は誇りにみちていった。

僕は皮帯を喉にまいて武装した兎唇が体中を山犬に咬みつかれながら枯れた草や灌木で作られた巣穴から仔犬を抱えて出てくる姿勢を、暮れた紫色の山腹や敷石道にはっきり見るのだった。

「喉さえやられなきゃ」と兎唇は自信の強い声でいった。「それに若い犬しか残ってない時を待ったんだ」

「あいつらが谷を駈《か》けてくるのを見たよ」と弟が熱心にいった。「親が五匹そろって」

「ああ」と兎唇はいった。「いつ?」

「昼のすぐあと」

「それから俺が出かけたんだ」

「そいつ、白くていいな」と僕は羨望の響きを押しころしていった。

「こいつの親は狼と交接したんだ」という意味のことを兎唇は、卑猥なしかし現実感のみちあふれた方言でいった。

「凄いなあ」と弟が夢みるようにいった。

「俺にすっかり慣れたよ」と兎唇が自信を誇張していった。「山犬の仲間の所へ帰って行かない」

僕と弟は黙ったままでいた。

「ほら、見ろ」と兎唇はいい、犬を敷石道におろして手を離してみせた。「ほら」

しかし僕らは犬を見おろすかわりに狭い谷間をおおう空を見上げた。そこを信じられないほど大きい飛行機が凄まじい速さで通りすぎたのだ。空気を波うたせ響きでみたす激しい音が短い間僕らをひたした。僕らは油に捉われた羽虫のようにその音の中で身動きもできない。

「敵の飛行機だ」と兎唇が叫んだ。「敵がやって来た」

僕らは空を見あげ、声を嗄《しゃが》れさせて叫んだ。「敵の飛行機……」

しかし、すでに空は西日に輝いている褐色の雲のほかには何ひとつ浮かべていないのだ。

気がつくと兎唇の犬は体をおどらせ、鳴きたてながら敷石道を駈けているところだった。それはすぐ雑木林に跳びこんで見えなくなった。兎唇は追いかけようとした姿勢のままで呆然としていた。弟と僕は酒のように血をたぎらせて笑った。兎唇も口惜しがりながら笑いを押さえきれないのだった。

僕らは兎唇と別れ、昏《く》れた空気のなかで大きい獣のようにうずくまっている倉庫へ駈け戻った。父は暗い土間で僕らの食事の準備をしていた。

「飛行機を見た」と弟が父の背へ叫んだ。「大きい敵の飛行機」

父は唸るような声をあげ振りかえらなかった。僕は掃除しておくために父の重い猟銃を土間の板壁の銃架からかつぎあげ、弟と腕をからみあって暗い階段を上がった。

「あの犬惜しかったな」と僕はいった。

「飛行機も」と弟がいった。

僕らは村の中央にある共同倉庫の二階の、今は使用されない狭い養蚕部屋に住んでいた。厚い板の朽ちはじめている床に筵《むしろ》と毛布を敷いて父が横たわり、養蚕用の木枠に板戸を重ねて作った寝台に僕と弟が寝ると、壁紙にまだ生なましい悪臭をはなつしみを残し、天井の裸の梁に腐った桑の葉をこびりつけたまま大群になって移動して行った蚕の旧居は人間で充満するのだった。

僕らは家具を何ひとつ持っていなかった。父の猟銃が、銃身はもとより油質の艶《つや》のある銃床まで、打てば手を痺れさせてはねかえす鉄に変質したように鈍く光り、僕らの貧しい住居に一つの方向をあたえるのと、剝《む》き出しの梁にたばねられてつりさがる乾燥した鼬《いたち》の毛皮と、各種の罠《わな》。父は野兎や野鳥、雪のふりつもる冬には猪を撃つこと、それに罠でとらえた鼬の皮を乾かして《町》の役場へ渡すことで生計を支えていたのだ。

僕と弟は油布で銃身をみがきながら、板戸の隙間の向こうの暗い空を見あげていた。そこから飛行機の爆音が再び聞こえてくるとでもいうように。しかし村の上の空を飛行機が通りすぎるのはごくたまのことなのだ。銃を壁の木枠にかけると僕らは寝台の上へ寝ころんで体をおしつけあい、父が雑炊の入った鍋を運びあげて来るのを空腹におびやかされながら待った。

僕も弟も、硬い表皮と厚い果肉にしっかり包みこまれた小さな種子、柔らかく瑞みずしく、外光にあたるだけでひりひり慄《ふる》えながら剝かれてしまう、甘皮のこびりついた青い種子なのだった。そして硬い表皮の外、屋根に上がると遠く狭く光って見える海のほとり、波だち重なる山やまの向こうの都市には、長い間持ちこたえられ伝説のように壮大でぎごちなくなった戦争が澱んだ空気を吐きだしていたのだ。しかし戦争は、僕らにとって、村の若者たちの不在、時どき郵便配達夫が届けて来る戦死の通知ということにすぎなかった。戦争は硬い表皮と厚い果肉に浸透しなかった。最近になって村の上空を通過し始めた《敵》の飛行機も、僕らには珍しい鳥の一種にすぎないのだった。

夜明け近く、激しい地鳴りと凄まじい衝撃音が僕を眼ざめさせた。僕は床に敷いた毛布の上で父が半身を起こし、夜の森にひそんで獲物に跳びかかろうとする獣のように鋭く欲望にみちた眼を開いて体をちぢめるのを見た。しかし父は跳びかかるかわりにぐったり体を倒し、そのまま再び眠りこむ様子だった。

僕は長いあいだ耳をすまして待っていたが地鳴りはくりかえし起こらなかった。僕は倉庫の高い明りとりからしのび入ってくる淡い月の光に明るまされた、黴《かび》と小動物の臭いのする湿っぽい空気を静かに呼吸しながら辛抱強く待っていた。長い時がたち、僕の脇腹に汗ばんだ額を押しつけて眠っていた弟が弱よわしくすすり泣いた。弟もやはり僕と同じように地鳴りの再びとどろくことを待っており、そしてその期待の持続に耐えられなくなったのだろう。僕は弟の、植物の茎のように痩せて繊細な首筋に掌を押しあて、力づけるために軽く揺すぶってやってから自分の、腕の優しい動きになだめられて眠りこんだ。

眼ざめると朝の豊饒な光が倉庫のあらゆる羽目板の隙間からなだれこみ、すでに暑かった。父はいなかった。壁に銃もなかった。僕は弟を揺り起こし、上半身は裸のままで倉庫の前の敷石道に出た。敷石道や石段に、激しく午前の光がみなぎっていた。子供たちが光の中でまぶしがりながら、ぼんやり佇《た》ったり、犬を寝ころばせて蚤《のみ》を取ったり、あるいは叫びながら駈けたりしていたが、大人たちはいなかった。僕と弟は駈けて、楠《くすのき》の茂りの蔭の、鍛冶屋の小屋へ行ってみた。その暗い土間に、炭火が赤あかと炎を噴いてはいず、ふいごの音もせず、腹まで地下に埋めた鍛冶屋が異常に日やけし脂の乾いた腕で、赤熱した鉄を拾いあげようとしてもいなかった。午前中に、鍛冶屋が店にいない、それは僕らに始めてのことだった。僕と弟は裸の腕をからみあいながら黙りこんで敷石道を戻った。村には大人たちがすっかり不在だった。女たちは暗い家の奥ふかくひそんでいるのだろう。子供たちだけが陽の光の氾濫に溺れている。僕は不安に胸をしめつけられた。

共同水汲場へ降りる石段に寝そべっていた兎唇が、僕らを見つけて腕を振りながら駈けて来た。彼はものものしく力みこんで、割れた唇の間から粘っこい唾液の白くこまかい泡を噴きだしていた。

「おい、知ってるのか」と兎唇は僕の肩を殴りつけて叫んだ。「おい、知ってるのか」

「ああ?」と僕はあいまいにいった。

「昨日の飛行機が、夜、山へ落ちたんだ」と兎唇がいった。「それに乗っかって来た敵兵を探してるのさ、大人はみんな猟銃を持って山狩りだ」

「撃つの？　敵兵を」と弟が声をたかぶらせていった。

「きっと撃たないだろ、弾が少なくなってるんだし」と兎唇は親切に答えた。「それよりも捕まえるんだ」

「飛行機はどうなっただろうな」と僕はいった。

「樅《もみ》の林に突っこんでばらばらだよ」と兎唇が眼を光らせて早口にいった。「郵便屋が見たんだ、あのあたり知ってるだろ」

僕は知っていた、今その林には草の穂のような樅の花が開いているはずだった。そして夏の終わりには野鳥の卵の形をした毬果《きゅうか》が穂のあとに結ばれ、僕らはそれを武器にするために取りに行くのだ。僕の倉庫にも夕暮や夜明けがた、突然激しい音をたてて、その褐色の銃弾が撃ちこまれることだろう……

「え?」と唇をひきしめ桃色に光る歯茎を剝き出して兎唇がいった。「知ってるんだろうな」

「知ってるさ」と僕も唇を硬くしていった。「行くか?」

兎唇は眼の周囲にかず知れない皺《しわ》をうかべながら狡猾に笑い、僕を覗きこんで黙っていた。僕は苛立った。

「行くなら俺はすぐシャツを取ってくる」と僕は兎唇を睨みつけていった。「一人で出かけてもすぐ追いつくぞ」

兎唇は顔をくしゃくしゃにし、満足に堪えない声でいった。「だめだ、子供は山へ入って行くのをとめられている。外国兵とまちがって撃たれるぞ」

僕はうなだれて、朝の光に焼けている敷石の上の自分の裸の足、その短くて頑丈な指を見つめた。失望が樹液のようにじくじく僕の体のなかにしみとおって行き、僕の皮膚を殺したばかりの鶏の内臓のように熱くほてらせた。

「敵兵はどんな顔だろうなあ」と弟がいった。

僕は兎唇と別れ、弟の肩を抱いて敷石道を帰って行った。ほんとうに敵の外国兵はどんな顔をしているのだろう、どんな姿勢で草原や林にひそんでいるのだろう。僕には谷間の村を囲むあらゆる林と草原に、息をひそめてしのぶ外国兵がみちあふれ、その低い呼吸音にかきたてられて激しいざわめきが起ころうとしているように感じられるのだ。彼らの汗ばんだ皮膚と荒あらしい体臭が一つの季節のように谷間をおおいつくす。

「死んでなかったらいいがなあ」と弟は夢みるようにいった。「掴まえて来てくれるといいがなあ」

豊かな陽の光の中で、喉に粘つく唾液をからませ、僕と弟は空腹にみぞおちのあたりをしめつけられていた。父が帰ってくるのはおそらく夕暮になってからだろう。僕らは自分たちのための食物を探さねばならない。僕らは倉庫の裏の釣瓶《つるべ》が壊れている井戸へ降りて行き、蛹《さなぎ》の腹部のように膨らんでいる内壁の冷たく汗ばんでいる石に両手を支えて水を飲んだ。底の浅い鉄鍋に水を汲みこんでから火を焚きつけると、僕らは倉庫の奥の籾殻《もみがら》の中へ腕を突っこんで馬鈴薯《ばれいしょ》を盗む。馬鈴薯は僕らの掌のなかで水に洗われながら石のように固かった。

僕らが短い労働のあと始めた食事は単純だが豊富だった。両手に掴んだ馬鈴薯を幸福な獣のように満足して食べながら弟は考えこんでいった。「兵隊は樅の木に登ってるのかな。僕は、樅の枝に栗鼠《りす》がいるのを見たよ」

「樅には花が咲いていていて隠れやすいからなあ」と僕はいった。

「栗鼠もすぐ隠れた」と弟は微笑んでいった。

僕は草の穂のような花のいちめんに開いている樅の木の高い枝に外国兵がひそんで、細い緑の針のむらがりの葉を透かし、僕の父たちを見はっているのだと考えた。兵隊の着ている厚くふくれた飛行服に樅の花がいっぱいこびりついて、兵隊を冬眠前のよく肥えた一匹の栗鼠のように見せるだろう。

「木に隠れても犬が見つけて吠える」と弟が確信にみちていった。

空腹がおさまると僕らは鍋と馬鈴薯の残り、それに一握りの塩をそのまま暗い土間に置きざりにし、倉庫の表口の石段に腰かけた。僕らはそこで長い間うつらうつらし、午後になると共同水汲場の泉へ水浴に行った。

泉では、最も広くてなめらかな台石の上に寝そべった裸の兎唇が、女の子たちに、彼の薔薇色《ばらいろ》のセクスを小さな人形のように可愛がらせていた。兎唇は顔を真っ赤にし、鳥の叫びのように笑い声をたてながら、時どき、やはり裸の女の子のお尻を掌でひっぱたくのだった。

弟は兎唇の腰の傍に坐って、その陽気な儀式を熱中して見守っていた。僕は泉の縁でぼんやり陽と水をあびている醜い子供たちにしぶきをはねちらし、それから体を拭わないでシャツを着こむと、敷石に濡れた足あとを残しながら倉庫の表口の石段に帰り、また長い時間を、両膝を抱きしめてじっとして暮らした。狂気のような期待、熱い酔いのような感情が皮膚の裏をぱちぱち弾けながら駈けまわった。僕は兎唇が異常な執着をしめす奇妙な遊びにふける自分を夢みた。しかし、水浴から帰る裸の子供たちのなかにまじっている、歩くたびに腰をゆらめかせる女の子、潰れた白桃の不安定な色が覗いている皺よった貧しいセクスを剝き出した女の子が僕におずおずした微笑をむけるごとに、僕は罵声と小石とを雨とふらせて彼女たちをおびえあがらせたのだった。

僕は空いちめんに野火のような色の雲があふれ飛びかう、熱情的な夕焼が僕らの谷をおおいつくすまで、そのままの姿勢で待っていたが、大人たちはなかなか戻って来なかった。僕は期待で気が狂いそうだった。

そして、夕焼が色あせてしまい、陽に新しくやけた皮膚に快い、冷やかな風が谷間から吹きあげ始め、最初の宵闇が物かげへ来てから、静かに音をひそめた村、不安な期待に脳を侵された村へ、吠えたてる犬と大人たちが帰ってきたのだ。僕は子供たちと群がってそれを迎えに駈けだし、大人たちに囲まれている黒い大男を見た。衝撃のような恐怖が僕を逆上させた。

大人たちは冬の猪狩の時のように重おもしく唇をひきしめて《獲物》を囲み、殆ど哀しげに背を屈めて歩いて来るのだった。そして《獲物》は、灰褐色の絹の飛行服を着こみ鞣《なめ》した黒い皮の飛行靴をはくかわりに、草色の上衣とズボンをつけ、足には重そうで不恰好な靴をはいていた。そして黒く光っている大きい顔を傾けて昏《く》れのこる空をあおぎ、びっこをひきながら足をひきずって来る。《獲物》の両足首には猪罠の鉄ぐさりがはめこまれていて、それが騒がしい音をたてていた。《獲物》を囲む大人たちの行列の後に続いて、僕ら子供たちはやはり黙りこんで群がりながら歩いた。行列は分教場の前の広場までゆっくり進み、静かに止まった。僕は子供の群がりをかきわけて前へ進み出たが、集落長の老人が声をはりあげて僕らを追いちらすのだった。僕らは広場の隅の杏《あんず》の樹立の下まで後退し、そこで頑強に踏みとどまると、濃さをます暗がりを透かして大人たちの会議を見守った。広場に面した家の土間から白い上っぱりの下で体を腕でしめつけた女たちが、危険な狩から《獲物》をえて帰った男たちの低い声に苛立ちながら耳をすましていた。兎唇が背後から僕の脇腹を強くこづき、僕を子供たち仲間から引き離して楠の深ぶかした蔭へつれて行った。

「あいつ黒んぼだなあ、俺は始めからそう思っていたんだ」と兎唇は感動に震える声でいった。「ほんとうの黒んぼだなあ」

「あいつをどうするんだろう、広場で撃ち殺すのかなあ」

「撃ち殺す?」と驚きに息を弾ませて兎唇が叫んだ。「正真正銘の黒んぼを撃ち殺す」

「敵だから」と僕は自信なく主張した。

「敵、あいつが敵だって?」と兎唇は僕の胸ぐらを摑み唇の割れめから唾液を僕の顔いちめんに吐きかけながら声を嗄《しゃが》れさせて、どなりちらした。「黒んぼだぜ、敵なもんか」

「ほら、ほら」と子供たちの群れの中から、弟の熱中した声が聞こえた。「あれを見ろ」

僕と兎唇は振りかえり、当惑して見守っている大人たちから少し離れて黒人兵が肩をぐったり垂れ、放尿しているのを見つめた。黒人兵の体は、作業服めいた草色の上衣とズボンを残して、濃さをました夕闇の中へ溶けこもうとしていた。黒人兵は頭を傾け長ながと放尿し、それを見つめている子供たちの吐息の雲が彼の背後に立ちのぼると、もの憂げに腰を振るのだった。

大人たちは再び黒人兵を囲んでゆっくり引きかえし始め、僕らは間隔をおいて、その黙りこんだ行列について行った。《獲物》を囲む行列は倉庫の横側の荷物積出口の前にとまった。そして、そこには、秋の実った栗の秀れた粒をよりわけ、二硫化炭素で硬い皮の下の幼虫を殺したあと、冬をこえて貯蔵するための地下倉が、黒ぐろと降り口を開いて動物の住む穴のように見えるのだった。黒人兵を囲んだまま大人たちは儀式の始まりのように荘重にそこへ沈みこんで行き、大人の腕の白い揺らめきが厚い揚蓋《あげぶた》を内側から閉ざした。

倉庫の床と地面の間に細長く露出している明りとりの小窓の向こうで、オレンジ色の灯《ひ》がともるのを僕らは耳を澄ましながら見守っていた。僕らは明りとりから覗きこむ勇気をふるいたたせることができないのだった。その短く不安な待機が僕らを限りなく疲れさせた。しかし銃声は響かなかった。その代りに、降り口から半ば開いた揚蓋の間に黒っぽい顔を覗かせた集落長がどなりたて、僕らは明りとりをへだてて遠く見守ることさえ放棄せねばならなかった。子供たちは誰一人失望の声をあげず、夜の時間を悪夢でみたす充実した期待に胸を膨らませて敷石道を駈けさって行くのだった。恐怖が彼らの高い足音に呼びおこされて彼らを背後からおそう。

倉庫にそった杏の樹立の暗がりにひそんで、なお大人たちと獲物の動静を監視する決心をしている兎唇を残して、僕と弟は倉庫の表口へ廻り、屋根裏の僕らの住居へいつも湿っぽい手すりに体を支えながら登って行った。僕らは《獲物》と同じ家に住んでいる、ということになるのだ。屋根裏で耳を澄ましても地下倉の叫びは決して聞こえないであろうが、黒人兵が連れこまれた地下倉の上で寝台に坐っていられるのは豪華で冒険的な、僕らにとって全く信じられないほどの事実だった。僕は感情の昂揚、おびえと喜びに歯が音をたてて嚙みあうほどだったし、弟は毛布をかぶって足をちぢめ、悪性の感冒にかかったように震えていた。そして僕らは、父が重い猟銃と疲れを支えて帰って来るのを待ちながら、自分たちに降ってわいたすばらしい好運に微笑みあうのだった。

僕らが餓《う》えを鎮めるためによりも、むしろ胸のなかで湯のようにたぎる心理のざわめきを、腕のあげおろしや綿密な咀嚼《そしゃく》によってまぎらすために、冷たく汗ばみ硬くなってしまった馬鈴薯の残りを食べ始めた時、僕らの期待の膜をおしあげて父が階段を上がって来た。僕と弟は体中をぞくぞくさせて、父が壁の木枠に猟銃をかけ、土間に敷いた毛布の上へ腰を下ろすのを見つめていたが、父は黙りこんだまま、僕らの食べている馬鈴薯の鍋を見ただけだった。僕は父が、死ぬほど疲れて苛だっているのだと考えた。子供の僕らには、それをどうすることもできない。

「米は無くなったのか」と父が不精髭の荒あらしく伸びひろがっている喉の皮膚を袋のように膨らませて僕を見つめながらいった。

「ああ」と僕は低い声でいった。

「麦も？」と不機嫌に呻くように父がいった。

「なにひとつ無い」と僕は腹を立てていった。

「飛行機は？」と弟がおずおずいった。「どうなったの」

「燃えた。山火事になるところだ」

「全部、すっかり？」と弟が溜息をもらしていった。

「尾翼だけ残った」

「尾翼……」とうっとりして弟はいった。

「あの兵隊の他はどうしたの？」と僕が聞いた。「一人で乗って来たのかな」

「他に兵隊が二人死んでいた。あいつは落下傘で下りたんだ」

「落下傘……」と弟がますます夢みるような声でいった。

「どうするの、あいつ」と僕は思い切って訊ねた。

「町の考えがわかるまで飼う」

「飼う」と驚いて僕はいった。「動物みたいに?」

「あいつは獣同然だ」と重おもしく父がいった。「体中、牛の臭いがする」

「見に行きたいなあ」と弟が父を窺いながらいったが、父はむっと口をつぐんだまま、階段を下りて行った。

僕と弟は父が米と野菜を借りあつめて来て、僕らと父自身の、熱く豊富な雑炊を作るのを待つために、寝台の木枠に腰をかけた。僕らは疲れきって食欲もなかった。そして体いちめんの皮膚が、発情した犬のセクスのようにひくひく動いたり痙攣《けいれん》したりして、僕らをかりたてるのだった。黒人兵を飼う、僕は体を自分の腕でだきしめた。僕は裸になって叫びたかった。

黒人兵を獣のように飼う……

次の朝、父が僕を黙って揺り起こした。夜が明けたところだった。倉庫の板壁のあらゆる隙間から濃い光と溷濁《こんだく》した灰色の霧がしのびこんでいた。僕は冷たい朝食を忙しく呑みこみながら、しだいにはっきり眼をさました。父は猟銃を肩にかけ、弁当の包みを腰にまきつけて、不眠のために黄褐色に濁った眼で、僕が食事を終わるのを見守っていた。鼬《いたち》の毛皮をぐるぐるまきにして、裂いた南京袋《なんきんぶくろ》にくるんだものが父の膝にたてかけてあるのを見て、僕は息をのみ《町》へ降りるのだ、と考えた。そして黒んぼのことを役場へ報告するのだろう。

言葉が僕の喉の奥でうずまき、食事の速度を遅らせるほどなのだが、僕は父の粗い髭《ひげ》におおわれた逞しい下顎が穀粒を咀嚼するようにたえまなく動くのを見て、父が不眠のために神経を痛めつけ苛立たせていることを知るのだ。黒人兵について訊ねることはできない。父は昨夜、食事のあと猟銃を新しい弾丸で充塡《じゅうてん》し、夜の見はりへ出て行ったのだった。

弟は草のむれた匂いのする毛布に頭を突っこんで眠っていた。食事を終えると僕は弟を眼ざめさせないように音をたてず、爪先だちですばやく動きまわった。厚い布地の草色のシャツを裸の肩にまといつけ、ふだんは決して使わない布の運動靴をはきこみ、父の膝の間の包みをかつぎあげ、階段を駈けおりる。

濡れた敷石道の上を低く霧が流れ、村は靄《もや》につつまれて寝しずまっていた。鶏たちはすでに疲れて黙りこみ犬も吠えなかった。僕は倉庫脇の杏《あんず》の樹にもたれて銃を持った大人が頭をたれているのを見た。父はその見はりに立っている男と低い声で言葉をかわした。地下倉の明りとりが黒ぐろと傷のように開いているのを、僕は激しいおびえにとらわれながらすばやく見た。そこから黒人兵の腕が差し出され僕を摑まえに来る。僕は早く村から出て行きたかった。敷石道を、足をすべらせないように注意して黙りこんだまま歩きはじめると、陽が濃い霧の層を透かして、熱気のある強靭な光を僕らに投げかけた。

尾根の村道へ出るために、柔らかい土質の斜面をきりひらいた、足うらに吸いつく赤土の細道を杉林の中へ入って行くと、僕らは再び暗い夜の底にいるのだった。金属の味を口腔にひろげる、雨のように大粒の霧がなだれかかり、僕を息苦しくし、髪を濡らし、襟垢で黒ずみ捩《よじ》れているシャツの毛ばだちに、白く光る水玉を作った。そこで僕らは足うらに柔らかい腐った落葉のすぐ下を流れる清水が布靴をとおして、足指を凍えさせることよりも、荒あらしく群生した羊歯《しだ》類の鉄の茎で皮膚を鋭く傷つけられること、その執拗にはりつめた根の間でひっそり眼をひらいている蝮《まむし》を刺戟して跳びつかれたりしないように気を配らねばならなかった。

杉林をぬけて霧が融けかけ明るんでいる、背の低い雑木林にそった村道に出ると、僕はシャツや半ズボンの霧粒をヌスビトハギの実を落とすように念入りにはらい落とした。空は晴れて激しく青かった。僕らが谷間の危険な廃坑で拾う銅の鉱石の色に似た、遠い山のつらなりが、僕らにおしよせる陽にてらされた黒ずんだ青の海だった。そして白っぽい一摑みのほんとうの海。

僕らの周りには野鳥が啼《な》きたてていた。高い松の梢が風に鳴っていた。父の長靴に踏みつけられた、うずたかい落葉の間から死にものぐるいの地鼠が灰色の噴水のように勢いよく跳び出し、僕をごく短い間おびえさせ、紅葉している灌木の茂みへ駈けこんで行った。

「町へ行って、あの黒んぼのことを話すの？」と僕は父の逞しい背へ声をかけた。

「う？」と父はいった。「ああ」

「町の駐在所から巡査が来るのかな」

「どうなるかわからん」と父は唸るようにいった。「県庁へ報告が行くまでわからん」

「ずっと村で飼っておけないかなあ」と僕はいった。「危ないかな、あいつ」

父は黙りこんで僕をうけつけなかった。僕は昨夜、黒人兵が村へ連れて来られた時の驚きと恐怖が僕の体の中で回復して来るのを感じた。あいつは今地下倉の中でどうしているだろう。黒人兵が地下倉から出て、村の人間や猟犬をみな殺しにし、家に火をつけてしまう。僕は体が震えるほど恐く、それについて考えたくなかった。僕は父を追いこし、降りの長い坂道を息をあえがせながら走った。

再び平坦な道に出ると陽が高かった。道の両側に小さい地崩れのあるところでは剝き出された赤土が血のように生なましく、陽をうけて照りかがやいていた。僕らは激しい陽ざしに裸の額をさらして歩いた。汗が頭の皮膚にじくじく湧き出し、それが短く刈った頭髪のあいだをしみ通って、額から頰へ流れおりるのだった。

《町》へ入ると僕は父の高い腰に肩を押しつけ、街路の子供たちの挑発には眼もくれないで歩いた。父がいなかったら、それらの子供たちは僕をはやしたて石を投げつけただろう。僕は《町》の子供たちを、決してなじめない形をした地虫のある種のように嫌っていたし軽蔑してもいた。《町》にあふれる正午の光のなかの、痩せて陰険な眼をした子供たち。暗い店の奥から僕らを見守る大人たちの眼さえなかったら、僕にはそれら子供たちの誰をも殴り倒せる自信があった。

町役場は昼休みだった。僕らは役場の前の広場のポンプを動かして水を飲んだあと、暑い陽ざしのさしこむ窓にそった木椅子にかけて長いあいだ待った。昼食を終えて、やっと出て来た老吏員と父が低い声で話し、そのまま二人で町長室へ入って行くと、僕は鼬の皮を小型の計量器が並んでいる窓口まで運んだ。そこで、鼬の皮は数えられ、父の名前と一緒に帳簿へ記入されるのだ。僕はレンズの厚い近眼鏡をかけた女吏員が毛皮の枚数を書きこむのを注意ぶかく監視した。

その仕事がすむと僕には何をしていいのか全くわからなかった。父はなかなか出て来なかった。そこで僕は、廊下に裸足《はだし》の吸いつく音をたてながら、靴を両手に持って、僕の《町》での唯一の知りあい、村へたびたび《町》からの通知を伝えに来る男を探した。村の大人たちも子供らも、その片足の男を《書記》とよんでいるのだが、村の分教場の身体検査の時、その男は医師の助手のような仕事もした。

「おい、蛙、来たのか」と衝立の向こうの椅子から立ちあがった書記が大きい声でいい、僕をほんの少し慣らせたが、僕は書記の机へ近づいて行った。僕らが彼を書記と呼ぶように、彼が村の子供を蛙と呼んでも、それは仕方のないことだろう。彼を見つけることができて僕は嬉しかった。

「黒人を摑まえたそうだな、蛙」と書記は事務机の下で義肢をがたつかせていった。

「ああ」と僕は黄色のしみのある新聞紙でくるんだ弁当の置かれている、書記の机に両掌をのせていった。

「たいした事をやったな」

僕は書記の血色の悪い唇に大人のように堂々とうなずいてみせ、黒人兵について話そうとしたが、夕暮の村へ獲物のように連れてこられた大きい黒人を説明する言葉を見つけることができない。

「あの黒んぼ、殺すの？」と僕は訊ねた。

「知らないよ」と書記は町長室へ顎をしゃくってみせていった。「これから定《き》めるんだろ」

「町へ運ぶのかなあ」と僕はいった。

「分教場が休みで嬉しそうだな」と書記は僕の大切な質問をそらしていった。「女教師が怠けもので、文句ばかりいいやがって、出かけようとしないんだ。村の子は汚れていて臭くて厭《いや》だとさ」

僕は自分の首筋が垢でひびわれていることを恥じたが、挑戦的に頭をふりたて、笑ってみせた。机の下から、書記の不恰好な義肢がねじれて突き出ていた。僕は書記が丈夫な右足と義肢と、一本きりの松葉杖で山道を跳ねて来るのを見るのが好きだったが、椅子に坐っている書記の義肢は《町》の子供たちと同じように、きみが悪くて陰険だった。

「とにかく学校が休みだというのはいいよな」と書記はいい、もう一度義肢をがたつかせて笑った。「お前たちも汚がられているより、教室の外で遊ぶ方がいいだろ」

「あいつらだって汚い」と僕はいった。

ほんとうに女教師たちは、みんな醜く汚かったのだ、書記は笑った。町長室から出て来た父が低い声で僕を呼んでいた。僕は書記に肩をたたかれ、その腕をたたきかえしてから駈け出した。

「捕虜を逃がすな、蛙」と書記が僕の背に叫んだ。

「あいつをどうすることにきまった?」と僕は陽の激しくあたる《町》をひきかえしながら父にいった。

「責任のがればっかりいいやがって」と父は僕を罵りでもするように強くいっただけだった。僕は父の不機嫌に気おされて黙りこみ、《町》のいじけて醜い街路樹の影をぬいながら歩いた。《町》の樹もまた、その街路の子供たちのように陰険でなじみにくいのだ。

街はずれの橋まで来ると、その低い欄干に腰をおろし父は黙ったまま弁当の包みを開いた。僕は父に質問することを自分に禁じる努力をして、父の膝の上の包みへ少し汚れている指をのばした。僕らは黙ったまま、握り飯を食べた。

僕らの食事の終わりに、橋の上を鳥のようにすがすがしい首をした少女が歩いて来た。僕はすばやく自分の服装と容貌について検討し《町》のどの子供よりも立派でしっかりしていると考えた。僕は靴をはいた両足を前に突きだして少女が僕の前を通りすぎるのをまちうけた。熱い血が耳のなかで鳴っていた。少女は僕を非常に短い時間、見つめ眉をひそめて駈け出して行った。僕は食欲を急になくした。僕は橋のたもとの狭い階段を下りて、水を飲むために河原へ降りて行った。河原には丈の高いヨモギが群生していた。僕はそれらをなぎたおし蹴りちらかして水際まで駈けて行ったが、水は暗褐色に濁って汚いのだ。僕は自分がひどくみすぼらしく貧しいと考えた。

腓《ふくらはぎ》をこわばらせ、顔の皮膚を脂と汗と埃で厚ぼったくして、僕らが尾根づたいの道から離れ杉林をぬけて村の入口まで降りて来た時、夕暮は谷間をすっかりおおっていたが、僕らの体には陽の熱気がとどまっていて、吹きあげて来る濃い霧が快かった。

集落長の家へ報告に行く父と別れ、僕が倉庫の二階へ上がって行くと、弟は寝台の上に坐ったまま眠りこんでいるのだった。僕は腕を伸ばし弟の裸の肩の虚弱な骨を揺さぶった。熱い僕の掌の下で弟の皮膚が軽く収縮し、弟の急に開かれた眼から、みなぎる疲れとおびえが融けていった。

「あいつ、どうだった?」と僕はいった。

「地下倉で寝てるだけ」と弟がいった。

「恐かったか、一人で」と僕は優しくいった。

弟は真剣な眼をして首を振った。僕は板戸を狭く開き、放尿するために窓枠へ上がった。霧が生きもののようにおおいかぶさって、僕の鼻孔のなかへすばやくしのびこんで来た。僕の尿は長い距離を飛び、敷石の上ではじけちり、倉庫の一階から張り出している出窓にあたると挑《は》ねかえって僕の鳥肌だった腿や足の甲を暖かく濡らした。弟が動物の仔のように僕の脇へ頭を押しつけ、熱心に僕の放尿を覗きこんでいた。

僕らはそのままの姿勢で暫くいた。小さな欠伸がいくつも僕らの細い喉へあふれ、そのたびに僕らは透明で意味のない涙を少しずつ流すのだった。

「兎唇は、あいつを見たか?」と僕は板戸を閉ざす手伝いをするために肩の細い筋肉をこわばらせている弟にいった。

「子供は広場へ行くと叱られる」と弟が口惜《くや》しそうにいった。「あいつを、町から連れに来るの?」

「わからない」と僕はいった。

階下へ父と雑貨屋の女とが声高に話し合いながら入ってきた。黒人兵にあたえる食事を地下倉へ運び下ろすことができない、と雑貨屋の女はいいはっていた。女の私にはできない、あなたの息子さんは役に立つだろう。僕は靴を脱ぐために屈めていた腰をのばした。弟の柔らかい掌が僕の腰をしっかり押しつけていた。僕は唇を噛んで父の声を待ちうけた。「おい、降りて来い」と父が叫ぶのを聞くと、僕は靴を寝台の下へ投げこみ階段を駈けた。

父は胸に抱いた猟銃の台尻で、雑貨屋の女が土間に置いて行った食物の籠を示した。僕は父にうなずきかえすと、それをしっかり持ちあげた。僕らは黙ったまま倉庫を出て、霧がたちこめている冷えた空気の中を歩いた。足うらの下で敷石は昼のぬくみを残していた。倉庫脇には見はりの大人は誰も立っていなかった。明りとりから淡い光がもれて来ているのを見ると、僕は体いちめんに疲れが毒のようにぶつぶつふき出るのを感じるのだ。しかし僕は黒人を傍で見ることのできる最初の機会に、歯が音をたてるほど興奮していた。

揚蓋のものものしい南京錠が水滴をしたたらすのを外し、中を窺って父だけがまず、注意深く銃を支えて降りて行った。蹲《しゃが》みこんで待っている僕の首筋に霧粒のまじった空気がまといついて離れない。僕の頑丈で褐色の両脚が震えるのを僕は、背後にびっしりたちこめて見つめて来る数しれない眼に羞《は》じていた。

「おい」と父が押し殺した声でいった。

僕は食物の籠を胸に抱えて短い階段を下りて行った。光度の低い裸電球に照らしだされて、そこに《獲物》がうずくまっていた。彼の黒い足と柱を結びつける猪罠の太い鎖が僕の眼をぐいぐいひきつける。

《獲物》は長い両膝を抱えこみ、顎を臑《すね》に乗せたまま充血した眼、粘ついて絡んで来る眼で僕を見あげた。耳のなかへ体中の血がそそぎこんで僕の顔を紅潮させる。僕は眼をそらし、壁に背をもたせて銃を黒人兵に擬《ぎ》している父を見あげた。父が僕に顎をしゃくった。僕は殆ど眼をつむって前に進み出、黒人兵の前に食物の籠を置いた。後ずさる僕の体のなかで、突発的な恐れに内臓が身悶えし、嘔気《はきけ》をこらえなければならない。食物の籠を黒人兵が見つめ、父が見つめ、僕が見つめた。犬が遠くで吠えた。明りとりの向こうの暗い広場はひっそりしていた。

黒人兵の注視の下にある食物籠が、僕の興味を急にひき始める。僕は餓えた黒人兵の眼で食物の籠を見ているのだった。大きい数個の握り飯、脂の乾くまで焼いた干魚、野菜の煮込、そして切子細工《きりこざいく》の広口瓶に入った山羊の乳。黒人兵は長いあいだ、僕が入って来た時のままの姿勢で食物籠を見つめつづけ、そのあげく、僕が自分自身の空腹に痛めつけられるほどなのだ。そして僕は、黒人兵が僕らの提供する夕食の貧しさと僕らとを軽蔑して、決してその食物には手をつけないのではないかと考えた。羞恥の感情が僕をおそった。黒人兵があくまでも食事にとりかかる意志を示さなかったら、僕の羞恥は父に感染し、父は大人の恥辱にうちひしがれ、やぶれかぶれになって暴れ始め、そして村中が恥に青ざめた大人たちの暴動でみたされるだろう。誰が黒人兵に食物をやるという悪い思いつきをしたのだろう。

しかし、黒人兵はふいに信じられないほど長い腕を伸ばし、背に剛毛の生えた太い指で広口瓶を取りあげると、手もとに引きよせて匂いをかいだ。そして広口瓶が傾けられ、黒人兵の厚いゴム質の唇が開き、白く大粒の歯が機械の内側の部品のように秩序整然と並んで剝き出され、僕は乳が黒人兵の薔薇色に輝く広大な口腔へ流しこまれるのを見た。黒人兵の咽《のど》は排水孔に水が空気粒をまじえて流入する時の音をたて、そして濃い乳は熟れすぎた果肉を糸でくくったように痛ましくさえ見える唇の両端からあふれて剝き出した喉を伝い、はだけたシャツを濡らして胸を流れ、黒く光る強靭な皮膚の上で脂のように凝縮し、ひりひり震えた。僕は山羊の乳が極めて美しい液体であることを感動に唇を乾かせて発見するのだった。

黒人兵は広口瓶を荒あらしい音をたてて籠に戻した。それからは、もう彼の動作に最初のためらいはなかった。握り飯は彼の巨大な掌に丸めこまれて小さい菓子のように見えたし、干魚は頭の骨ごと黒人兵の輝く歯にかみ砕かれた。僕は父と並んで壁に背を支え、感嘆の感情におそわれながら、黒人兵の力にみちた咀嚼《そしゃく》を見守っていた。黒人兵は熱心にその食事に没頭し僕らに注意をはらわなかったから、自分の空腹をおし殺す努力をしなければならない僕は、父たちのすばらしい《獲物》を検討する、かなり息苦しい余裕をえたのだ。それは、確かになんというすばらしい《獲物》だったことだろう。

　黒人兵の形の良い頭部を覆っている縮れた短い髪は小さく固まって渦をつくり、狼のそれのように切りたった耳の上で煤色の炎をもえあがらせる。喉から胸へかけての皮膚は内側に黒ずんだ葡萄色の光を押しくるんでいて、彼の脂ぎって太い首が強靭な皺を作りながらねじれるごとに、僕の心を捉えてしまうのだった。そして、むっと喉へこみあげてくる嘔気のように執拗に充満し、腐蝕性の毒のようにあらゆるものにしみとおってくる黒人兵の体臭、それは僕の頰をほてらせ、狂気のような感情をきらめかせる……

　黒人兵の貪婪《どんらん》なむさぼりを見ている僕の炎症をおこしたように熱い眼には、籠のなかの粗末な食物が、芳醇で脂っこい異国的な大盤ぶるまいの馳走に変わるのだった。僕は籠を運びあげる時、そこに食物のかけらが残っていでもしたら、秘密の快楽におののく指でそれをつまみあげ、呑みこんでしまっただろう。しかし黒人兵はすっかり食物をたいらげたあと、煮込のいれられていた皿を指の腹でこすり取りさえしたのだ。

　父が僕の脇腹をこづき、僕は猥雑な夢想にふけっていでもしたように、羞恥と腹だたしさにおそわれながら、黒人兵の前へ進み出、籠をとりあげた。そして、父の銃孔にまもられて黒人兵に背をむけ、階段を上がろうとした時、僕は黒人兵の低く厚ぼったいしわぶきを聞いたのだ。僕は足を踏みはずし、体中の皮膚がおびえから鳥肌立ってしまうのを感じた。

倉庫の二階へ階段を上がりきったところ、柱のくぼみに歪《ゆが》んで暗い鏡が揺れている、僕が階段を上がるにつれて青ざめて血の気のない唇を嚙みしめた、全くとるにたりない日本人の少年が頰をひくひくさせてそこへ浮かびあがって来るのだった。僕はぐったり腕をたれて、殆ど泣き出したいような感情、うちひしがれ涙ぐましい感情に耐えながら、僕たちの部屋の、いつのまにか閉ざされている板戸を開いた。

弟は寝台の上に坐りこんで、眼を光らせていた。弟の眼は熱をおび、そして少し恐怖に乾いているのだった。

「板戸を閉めたの、お前だろ?」と僕は自分の唇の震えを気どられないように傲慢に顔を歪めていった。

「ああ」と弟は自分の臆病さを恥じて眼をふせた。「あいつ、どう?」

「とても臭うだけさ」と僕は疲れの湧出のなかでいった。

ほんとうに僕は疲れきって貧しい感情をもてあましていた。《町》への旅、黒人兵の夕食、僕は長い一日を働き続けた後、水を大量に吸った海綿のように体を疲れで重くしていたのだ。僕は枯れた草の葉や、多毛質の草の実のこびりついているシャツを脱ぎ、汚れた裸足《はだし》を雑巾でぬぐうために体を屈め、弟の次の質問をうけつける意志のないことを誇示した。弟は唇をとがらせ眼を見はり、僕を心配そうに見守っていた。僕は弟の横にもぐりこみ、顔を汗と小動物の臭いのする毛布に埋めた。弟は僕の肩に膝を揃えて押しつけて坐り、僕を見守っているだけで、質問を続けようとはしないのだった。それは僕が熱病にかかった時と同じだった、そして僕も熱病にかかった時と同じように、ひたすら睡りたいのだった。

翌朝、遅く眼ざめると、倉庫脇の広場からざわめきが伝わって来ていた。弟も父も部屋にいなかった。僕は熱い瞼《まぶた》を開き、壁を見あげて、そこに猟銃がないのを確かめた。ざわめきを聞き、銃架の空の木枠を見つめていると僕の胸は激しい鼓動をうちはじめる。僕は寝台から跳び出し、シャツを手に掴んで階段を駈け下りて行った。

広場には大人たちが群がり、彼らのなかに子供たちが小さな汚れた顔を不安にこわばらせ、あおむけていた。そして彼らから離れ、兎唇と弟が地下倉の明りとりの傍に蹲《しゃが》みこんでいるのだった。あいつらは覗いていたんだ、と僕は腹を立てて考え、兎唇たちに駈けよろうとして、地下倉の降り口から、松葉杖で軽く身を支えた書記が顔をうなだれて出て来るのを見た。激しく暗い虚脱、なだれてくる失望が僕の体をひたした。しかし、彼のあとに続いて黒人兵の死体が運び出されて来るかわりに、僕の父が銃身に袋をかぶせたままの銃を肩にかけ、集落長と小声で話し合いながら出て来たのだった。僕は吐息をつき、脇や内股に、たぎる湯のように熱い汗をしたたらせた。

「覗いて見ろ」と兎唇が立ったままの僕に叫んだ。「見ろよ」

僕は熱い敷石に腹ばい、地面すれすれに開いている狭い明りとりから中を覗きこんだ。暗がりの水の底で、黒人兵が打ちのめされ、叩きふせられた家畜のようにぐったりし体を屈めて床に倒れていた。

「殴ったのか」と怒りにふるえる上体を起こして僕は兎唇にいった。「足を縛られて動けないあいつを殴ったのか?」

「え?」と僕の怒りを挑《は》ねかえすために、頬をこわばらせ口をとがらせて闘いの姿勢をとり兎唇はいった。「殴る?」

「あいつを殴ったのか」と僕は叫んだ。

「殴るもんか」と兎唇は口惜しそうにいった。「大人が入って行って、見ただけだ。見ただけで黒んぼはあの通りなんだ」

怒りがさめていった。僕は頭をあいまいに振った。弟が僕を見つめていた。

「なんでもない」と僕は弟にいった。

村の子供の一人が僕の体の横からまわりこんで明りとりを覗こうとし、兎唇に脇腹をけりつけられて悲鳴をあげた。兎唇はすでに明りとりから黒人兵を覗く権利を自分の勢力の下においたのだ。そしてその権利を侵害する者たちに神経をとがらせているのだった。

僕は兎唇たちから離れ、大人たちに囲まれて話し合っている書記のところへ行った。書記は僕を、洟水《はなみず》を上唇に乾かせている村の子供たちと同じように無視して話し続け、僕の自尊心と彼への親しみの感情を傷つけた。しかし自分の誇りや自尊心にかまってはいられない時がある。僕は大人たちの腰の間に頭を突っこんで、書記と集落長の話し合いを聞いた。

《町》の役場と駐在所では、黒人兵の捕虜をどう処置することもできない、と書記はいうのだった。県庁まで報告し、それへの回答があるまで黒人兵を保管しておかなければならない、そしてその義務は村にある。書記の主張に集落長が反駁《はんばく》して、村には黒人兵を捕虜として収容する力がないということをくりかえした。しかもあの遠い山道を危険な黒人兵を護送することも村の人間の力では難しいだろう。長い雨期と洪水が何もかもを複雑にし困難にしたのだ。

しかし書記が命令的な口調、一種の下級官僚的な尊大な口調になると村の大人たちは弱よわしくそれに屈伏するのだった。県の方針が定まるまで黒人兵を村においておくことがはっきりすると、不満と困惑でこわばる表情の大人たちの群がりから離れて、僕は明りの前に独占的に坐っている弟と兎唇のところへ駈け出して行った。僕は深い安堵と期待と、大人たちから感染したむくむく動きまわる不安に満たされていた。

「殺さないんだろ?」と勝ちほこって兎唇が叫んだ。「黒んぼは敵じゃないからな」

「惜しいから」と弟も嬉しそうにいった。そして僕と兎唇と弟は額をぶっつけあって明りとりを覗きこみ、黒人兵がぐったり寝ころんだままで、胸を大きく起伏させ呼吸しているのを見て、満足の溜息をついたのだ。地面に裏がえして伸べられ陽に乾く、僕らの足うらのすぐそばまで進んで来た子供たちは僕らへの不満を低くつぶやくのだが、兎唇がすばやく体を起こしてどなりつけると、悲鳴をあげて逃げ散るのだった。

やがて僕らは寝そべったままの黒人兵を見ることにあきたが、特権的な場所は放棄しなかった。兎唇が子供たちから、棗《なつめ》の実、杏《あんず》、無花果《いちじく》の実、柿など、一人一人に代償の予約をしてから明りとりを、短い時間覗かせた。子供たちは、驚きと感動に首筋まで真っ赤にしながら覗きこみ、埃に汚れた顎を掌でこすりつけながら立ちあがるのだった。倉庫の壁に背をもたせて僕は、兎唇にせきたてられ小さい尻を陽に焼いて自分の生まれてはじめての体験に熱中する子供らを見おろしながら、不思議な満足と充実、陽気な昂揚を感じた。兎唇は、大人たちの群がりから離れて来た猟犬を裸の膝に倒して蚤を探し、それを飴色の爪でつぶしながら、傲慢な罵声をまじえて子供たちに号令するのだった。僕らは、書記を送って大人たちが尾根の道へ上がって行った後も、その奇妙な遊びを続けた。そして、時どき子供たちの怨嗟《えんさ》の声を背にうけて僕ら自身が長ながと覗きこむのだが、黒人兵は動こうとはしないで寝そべったままでいるのだった。激しく殴られ蹴りつけられた後のように、ただ大人たちに見られただけで傷ついてしまったように。

夜になって僕は再び、猟銃を持った父につきそわれて、雑炊の入っている重い鉄鍋をさげ地下倉へ下りて行った。黒人兵は縁に黄色の脂《やに》が厚くたまった眼で僕らを見あげ、それから毛の生えた指をじかに熱い鍋へ突っこんで熱心に食べた。僕は落ちついてそれを眺めることができたし、父も猟銃を黒人に擬《ぎ》すことを止め、壁にもたれて退屈そうだった。額を鍋の上へ傾けている黒人の太い首筋の細かい震えや、筋肉の突然の緊張と弛緩を見おろしていると、僕には黒人兵が柔順でおとなしく、優しい動物のように感じられてくるのだった。明りとりから息をひそめて覗きこんでいる兎唇と弟を見あげ、僕は彼らの黒っぽく濡れて光る眼に狡猾ですばやい微笑を送った。黒人兵に慣れはじめていることが僕にとって実に得意な喜びの種子を生みつけ育てる。しかし、黒人兵の体がどうかするはずみにかしぎ、その足首にからみついた猪罠の鎖が金属質の硬い音をたてると、激しい勢いでおびえが回復し、僕の血管のすみずみになだれこんで、あらゆる皮膚を鳥肌立たせるのを感じるのだ。

翌日から、僕は既に銃を肩から離してかまえることをしない父につきそわれて、朝と夜一度ずつ黒人兵に食事を運ぶ、特権的な仕事を自分のものにした。朝早く、あるいは夕暮と夜のかわりめに、食物籠をさげた僕と父が倉庫脇にあらわれると、広場で待ちかまえている子供たちは、雲のようにひろがり空へ上がって行く大きい嘆息を一斉にもらすのだった。自分の仕事に全く興味を失ってはいるが事を運ぶに際して周到さは持ちつづける専門家のように、僕は眉をひそめて広場を横ぎり、子供たちを一瞥《いちべつ》もしない。弟と兎唇は、僕の両側にぴったり寄りそって地下倉への降り口まで歩くことで満足していた。そして、彼らは僕と父が地下倉へ降りて行くと、すぐに駈け戻って明りとりから覗きこむのだった。もし、僕が黒人兵に食事を運ぶ仕事に飽きてしまっていたとしても、兎唇を含めて、あらゆる子供たちの怨嗟にまで高まった羨望の吐息を背にうけて歩くことの快楽だけで、僕はこの作業をやり続けただろう。

しかし僕は、午後一度だけ兎唇が地下倉へ入って来ることを特に父に頼んで許してもらったのだった。それは、僕一人でなしとげるには過重な労働の一部を兎唇に肩がわりさせるためだった。地下倉には、黒人兵のために古い小型の樽が柱の蔭に置かれている。午後になると僕と兎唇は樽に通した太い縄を両側から注意深くさげて階段を上がり、共同堆肥場へ黒人兵の糞と尿のまじった、どぶどぶ音をたて悪臭をまきちらす濃い液体を棄てに行くのだ。兎唇はその仕事を過度な熱心さでやりとげ、時には堆肥場脇の大きい水槽にうつす前に樽を木片でかきまわして、黒人兵の消化、特に下痢の状態を説明し、それが雑炊の中の玉蜀黍《とうもろこし》粒に原因するなど断定するのだった。

僕と兎唇が父につきそわれ、樽をとりに地下倉へ降りて行き、黒人兵がズボンをずりさげ黒く光る尻を突き出して、殆ど交尾する犬のような姿勢で樽にまたがっているのにでくわしたりすると、僕らは黒人兵の尻のうしろで暫く待たねばならない。そういう時、兎唇は畏《い》敬《けい》の念と驚きとにうたれて夢みるような眼をし、樽の両側にまわされた黒人兵の足首をつなぐ猪罠がひそかな音をたてるのを聞きながら僕の腕をしっかり摑んでいるのだった。

僕ら子供たちは黒人兵にかかりきりになり、生活のあらゆる隅ずみを黒人兵でみたしていた。黒人兵は疫病のように子供たちの間にひろがり浸透していた。しかし大人たちには、その仕事がある。大人たちは子供の疫病にはかからない。町役場からの遅い指示を待ちうけてじっとしていることはできない。黒人兵の監視を引き受けた僕の父さえ、猟に出はじめると、黒人兵はどんな保留条件もなしに、ただ子供たちの日常をみたすためにだけ、地下倉の中で生きはじめたのだった。

昼の間、僕と弟と兎唇は、始めは規則を犯すことの誘惑的な胸の高鳴りを感じながら、そしてすぐその状態に慣れ、まるで大人たちが山や谷へ出はらっている昼間、黒人兵を監視するのが僕らに委ねられた守るべき職務でもあるように平然として、黒人兵の坐っている地下倉へこもる習慣をつけた。そして、兎唇と弟とが放棄した明りとりの覗き穴は、村の子供たちにさげわたされた。熱く、埃の乾いている地面に腹ばった子供たちは、僕と兎唇と弟が黒人兵を囲んで坐っている光景を、羨望で喉をほてらせながら代わるがわる覗きこむのだった。そして、羨望のあまりに我を忘れ、時に僕らの後について地下倉へ入って来ようとする子供がいると、彼はその反逆的な行為のつぐないに、兎唇から殴りつけられ鼻血を流して地に倒れねばならない。

僕らは既に、黒人兵の《樽》を階段の降り口にまで運びあげるだけで、それ以後の、樽を共同堆肥場まで炎天の下を、悪臭になやまされて運ぶ作業は、僕らが尊大に指名する子供らに委ねていた。指名された子供らは喜びに頰を輝かせ、樽をまっすぐに支えて、彼らにとって貴重に思える黄濁した液体を一滴もこぼさないように注意しながら運んで行くのだった。そして僕らを含めて、あらゆる子供たちが、毎朝、尾根の道から下る杉林の間の細道を、気がかりな指令を持った書記がやって来ないことを祈りながら見あげるのだ。

黒人兵の、猪罠にしめつけられた足首の皮膚が剝《む》かれ炎症を起こし、そこから流れる血は足の甲に乾いた草の葉のように縮れてこびりついていた。僕らはいつもその桃色の炎症を起こした傷ついた皮膚を気にしていた。樽にまたがる時、黒人兵は苦痛を耐えるために、笑う子供のように歯を剝き出すほどだった。僕らは長いあいだ、お互いの眼の底をさぐりあい、話しあったあと、黒人兵の足首から猪罠を外す決心をしたのだ。黒人兵は黒い鈍重な獣のようにいつも眼を涙か脂かはっきりしない濃い液体でうるおし、膝をかかえこんで、地下倉の床に坐り黙っているのだから、猪罠を取りのぞいたところで、僕らにどんな危害を加え得よう？　一匹の黒んぼにすぎないのだから。

僕が父の道具入れから取りだしてきた鍵を兎唇が強く握りしめて、黒人兵の膝に肩がふれるほど屈みこんで猪罠を外した時、黒人兵は急に呻《うめ》くような声をあげて立ちあがり、足をばたばたさせた。兎唇は恐怖に涙を流しながら猪罠を壁に放りつけ、階段を逃げ上がって行ったが、僕と弟は立ちあがることさえできず、体をしめつけあうだけなのだ。僕と弟を突然回復した黒人兵への恐怖が息もたえだえにする。しかし、黒人兵は鷲のように僕らへ摑みかかって来るかわりに、そのまま腰を下ろし長い膝をかかえこんで、どんよりした、涙と脂に濡れた眼を壁の根に落ちている猪罠にそそいでいた。兎唇が恥にうなだれて地下倉へ戻って来た時、僕と弟は彼を優しい微笑でむかえた。黒人兵は家畜のようにおとなしい……

その夜ふけ、地下倉の揚蓋の巨《おお》きい南京錠をおろしに来た父が、黒人兵の自由になった足首を見たが、不安に胸を熱くしている僕をとがめはしなかった。黒人兵が家畜のようにおとなしい、という考えは空気のように子供らも大人たちも含めて、村のあらゆる者たちの肺へしのびこみ、血に融けこんできていた。

翌朝、僕と弟と兎唇は朝食を届けに行き、黒人兵が猪罠を膝の上でいじりまわしているのを見た。猪罠は兎唇が壁に投げつけたために咬みあう接合部が壊れているのだった。黒人兵は春、村へ来る罠の修繕屋のように、技術的な確固としたやりかたで罠の故障部分を点検していた。それから急に彼は黒く輝く額をあげて僕を見つめ、身ぶりで彼の要求を示した。僕は兎唇と顔を見合わせながら、頰をときほぐす喜びを押さえることができない。黒人兵が僕らに語りかける、家畜が僕らに語りかけるように、黒人兵が語りかける。

僕らは駈けて集落長の家へ行き、村の共有財産の一つの道具箱を土間からかつぎ出して地下倉へ運んだ。その中には武器として使えるものが含まれていたが、僕らはそれを黒人兵にゆだねることをためらわなかった。僕らにとって家畜のような黒人兵が、かつて戦う兵士であったということは信じられない、あらゆる空想を拒んでしまう。黒人兵は道具箱を見つめ、それから僕たちの眼を見つめた。僕らはぞくぞくする喜びに体をほてらせて黒人兵を見守っていた。

「あいつ、人間みたいに」と兎唇が低い声で僕にいった時、僕は弟の尻を突っつきながら笑いで体をよじるほど幸福で得意な気持だった。明りとりからは子供らの驚嘆の吐息が霧のように勢いよく吹きこんで来るのだった。

朝食の籠を運びかえり、僕ら自身の朝食をすましてから、僕らが再び地下倉へ戻ってみると黒人兵は道具箱からスパナーや小型のハンマーを取り出し、床にしいた南京袋の上に規則正しくならべていた。傍に坐る僕らを見て、黒人兵の黄色く汚れてきた大きい歯が剝き出され頰がゆるむと、僕らは衝撃のように黒人兵も笑うということを知ったのだった。そして僕らは黒人兵と急激に深く激しい、殆ど《人間的》なきずなで結びついたことに気づくのだった。

午後遅くなり、兎唇が鍛治屋の女に口汚く罵られながら連れ戻され、僕らの土間にじかに坐った腰が痛みはじめても、黒人兵は指を埃じみて古くなったグリスで汚し、猪罠の発条《ばね》の接合部の咬み合いがうまく行くように、低い金属音をたててはその試みをくりかえしていた。

僕は退屈しないで、黒人兵の桃色の掌が罠の刃に圧されて柔らかに窪むのを見たり、黒人兵の汗にまみれて太い首に脂肪質の垢がよれて筋になるのを見たりした。それらは僕の心に、不快ではない嘔気、欲望と結びついたかすかな反撥をよびおこすのだった。黒人兵は広い口腔のなかで低く歌っているように、頰の厚い肉を膨らませながら彼の仕事に熱中していた。弟は僕の膝によりかかり、黒人兵の指の動きを感嘆に眼を輝かせながら見守っていた。蠅が僕らのまわりを群がってとびまわり、僕の耳の底で蠅の羽音が熱気とからみあって反響し、どよみ、まつわりつくのだった。

ひときわ重厚で、短く喰いこんで来る音をたてて罠が荒縄の束を嚙み、黒人兵は罠を床に丁寧に下ろしてから、僕と弟を微笑んでいる鈍重な液体のような眼で見た。彼の黒ぐろと光る頰を汗が震える玉になって流れていた。僕と弟は微笑みかえした。僕らは実に長い間、山羊や猟犬に対してそうするように、微笑んだまま、黒人兵のおとなしい眼を覗きこんでいた。暑かった。そして暑さが僕らと黒人兵とを結びつける共通な快楽でもあるように僕らは暑さにひたりきって微笑みあっていた……

ある朝、書記が泥まみれになり、顎から血を流しながら運ばれて来た。林のなかで転び、短い崖から落ちて、そのまま動けなくなっているのを山へ働きに出かける途中の、村の大ながら書記の義肢の固く厚い皮を金属枠でとめた部分が歪《ゆが》み、うまく足にはめこむことができなくなっているのを、集落長の家で手あてをうけながら書記は当惑して見つめていた。そして、《町》の指令をなかなか伝えようとしない。大人たちは苛立ち、僕らは書記が黒人兵を連れて行くために来たのなら、崖の下に倒れたまま見つけられず、餓死してくれたらよかったのにと思うのだった。しかし書記は、県からの指令が遅れて届かないことを弁解に来たのだった。僕らは喜びと元気と、書記への好意をとりかえした。そして僕らは、地下倉へ、書記の義肢と道具箱を運んで行った。

黒人兵は地下倉の汗をふきだす床に寝ころび、低く太い声で不思議に生なましく僕らをとらえる歌、嘆きと叫びが底にうずくまって僕らにおそいかかろうとする歌をうたっていた。僕らは彼に故障した義肢を示した。彼は起きあがり、暫く義肢を見つめ、そしてすばやく仕事を始めた。覗き穴の明りとりから子供らの喜びの声が湧きおこり、僕と兎唇と弟も声をはずませて笑った。

夕方になって書記が地下倉へ入って来た時、義肢はすっかり修復されていた。書記が短い大腿部にそれをはめこみ立ち上がると、僕らは再び喜びの声をあげた。書記は階段を跳ねあがり、義肢の調子を試みるために広場へ出て行った。僕らは黒人兵の両腕を引っぱって彼を立たせ、それが以前からの習慣ででもあったように少しもためらわないで黒人兵と一緒に広場へ上がった。

黒人兵は捕虜になってから始めての地上の空気、夏の夕方のさわやかで瑞みずしい空気を太い鼻孔いっぱいに吸いこみ、書記の試歩を熱心に見つめた。すべては良好だった。書記は駈けながら戻って来た。ポケットから彼がイタドリの葉で作った煙草、煙が眼にしみると激しく痛む、殆ど野火の匂いを思わせる不恰好な煙草に火をつけて、背の高い黒人兵に渡した。黒人兵はそれを吸いこもうとし、激しく咳きこみながら喉を押さえて屈みこんだ。書記は当惑して、もの哀しそうな微笑をうかべたが僕ら子供たちは大笑いだった。黒人兵は体を起こし、巨《おお》きい掌で涙をぬぐい、それから彼の逞しい腰をしめつけている麻地のズボンから黒く光るパイプを取り出すと書記にさし出すのだった。

書記がその贈り物を受けとり、黒人兵が満足そうにうなずき、彼らに夕暮の葡萄色《ぶどういろ》をしたかげりを作る陽ざしがあふれた。僕らは喉が痛みはじめるほど叫びたて、狂気のように笑い、彼らの周りにひしめきあうのだ。

僕らは黒人兵をたびたび地下倉からさそい出して村の敷石道を一緒に散歩しはじめた。そして大人たちもそれを咎めなかった。彼らは集落長の家の集落共有の種牛が道を来ると草むらに下りてそれを避けるように、僕ら子供たちに囲まれた黒人兵に出会うと顔をそむけて横に避けるだけなのだった。

子供たちがそれぞれの家の仕事にかりだされて忙しく黒人兵の地下の住居を訪れない時

にも、広場へ上がって来て樹かげにいねむったり、敷石道をゆっくり前屈みに歩いて来たりする黒人兵を、僕ら子供たちも、大人たちも驚きの気持なしに見るのだった。黒人兵は猟犬や子供たちや樹々と同じように、村の生活の一つの成分になろうとしていた。

夜明けに僕の父が、板をうちつけて作った細長く不恰好な罠の中で暴れまわる、信じられないほど長い胴を丸まる太らせた鼬を脇にかかえて帰って来る日、僕と弟はその皮剝ぎを手伝うために午前中ずっと倉庫の土間ですごさねばならない。そういう時、僕らは黒人兵が僕らの仕事を覗きこむためにやって来るのを心から待っているのだった。

黒人兵がやって来ると、僕と弟は皮剝ぎ用の血に汚れ柄に脂のこびりついたナイフを握りしめた父の両側に息をつめて膝をつき、反抗的で敏捷な鼬の十全な死と手際よい《皮剝がれ》を見物客の黒人兵のために期待するのだった。鼬は死にものぐるいの最後の悪意、凄まじい臭気をはなちながら絞め殺され、父のナイフの鈍く光る刃先で小さくはじける音をたてながら皮が剝がれると、そのあとには真珠色の光沢をおびた筋肉にかこまれた、あまりにも裸の小さく猥らな体が横たわる。僕と弟がその臓物をこぼさないように注意して、それを共同堆肥場へ棄てに行き、汚れた指を広い木の葉でぬぐいながら帰って来ると、すでに鼬の皮は脂肪の膜と細い血管を陽に光らせ、裏がえされて板に釘づけられようとしている。黒人兵は唇を丸め鳥のような声をたてながら、父の太い指さきで乾きやすいように脂をしごかれる皮の襞《ひだ》ひだを見つめている。そして板壁に干された毛皮が爪のように硬く乾き、そこを血色のしみが地図の上の鉄道のように走りまわっているのを見て黒人兵が感嘆する時、僕と弟は父の《技術》をどんなに誇りに思ったことか。父さえ毛皮に水を吹きかける仕事の合間に黒人兵へ好意的な眼をむけることがあるのだった。そして、その時、父の鼬処理の技術を核にして、僕と弟と黒人兵と父とは一つの家族のように結びついた。

黒人兵は鍛冶屋の仕事場を覗きに行くことも好きだった。僕ら子供たちは、特に兎唇が半裸の体を火に輝かせて鍬を造る手伝いをしている時など、黒人兵を囲んで鍛冶屋の小屋まで出かけるのだった。鍛冶屋がその炭の粉に汚れた掌で、赤く熱した鉄片を摑みあげ水に突っこむと、黒人兵は悲鳴のような感嘆の声をあげ、子供らはそれをはやしたてた。鍛冶屋は得意がって、たびたびその危険な方法で彼の手腕を誇示するのだった。

女たちも黒人兵を恐れなくなっていた。黒人兵は時には直接に女たちから食物をあたえられた。

夏は盛りになり、県庁からの指令は来なかった。県庁のある市が空襲で焼けたという噂があったがそれは僕らの村にどんな影響もあたえはしない。僕らの村には、一つの市を焼く火より熱い空気が終日たちこめていたのだ。そして、黒人兵の体の周りには、風の吹きこまない地下倉で一緒に坐っていると、気が遠くなるほど濃密で脂っこい臭い、共同堆肥場で腐った鼬の肉のたてるような臭いがぎっしりつまってきていた。僕らはそれをいつも笑いのたねにして涙を流すほど大笑いするのだったが、黒人兵の皮膚が汗ばみはじめると、僕らには傍にいたたまれないほど、それは臭いたてた。

ある暑い午後、兎唇が黒人兵を共同水汲場の泉へつれて行くことを提案し、僕らはそれに気づかなかったことに呆れてしまいながら、黒人兵の垢で粘つく手を引っぱり、階段を上がった。広場に群がっていた子供たちが喚声をあげて僕らを囲み、僕らは陽に焼ける敷石道を駈けて行った。

僕らはみんな鳥のように裸になり、黒人兵の服を剝ぎとると、泉の中へ群がって跳びこみ、水をはねかけあい叫びたてた。僕らは自分たちの新しい思いつきに夢中だった。裸の黒人兵は泉の深みまで行っても腰がやっと水面にかくれるほど大きいのだったが、彼は僕らが水をかけるたびに、絞め殺される鶏のように悲鳴をあげ、水の中に頭を突っこんで、喚声と一緒に水を吐きちらしながら立ちあがるまで潜り続けるのだった。水に濡れ、強い陽ざしを照りかえして、黒人兵の裸は黒い馬のそれのように輝き、充実して美しかった。僕らは大騒ぎし、水をはねかえして叫び、そのうちに最初は泉のまわりの樫《かし》の木のかげにかたまっていた女の子たちも小さい裸を、大急ぎで泉の水へひたしに来るのだった。兎唇は女の子の一人を摑まえて彼の猥らな儀式を始め、僕らは黒人兵を連れて行って、最も都合のよい位置から、彼に兎唇の快楽の享受を見せるのだった。陽が熱く僕らすべての硬い体にあふれ、水はたぎるようにあわだち、きらめいていた。兎唇は真っ赤になって笑い、女の子のしぶきに濡れて光る尻を拡げた掌で叩いては叫び声をあげた。僕らは笑いどよめき、女の子は泣いた。

それから急に僕らは、黒人兵が堂々として英雄的で壮大な信じられないほど美しいセクスを持っていることを発見するのだった。僕らは黒人兵の周りで裸の腰をぶつけあいながらはやしたて、黒人兵はそのセクスを握りしめると牡山羊がいどむ時のような剽悍《ひょうかん》な姿勢をしてわめいた。僕らは涙を流して笑い、黒人兵のセクスに水をぶっかけた。そして、兎唇が裸のまま駈け出して行き、雑貨屋の中庭から大きい牝山羊をつれて戻って来ると僕らは兎唇の思いつきに拍手喝采した。黒人兵は桃色の口腔を開いて叫ぶと、泉からおどり上がり、おびえて鳴く山羊にいどみかかっていった。僕らは狂気のように笑い、兎唇は力みかえって山羊の首を押さえつけ、黒人兵は陽にその黒く逞しいセクスを輝かせて悪戦苦闘したが牡山羊のようには、うまくゆかないのだ。

僕らは体を下肢に支えることができなくなるまで笑い、そのあげく疲れきって倒れた僕らの柔らかい頭に哀しみがしのびこむほどだった。僕らは黒人兵をたぐいまれなすばらしい家畜、天才的な動物だと考えるのだった。僕らがいかに黒人兵を愛していたか、あの遠く輝かしい夏の午後の水に濡れて重い皮膚の上にきらめく陽、敷石の濃い影、子供たちや黒人兵の臭い、喜びに嗄《しゃが》れた声、それらすべての充満と律動を、僕はどう伝えればいい？

僕らには、その光り輝く逞しい筋肉をあらわにした夏、不意に湧き出る油井《ゆせい》のように喜びをまきちらし、僕らを黒い重油でまみれさせる夏、それがいつまでも終わりなく続き、決して終わらないように感じられてくるのだった。

僕らの古代めいた水浴の日の夕暮、夕立が激しく谷間を霧の中へとじこめ、夜がふけても降りやまなかった。翌朝、僕と弟と兎唇は降り続く雨を避けて倉庫の壁ぞいに食物を運んだ。食事のあと、暗い地下倉で黒人兵は膝をかかえこみ低く歌をうたった。僕らは明りとりから撥ねこんで来る雨のしぶきを伸ばした指にうけながら、黒人兵の歌う声のひろがり、その海のように重おもしく荘重な歌で洗い流された。そして黒人兵が歌い終わると、もう明りとりから雨はしぶきこんでこないのだった。僕らはたえまなく笑っている黒人兵の腕を引いて広場に出た。谷間を霧が急速に晴れて行き、樹木は雨滴を葉の茂りいっぱいに吸いこんで厚ぼったく雛《ひな》のようにふくらんでいた。風がおこると樹木は小きざみに身ぶるいして濡れた葉や雨滴をはねちらし、小さく瞬間的な虹を作り、そこを蟬が飛びたつ。僕らは嵐のような蟬の鳴き声と回復しはじめる暑気の中で、地下倉の降り口の台石に腰かけたまま、長い間、濡れた樹皮の匂う空気を吸った。

午後になって書記が雨具を脇にかかえて林間の道を降りて来ると、集落長の家へ入って行くまで、僕らはそのままの姿勢でいたのだった。僕らは立ちあがり、水滴をしたたらす杏《あんず》の老樹に体を支えて、腕をふり合図するために書記が土間の暗がりから跳び出て来るのを待った。しかし、書記はなかなか出て来ないで、そのかわりに集落長の納屋の屋根にある半鐘が谷間や林に働きに出ている大人たちを呼び戻すために鳴り、雨に濡れた家々から女たちや子供らが敷石道にあらわれた。僕は黒人兵を振りかえり、彼の褐色の艶《つや》をおびた顔から微笑が去っているのを見て、突然生まれた不安に胸をしめつけられた。僕と兎唇と弟とは、黒人兵を後に残して集落長の家の土間へ駈けて行った。

土間に立ったまま書記は黙りこんで、僕らを無視した集落長は板間にあぐらをかいて考えこんでいるのだ。僕らは苛だち、虚しい予感のする期待を支える努力をしながら、大人たちの集まって来るのを待った。谷間の畠や林から仕事着をつけ、不満に頰をふくらませた大人たちが次第に帰って来ると、僕の父も、銃身に小柄な野鳥を数羽くくりつけて、土間に入って来た。

会議が始まるとすぐ、黒人兵を県に引きわたすことになったという意味のことを書記が方言で説明し、子供たちを打ちのめした。そして、軍隊が黒人兵を受け取りにくる筈だったのに、軍隊の内部に行きちがいと混乱があるらしくて村の方で《町》まで運びおろしてくれといって来たのだ、と書記はいった。大人たちの迷惑は、黒人兵を運びおろすという作業によってひきおこされるものだけにすぎない。しかし、僕らは驚きと失望の底にいたのだ、黒人兵を引き渡す、そのあと、村に何が残るだろう、夏が空虚な脱けがらになってしまう。

僕は黒人兵に注意をあたえてやるべきだった。僕は大人たちの腰のあいだをすりぬけて、倉庫の前の広場に腰をおろしている黒人兵のところへ駈け戻った。黒人兵は彼の前に立ちどまって息をつく僕を、どんよりした太い眼球をゆっくり動かしながら見あげた。僕には、彼に何を伝えることもできない。僕は哀しみと苛だちにおそわれながら、彼を見つめているだけなのだ。黒人兵は膝をかかえたまま、僕の眼を覗きこもうとしていた。子を持った川魚の腹のように丸い彼の唇はゆるく開かれ、白く光る唾液が歯茎の間から流れた。僕は振りかえり、書記を先頭にした大人たちが集落長の家の暗い土間を出、倉庫に向かって近づいて来るのを見た。

僕は坐っている黒人兵の肩を揺すぶり、方言で叫びたてた。僕は苛だちで貧血をおこしそうだったのだ。僕にどうすることができよう、黒人兵は黙ったまま僕の腕に揺すぶられて、太い首をぐらぐらさせているだけなのだ。僕はうなだれて彼の肩を離した。

それから急に黒人兵が立ちあがり樹のように僕の前にそびえ、僕の上膊を握りしめると、殆ど僕を引きずるように強く彼の体におしつけ、地下倉の階段を駈けおりた。地下倉の中で僕は短い時間、あっけにとられて、すばやく動きまわる黒人兵の引きしまった腿の動き、尻の肉の収縮などに眼をうばわれていた。黒人兵は揚蓋をおろし、上側の閂《かんぬき》を支える鉄枠と対になって内側へ突き出ている環と、壁から差し出された揚蓋の支えとを、修理されたままそこにかけてあった猪罠で連結した。そして、両掌を組みあわせ、うなだれて降りて来る黒人兵の脂《やに》と充血のために泥をつめられたように表情のない眼を見て、急激に僕は、黒人兵が捕えられて来た時と同じように、理解を拒む黒い野獣、危険な毒性をもつ物質に変化していることに気づいたのだ。僕は大きい黒人兵を見あげ、揚蓋にからみついた猪罠を見、自分の小さい裸足を見おろした。恐怖と驚愕とが洪水のように僕の内臓をひたし渦まく。僕は黒人兵から跳びのき、壁に背をおしつけた。黒人兵はうなだれたまま地下倉の中央に立っていた。僕は唇を嚙みしめて下肢の震えに耐えなければならない。

揚蓋の上に大人たちが来て、始めは優しく、そして急激におそわれた鶏のように大騒ぎで、揚蓋にからんだ猪罠を揺さぶり始めた。しかし、かつて村の大人たちが黒人兵を地下倉に安心して閉じこめておくために役だった厚い樫材の蓋は、いま黒人兵のために、村の大人たち、子供ら、樹木、谷間、それらすべてを外側に閉じこめていたのだ。

明りとりから、あわてふためいた大人たちが覗きこみ、それらはすばやく、ごつごつ額をぶつけあいながらいれかわった。地上で大人たちの態度が急速に変わって行くのが感じられた。始め彼らは叫びたてた。そして黙りこみ、威嚇する銃身が明りとりからさしこまれた。黒人兵が、敏捷な獣のように僕に跳びかかり、彼の体へ僕をしっかりだきしめて、銃孔から彼自身を守った時、僕は痛みに呻いて黒人兵の腕の中でもがきながら、すべてを残酷に理解したのだった。僕は捕虜だった、そしておとりだった。黒人兵は《敵》に変身し、僕の味方は揚蓋の向こうで騒いでいた。怒りと、屈辱と、裏切られた苛立たしい哀しみが僕の体を火のように走りまわり焦げつかせた。そして何よりも、恐怖が膨れあがり渦まいて、僕の喉をつまらせ嗚咽《おえつ》をさそった。僕は荒あらしい黒人兵の腕のなかで、怒りに燃えながら涙を流した。黒人兵が僕を捕虜にする……

銃身が引きさげられ、大人たちの騒ぎが高まり、それから明りとりの向こうで長い話し合いが始まった。黒人兵は、僕の腕を痛みのために痺れるほど強く握りしめたまま、不意に狙撃されるおそれのない壁の隅に入りこみ、黙って坐りこんだ。僕は彼に引きずられ、彼と親しかった時そうしたと同じように、彼のむんむんする体臭の中に裸の膝をついた。大人たちは長い間、話し続けていた。時どき僕の父が明りとりから覗きこみ、おとりにされた息子へうなずいて見せるたび僕は涙を流した。そして、始め地下倉の中に、そして明りとりの向こうの広場に夕暮が汐のように満ちた。暗くなると大人たちは幾人かずつ、僕に励ましの言葉を投げて帰って行った。僕はそのあとも長い間、父が明りとりの向こうを歩く足音を聞いていたが、急にあらゆる人間たちのけはいが地上に消えたのだ。そして夜が地下倉を充たした。

黒人兵は僕の腕を離すと、その午前まで僕らの間にあふれていた親しい日常の感情に胸をしめつけられるように、僕を見つめた。僕は怒りにふるえて眼をそらし、黒人兵が背をむけて膝の間に頭をかかえこむまで、うつむいたまま頑《かたく》なに肩をそびやかしていた。僕は孤独だった、鼬罠にとらえられた鼬のように見棄てられ、孤《ひと》りぼっちで絶望していた。黒人兵は闇の中で動かなかった。

僕は立ちあがり、階段の所へ行って、猪罠に触ってみたが、それは冷たく硬く、僕の指と、形をなさない希望の芽とをはねかえした。僕はどうしていいかわからなかった。僕は自分の落ちこんだどんづまり、自分を捕えた罠が信じられないで、傷ついた足首をしめつける鉄の鋏《はさみ》を見つめている間に衰弱して死んでしまう野兎の仔だった。黒人兵を友人のように信じていたこと、それがいかに愚かしいことだったかということが僕を激しく責めてる。しかし、あのいつも笑ってばかりいる黒くて臭う大男を疑《うたぐ》ることができるか？　しかもいま、僕の前の暗闇のなかで鋭い歯音を時どきたてている男が、あの大きいセクスの、ばかな黒んぼうだとは思えない。

僕は悪寒に震えて、歯をがちがち鳴らした。腹が痛み始めていた。僕は下腹を押さえて蹲《しゃが》みこみ、そして急にひどい当惑につきあたるのだ。僕は下痢ぎみだった。僕の体中の神経の苛立ちがそれを促進してもいた。しかし僕は黒人兵の前でそれを果たすことはできない。僕は歯を喰いしばり、額に苦い汗をにじませてそれに耐えていた。それに耐える努力が、恐怖の占めていた場所をおおうほど長いあいだ、僕は苦しみながら耐えていた。

しかし僕はやがて諦め、黒人兵がまたがっているのを見て笑いざわめいた樽へ歩いて行き、ズボンを下ろした。僕には剝き出された白い尻が非常に無抵抗で弱く感じられ、屈辱が僕の喉から食道を通じ、胃の内壁まで、すべて真っ黒にそめてしまうようにさえ感じられるのだ。それから立ちあがり、僕は壁の隅へ帰った。僕はうちひしがれ、屈服し、すっかりどんづまりに落ちこんでいた。僕は地熱のほてりが内側から伝わって来る壁に、汚れた額を押しつけ、声をひそめて長い間、すすり泣いた。夜は長かった。森で山犬の群れが吠えていた。空気が冷たくなっていった。そして疲れが僕を重く領し、僕はくずおれて眠った。

眼ざめると僕の腕は、やはり黒人兵の掌の強い圧迫をうけて、なかば痺れているのだった。明りとりから荒あらしい霧と、大人たちの声が吹きこんで来た。そして、書記が義肢を軋《きし》ませて歩きまわる音も聞こえた。やがて揚蓋を太い槌で殴りつける音がそれに交じった。その重く強い音が空腹にかりたてられる僕の胃に響き、胸をうずかせた。

黒人兵が急に喚きたて、僕の肩を摑んで立ち上がらせると地下倉の中央まで引きずり出して、僕を明りとりの向こうの大人たちの眼にさらした。僕には黒人兵の行為の理由がまったくわからなかった。明りとりから数かずの眼が兎のようにつりさげられている僕の恥辱を見つめた。それらの眼のなかに弟の濡れて黒い眼があったら、僕は恥じて舌を嚙みきっただろう。しかし、覗き穴には大人たちの眼だけが蝟集《いしゅう》して僕を見つめているのだ。

槌の音がより激しくなり、黒人兵は叫びたてると、背後から僕の喉を巨きい掌で摑んだ。僕の喉の柔らかい皮膚に黒人兵の爪が食いこみ痛かったし、喉ぼとけが圧迫されて呼吸ができない。僕は手足をばたばたさせ、顔をのけぞって呻いた。明りとりの向こうの大人たちの眼の前での僕の苦い屈辱、僕は体をねじり、背に密着している黒人兵の体から逃れようとし、踵《かかと》で黒人兵の臑《すね》を蹴りつけたが、黒人兵の毛むくじゃらの太い腕は硬く重かった。そして僕の呻き声より高く、彼は喚くのだ。明りとりの向こうの大人の顔が引っこみ、おそらく彼らは黒人兵の示威に負けて、揚蓋の打ちこわしを中止させに走ったのだろうと僕は思った。黒人兵の喚き声が止み、喉への岩のような圧迫が弱まった。僕は大人たちに親しみと愛とを回復した。

しかし、揚蓋を打つ音はより激しくなったのだ。明りとりから再び大人たちの顔が覗き、黒人兵が喚きながら僕の喉をしめつけた。のけぞった僕の歪んだ開く唇から、小動物の悲鳴のような、弱よわしい金切声がもれるのをどうすることもできない。僕は大人たちからも見棄てられていた。大人たちは僕が黒人兵に絞め殺されるのを見殺しにして、揚蓋を砕く作業を続けていた。彼らは揚蓋を砕いたあと鼬のように絞殺された僕の、かじかんだ手足を見るだろう。僕は、憎しみにもえ、絶望して、のけぞったまま恥さらしに呻きたて、もがきながら涙を流して槌の音を聞いた。

数しれない車の回転音が耳をみたし、反響し、鼻血が僕の両頰に流れた。そして、揚蓋が砕かれ、指の背まで剛毛におおわれた泥まみれの裸足がなだれこみ、地下倉を狂気にもえた醜い大人たちがみたした。黒人兵は叫びたてながら僕の体をしっかり抱きしめ、壁の根へにじりさがった。僕は彼の汗ばみ粘つく体に僕の背と尻が密着し、怒りのように熱い交流が僕らをそこで結びつけるのを感じた。そして僕は交尾の状態をふいに見つけられた猫のように、敵意を剝き出しにして恥じていた。それは階段の降り口にかたまって僕の屈辱を見まもり、じっとしている大人たちへの敵意、僕の喉に太い掌をおしつけ柔らかい皮膚に爪を立てて血みどろにする黒人兵への敵意、そしてあらゆるものへの、いりまじりかきたてられる敵意なのだ。黒人兵は吠えていた。それが僕の鼓膜を麻痺させ、僕は夏の盛りに地下倉の中で、快楽の中でのように充実した無感覚へおちこもうとしていた。黒人兵の激しい呼吸が僕の首筋をおおっていた。

大人たちの塊《かたまり》の中から父が鉈《なた》をさげて踏み出た。僕の父の眼が怒りにもえて犬のそれのように熱っぽいのを見た。黒人兵の爪が喉の皮膚に深く喰いこみ、僕は呻いた。父が僕らに襲いかかり、僕は鉈が振りかぶられるのを見て眼をつむった。黒人兵が僕の左の腕首を握り、それを自分の頭をふせぐためにかかげた。地下倉じゅうの人間が吠えたて、僕は自分の左掌と、黒人兵の頭蓋の打ち砕かれる音を聞いた。僕の顎の下の黒人兵の脂ぎって光る皮膚の上でどろどろした血が玉になり、はじける。僕らに向かって大人たちが殺到し、僕は黒人兵の腕の弛緩と自分の体に焼きつく痛みとを感じた。

ねばねばした袋の中で、僕の熱い瞼《まぶた》、燃える喉、灼けつく掌が僕自身を癒合《ゆごう》させ、形づくり始めた。しかし僕には、そのねばつく膜を破り、袋から脱け出ることができない。僕は早産した羊の仔のように、ねとねと指にからむ袋につつまれているのだった。僕は体を動かすこともできない。夜だった、僕の周りで大人たちが話しあっていた。そして朝だった、僕は瞼の向こうに光を感じていた。時どき重い掌が、僕の額をおさえ、僕は呻き声をあげてそれを振りほどこうとするのだが頭が動かない。

僕が始めてうまく眼を開いた時は、再び朝だった。僕は倉庫の自分の寝台の上にいた。板戸の前で兎唇と弟が僕を見守っていた。僕は、はっきり眼を開き唇を動かした。兎唇と弟が叫びながら階段を下りて行き、父と雑貨屋の女が上がって来た。僕は空腹にかりたてられていたが、山羊の乳をいれた水さしを父の手が僕の唇へあてがうと、嘔気が僕を揺り動かし、僕は喚きたてながら口をつぐんで、山羊の乳を喉や胸にしたたらせた。父を含めて、あらゆる大人たちが僕には我慢できないのだった。歯を剝き出し、鉈をふるって僕に襲いかかった大人たち、それは奇怪で、僕の理解を拒み、嘔気を感じさせる。僕は父たちが部屋を出て行くまで喚きつづけた。

暫くして、弟の柔らかい腕が僕の体に静かにふれた。僕は黙って眼をつむったまま、弟の低い声を聞いた。黒人兵を火葬する薪を集めるための仕事に弟たちも加わったこと、書記が火葬を中止させる指令を持って来たこと、大人たちは、黒人兵の死体が腐敗するのを遅らせるために谷間の廃坑へそれを運びこみ、山犬よけの柵を作っていること。

僕が死んでしまったと思っていた、と弟は畏敬の念のこもった声でくりかえしていった。二日間も何一つ食べないで寝ただけなのだから死んだのだと思っていた。僕は死のように強く誘い、深く引きこむ眠りの中へ弟の掌の下で入って行った。

僕は昼すぎに眼ざめ、自分の砕けた掌に布がまきつけられているのを始めて見た。自分のものとは思えない腫れあがった腕を胸の上に見ながら、僕はじっとそのままで長い間、眼を開いていた。部屋には誰もいなかった。厭《いや》な臭いが窓からしのび込んできていた。僕にはその臭いの意味がわかったが哀しみは湧かなかった。

部屋が昏《くら》くなり空気が冷えてから、僕は寝台の上に体を起こし、長いためらいのあと砕けた左掌にまいた布の両端を結んで首にかけ、開かれた窓へよりかかって《村》を見おろした。敷石道の上にも建物にも、それを支える谷にも黒人兵の重い死体の激しく噴きあげる臭い、悪夢の中でのように僕らの体をめぐり頭上に押しひろがり限りなく膨脹する黒人兵の死体の、耳に聞こえない叫び、それが充満していた。夕暮れていた。空はオレンジ色を内にはらんだ涙ぐましい灰色をして、狭く低く谷間を覆っていた。

時どき、大人たちが黙りこみ、胸を張って急ぎ足に谷へ下りて行った。僕は大人たちが僕に嘔気を感じさせ、僕をおびえさせるのを感じて、そのたびに頭を窓の中へ引いた。大人たちが、僕の寝ているあいだに、すっかり別の怪物に変わってしまったようだった。そして僕の体はすみずみまで濡れた砂がつまっているように重く、ぐったりしていた。

僕は悪寒に身震いし、かさかさに乾いた唇を嚙みしめながら、敷石道の一つ一つの石が、はじめ淡い金色の影をおびて柔らかにふくらみ、そして輪郭がすっかりふやけて一面に胸のせまる葡萄色《ぶどういろ》になり、それから不透明な紫色の弱い光の中へ沈みこんでしまうのを見つめていた。ひびわれた唇を時どき塩辛い涙が湿らせ、ひりひり痛ませた。

倉庫の裏から子供らの喚声が黒人兵の死体の臭いを貫いて激しく湧き起こった。僕は長い病気の後のように、震える足を注意深く踏みしめながら暗い階段を下り、人気《ひとけ》のなくなった敷石道を歩いて、子供らの叫びに近づいて行った。

子供らは、谷の底の小川への草の茂った斜面に群がって叫びたて、彼らの犬も駈けまわりながら吠えていた。大人たちは斜面の下の灌木が茂っている谷底で、黒人兵の死体を保存してある廃坑に山犬よけの頑丈な柵を、なお作りつづけていた。そこからは杙《くい》をうつ重い響きが上がって来た。大人たちは黙りこんで彼らの作業を続けていたが、子供らは気が狂ったように陽気に叫びたてながら駈けまわっている。

僕は古い桐の幹にもたれて子供らの遊びを見守った。彼らは、墜落した黒人兵の飛行機の尾翼を橇《そり》にして、草原を滑降しているのだった。彼らは稜角の鋭い、すばらしい軽快さの橇にまたがって、草原の上を若い獣のように滑降して行く。草原にところどころ突出する黒い岩に橇がぶつかりそうになると、少年の裸の足が草原を蹴りつけて橇に方向転換させるのだ。子供の一人が橇を引きずりあげて来る時には、もう下りの橇の通ったあとの押しひしがれた草がゆっくり起きあがって、勇敢な少年の航跡をあいまいにしてしまう。それほど子供らと橇は軽いのだ。子供らは叫びたてながら滑降し、犬が吠えたててそれを追い、そして子供らは再び橇を引きずりあげて来る。押しつぶしようのない、むくむく動く情念が、子供らの体を魔法使の前ぶれの火の粉のようにぱちぱち弾けて駈けまわっているのだ。

子供らの塊《かたまり》の中から、草の茎を歯の間に嚙みしめた兎唇が僕の方へ駈けあがって来ると、鹿の足に似た樫の幹によりかかって僕の顔を覗きこんだ。僕は兎唇から顔をそむけ、橇あそびに熱中しているふりをしていた。兎唇は興味ぶかく、しげしげと僕の首につった腕を見つめ鼻を鳴らした。

「臭うなあ」と兎唇はいった。「お前のぐしゃぐしゃになった掌、ひどく臭うなあ」

僕は兎唇の闘争心にきらめいている眼を見かえしたが、兎唇が僕の攻撃にそなえて、足を開き、戦いの体勢を整えたのも無視して、彼の喉へ跳びかかってはゆかなかった。

「あれは僕の臭いじゃない」と僕は力のない嗄《しゃが》れた声でいった。「黒んぼの臭いだ」

兎唇はあっけにとられて僕を見守っていた。僕は唇を嚙みしめて兎唇から眼をそらし、兎唇の裸の踝《くるぶし》を埋めている、小さく細かい草の葉の泡だちを見おろした。兎唇は軽蔑をあらわにして肩を揺すり、勢いよく唾を吐きとばすと、喚きたてながら橇の仲間へ駈け戻って行った。

僕はもう子供ではない、という考えが啓示のように僕をみたした。兎唇との血まみれの戦、月夜の小鳥狩り、橇あそび、山犬の仔、それらすべては子供のためのものなのだ。僕はその種の、世界との結びつき方とは無縁になってしまっている。

僕は疲れきって悪寒に震えながら、まだ日中の温もりの残っている地面に腰を下ろした。僕が体を低くすると谷底の大人たちの黙りこんだ作業は、荒あらしく伸びた夏草の蔭にかくれ、そのかわりに橇あそびの子供たちが急激に黒ぐろと牧神のようにそびえたってくる。そして洪水に逃げまどう難民のように走りまわる年若い牧神と犬たちの間で、夜の空気がしだいに色を濃くし、緊密になり、清らかになって行くのだった。

「おい、元気を取り戻したか、蛙」

僕は背後から、乾いた熱い掌で頭を押しつけられたが、振りむいて立ち上がろうとはしなかった。僕は斜面の子供らの遊びに顔を向けたまま、眼だけで僕の裸の臑の横にしっかり立っている書記の、黒い義肢を窺った。書記さえ、ただ傍に来るだけで僕の喉を乾かせる。

「橇あそびをやらないのか、蛙」と書記はいった。「お前が考え出したんだと思っていたがなあ」

僕は頑なに黙っていた。書記は義肢をがちがち鳴らして坐りこむと上衣から黒人兵が彼に献じたパイプを取り出し、彼の煙草をつめた。鼻孔の柔らかい粘膜にいがらっぽい刺戟と動物的な情念を炎《も》えあがらせる、強い匂い、雑木林を焼く野火の香りがそこから立ちのぼり、僕と書記を同じ淡青いろの靄《もや》に閉じこめた。

「戦争も、こうなるとひどいものだな。子供の指まで叩きつぶす」と書記がいった。

僕は息を深く吸いこみ黙っていた。戦争、血まみれの大規模な長い闘い、それが続いているはずだった。遠い国で、羊の群れや、刈りこまれた芝生を押し流す洪水のように、それは決して僕らの村へは届いてこない筈の戦争。ところが、それが僕の指と掌をぐしゃぐしゃに叩きつぶしに来る、父が鉈をふるって戦争の血に体を酔わせながら。そして、急に村は戦争におおいつくされ、その雑沓《ざっとう》の中で僕は息もつけない。

「そのあげく終わりが近いようだがな」と書記は大人同士が話し合う時のように重おもしくいった。「市の軍隊に連絡しても混乱していて通じない、どうしていいかわからない」

谷底から槌の音が響き続けていた。谷間にうっそうと覆いかぶさっている眼には見えない樹木の巨大な下枝のように、死んだ外国兵の臭いはそのまま固着しようとしていた。

「まだ熱心に働いている」と書記は槌の音に耳をそばだてていった。「お前の親父たちも、あれをどうしていいかわからないから、ぐずぐず杙《くい》をうったりしているんだろう」

僕らは黙りこんで、子供らの叫びと笑いの間隙をぬって聞こえて来る重い槌音を聞いた。書記はやがて慣れた指さきで、その義肢を外しはじめた。僕はそれを見つめていた。

「おおい」と書記が子供らに叫んだ。「俺の所へ橇を運んでくれ」

子供たちは騒ぎたてながら橇を引きずりあげて来た。書記が片足で跳ねながら橇を囲む子供らの中へわりこんで行くと、僕は書記の外した義肢を抱えあげて、草原を駈けおりて行った。義肢は非常に重く、それを片腕に抱えることは困難で腹だたしかった。

茂った草は露を含みはじめて、僕の裸の足を濡らし、そこへ枯れた草の葉がはりついてむずがゆかった。僕は草原の傾斜の下で義肢を抱えて立ったまま待ちうけていた。すでに夜だった。草原の高みの子供らの声だけが、濃さをまして殆ど不透明な暗い空気の膜を揺り動かした。

ひときわ高い叫びと笑い、そして軽く草をなぐ音、しかし、橇は粘つく空気を押しわけて僕の前へ滑りおりて来なかった。僕は鈍い衝撃音を聞いたように思ったが、そのままの姿勢で昏《くら》い空気を見つめていた。短い静けさのあと、くるくる回転しながら、人の乗っていない飛行機の尾翼が滑りおりてくるのを、やがて僕は見た。義肢を投げ出し、僕は湿った草原を駈けあがって行った。

草に囲まれて黒ぐろと露に濡れた岩肌が剝き出ている横に、両手をぐったり開いた書記があおむけに横たわって、微笑んでいた。僕は屈みこみ、書記の微笑んだ顔の、鼻孔と耳から、どろどろした濃い血が流れ出ているのを見た。子供らが暗い草原を駈けて来るざわめきが、谷から吹きあげる風にさからって高まって来た。

僕は子供たちに囲まれることを避けて、書記の死体を見すて、草原に立ちあがった。僕は唐突な死、死者の表情、ある時には哀しみのそれ、ある時には微笑み、それらに急速に慣れてきていた、村の大人たちがそれらに慣れているように。黒人兵を焼くために集められた薪で、書記は火葬されるだろう。僕は昏《く》れのこっている狭く白い空を涙のたまった眼で見あげ、弟を捜すために草原をおりて行った。

人間の羊

冬のはじめだった、夜ふけの鋪道《ほどう》に立っていると霧粒が硬い粉のように頰や耳たぶにふれた。家庭教師に使ったフランス語の初等文典を外套《がいとう》のポケットに押しいれて、僕は寒さに体を屈めながら終発の郊外へ走るバスが霧のなかを船のように揺らめいて近づくのを待っていた。

車掌はたくましい首すじに兎のセクスのような、桃色の優しく女らしい吹出物をもっていた。彼女は僕にバスの後部座席の隅の空席を指した。僕はそこへ歩いて行く途中で、膝の上に小学生の答案の束をひろげている、若い教員風の男のレインコートの垂れた端を踏みつけてよろめいた。僕は疲れて睡く、体の安定を保ちにくくなっていた。あいまいに頭をさげて、僕は郊外のキャンプへ帰る酔った外国兵たちの占めている後部座席の狭いすきまへ腰をおろしに行った。僕の腿がよく肥えて固い外国兵の尻にふれた。バスの内部の水っぽく暖かい空気に顔の皮膚がほぐされると、疲れた弱よわしい安堵がまじりあった。僕は小さい欠伸《あくび》をして甲虫の体液のように白い涙を流した。

僕を座席の隅に押しつめている外国兵たちは酒に酔って陽気だった。彼らは殆どみんな牛のようにうるんで大きい眼と短い額とを持って若かった。太く脂肪の赤い頸《くび》を黄褐色のシャツでしめつけた兵隊が、背の低い、顔の小さな女を膝にのせていて、他の兵隊たちにはやしたてられながら、女の木ぎれのように艶のない耳へ熱心にささやいていた。

やはり酔っている女は、兵隊の瑞みずしくふくらんだ唇をうるさがって肩を動かしたり頭をふりたてたりしていた。それを見て兵隊たちは狂気の血にかりたてられるように笑いわめいた。日本人の乗客たちは両側の窓にそった長い座席に坐って兵隊たちの騒ぎから眼をそむけていた。外国兵の膝の上にいる女は暫くまえからその外国兵と口争いをしている様子だった。僕は硬いシートの背に体をもたせかけ、頭がガラス窓にぶつかるのを避けてうなだれた。バスが走りはじめると再び寒さが静かにバスの内部の空気をひたしていった。僕はゆっくり自分の中へ閉じこもった。

急にけたたましい声で笑うと、女が外国兵の膝から立ち上がり、彼らに罵りの言葉をあびせながら、倒れるように僕の肩によりかかって来た。

あたいはさ、東洋人だからね、なによ、あんた。しつこいわね、と女はそのぶよぶよする体を僕におしつけて日本語で叫んだ。甘くみんなよ。

女を膝の上に乗せていた外国兵は空になった長い膝を猿のように両脇へひらき、むしろ当惑の表情をあらわにして、僕と女とを見まもっていた。

こんちくしょう、人まえであたいに何をするのさ、と女は黙っている外国兵たちに苛立って叫び、首をふりたてた。

あたいの頸になにをすんのさ、汚いよ。

車掌が頰をこわばらせて顔をそむけた。

あんたたちの裸は、背中までひげもじゃでさ、と女はしつこく叫んでいた。あたいは、このぼうやと寝たいわよ。

車の前部にいる日本人の乗客たち、皮ジャンパーの青年や、中年の土工風の男や、勤め人たちが僕と女とを見つめていた。僕は体をちぢめ、レインコートの襟を立てた教員に、被害者のほほえみ、弱よわしく軽い微笑をおくろうとしたが、教員は非難にみちた眼で僕を見かえすのだ。僕はまた、外国兵たちも、女よりむしろ僕に注意を集中しはじめているのに気がつき、当惑と羞《は》ずかしさで体をほてらせた。

ねえ、あたいはこの子と寝たいわよ。

僕は女の体をさけて立ちあがろうとしたが、女のかさかさに乾いた冷たい腕が僕の肩にからみついて離れなかった。そして女は、柿色の歯茎を剝《む》き出して、僕の顔いちめんに酒の臭いのする唾の小さい沫《あわ》を吐きちらしながら叫びたてた。

あんたたち、牛のお尻にでも乗っかりなよ、あたいはこのぼうやと、ほら。

僕が腰をあげ、女の腕を振りはらった時、バスが激しく傾き、僕には体を倒れることからふせぐために窓ガラスの横軸につかまる短い余裕しかなかった。その結果、女は僕の肩に手をかけたままの姿勢で振りまわされ、叫びたてながら床にあおむけに転がって、細く短い両脚をばたばたさせた。靴下どめの上の不自然にふくらんだ腿が寒さに鳥肌立ち、青ぐろく変色しているのを僕は見たが、どうすることもできない。それは肉屋のタイル張りの台におかれている、水に濡れた裸の鶏の不意の身悶えに似ていた。

外国兵の一人がすばやく立ちあがり、女をたすけ起こした。そしてその兵隊は、急激に血の気を失い、寒さにこわばる唇を嚙みしめて喘《あえ》いでいる女の肩を支えたまま、僕を睨みつけた。僕は謝りの言葉をさがしたが、数かずの外国兵の眼に見つめられると、それは喉にこびりついてうまく出てこない。僕は、頭をふり、腰を座席におちつけようとした。その肩を外国兵のがっしりした腕が摑まえ、ひきあげる。僕は体をのけぞり、外国兵の栗色の眼が怒りと酔いに小さな花火のようなきらめきを湧きたたせるのを見た。

外国兵が何か叫んだ。しかし僕には、その歯音の多い、すさまじい言葉のおそいかかりを理解できなかった。外国兵は一瞬黙りこんで僕をのぞきこみ、それからもっと荒あらしく叫んだ。

僕は狼狽《ろうばい》しきって、外国兵の逞しい首の揺れ動きや、喉の皮膚の突然のふくらみを見まもっていた。僕には彼の言葉の単語一つ理解することができなかった。

外国兵は僕の胸ぐらを摑んで揺さぶりながら喚き、学生服のカラーが喉の皮膚に食いこんで痛むのを僕は耐えた。外国兵の金色の荒い毛が密生した腕を胸から外させることができないで、あおむいたままぐらぐらしている僕の顔いちめんに小さい唾を吐きかけながら外国兵は狂気のように叫び続けるのだ。それから急に僕は突きはなされ、ガラス窓に頭をうちつけて後部座席へ倒れこんだ。そのまま僕は小動物のように体を縮めた。

高い声で命令するように外国兵が叫びたて、急速にざわめきが静まって、エンジンの回転音だけがあたりをみたした。倒れたまま首をねじって振りむいた僕は若わかしい外国兵が右手に強靭に光るナイフをしっかり握っているのを見た。僕はのろのろ体を起こし、武器を腰のあたりでこきざみに動かしている外国兵とその横で貧弱な顔をこわばらせている女とに向きなおった。日本人の乗客たちも、他の外国兵たちもみんな黙りこんで僕らを見守っていた。

外国兵がゆっくり音節をくぎって言葉をくりかえしたが、僕は耳へ内側から血がたぎってくる音しか聞くことができない。僕は頭を振ってみせた。外国兵が苛立って硬すぎるほど明確な発音を再びくりかえし、僕は言葉の意味を理解して急激な恐怖に内臓を揺さぶられた。うしろを向け、うしろを向け。しかしどうすることができよう、僕は外国兵の命令にしたがってうしろを向いた。後部の広いガラス窓の向こうを霧が航跡のようにうずまき、あおりたてられて流れていた。外国兵がしっかりした声で叫んだが、僕には言葉の意味がわからない。外国兵がその卑猥な語感のする俗語をくりかえして叫ぶと、僕の体の周りの外国兵たちが発作のように激しく笑いどよめいた。

僕は首だけ背後にねじって外国兵と女とを見た。女は生きいきして猥らな表情をとり戻しはじめていた。そして外国兵は大げさに威嚇の身ぶりを見せ、自分の思いつきに熱中する子供のように喚いた。僕は恐怖がさめて行くのをあっけにとられて感じていたが、外国兵の思いつきは僕に伝わってこないのだった。僕はゆっくり頭をふって外国兵から顔をそむけた。彼は僕に悪ふざけしているにすぎないのだろう、僕はどうしていいかわからないが、少なくとも危険ではないだろう、と僕は窓ガラスの向こうの霧の流れをみつめて考えた。僕はこのまま立っていればいい、そして彼らは僕を解放するだろう。

しかし外国兵の逞しい腕が僕の肩をしっかり掴むと動物の毛皮を剝《は》ぐように僕の外套をむしりとったのだ。そして僕は数人の外国兵が笑いざわめきながら僕の体へ腕をかけるのをどうすることもできない。彼らは僕のズボンのベルトをゆるめ荒あらしくズボンと下ばきとをひきはいだ。僕はずり落ちるズボンを支えるために両膝を外側へひろげた姿勢のまま手首を両側からひきつけられ、力強い腕が僕の首筋を押しつけた。僕は四足の獣のように背を折り曲げ、裸の尻を外国兵たちの喚声にさらしてうなだれていた。僕は体をもがいたが両手首と首筋はがっしり押さえられ、その上、両足にはズボンがまつわりついて動きの自由をうばっていた。

尻が冷たかった。僕は外国兵の眼のまえへつき出されている僕の尻の皮膚が鳥肌立ち、灰青色に変化して行くのを感じた。尾骶骨《びていこつ》の上に硬い鉄が軽くふれて、バスの震動のたびに痛みのけいれんを背いちめんにひろげた。ナイフの背をそこに押しあてている若い外国兵の表情が僕にはわかった。

僕は圧しつけられ、捩《ね》じまげられた額のすぐ前で、自分のセクスが寒さにかじかむのを見た。狼狽のあとから、焼けつく羞恥が僕をひたしていった。そして僕は腹を立てていた、子供の時のように、やるせない苛立たしい腹だちがもりあがってきた。しかし僕がもがいて外国兵の腕からのがれようとするたびに、僕の尻はひくひく動くだけなのだ。

外国兵が突然歌いはじめた。そして急に僕の耳は彼らのざわめきの向こうで、日本人の乗客がくすくす笑っているのを聞いた。僕はうちのめされ圧しひしがれた。手首と首筋の圧迫がゆるめられたとき、僕は体を起こす気力さえうしなっていた。そして僕の鼻の両脇を、粘りつく涙が少しずつ流れた。

兵隊たちは童謡のように単純な歌をくりかえし歌っていた。そして拍子をとるためのように、寒さで無感覚になり始めた僕の尻をひたひた叩き、笑いたてるのだ。

羊撃ち、羊撃ち、パン　パン

と彼らは熱心にくりかえして訛《なまり》のある外国語で歌っていた。

羊撃ち、羊撃ち、パン　パン

ナイフを持った外国兵がバスの前部へ移って行った。そして他の外国兵が数人、彼を応援に行った。そこで日本人の乗客たちのおずおずした動揺が起こり、外国兵が叫んだ。彼らは行列を整理する警官のように権威をもって、長い間叫びつづけた。屈んでいる僕にも彼らのやっている作業は分かった。僕が首筋を摑まえられて正面へ向きなおされた時、バスの中央の通路には、震動に耐えるために足を拡げてふんばり、裸の尻を剝き出して背を屈めた《羊たち》が並んでいた。僕は彼らの列の最後に連なる《羊》だった。外国兵たちは熱狂して歌いどよめいた。

羊撃ち、羊撃ち、パン　パン

そしてバスが揺れるたびに僕の額は、すぐ眼の前の、褐色のしみのある痩せた尻、勤め人の寒さに硬い尻へごつごつぶつかるのだ。バスが急に左へ廻りこみ停車した。僕は筋肉のこわばりが靴下どめを押しあげている勤め人のふくらはぎへ頭をのめらせた。

ドアを急いで開く音がし、車掌が子供のような透きとおって響く悲鳴をあげながら暗い夜の霧の中へ走り逃れて行った。僕は体を屈めたまま、その幼く甲高い叫びの遠ざかって行くのを聞いた。誰もそれを追わなかった。

あんた、もう止しなよ、と僕の背に手をかけて外国兵の女が低い声でいった。

僕は犬のように首を振って彼女の白けた表情を見あげ、またうつむいて僕の前に列なる《羊たち》と同じ姿勢を続けた。女は破れかぶれのように声をはりあげて外国兵たちの歌に唱和しはじめた。

羊撃ち、羊撃ち、パン　パン

やがて、運転手が白い軍手を脱ぎ、うんざりした顔でズボンをずり落として、丸まる肥った大きい尻を剝き出した。

自動車が何台も僕らのバスの横をすりぬけて行った。霧にとざされた窓ガラスを覗きこもうとしながら行く、自転車の男たちもいた。それはきわめて日常的な冬の夜ふけにすぎなかった。ただ、僕らはその冷たい空気の中へ裸の尻をさらしていたのだ。僕らは実に長い間、そのままの姿勢でいた。そして急に、歌いつかれた外国兵たちが、女を連れてバスから降りて行ったのだ。嵐が倒れた裸木を残すように、僕ら尻を剝き出した者たちを置きざりにして。僕らはゆっくり背を伸ばした。それは腰と背の痛みに耐える努力をともなっていた。それほど長く僕らは《羊》だったのだ。

僕は床に泥まみれの小動物のように落ちている僕の古い外套を見つめながらズボンをずりあげベルトをしめた。そしてのろのろ外套をひろい汚れをはらい落とすと、うなだれたまま後部座席へ戻った。ズボンの中で僕の痛めつけられた尻は熱かった。僕は外套を着こむことを億劫《おっくう》にさえ感じるほど疲れていた。

《羊》にされた人間たちは、みんなのろのろとズボンをずりあげ、ベルトをしめて座席に戻った。《羊たち》はうなだれ、血色の悪くなった唇を嚙んで身震いしていた。そして《羊》にされなかった者たちは、逆に上気した頰を指でふれたりしながら《羊たち》を見まもった。みんな黙りこんでいた。

僕の横へ坐った勤め人はズボンの裾の汚れをはらっていた。それから彼は神経質に震える指で眼鏡をぬぐった。《羊たち》は殆ど後部座席にかたまって坐っていた。そして、教員たち、被害を受けなかった者たちはバスの前半分に、興奮した顔を群がらせて僕らを見ていた。運転手も僕らと並んで後部座席に坐っていた。そのまま暫く僕らは黙りこんで待っていた。しかし何もおこりはしない。車掌の少女も帰ってこなかった。僕らには何もすることがなかった。

そして運転手が軍手をはめて、運転台へ帰って行き、バスが発車すると、バスの前半分に活気が戻ってきた。彼ら、前半分の乗客たちは小声でささやきあい、僕ら被害者を見つめた。僕はとくに教員が熱をおびた眼で僕らを見つめ、唇を震わせているのに気がついていた。僕は座席に体をうずめ、彼らの眼からのがれるためにうなだれて眼をつむった。僕の体の底で、屈辱が石のようにかたまり、ぶつぶつ毒の芽をあたりかまわずふきだし始めていた。

教員が立ちあがり、後部座席まで歩いてきた。僕は顔をふせたままでいた。教員はガラス窓の横軸にしっかり体を支えて屈みこみ勤め人に話しかけた。

あいつらひどいことをやりますねえ、と教員は感情の高ぶりに熱っぽい声でいった。彼はバスの前部の客たち、被害をうけなかった者たちの意見を代表しているように堂々として熱情的だった。

人間に対してすることじゃない。

勤め人は黙りこんだまま、うつむいて教員のレインコートの裾を見つめていた。

僕は黙って見ていたことを、はずかしいと思っているんです、と教員は優しくいった。どこか痛みませんか。

勤め人の色の悪い喉がひくひく動いた。それはこういっていた、俺の体が痛むわけはないよ、尻を裸にされるくらいで、俺をほっておいてくれないか。しかし勤め人の唇は硬く嚙みしめられたままだった。

あいつらは、なぜあんなに熱中していたんだか僕にはわからないんです、と教員はいった。日本人を獣あつかいにして楽しむのは正常だとは思えない。

バスの前部の席から被害を受けなかった客の一人が立って来て教員の横にならび、僕らをやはり堂々として熱情的な眼でのぞきこんだ。それから、前部のあらゆる席から興奮に頰をあかくした男たちがやって来て教員たちとならび、彼らは体を押しつけあい、群がって僕ら《羊たち》を見おろした。

ああいうことは、このバスでたびたび起こるんですか、と客の一人がいった。

新聞にも出ないからわからないけれど、と教員が答えた。始めてではないでしょう。慣れているようなやり方だったな。

女の尻をまくるのなら話はわかるが、と道路工夫のように頑丈な靴をはいた男が、真面目に腹をたてた声でいった。男にズボンを脱がせてどうするつもりなんだろう。厭《いや》なやつらだった。

ああいうことを黙って見逃す手はないですよ、と道路工夫らしい男はいった。黙っていたら増長して癖になる。

僕らを、兎狩りで兎を追いつめる犬たちのように囲んで、立った客たちは怒りにみちた声をあげ話しあった。そして僕ら《羊たち》は柔順にうなだれ、坐りこみ、黙って彼らの言葉を浴びていた。

警官に事情を話すべきですよ、と教員が僕らに呼びかけるように、ひときわ高い声でいった。あの兵隊のいるキャンプはすぐにわかるでしょう。警察が動かなかったら、被害者が集まって世論に働きかけることができると思うんです。きっと今までも、被害者が黙って屈伏したから表面化しなかっただけだと僕は思う。そういう例はほかにもあります。

教員の周りで被害を受けなかった客たちが賛同の力強いざわめきを起こした。しかし坐っている僕らは黙ったままうなだれていた。

警察へ届けましょう、僕は証人になります、と教員が勤め人の肩に掌をふれると活気のある声でいった。彼は他の客たちの意志を体じゅうで代表していた。

俺も証言する、と他の一人がいった。

やりましょう、と教員はいった。ねえ、あんた達、啞みたいに黙りこんでいないで立ち上がって下さい。

啞、不意の啞に僕ら《羊たち》はなってしまっていたのだ。そして僕らの誰一人、口を開く努力をしようとはしなかった。僕の喉は長く歌ったあとのように乾いて、声は生まれる前に融けさってしまう。そして体の底ふかく、屈辱が鉛のように重くかたまって、僕に身動きすることさえ億劫にしていた。

黙って耐えていることはいけないと僕は思うんです、と教員がうなだれたままの僕らに苛立っていた。僕らが黙って見ていたことも非常にいけなかった。無気力にうけいれてしまう態度は棄てるべきです。

あいつらにも思いしらせてやらなきゃ、と教員の言葉にうなずきながら別の客がいった。我われも応援しますよ。

しかし坐っている《羊》の誰も、彼らの励ましに答えようとはしなかった。彼らの声が透明な壁にさえぎられて聞こえないように、みんな黙ってうつむいていた。

恥をかかされた者、はずかしめを受けた者は、団結しなければいけません。

急激な怒りに体を震わせて僕は教員を見あげた。《羊たち》が動揺し、それから赤い皮ジャンパーを着こんで隅にうずくまっていた《羊》が立ちあがると、青ざめて硬い顔をまっすぐに保ったまま教員につっかかっていった。彼は教員の胸ぐらを摑み、狭く開いた唇のあいだから唾を吐きとばしながら教員を睨みつけたが、彼も言葉を発することができない。教員は無抵抗に両腕をたれ驚きにみちた表情をしていた。周囲の客たちも驚きに黙りこんで男を制しようとはしなかった。男は罵りの言葉をあきらめるように首を振ると教員の顎《あご》を激しく殴りつけた。

しかし勤め人と、他の《羊》の一人が、倒れた教員へ跳びかかって行こうとする男の肩をだきとめると、男は急速に体から力をぬき、ぐったりして席に戻った。黙ったまま勤め人たちが坐ると、再び《羊たち》はみんな疲れきった小動物のようにひっそりうなだれてしまうのだ。立っていた客たちも、あいまいに黙りこんで前部の座席へ戻って行った。彼らの間でも感情の昂揚がたちまち冷却して行き、そのあとにざらざらして居心地の悪い滓《かす》がたまりはじめているようだった。床に倒れた教員は立ちあがると僕らをいくぶん哀しそうな眼でみつめ、それから丁寧にレインコートをはたいた。彼はもう誰にも話しかけようとはしなかったが、時どき紅潮がまだらに残っている顔をふりむいて僕らを見た。僕は殴りつけられて倒れた教員を見ることで自分の屈辱をほんの少しまぎらせようとしたことを醜いと考えたが、それが深く僕を苦しめるには、僕の体があまりに疲れすぎていた。それに寒かった。バスの小刻みになった震動に体をまかせながら僕は唇を嚙みしめて睡りから耐えた。

バスは市の入口のガソリンスタンドの前でとまり、そこで幾人かの乗客が降りた。運転手が車掌のかわりに切符をうけとろうとはしないので、乗客は小さく薄い切符を車掌の席に棄てて、降りて行った。

バスが再び走りはじめた時、僕は教員の執拗にまといつく視線が僕にむけられているのに気がつき、小さなおびえにとらえられた。教員はあきらかに僕に話しかけたがっていると感じられるのだ。そして、それをどうはぐらかしていいか僕にはわからない。僕は教員から顔をそむけ、体を捩《ね》じって後部の広いガラス窓から外を覗こうとしたが、それは霧のこまかい粒でおおわれていて、暗い鏡のように車内のすべてをぼんやり写している。そのなかに僕は、やはり熱心に僕を見つめている教員の顔を見て、やりきれない苛だちにおそわれた。

次の停留所で、僕は殆ど駈《か》けるようにしてバスを降りた。教員の前を通りぬける時、僕は首を危険な伝染を避けるためのように捩じって教員のすがりついて来る視線を振りきらねばならなかった。鋪道に霧はよどんで空気は淡い密度の水のようだった。僕は外套の襟を喉にまきつけて寒さをふせぎながら、バスが霧のゆるやかなうずをまきおこして遠ざかるのを見おくり、みじめな安堵の感情を育てた。ガラスを掌でぬぐって、幾人かこちらを見ようとしているのが白っぽくバスの後尾にうかんでいた。僕は、肉親と別れるような動揺を感じた、おなじ空気のなかへ裸の尻をさらした仲間。しかし僕はその賤しい親近感を恥じて、ガラス窓から眼をそらした。家の暖かい居間で僕を待っているはずの母親や妹たちの前へ帰って行くために僕は自分をたてなおさなければならなかった。僕は彼女たちから、僕の体の奥の屈辱をかぎとられてはならない、と考えた。僕は明るい心をもった子供のように意味もなく駈けだすことにきめて外套をかたく体にまといつけた。

ねえ、君、と僕の背後にひそんだ声がいった。ねえ、待ってくれよ。

その声が、僕から急速に去って行こうとしていた厭《いと》わしい《被害》を再び正面までひき戻した。僕はぐったりして肩をたれた。その声がレインコートの教員のそれであることは振りかえるまでもなくわかった。

待ってくれよ、と教員は寒さに乾いた唇を湿すために舌を覗かせてから、過度に優しい声でくりかえした。

この男から逃れることはむつかしい、という予感が僕をみたし、無気力に彼の言葉の続きを待たせた。教員は僕をすっぽりくるんでしまう奇妙な威圧感を体にみなぎらせて微笑していた。

君はあのことを黙ったまま耐えしのぶつもりじゃないだろう？　と教員は注意深くいった。他の連中はみんなだめだけど、君だけは泣寝入りしないで戦うだろう？

戦う？　僕は驚いて、うすい皮膚の下に再び燃えあがろうとしはじめた情念をひそめている教員の顔を見つめた。それは僕をなかば慰撫し、なかば強制していた。

君の戦いには僕が協力しますよ、と一歩踏み出して教員はいった。僕がどこにでも出て証言する。

あいまいに頭を振って彼の申し出をこばみ、歩き出そうとする僕の右脇へ教員の励ましにみちた腕がさしこまれた。

警察に行って話そう、遅くならない方がいい。交番はすぐそこなんだ。

僕のとまどった抵抗をおしきり、しっかりした歩調で僕をひきずるように歩きながら、教員は短く笑って付けくわえた。あすこは暖かくていいよ、僕の下宿には火の気もないんだ。

僕らは、僕の心のなかの苛だたしい反撥にもかかわらず、親しい友人のように見えるはずの腕のくみかたで、鋪道を横切り、狭い光の枠を霧の中へうかびあがらせている交番へ入って行った。

交番には若い警官が太い書体の埋めているノートに屈みこんでいた。彼の若わかしいうなじを赤熱したストーヴがほてらせていた。

こんばんは、と教員がいった。

警官が頭をあげ、僕を見つめた。僕は当惑して教員を見あげたが、彼はむしろ交番から僕が逃げだすのをふせぐためのように立ちふさがっていた。警官は充血して睡そうな眼を僕から教員にむけて固定した。それから再び僕を見かえした時、警官の眼は緊張していた。彼は教員から信号をうけとったようだった。

え？　と警官が僕を見つめたまま、教員にうながした。

どうかしましたか？

キャンプの外国兵との問題なんです、と教員が警官の反応をためすためにゆっくりいった。被害者のひとりがこの人です。

キャンプの？　と警官は緊張していった。

この人たちが外国兵に暴行されたんです。

警官の眼が硬くひきしまり僕の体じゅうをすばやく見まわした。彼が打撲傷や切傷を僕の皮膚の上に探そうとしているのがわかったが、それらはむしろ僕の皮膚の下にとどこおっているのだ。そしてそれらを僕は他人の指でかきまわされたくなかった。

待って下さいよ、僕一人ではわからないから、と急に不安にとりつかれたように若い警官はいって立ち上がった。キャンプとの問題は慎重にやりたいんです。

警官が籐《とう》をあんだ仕切の奥へ入って行くと、教員は腕を伸ばして僕の肩にふれた。

僕らも慎重にやろう。

僕はうつむいてストーヴからのほてりが寒さでこわばっていた顔の皮膚をむずがゆく融かすのを感じ、黙っていた。

中年の警官は若い警官につづいて入って来る時、眼をこすりつけて睡りから脱け出る努力をしていた。それから彼は疲れた肉がたるんでいる首をふりむけて僕と教員を見つめ、椅子をすすめた。僕はそれを無視して坐らなかった。教員は一度坐った椅子から、僕を監視するためのように、あわててまた立ち上がった。警官たちが坐ると訊問の空気がかもしだされた。

キャンプの兵隊に殴られたんだって？ と中年の警官がいった。

いいえ、殴られはしません、と皮ジャンパーの男に殴りつけられたあとが青黒いしみになっている自分の顎をひいて、教員はいった。もっと悪質の暴行です。

どういうことなんだい、と中年の警官がいった。暴行といったところで。

教員が僕を励ます眼で見つめたが、僕は黙っていた。

え？

バスの中で酒に酔った外国兵が、この人たちのズボンを脱がせたんです、と教員が強い調子でいった。そして裸の尻を。

羞恥が熱病の発作のように僕を揺り動かした。外套のポケットの中で震えはじめた指を僕は握りしめた。

裸の尻を？ と若い警官が当惑をあらわにしていった。

教員は僕を見つめてためらった。

傷でもつけたんですか。

指でぱたぱた叩いたんです、と教員は思いきっていった。

若い警官が笑いを耐えるために頰の筋肉をひりひりさせた。

どういうことなんだろうな、と中年の警官が好奇心にみちた眼で僕をのぞきこみながらいった。ふざけているわけじゃないでしょう？

え？　僕らが……

裸の尻をぱたぱた叩いたといっても、と教員をさえぎって中年の警官はいった。死ぬわけでもないだろうし。

死にはしません、と教員が激しくいった。しかし混雑しているバスの中で裸の尻を剝き出して犬のように屈まされたんだ。

警官たちが教員の語勢にけおされるのが、羞恥に体を熱くしてうつむいている僕にもわかった。

脅迫されたんですか、と若い警官が教員をなだめるようにいった。

大きいナイフで、と教員がいった。

キャンプの外国兵だということは確かなのですね、と熱をおびてきた声で若い警官がいった。詳しく話してみてください。

そして教員はバスの中での事件を詳細に話した。僕はそれをうなだれて聞いていた。僕は警官たちの好奇心にみちた眼のなかで、僕が再びズボンと下ばきをずりさげられ、鳥のそれのように毛穴のぶつぶつふき出た裸の尻をささげ屈みこまされるのを感じた。

ひどいことをやられたもんだなあ、と猥らな笑いをすでにかくそうとさえしないで、黄色の歯茎を剝いた中年の警官はいった。それを他の連中は黙って見ていたんだろう？

僕は、と嚙みしめた歯の間から呻《うめ》くように声を嗄《しゃが》らせて教員がいった。平静な気持でそれを見ていたわけじゃない。

顎を殴られていますね、と若い警官が僕から教員へ眼をうつしていった。

いいえ……外国兵にじゃありません、と教員は不機嫌にいった。

被害届を一応出してもらうことにしようか、と中年の警官がいった。それから、こういう事件のあつかいは丁寧に検討しないと厄介で。

厄介なというような問題じゃないでしょう、と教員がいった。はっきり暴力ではずかしめられたんだ。泣寝入りするわけにはいかないんです。

法律上、どういうことになるか、と中年の警官は教員をさえぎっていった。君の住所と名前を聞きます。

僕は、と教員がいった。

あんたよりさきに、被害を受けた当人のを。

僕は驚いて激しく首を振った。

え？　と若い警官が額に短い皺《しわ》をよせていった。

頑強に自分の名前をかくしとおさねばならない、と僕は考えた。なぜ僕は、教員にしたがって交番へ入って来たりしたのだろう。このまま疲れにおしひしがれて無気力に教員の意志のままになっていたら、僕は自分のうけた屈辱をあたりいちめんに広告し宣伝することになるだろう。

君の住所と名前をいえよ、と教員が僕の肩に腕をまわしていった。そして告訴するんだ。

僕は教員の腕から体をさけたが、彼に自分が告訴する意志をもたないことを説明するためにはどうしていいかわからなかった。唇を硬く嚙んだまま僕はストーヴの臭いに軽い嘔気《はきけ》を感じ、これらすべてが早く終わればいいと苛だたしく願っていた。

この学生だけが被害者じゃないんだから、と教員が思いなおしたようにいった。僕が証人になってこの事件を報告するという形でもいいでしょう？

被害をうけた当人が黙っているのに、こんなあいまいな話を取りあげることはできないよ。新聞だって相手にするはずはないね、と中年の警官はいった。殺人とか傷害とかいうのじゃないんだ。裸の尻をぱたぱた叩く、そして歌う。

若い警官がいそいで僕から顔をそむけ、笑いをかみころした。

ねえ、君、どうしたんだ、と苛だって教員がいった。なぜ君は黙ってるんだ。

僕は顔をうつむけたまま交番から出て行こうとしたが、教員が僕の通路へまわりこみ、しっかり足をふんばって僕をさえぎった。

ねえ、君、と彼は訴えかけるように切実な声でいった。誰か一人が、あの事件のために犠牲になる必要があるんだ。君は黙って忘れたいだろうけど、思いきって犠牲的な役割をはたしてくれ。犠牲の羊になってくれ。

羊になる、僕は教員に腹だたしさをかりたてられたが、彼は熱心に僕の眼をのぞきこもうと努めていた。そして懇願するような、善良な表情をうかべている。僕はますますかたくなに口をつぐんだ。

君が黙っているんじゃ、僕の立場がないよ。ねえ、どうしたんだ。

明日にでも、と中年の警官が、睨みあって沈黙した僕らを見て、立ちあがっていった。あんたたちの間で、はっきり話がついてから来て下さい。そうしたところで、キャンプの兵隊を起訴することになるかどうかはわからないけれどね。

教員は警官に反撥してなにかいいかけたが、警官は僕と教員の肩にぶあつい掌をおき、親しい客を送るように外へ押し出した。

明日でも遅くないだろう？　その時には、もっと用意をととのえておいてもらう。

僕は今夜、と教員があわてていった。

今夜は一通り話を聞いたじゃないか、と警官はやや感情的な声を出した。それに直接の被害者は訴える気持を持ってないんだろ？

僕と教員とは交番を出た。交番からの光は濃くなって光沢をおびた霧に狭く囲われていた。

君は泣寝入りするつもりなのか？　と教員が口惜《くや》しそうにいった。

僕は黙ったまま霧の囲いの外、冷たく暗い夜のなかへ入って行った。僕は疲れきっていたし睡かった。僕は家へ帰り、妹たちと黙りこんで遅い食事をし、自分の屈辱を胸にかかえこむように背をまるめ蒲団をかぶって寝るだろう、そして夜明けには、少し回復しているだろう……

しかし、教員が僕から離れないでついて来るのだ。僕は足を速めた。教員の力のこもった靴音が僕の背のすぐ後ろで速くなる。僕はふりかえり、教員と短い時間、顔を見つめあった。教員は熱っぽく苛だたしい眼をしていた。霧粒が彼の眉にこびりついて光っていた。

君はなぜ警察で黙っていたんだ、あの外国兵どもをなぜ告発しなかったんだ、と教員がいった。黙って忘れることができるのか？

僕は教員から眼をそらし、前屈みに急いで歩きはじめた。僕は背後からついて来る教員を無視する決心をしていた。僕は顔をこわばらせる冷たい霧粒をはらいのけようともしないで歩いた。鋪道の両側のあらゆる商店が灯《ひ》を消し扉をとざしていた。僕と教員の靴音だけが霧にうもれて人通りのない町にひびいた。僕の家のある路地へ入るために鋪道を離れる時、僕はすばやく教員を振りかえった。

黙って誰からも自分の恥をかくしおおすつもりなら、君は卑怯だ、と振りかえる僕を待ちかまえていたように教員はいった。そういう態度は外国兵にすっかり屈伏してしまうことだ。

僕は教員の言葉を聞く意志を持たないことを誇示して路地へ駈けこんだが、教員は急ぎ足に僕の背へついて来るのだ。彼は僕の家にまで入りこんで僕の名前をつきとめようとするつもりかもしれない。僕は自分の家の門灯の明るみを横眼に見て、その前を通りすぎた。路地のつきあたりを曲がって、再び鋪道へ出ると教員も歩調をゆるめながら僕に続いた。

君の名前と住所だけでもおしえてくれ、と教員が僕に背後から声をかけた。後から今後の戦いの方針を連絡するから。

僕は苛だちと怒りにおそわれた。しかし僕にどうすることができよう。僕の外套の肩は霧に濡れて重くなり、首すじに冷たくふれた。身震いしながら僕は黙りこんで歩いた、長い間そのまま僕らは歩いた。

市の盛り場近くまで来ると、暗がりから獣のように首を伸ばして街娼が僕らを待ちかまえているのが見えた。僕は街娼をさけるために車道へ踏み出し、そのまま車道を向こう側の歩道へ渡った。寒かった、僕は下腹の激しいしこりをもてあましていた。ためらったあと、僕はコンクリート塀の隅で放尿した。教員は僕と並んで自分も放尿しながら僕によびかけた。

おい、名前だけでもいってくれよ。僕らはあれを闇にほうむることはできないんだ。

霧を透かして街娼が僕らを見まもっていた。僕は外套のボタンをかけ、黙ったままひきかえしはじめた。教員が僕と肩をならべた時、街娼は僕らに簡潔で卑猥な言葉をなげかけた。霧に刺戟された鼻孔の粘膜が痛み悪寒がした。僕は疲れと寒さにうちひしがれていた。腓《ふくらはぎ》がこわばり、靴の中でふくれた足が痛んだ。

僕は教員をなじり、あるいは腕力にかけてもその理ふじんな追跡を拒まねばならなかったのだ。しかし僕は啞のように言葉を失い、疲れきっていた。体をならべて歩きつづける教員に、ただ絶望的に腹を立てていた。

僕らが再び、僕の家への路地の前へさしかかった時、夜はすっかり更けていた。僕は蒲団にたおれふして睡りに身をまかせたい、激しい願いにとらえられた。そこを僕は通りすぎたが、それ以上遠くへ離れていくことには耐えられなかった。急に湧きあふれる情念が僕をぐいぐいとらえた。

僕は唇を嚙みしめ、ふいに教員をつきとばすと、暗く細い路地へ駈けこんだ。両側の垣の中で犬が激しく吠えたてた。僕は息をあえがせ、顎をつきだし、悲鳴のような音を喉からもらしながら駈けつづけた。横腹が痛みはじめたが僕はそこを押しつけて走った。

しかし、街灯が淡く霧を光らせている路地の曲りかどで、僕は背後から逞しい腕に肩を摑まえられたのだ。僕を抱きこむように体をよせ、教員は荒い息を吐いていた。そして僕も白く霧にとけこむ息を、開いた口と鼻孔から吐き出した。

今夜ずっと、この男につきまとわれて、冷たい町を歩きつづけねばならないだろう、と僕は考えた。体を重く無力感がみたし、その底から苛だたしい哀しみがひろがってきた。僕は最後の力をふりしぼって、教員の腕をはらいおとした。しかし教員はがっしりして大きい体を僕の前にそびえさせて、こちらの逃走の意志をうけつけない。僕は教員と睨みあったまま絶望しきっていた。敗北感と哀しみが表情にあらわれてくるのをふせぐためにどうしていいかわからないのだ。

お前は、と教員が疲れに嗄《しゃが》れた声を出した。どうしても名前をかくすつもりなんだな。僕は黙ったまま教員を睨みつけているだけで、体じゅうのあらゆる意志と力をつかっていた。

俺はお前の名前をつきとめてやる、と教員は感情の高ぶりに震える声でいい、急に涙を両方の怒りにみちた眼からあふれさせた。お前の名前も、お前の受けた屈辱もみんな明るみに出してやる。そして兵隊にもお前たちにも、死ぬほど恥をかかせてやる。お前の名前をつきとめるまで、俺は決してお前から離れないぞ。

不意の啞

外国兵をのせた一台のジープが夜明けの霧のなかを走ってくる。罠《わな》にかかった小鳥の翼を針金につらぬいてまるめたものを肩にかけ、谷間のはずれの自分の猟場をまわっていた少年がそれを見つけ、しばらくは息をつめてそれを見まもっていた。

ジープが台地をぬけ、窪みへ入りこんで、再び台地へあらわれ谷間の村へ入ってくるまでには時間がある。少年は息せききって村へ戻って来た。かれの父が小さな集落の長をしている、その父が耕作に出る支度をととのえている所へ少年が青ざめて帰って来た。

半鐘をならして、谷間のすべての人々を、谷を見おろす中腹にある父親の家の前へ招集する。若い女たちは山の尾根の炭焼小屋へ待避する、男たちは武器と見あやまられるおそれのあるものを畑の小屋へ運んでおく。そして決してかれらと争うな。これらの訓辞は、いくたびもくりかえして予行練習されたものだった。ただ、なかなか外国兵が谷間の村までやって来なかったのだ。

子供たちは昂奮して谷間の短い村道を歩きまわり大人たちも耕作や蜜蜂の管理や、家畜のための飼料つくりがはかどらなかった。そして陽がかなり高くなってからジープはじつに静かにすばらしい速度で谷間の村へ入って来た。

それは夏のあいだ閉ざされている分教場前の広場へとまり、五人の外国兵と一人の日本人通訳がそれから降りたった。かれらは広場のポンプを動かして常に白濁している水を飲み体をぬぐった。かれらを村の大人たちや子供たちが遠まきにとりまいて見まもった。女たちは年老いた者らさえ暗く狭い土間にうずくまって決して外に出ようとしなかった。

体をぬぐい終わった外国兵たちが再びジープのまわりにひきかえしてくると村の大人たち、子供らの輪がひろがった。かれらは、初めてやって来た外国の兵士たちを見てすっかり動揺していた。

通訳がきびしい表情のまま、大声で叫んだのが、その朝の最初の言葉だった。

「集落長はどこにいる?　呼んで来てくれ」

村人たちの間にまじって外国兵の到着を見まもっていた少年の父親が輪からすすみ出た。少年は父親が堂どうと胸をはって通訳へこたえようとしているのを感動にみちて見つめた。

「おれだ」とかれの父親はいった。

「今日の夕方、涼しくなるまでこの村で休むことにしている。迷惑はかけない。この方たちは食事の習慣がちがうから接待する必要はない、やってもむだになる。いいな」

「その分教場へあがって休んでもいい」と父親は寛大にいった。

「大人は仕事に戻ってくれ、こちらも休養をとりたいんだ」と通訳がいった。

そのかれへ褐色の頭をした外国兵が唇をよせてなにかささやいた。

「出むかえてもらってありがとう、といっている」と通訳がいった。

褐色の頭の外国兵は嬉しそうに微笑していた。大人たちは通訳の言葉にもかかわらず、外国兵を見るためになかなかひきあげて行こうとしなかった。かれらも子供らも嘆声をあげて外国兵を見つめていた。

「大人は仕事に戻ってくれ」と通訳がくりかえした。

「みんな、仕事に帰ろう」と少年の父親がいった。

そこでやっと大人たちはみれんがましくふりかえりながら散っていった。しかしかれらは小さな機会でもあればもう一度やってきたそうにしていた。そして通訳にたいして、良い感情をもたない様子だった。子供たちだけがあとに残ると、かれらはやはり外国兵の存在におびえてしまう。そしてジープから少し後ずさって外国兵たちを見まもった。

外国兵たちの一人が井戸からくみあげた水をジープの車体にあびせて洗いはじめた。他の一人は分教場の窓枠のまえへ行って髪を、陽にもえたつ金髪をなでつけていた。銃の手いれをする者もいた。子供らは息をつめてそれをながめつづけた。

通訳はわざわざ少年たちの傍まで歩いてきて、にこりともしないで四方を見まわしたりしたあと、ジープの運転台へ入ってしまった。そこでかれらは、なんの気がねもなしに、この遠来の客を見まもることができるというわけだった。外国兵たちはおとなしく礼儀正しい感じだった。そして背が高く肩幅がひろく立派だった。子供たちは少しずつ輪をせばめて、もっと良く見るために兵隊たちへ近づいて行った。あまり恐くなかった。

正午がすぎ暑くなってから、外国兵たちは谷川へおりていった。そこには所どころ泳ぐことのできる深みがある。子供らは、裸になった外国兵の体を驚嘆して見つめた。兵隊たちはまっ白な皮膚と陽に輝く金色の体毛とをもっていた。かれらは水をぶっかけあい、けたたましい声で叫びかわした。

子供らは全身をぐっしょり汗で濡らし、それでもおとなしく岸にすわって外国兵たちを見まもっていた。そこへ通訳がおりて来て、かれも裸になったが、かれの皮膚は黄褐色をして、しかも体毛はまったく無く、全身がつるつるして汚らしい感じだった。かれは外国兵たちとちがって、下腹部をしっかりおさえて水にひたりに行くのだ。子供らは通訳のやり方をいくぶん軽蔑して声をあげて笑った。外国兵たちもほとんど通訳をあいてにしない様子だった。ただ通訳の方で、水をぶっかけに行ったりすると、たちまち数人の外国兵の包囲にあって悲鳴をあげながら退却する、そういうくらいなものだった。

外国兵が裸の体を奇声をあげながら拭って上衣とズボンをつけ、駈《か》けて分教場へ戻るのを子供らが追ったとき、通訳は一緒でなかった。そして暫くして、あわてふためいた通訳がはだしで帰って来た。かれは熱い石道をもてあましてやって来たので外国兵も子供らも一緒に笑い声をあげて、そのへっぴり腰の通訳をむかえた。

しかし通訳は笑うどころのさわぎではない真剣な表情をしていた。そして外国兵たちに事情を説明している様子だった。再び、その話を聞いた外国兵が笑い声をけたたましくひびかせ、それにつれて子供らも喉をいっぱいにあけて幸福に笑った。

通訳が、笑っている子供らに近づいて来た。かれは一目でそれとわかる不機嫌さなのだ。かれは子供らを叱りつけるような調子でいった。

「お前ら、おれの靴を知らないか」とかれは足をはだしのままばたつかせた。「おれの靴がなくなったんだ」

子供らは陽気に笑った。黒っぽく小さな顔を不快そうにしかめている通訳はいい見ものだった。

「笑うな」と通訳がいたけだかになって叫んだ。「お前らのうちで、いたずらをした者はいないか、おい、どうなんだ」

村の子供らは笑いやめ唾をのみこんで、通訳を見あげた。通訳はうちのめされたようなおももちで子供らに話しかけてくるのだ。

「なあ、誰か見かけなかったか？」

誰一人こたえなかった。そしてみんなの眼が通訳の細長く白いはだしの足を見まもった。

それは決して靴をはいたりしない村の人間の足とちがって弱よわしく、そして幾分いやらしく見えた。

「知らないのか、お前ら」と腹をたてた声で通訳はいった。「役に立たないやつらだ」

外国兵たちは暑い日射しをさけて分教場の屋根の下へ入りこみ、そこから通訳と子供らの応対を見まもっていた。かれらは、黒い服とはだしの奇妙な対照を示している通訳を楽しんでいるようだった。

「集落長をよんで来い、すぐに来いといえ」と通訳がきわめて高圧的にいった。

集落長の息子の少年は仲間から離れ、坂の急な石道を林をぬけて駈けあがった。父親は暗い土間に坐って母親と一緒に乾燥した竹の皮をよりわけて小さい束にする仕事をしていた。それはがんじょうな肩と太い首をもった父親には似つかわしくない仕事だった。しかし少年の村ではつねに男らしい仕事だけをしていることは不可能というべきなのだ。そして逆に、時には女たちが男らしい仕事をしなければならない事もある。

「あ?」と嗄《しゃが》れた声で父親が、少年の呼びかけにこたえた。

「通訳の靴がなくなって困ってる」と少年はいった。「それで来てくれっていっている」

「知るものか」と父親は不機嫌にいった。「あの汚い男の靴なんか知るものか」

しかし父親は立ちあがり少年につづいて陽のまぶしい戸外へ眼をほそめながら出て来た。かれらは谷間へおりて行った。

広場のジープのまわりには村の大人たちが集まって来て通訳の靴に関する説明を聞いていた。集落長が汗を額にうかべてたどりついたのへ通訳は雄弁にくりかえした。

「泳いでいる間に靴をぬすまれた、あんたの村のことはあんたに責任がある。靴をとりもどしてくれ」

少年の父親は回答するまえに村の大人たちをふりかえった。父親はそれからゆっくり通訳へむきなおって頭をふった。

「なんだ?」と通訳がいった。

「おれはそのことに関係がない」と父親はいった。

「あんたの村で盗まれた」と通訳は固執した。「責任はあんたの村にある」

「盗まれたのかどうかわからない」と父親はいった。「流れたのかもしれない」

「おれは砂の上に服といっしょに脱いでおいた、それは確かだ。流れるわけがない」

父親はもういちど振りかえり子供らと大人たちすべてにいった。

「お前ら、靴をぬすんだ奴がいるか?」そしてかれは通訳にいった。「いないらしい」

「子供だましをするな」と通訳がいきりたっていった。かれの薄い唇はきわめてこまかく震えていた。「おれをなめるな」

父親は黙っていた。通訳がそれへおっかぶせてきた。

「あの靴は軍のものだ、軍の備品を盗んだり隠匿したりする奴がどういうことになるかわかっているのか」

通訳がふりかえって腕をあげると、それに応じて背のすばらしく高い金髪や栗色髪の男たちが分教場から出て来て通訳と父親とをとりまいた。父親は外国兵の広く高い肩のあいだへすっかりかくれてしまう。外国兵たちは今さらながら、短くがっしりした銃をその銃床が腰へごつごつぶつかるような具合に肩へかけていた。

外国兵たちの輪がほどけ、そこから父親が顔を出して大声でいった。

「一応、川のあたりを探してみることにする、手伝ってくれ」

そして通訳と父親を先頭にし、外国兵たち、村の大人たち子供らが谷川へむかって歩いた。子供らは昂奮して、羊歯《しだ》の茂みへがむしゃらに足をふみこんだりしながらついて行った。短い川岸を探すことはごく簡単な作業にすぎなかった。そして、通訳のほかは誰もその作業に身をいれはしなかった。

外国兵のうち、きわめて若い雀斑《そばかす》のある男が、銃を腰にかまえて桐の梢を狙った。梢には腹をまるくふくらませた灰色の鳥が向こう岸から移ってきたところだった。鳥はじっとしていたが外国兵は撃たなかった。かれが銃身をおろし、川べりを靴をさがすための眼で見まわしはじめた時、村の大人も子供も、みんな熱い息をついた。村の人間たちは、みんな外国兵にたいして緊張をときはなたれたような感情になっているのだった。

しかし、通訳が川岸よりかなり離れた草むらから、かれの靴の紐《ひも》を拾いあげ、それが鋭利な刃もので切りとられていることを示して怒りの声をあげると、村の人間たちのあいだへ、再びおびえのまじったぎごちない気分が回復した。子供らは、笹や雑草、それに羊歯類の生いしげった中へ後ずさった。

通訳が大きい声で外国語を叫ぶと、褐色の頭をした胸の厚い兵隊がかれへ大股に近づいて行った。通訳は紐の切れた部分や、川岸からの距離を指で示して説明した。その間、父親は不機嫌に眉をしかめてそれを聞いていたが、外国語を理解しないかれは別のもの思いにふけっているのにすぎない。兵隊がゆっくりうなずき村の大人たちを見まわした。それから通訳が父親をどなりつける勢いでしゃべり始めた。

「お前の村の人間に盗人《ぬすっと》がいるんだ、それは誰かお前には分かっているだろう？　そいつに白状させてくれ」

「おれには分からない」と父親はいった。「この村で盗みを働いたものはいない」

「嘘をつけ、おれが騙されるとでも思うのか」と口汚く通訳はいった。「軍の備品を盗んだ奴は銃殺されても仕方がないぞ、それでいいのか？」

父親は反応を示さなかった。通訳は険しく眉をひきつらせてかれを見つめていた。その通訳へ褐色の頭の外国兵がごく普通の声でなにかいった。通訳が不機嫌なままうなずきかえした。そこでかれらは分教場前の広場へひきあげて行ったが、陽に焼けた道をはだしの足で歩く通訳のかっこうはかなり滑稽なものだった。通訳は跳びはねるように歩きながら、しきりに首筋の汚れた汗をぬぐった。

分教場前の広場で、通訳は褐色の頭をした兵隊に身ぶりいりでしゃべったあと、あきらかに村の大人たちすべての胸をゆさぶる効果をねらっている調子でいった。

「お前たちの家を強制的に捜索する用意がある」とかれは力をこめてそれをいうのだ。「靴を隠匿している者は逮捕される。しかし、今、自発的に靴を提出して謝罪する意志があれば、不問にふすことにする」

村の人間たちはまったく動揺しなかった。通訳はますます苛だっていった。

「おい、子供たち、お前たちのなかで誰か靴を匿す奴を見た者はいないか？　もしいたらおれにいいつけに来い。褒美をやる」

子供たちは黙っていた。通訳は再び外国兵と激しい身ぶりで話し合った。外国兵があきらめたようにうなずき、分教場へひきこんでしまうと、汗まみれの頭をふりたてて通訳はいった。「すべての家屋を捜索する、軍の備品を盗んで匿したまま黙っていた奴は処罰する」。そしてかれは命令した。「おれについて来い。全員立ちあいの上で北のはしから捜索する。品物が発見されるまで、独立行動は許さないことにする」

村の大人たちは誰一人動こうとしなかった。通訳が声をはりあげた。

「なにをぐずぐずしている」とかれは村人たちへ突っかかる勢いで叫んでいた。「おれについて来いといってるんだ、協力しないつもりか」

かれの声はむなしく炎天へすいこまれてゆき、村の男たちは汗のぶつぶつふき出た腕をこまねいてじっとしていた。通訳は怒りのあまり身もだえせんばかりで、熱っぽい眼を見ひらき四方を睨みつけて体を震わせた。

「おれについて来い、一軒ずつ捜索するんだ」

「行こう、立ち合うことにしよう」と父親がいった。

そこで村の男たちは谷間の北側へ通訳にしたがって歩いて行った。谷間へ陽がもっとも激しくあたる時間だった。怒りくるっているはだしの通訳は滑稽な歩き方で道にしいた石の熱さに耐えながらしゃにむに歩いていったので、それを見送る子供らに笑いをまきおこした。外国兵たちも当惑しきったような笑い声をたてた。そこで子供たちは外国兵への親しみを急速に回復した。

通訳の捜索がおこなわれるあいだ出発できない外国兵たちはジープのまわりを手持ぶさたに歩きまわったり、分教場へひきこもったりしていた。子供らはその外国兵たちを見まもって楽しい時をすごした。外国兵の方では着物を着た小さな女の子をめずらしがって、写真をとったり手帖にスケッチしたりした。しかしあまりに捜索が長びくので、かれらはそれにもあきてしまうほどだった。

通訳はじつに執拗に捜索をつづけていた。外国兵たちは分教場の板ばりの床へ土足であがりこんで、寝そべったり腰をかけたりして待っていた。かれらは途方にくれている様子だった。なかにはたえまなくあごを動かしている若い兵隊もいて、かれは時おり陽に乾きって土埃をあげる地面へ桃色の唾を吐いた。

大人たちは通訳にしたがって家々の捜索に立ちあったが、子供たちは分教場の広場にむらがってジープを見たり、うんざりしている兵隊たちを見たりしていた。かれらはあきることなく熱心に見つめていた。若い兵隊が、かれの嚙んでいる紙包装の菓子を投げてよこした。子供たちは微笑を顔いちめんにうかべ嬉しさでわくわくしながらそれを食べたが、歯にねばねばこびりつき、皮のように嚙みきれない感じだった。子供たちはみんなそれを吐き出したが、すっかり満足していた。

ふいに陽がかげり谷間をかこむ山肌が黒ずみ、風が起こって栗の林の下草を揺るがせた。夕暮だった。そこでとうとう疲れきった通訳は村の大人たちをひきつれ、むっと不機嫌に黙りこんで広場へ戻って来た。かれのはだしの足は汗と埃に汚れて黒っぽい布でつつまれているようだったし、なによりも大きく醜かった。

かれは分教場に入りこんでいる外国兵たちに事情を説明している様子だった。もう外国兵たちのあいだに笑い声はおこらなかった。外国兵たちも待ちくたびれて腹だたしい表情をしていた。外国兵たちが銃を腕に広場へ出てくると、それを背後の支えにして通訳は村の大人たちへ向きなおった。

「協力してくれ」とかれは哀願するような声になっていった。「おれに協力することは進駐軍に協力することだ。日本人は、これから進駐軍に協力することなしには生きてゆくことができない。お前たちは負けた国の人間じゃないか。勝った国の人間に虐殺されても不平をいえない立場だ。協力しないでいることは気違いざたじゃないか」

大人たちは黙って通訳をみつめていた。通訳は苛だって少年の父親へ指をつきつけながら、もとの押し付けがましい声に戻って叫んだ。

「おれの盗まれた品物が返るまで、おれたちはこの村を出ないぞ。おれが兵隊たちに、この村には反抗的な人間が武器をもってひそんでいるというだけで、兵隊はこの村にとどまってとりしらべを始めるだろう。兵隊が腰をすえたら、お前らが今、山へやっている女房や娘もただではすまなくなるぞ」

通訳は村人たちの動揺をたしかめるためのように重おもしく唇をひきしめて睨みまわした。

「なあ、協力しないつもりか」

「誰もあんたの靴を知らないといってる。川へ流したのじゃないかといってる」と少年の父親が忍耐づよくいった。「協力するもしないもない」

「この野郎」と通訳は歯をむいて叫び、やにわに父親の顔を正面から殴りつけた。

父親はがんじょうなあごをしっかり支えたままびくともしなかったが、唇が切れて血のしずくがしたたり始めていた。そしてその陽にやけた頬にゆっくり赤みがさしはじめるのを、その息子の少年は胸をしめつける不安にとりつかれて見あげた。

「この野郎」と通訳は息をはずませていった。「お前は集落長だ、責任がある。お前が盗人の名をいわないなら、お前のことを盗人だと兵隊にいってやる。そしてお前をつかまえさせて進駐軍の憲兵にひきわたさせてやる」

少年の父親はゆっくりむきをかえ、通訳に背をむけて歩きはじめた。少年は父親がすっかり腹をたててしまったのを感じた。通訳が大声で呼びもどそうとしたが、父親はそれに反応を示さずぐんぐん歩いていった。

「とまれ、泥棒、逃げるな」と通訳が叫んだ。そしてかれは外国語をそれにつづけて絶叫した。

若い兵隊が銃を腰にかまえてとびだし、やはり外国語でどなった。父親がふりかえり、そして急に恐慌におそわれたように駈け出した。通訳が叫び、若い外国兵の銃が轟音をひびかせ、父親が両腕をひろげて空へ跳びはねるように体をうかせ、そのまま地面へたおれた。村の人間が駈けより、それよりもさきに息子の少年がたおれた父親にとびついていった。父親は眼と鼻、それに耳からも血をあふれださせて死んでいた。少年が嗚咽《おえつ》にゆりうごかされながら父親の、熱に燃えあがりそうな背に顔を埋めた。かれ一人で父親を所有してしまっていた。そこで他の村人たちはふりかえり夕暮の濃い空気をとおして、ぼうぜんと立っている通訳と外国兵とを見つめた。外国兵から離れ、二、三歩ふみ出した通訳が逆上した声をかけてよこしたが、村の大人たち、子供たちの誰一人こたえなかった。みんな黙りこんで通訳を見つめているだけだった。

夜がふけて、少年とその母親だけが、床に横たわっているがんじょうな死体の傍にいた。母親は男のように尻をつき膝を両腕にかかえこんで身動き一つしないでいた。少年は谷に面した窓から下を見つめて、これも身動き一つせず黙りこんでいた。

谷間の底の谷川から濃い霧が湧きあがっている。少年は眼をこらし、村からの石道を大人たちがのぼってきているのを、そしてかれらを追って霧が上方へゆっくり移動しているのを見た。大人たちは黙りこんでゆっくりのぼって来た。重い荷をせおっているようにかれらは足を十分にふみしめてのぼってくるのだ。少年は唇をかみしめ動悸をたかまらせて、それを見つめていた。それはじつにゆっくり、しかし着実にのぼって来た。少年は気が遠くなりそうだった。それから急に母親がいざりよってきて窓をのぞいた。かれは母親が大人たちを見つけたのを感じた。母親がかれの肩に腕をまわした。少年は母親の腕のなかで体をかたくした。

大人たちが樫《かし》の木立にかくれたと思うと、すぐかれらは少年の家の土間へ通じる板戸を声もかけずに押しひらき、そのままそこへむらがって黙ったまま少年を見つめた。少年はかれを抱きしめている母親が震えはじめるのを感じ、たちまちそれに感染されて自分も身ぶるいを始めた。

しかしかれは母親の腕を自分の体からほどき立ちあがった。そして土間へはだしのまま降りて行き、大人たちに囲まれて歩きはじめた。大人たちは霧にぬれた傾斜の急な道をどんどんくだり、少年はおびえと霧の寒さに身ぶるいをつづけながら小走りについて行った。

道が石灰岩をとるために開かれた小さな採石場の前の平坦な場所で、二股にわかれる。土橋をわたると谷川の深みへ降りる石段へ通じる。そこで大人たちの不精髭におおわれた、貧しく陰険な顔が緊張にゆがみながら少年を見おろした。かれらは黙りこんだまま少年を見つめていた。

少年は震えをおさえるために自分の体をだきしめ、大人たちに背後から見つめられるのを感じながら、分教場前の広場へ向かって一人で駈けた。ジープが柔らかい月の光をうけて静かにとまっていた。その前へ少年は行って立ちどまった。兵隊たちは分教場の中で寝ているはずだった。少年はねばっこい唾を口腔いっぱいにためてジープを見つめていた。

運転台のなかで人影がむっくり起きあがった。それはドアをひらき半身を乗り出した。

「誰だ」と通訳の声がいった。「何をしに来たんだ」

少年は黙っていた。そして通訳の黒っぽい頭を見あげた。「おれの靴をかくしてある所を知ってるのか?」と通訳がいった。「それをおれにいって褒美をもらいたいのか」

少年は頬をこわばらせ力のすべてをつかって顔をあおむけていた。そして黙っていた。通訳が快活な身のこなしでとびおりて来た。かれは少年の肩をどんと叩きつけた。

「お前はいいやつだ、さあ連れて行ってくれ。心配することはない、大人には黙っていてやる」

少年と通訳は体をごつごつぶつけあいながらひきかえした。少年は震えをけどられないように意志の限りをつくしていた。

「褒美は何をやろうか」と通訳は饒舌《じょうぜつ》にしゃべっていた。「おい何がほしい？　兵隊に菓子をもらってやろうか、外国の絵葉書を見たことがあるか？　外国人の読む雑誌をやってもいいぞ」

少年は黙ったまま息をつめて歩いた。はだしの足裏に礫《こいし》が痛かった。それは通訳にとってはなおさらのことらしかった。かれは陽気にしゃべりながらひょいひょい跳んでついて来た。

「お前は唖か？」と通訳はいった。「唖でももの分りがいいな。お前の村の大人ときたら頭がどうかしてるよ」

かれらは採石場の前へ出た。土橋をわたり、霧にぬれてすべっこくなっている石段をおりる。土橋の下の暗がりから、ふいに腕が出て通訳の口をおさえた。そして剛毛がいちめんに生え筋肉が石のようにかたくもりあがっている数人の大人の体が萎縮したセクスをあらわにして通訳をかこんだ。通訳は身動き一つできないまま数人の裸にだきつかれ、水のなかへゆっくり沈みこまされていった。呼吸の苦しくなった者が通訳の体からはなれ水面へ顔をつきだして一呼吸すると再びもぐってゆき、通訳の体をだきしめる。長いあいだ、かわるがわるその作業を大人たちはくりかえし、それから通訳だけ水の深みへのこして石段へあがって来た。かれらはみんな寒さに震えていた。そして体をぶるぶる震わせて水をきるとそのまま服を着こむのだ。大人たちは坂道のはじまりまで少年を送って来た。それから黙ったままひきかえすかれらの足音においたてられるように、少年は夜明けの林を駈けあがった。

扉をあけると柔らかい青灰色の夜明けの霧が開かれたままの扉からあふれこみ、黒い背を土間へむけてじっとしている母親を咳きこませた。かれもやはり咳きこみながら土間に立っていた。母親がじつに険しい眼でかれを見かえった。かれは黙ったまま板の間へあがり、父親の大きい体が半ばしめている茣蓙《ござ》のすみに、寒さに鳥肌立った体を横たえた。母親の視線がかれの狭い背や細い首筋をはいまわっていた。かれは声をたてずにむせび泣いた。かれは疲れきり無力感と哀しみ、そして何よりも激烈なおびえにとらえられていた。母親の手がかれのうなじにふれた。かれは狂気のように荒あらしくそれをふりはらい唇を噛みしめた。涙が流れた。家の背部にすぐ連なる、栗をふくむ雑木の林から旺《さか》んな小鳥の声が湧きおこった。

朝、外国兵の一人が谷川の深みにうかんでいるまっ白な足をそろえてつきだした通訳を見つけた。かれは仲間をよびおこしそれをつたえた。かれらは通訳を川からひろいあげるために村の人間を使おうとした。しかし、かれらのまわりに子供らは決して近づいてもこなければ遠くからかれらを見まもっている様子もなかった。

大人たちは、耕作したり、蜜蜂の箱をなおしたり草を刈ったりしていた。外国兵たちが身ぶりでその意志をしめしても大人の村人たちはまったく反応を示さなかった。そして外国兵たちを樹木か鋪石のように見て、仕事のつづきにとりかかる。みんな黙りこんで働いていた。外国兵が村に入っていることを忘れてしまっているようだった。

ついに外国兵の一人が裸になって川へ入り、溺死体をひきよせ、それはジープに運びこまれた。昼まえのあいだずっと、ジープのまわりで外国兵が、あるいは腰をおろしたり、あるいは歩きまわったりしていた。かれらは死ぬほど苛いらしている様子だった。

それから、ふいにジープが向きをかえると村へ入って来た道をひきかえして行った。村の人間は子供もふくめて誰一人それに注意をはらわず、ごく日常的な動作をしていた。道が村を出はずれるところで、女の子供が犬の耳をなでてやっていた。外国兵のなかでいちばん澄んだ青い色の眼をした男が菓子の包みを投げてやったが、女の子供も犬も身うごき一つしないでその遊びをつづけた。

セヴンティーン

1

今日はおれの誕生日だった、おれは十七歳になった、セヴンティーンだ。家族のものは父も母も兄もみんな、おれの誕生日に気がつかないか、気がつかないふりをしていた。それで、おれも黙っていた。夕暮に、自衛隊の病院で看護婦をしている姉が帰ってきて、風呂場で石鹸を体じゅうにぬりたくっているおれに、《十七歳ね、自分の肉をつかんで見たくない?》といいにきた。姉は強度の近眼で、眼鏡をかけている、それを恥じて一生結婚しないつもりで自衛隊の病院に入ったのだ。そして、ますます眼が悪くなるのもかまわないで、やけになったみたいに本ばかり読んでいる。おれにいった言葉も、きっと本の中からぬすんできたのだろう。しかし、とにかく家族の一人はおれの誕生日をおぼえていたのだ、おれは体を洗いながら、独りぼっちの気分からほんの少しだけ回復した。そして姉の言葉をくりかえし考えているうちに石鹸の泡の中から性器がむっくり起き上がってきたので、おれは風呂場の入口の扉に鍵をかけに行った。

おれはいつでも勃起しているみたいだ、勃起は好きだ、体じゅうに力が湧いてくるような気持だから好きなのだ、それに勃起した性器を見るのも好きだ。おれはもういちど坐りこんで体のあちらこちらの隅に石鹸をぬりたくってから自瀆した。十七歳になってはじめての自瀆だ。おれは始め自瀆が体に悪いのじゃないかと思っていた、そして本屋で性医学の本を立読みしてから、自瀆に罪悪感をもつことだけが有害なのだと知って、ずっと解放された気持になった。おれは大人の性器の、包皮が剝《む》けて丸裸になった赤黒いやつが嫌いだ。そして、子供の性器の青くさい植物みたいなやつも嫌いだ。剝けば剝くことのできる包皮が、勃起すれば薔薇色《ばらいろ》の亀頭をゆるやかなセーターのようにくるんでいて、それをつかって、熱にとけた恥垢を潤滑油にして自瀆できる状態の性器がおれの好きな性器で、おれ自身の性器だ。衛生の時間に校医が恥垢のとり方についてしゃべり、生徒みんなが笑った。なぜなら、みんな自瀆するので恥垢はたまらないからだ。おれは自瀆の名手になっている、射精する瞬間に袋の首をくくるように包皮のさきをつまんで、包皮の袋に精液をためる技術までおれは発明したのだ。それからというものは、おれはポケットに潜り穴をあけたズボンさえはいていれば、授業中でも自瀆することができるようになったのだ。さて、おれは、婦人雑誌の特集カラー・ページで読んだ結婚初夜に性器で妻の膣壁をつき破り腹膜炎をおこした夫の告白のことを思いだしながら自瀆した。青い翳《かげ》りをおびた白く柔軟な包皮にくるまれたおれの勃起した性器はロケット弾のようで力強い美しさにはりきっているし、それを愛撫しているおれの腕には、いま始めて気がついたが筋肉が育ちはじめているのだ。おれは暫く茫然として新しいゴム膜のような自分の筋肉を見つめていた。おれの筋肉、ほんとうに自分の筋肉をつかんでみる、喜びが湧いてくる、おれは微笑した、セヴンティーン、他愛ないものだ。肩の三角筋、腕の二頭筋、そして大腿の四頭筋、それはみな、まだ若くて幼稚な筋肉だ、けれども育てようしだいで自由に大きくなり硬くなる筋肉だ。

　おれは父親にいって誕生日のプレゼントにエキスパンダーかバーベルを買ってもらおうと考えた。父親はけちだ、運動用具なんか買い渋るだろう、しかしおれは湯気のあたたかさ、石鹸の泡のなめらかさにうっとりしていたので、父親のことをなんとか説きふせることができそうな気がした。次の夏までにおれの筋肉は頑丈になり、隅ずみまで発育し、海で女の子たちの眼をひきつけるだろう、それに同年輩の男の子たちの心に尊敬の熱っぽい根をうえつけるだろう。海の風の塩辛い味、熱い砂、太陽の光が灼けた皮膚になおもふりかけるムズガユ粉、自分や友達の体の匂い、海水浴する裸の大群集の叫喚のなかで不意におちいる孤独で静かで幸福な目眩《めまい》の深淵、ああ、ああ、おお、ああ、おれは眼をつむり、握りしめた熱く硬い性器の一瞬のこわばりとそのなかを勢いよく噴出して行く精液、おれの精液の運動をおれの掌いっぱいに感じた。そのあいだ、おれの体のなかの晴れわたった夏の真昼の海で黙りこんだ幸福な裸の大群集が静かに海水浴しているのがわかった。そしておれの体のなかの海に、秋の午後の冷却がおとずれた。おれは身震いし、眼をひらいた。

精液が洗い場いちめんにとびちっていた。それは早くもひややかでそらぞらしい白濁した液にすぎなくて、おれの精液という気がしなかった。おれはそこらじゅうに湯をかけてそれを洗い流した。ぶよぶよして残っているかたまりが板の透き間に入りこんでいてなかなか流れない。姉がそこに尻をぺったりつけたら妊娠してしまうかもしれない。近親相姦だ、姉は汚らしい妙な女になるだろう。おれは湯を流しつづけた、そしてそのうちに体がひえきって震えがきそうなのを感じた。おれは湯槽《ゆぶね》に入り、音をたてて湯をはねちらしながらすぐに立ち上がった。あまり永いあいだ風呂に入っていたら、母親があやしみはじめるにちがいない、そして嫌味だ、《この子は去年まで烏の行水だったのにねえ、お風呂のどこがおもしろくなったんだか》。おれは音をたてないように苛いらしながら鍵をはずした。風呂場を出るのと一緒に、オルガスムの瞬間おれの体の内と外からひしめきあうように湧きおこっていた幸福感や、どこの誰とも知れない人たちに感じた友情、共生感、それらの残り滓《かす》のすべてが、かすかに精液の匂いのする湯気のなかに閉じこめられた。四畳半の脱衣場の壁に大きい鏡が張ってある。おれは黄色い光のなかに裸でしょんぼり立っている独りぼっちのおれを見た。

たしかに、しょんぼりしたセヴンティーンだ、毛だって細ぼそとしか生えていない下腹に萎《しぼ》んだ性器が包皮を青黒い皺《しわ》だらけの蛹《さなぎ》みたいにちぢこまらせ、水やら精液やらを吸ってみずっぽくどんよりして垂れさがっている、そして湯にのびた睾丸だけ長ながと膝まで届きそうな具合だ、魅力なしだ。それに背後から光をうけて鏡にうつっているおれの体には筋肉どころか骨と皮だけしかないのだ、風呂場では光の具合がよかったのだ。おれはがっかりした。おれはまったく意気銷沈《しょうちん》してシャツを着た。おれの顔がシャツの首からぬっと出ておれを見つめる。おれは鏡に近づいて、しげしげと自分の顔を見た。厭《いや》らしい顔だ、不器量とか色黒とかいうのじゃない、おれの顔はほんとうに厭らしい顔なのだ。まず皮膚が厚すぎる、白くて厚い、豚の顔みたいだ。おれは、骨格のしっかりした顔を浅黒く薄い皮膚がぴっちりと張りつめているような顔、陸上競技の選手みたいな顔がすきなのに、おれの皮膚の下には肉や脂肪がいっぱいつまっている。顔だけ肥っている感じだ。そして額がせまい、粗い髪の毛が、せまい額をなおせばめてぎっしり生えている。頬がふくれている。唇だけ女みたいに小さく赤い。眉は濃く短く、ぼそぼそ生えていて形がはっきりしない、そして眼は怨《うら》めしそうに細く三白眼だし、耳ときたら頭に直角にひらいて肉厚な、あ福耳なのだ。おれは自分の顔が女みたいでぐにゃぐにゃで恥ずかしがってキイキイ啼《な》いているみたいで、写真をとるたびにまったくうちのめされてしまう。とくに学校でクラスの者みんなの記念写真のときなど死にたいほど憂鬱な写真ができあがる、しかも写真屋がいつもおれの顔をのっぺりした二枚目に修整するのだ。

おれは呻《うめ》きたい気持で鏡のなかの自分の顔を睨みつけていた。顔の色が青黒くなってきている、それは自瀆常習者の顔の色だ、おれは街でも学校でも、自分がいつも自瀆していることを宣伝しながら歩きまわっているようなものかもしれない。他人が見れば、おれの自瀆の習慣はすぐわかるのかもしれない。おれの怨みっぽい大きい鼻を見るたびに他人どもはみんな、ほらこいつはあれをやるやつだ、と見ぬいてしまっているのかもしれない。そしてみんなで噂しているのかもしれない。おれは、自瀆が体に悪いのじゃないかと思っていた時分とおなじ気持にとらえられた。思ってみればあのころから事情はすこしもよくなっていないのだ。事情というのは、おれが自瀆することを他人に知られることの死にたいほどの恥ずかしさ、ということだ。ああ、おれのことを、他人どもは、あいつは自瀆常習者だ、あの顔の色やら眼のにごりを見ろよなどといって、厭らしいものでも見るように唾を吐いて見ているのだろう。殺してやりたい、機関銃でどいつもこいつも、みな殺しにしてやりたい。おれは声をだしてそういってみた、《殺してやりたい、機関銃でどいつもこいつも、みな殺しにしてやりたい、ああ、おれに機関銃があったらなあ！》おれの声は低い、それで声にならなかった息が鏡を曇らせ、おれの怒りに燃えている顔をたちまちぼんやりした汚い霧のむこうへおしかくした。おれを見て嘲笑《あざわら》う他人どもの眼から、おれの顔をこんな具合に隠してしまうことができたらどんなに解放された自由な気持になれるだろうに、とおれは怨めしい思いで考えた。

しかしそんな奇蹟はおこらないだろう、おれはいつも他人の眼のまえで赤裸の自瀆常習者なのだ、あれをやってばかりいるセヴンティーンなのだ。結局こんなにみじめな気持の誕生日は生まれてはじめてだ、とおれは気がついた。そしておれの一生の残りの誕生日はみな、このとおりのみじめさか、もっと悪いかだと思った、これはきっと正しい予感なのだ。自瀆なんかするんじゃなかった、とおれは後悔し頭痛を感じた。おれはやけになって《おお！　キャロル》を鼻歌でやり始めながらいそいで残りの服を着こんだ、おまえはおれを傷つける、おまえはおれを泣かせる、けれどもし、おまえがおれを棄てるなら、おれはきっと死んでしまうだろう、おお、おお、キャロル、おまえはおれに酷《むご》いことをする！

夕食のときにもおれの誕生日にふさわしい言葉をいってくれる者はなかった、姉も風呂場にいたおれにいいにきたほどのことさえもういちどいうことはしなかった。結局、おれの十七歳の誕生日にふさわしい言葉などは無いのだということがおれにわかってきた。それにおれの家では食事のあいだに話し合う習慣がもともとないのだ。私立の高校の教頭をしているおれの父親が、食事のあいだに話をすることを嫌うからだ。食事しながら家族が話し合うのを、父親は下品な習慣で許すことができないと思いこんでいるのだ。おれも自瀆したあと疲れたみたいで頭はずきずきするし、おれのセヴンティーンの厭らしさに泥まみれになったような気持だったので、みんなが黙りこんで夕飯をすませるのに不満を申しのべたいとは思わなかった。おれの誕生日は、それ以外のおれの毎日とおなじように冷たくあしらわれてしかるべきだ、とおれ自身思うようになっていたのだ。しかし、夕食のあとでおれは誕生日のこともエキスパンダーのことも考えず、辛く赤い朝鮮漬を嚙みながらぐずぐずとお茶を飲んで坐っていた。もしかしたら、おれの心の隅にやはり、誕生日をまだこだわっている部分が残っていたのかもしれない。

おれは夕刊を読みかえしたりテレビを横眼で睨んだりしながら、朝鮮漬を嚙んではお茶を飲んでいた。田舎ですごした中学生のころに、背の高い朝鮮人の同級生から、おれがチビだからといっていつも虐《いじ》められたことを思いだしながら、おれは朝鮮漬を嚙んではお茶を飲んでいたのだ。テレビのニュースに、皇太子とお妃とが外国旅行のことでメッセージを発表している場面がうつった。皇太子が遠方を見ているような狡い眼で、《国民の皆様のご期待にそえるよう頑張るつもりです》というようなことをいった、その傍で妃が少しおしつけがましいみたいに微笑して、おれたち国民の皆様の方を見つめている。おれはむかむかして独り言をいった。

「税金泥棒が、きいたふうなことをいってるよ、おれはなにもご期待してないよ」

そのときテレビの脇に寝そべって文庫本を読んでいた姉が凄い勢いで起きあがると、おれに嚙みついてきた。

「税金泥棒て、なによ、誰がきいたふうなことをいってるのよ」

おれはちょっとたじろいで、悪いことをいったな、という気持になったのだ。しかし父親はまったく無関心そうにそっぽをむいて煙草をふかしている。テレビ会社につとめている兄は模型飛行機をくみたてる他にはまったく注意をはらわず、母親は台所で働きながら頭をよじってテレビをばかみたいに熱心に見ているというわけで、誰もおれと姉の口論に冷淡なので、おれはますますむかついてきて、姉の売言葉を買って出てしまった。

「税金泥棒は皇太子夫婦さ、おれたちはなにもあの連中に期待してないよ。それから税金泥棒は他にもいるんだ、自衛隊がその親分株だよ、知らなかったか、灯台もと暗しかねえ」

「皇太子殿下ご夫妻のことは別にして」と姉が眼鏡の奥の細い眼を据えると、実に冷静な声でささやきかけるようにいった。「自衛隊がなぜ税金泥棒？　もし自衛隊がなくて、アメリカの軍隊も日本に駐留していなかったら、日本の安全はどうなると思う？　それに自衛隊につとめている農村の二、三男は、自衛隊がなかったら、どこで働けるの？」

おれは詰まった。おれの高校は都下の高校でも一番進歩的な所だ、デモ行進もやる。それで級友が自衛隊の悪口をいうたびに、おれは自衛隊の病院の看護婦をしている姉のことが頭にあって、自衛隊の弁護をした。しかし、おれはやはり左翼でありたい気がするし、気分の点でいっても左翼の方がしっくりする。デモ行進にも行ったし学校新聞に基地反対運動には高校生も参加すべきだという投書をして、新聞部顧問の社会科の教師によびつけられたこともあった。そしておれは、姉の言葉をひっくりかえしてしまわなければ、と思いながら詰まってしまったのだ。

「そんなこと公式的だよ、自民党の連中がいつでもいって国民をごまかす定《き》まり文句だよ」とおれは虚勢をはって鼻であしらうようにいった。「単純な頭のやつのいうことだよ、そして税金泥棒にうまくやられてしまうんだ」

「単純な頭でもいいわよ。だからわたしの単純な疑問に、あなたの複雑な頭でこたえてよ。日本にいるあらゆる外国兵力が撤退して、日本の自衛隊も解体して、日本本土が軍事的に真空の状態になったら、たとえばの話だけど南朝鮮との関係が日本に有利なように運べると思うの？　李承晩ラインのあたりで今でも日本の漁船はつかまってるのよ。もし、どこかの国が小さい軍隊でも日本に上陸させたら、軍事力がまったくないのではどうすることができるの？」

「国連に頼めばいいじゃないか、それに南朝鮮は別にして、どこかの国の小さい軍隊なんていうのがクセモノなんだぜ、日本になんかどこの国も軍隊を上陸させたりしないんだ、仮想敵国なんてないんだ」

「国連もそんなに万能じゃないのよ。火星から攻めてくるのじゃなくて、地球の上のどこかの国の軍隊が攻めてくるときには、その国が国連のなかでもってる利害関係もあるし、いつも日本人のためばかり思ってくれるとは限らないわ。それからねえ、朝鮮戦争でもアフリカの隅っこの戦争でもそうだけど、国連軍が介入するのは一応戦争がはじまってからよ。日本の陸の上で戦争が三日間でもおこなわれたら、ずいぶん沢山の日本人が死ぬわ。それからでは国連軍も、死んだ日本人にとっては意味ないわ。日本になんかどこの国がというけど、基地として日本をもつともたないのとでは極東で大きなちがいよ。もしアメリカが撤退したら、左翼の人は不安をなくすためにソ連の軍隊の基地をみちびきいれたくなるんじゃない？　わたしだって、基地のアメリカ兵とふれる機会があるわ、とてもマレにだけど、あなたよりもあるわね。それでやはり外国兵が日本にいることはよくないと思うのよ。自衛隊が充実するほうがいいと思うの。農村の二、三男を失業から救うことにもなるんだし」

おれは自分が敗けつつあるのを感じて苛だっていた、おれは敗けたくないし、またおれの立場が正しい筈なのだ、学校で友達と話すときに姉のような意見はまったく問題にもされず、棄てられ踏みにじられるのが常だった、今もおれは勝たねばならない筈なのだ。糞、女の浅智恵か、とおれは自分をけしかけた。再軍備論が正しいなどとおれは思ってみたこともなかったのだ。

「いまの保守党内閣の政治が悪いから、農村の二、三男も失業するんじゃないか、政治が悪くてできた失業者を、また悪い政治のために使っているだけじゃないか」とおれは昂奮していった。

「でも、戦後の復興と経済の発展は、その悪い筈の保守党内閣のもとで進められてきたのよ」と姉はまったく昂奮しないでいった。

「保守党の政府が日本を繁栄させてるのよ、結局なんといってもそれは現実じゃない？だから日本人の大多数が保守党の方をえらんでいるのじゃない？」

「日本の現在の繁栄なんて糞だ、選挙で保守党をえらぶ日本人なんて糞だ、そんなものは厭らしいだけだ」とおれは叫んだ、涙がこぼれた、口惜《くや》しいし自分がなにも知っていない馬鹿だという気がしたのだ。

「そんな日本は滅びればいいんだ、そんな日本人はみな、くたばればいいんだ」

姉は一瞬たじろいでいた、そして冷たい眼で猫が自分の打ちたおした鼠を楽しむようにおれのおおいに涙でみっともない顔を見まわしてから、うつむいて新聞を読むようなそぶりをしながらいった。

「そんな考えなら、あなたも首尾一貫してるわ。わたしには左翼の人たちが狡いように思えるのよ。民主主義の守り手のようなことをいいながら議会主義を守らないわ、そしてなにもかも多数党の横暴のせいにする。再軍備反対、憲法違反だといいながら、自衛隊員になにか他の職業につくようにと働きかけはしない。本気じゃなくて、ただ反対してみるだけの感じよ。保守党の政府のミキサーでつくった甘い汁を飲んでおいて、辛い汁だけ政府のせいにするようなところがあるわ。次の選挙でいちど進歩党に政権をとらせてみるといいのよ。基地からアメリカ軍を追っぱらって、自衛隊をつぶして、それで税金をさげて失業者をなくして、経済成長率はぐんぐんあげていくかどうか見てみたいわ。わたしだってなにも嫌われながら自衛隊の看護婦なんかしていたくないんだから、良心的で進歩的な労働者になれるなら大喜びよ、まったくの話がねえ……」

おれは涙を流したことだけでも恥辱感の泥を頭から尻まで鉛のようにつめこまれた気がしていたのだ。それは、おれたちの議論を、まったく無関心な態度で聞きながしている父親と兄にたいしても、憤激と惨めさのどん底におしつめられた思いで感じていたのだ。父親は息子が涙まで流しているというのに、いやに余裕たっぷりで新聞をひろげたままだ、父親はそれをアメリカ風の自由主義の態度だと考えているのだ。勤め先の私立高校でもアメリカ風自由主義教育といって、決して生徒に強制したり生徒の問題に介入したりしないのが自慢なのだ。

おれは父親の学校から転校してきたやつに、父親が生徒から軽蔑され嫌われ、頼りにできない教師だと思われていることを聞いている。いつか父親の学校の生徒が桃色遊戯で二十人も補導されたとき、新聞が問題にしたけれど、父親は自由主義者として生徒の放課後まで束縛することは許されないというのが自分の信ずるところとかいって平然としていた。そんなものは無責任の信条だ。おれくらいの年齢の生徒は反抗したり不真面目だったりするけれど、自分の問題にしっかり肩をいれて考えてくれる教師をいちばん求めているのだ。おれだって、少し煩《うるさ》いくらいおれの問題に介入してきてもらいたいと感じることがあるのだ、今のようなのはアメリカ風か自由主義流かしらないが、父親でなくて他人みたいなものなのだ。おれの父親は学歴がなくてずいぶん多くの職業につき、苦労して独学した、そして検定試験に合格してから今の位置につけたのだ、そのためにできるだけ他人とかかずりあわずに今の地位をまもってゆこうとしているのだ。他人からあやうくされたり他人のマキゾエをくったりして、また苦しい下積生活をおくるのが恐いのだ。その護身本能の鎧《よろい》を息子の前でも脱がない、裸になって威厳をそこねないように、感情を表にださないでいつも無責任で冷たい批評ばかりしているのだ。今もその父親のアメリカ風の自由主義の最も典型的な態度をとっているつもりなのだろう……

おれはなおもぶつぶついっている勝ちほこった姉の言葉を無視してやるために、立ちあがった。離れの物置のおれの小っぽけな住処にひっこんで行くつもりだったのだ。とにかく、立ちあがったときは、それだけしか考えていなかった。憤懣と恥辱感がおれの胸でうずまき、おれには他のことを考える余裕がなかったのだ。おれは立ちあがり一歩踏みだした、そして卓袱台《ちゃぶだい》を蹴って荒っぽい音をたててしまった。湯呑が倒れ、小便のように黄色く冷えた茶が流れた。おれはその瞬間、息をつめて父親を見た。父親はどなりつけるかわりに、嘲《あざけ》るような冷たい笑いを唇にうかべ新聞から眼を離さなかった。

「全学連の八つあたりね」と姉がからかうようにいった。

おれは逆上した、おれは喚きながら姉の額をしたたか蹴りあげた。姉は卓袱台に手をのばしたままあおむけに倒れた。おれは姉の瞼《まぶた》が砕けた眼鏡のガラスで切れて血を流すのを見た。姉の醜い顔がぞっとするほど青ざめ、その硬く眼をつむった瞼から頰骨の高まりへと、サラサラした血がしたたりおちた。母親が台所から駈《か》けだしてきて姉を介抱しはじめた。おれは自分のやったことに呆然として震えながら立ちすくんでいた、おれの足指にも姉の血がついていてそこを見つめると、そこから灼けつくような痛みとムズガユサがのぼってきた。父親がゆっくり新聞を膝においておれを見あげた。おれは殴られると思い、抵抗せずに死ぬほど殴られようと決心した。しかし父親は冷静にこういっただけだったのだ。

「おまえは、もう、姉さんから大学の費用をうけとれないぞ、よく勉強して東大に入るほかないねえ。官立大学なら月謝が安いし、奨学金をとれる率も高いからねえ。よく勉強するなどというのじゃたりないぞ、神経衰弱になるくらいやれ、自業自得だろう？　東大に入るか就職するかだ、防衛大学に入るのなら話は別だがなあ」

おれは腹のなかの臓腑まで冷えきってくるような気持で、父親たちに背をむけ庭に出た。春の夜だ、暗い空の下に薔薇色のもう一つの空があって、二重になっている。水蒸気や埃が地表からむんむんたちのぼって空にあがり光線をさえぎる層になり、そこへ東京じゅうの家々の電灯の光が乱反射しているのだ。おれは狭い庭のはずれの物置に船の寝台のような自分だけの住処を造って寝ている。電灯はないので板戸を閉じると手さぐりで寝台まで進んでゆくほかない。おれは家族の者から離れて独りぼっちの時間をもつために、自分で物置に寝台をつくったのだ。三畳の物置だが一畳分だけおれの寝台で、あとの部分にガラクタが積みあげてある。おれはガラクタのあいだを手さぐりで寝台に向かった。手が机と椅子とをごたまぜに積みあげた高みにふれる。

それは物置の寝台を船だと考えるときの操舵室だ、おれは暗がりのなかで無用に眼をあけたまま、机の抽斗《ひきだし》をひいて中から脇差をとりだした。これはおれが寝台をつくるときにガラクタのなかから発見したおれの武器だ、三十センチほどしかないが銘は来《らい》国雅とある、いつか学校の図書室でしらべたが、室町末期の刀剣家みたいなのだ。四百年前だ。おれは脇差をぬいて両手で握りしめて、ガラクタのあいだの暗闇にむかって力いっぱい突きだし突きだしした。殺気というのは、いま物置にこもった、胸のどきどきする感情なのだと思った。えい！　えい！　やあっ！　と低く気合をこめながら、おれは来国雅の脇差で暗闇を突き刺しつづけた。いつかおれはこの日本刀で敵を刺殺するぞ、敵を、おれは男らしく刺殺するぞ、といつのまにかおれは考えていた。それは激しい確信にみちた予感をともなうような気がした。しかしおれの敵はどこにいるのだろう、おれの敵は、父親か？　おれの敵は、姉か？　基地のアメリカ兵か、自衛隊員か、保守政治家か、おれの敵はどこにいるのだ、殺してやるぞ、殺してやるぞ、えい、えい、やあっ！

暗闇にびっしりシャツの縫い目の虱《しらみ》のようにくいついている敵をみな殺しにしているうちに、おれは少しずつおちついてきた。おれは姉を傷つけたことを後悔しさえした。眼が傷ついていて姉が失明するようなことがあれば、おれは自分の眼を犠牲にして角膜移植の手術をしよう、とおれは考えた。おれは自分のしてしまったことを償わなければならない、自分の罪を自分の肉と血で償わないやつは卑劣だ。おれは自分のやったことを償わないやつじゃない。

おれは脇差を白木の鞘におさめると抽斗に戻し、服を手さぐりで脱いで寝台に横たわった。暗闇のなかに眼をひらき耳をすましてあおむけに横たわっていると、実に様ざまな魑魅魍魎《ちみもうりよう》の声と姿がおれにおしよせてくる気がした。おれは擂鉢《すりばち》の底にいて、その怒濤の襲撃に小っぽけな裸をさらしているみたいな感じだ。母屋からレコードの音が聞こえてきていた。マイルス・デイヴィスの六重奏団のなにかだ、兄がモダン・ジャズに凝っているのだ。おれは、姉をおれが蹴りつけ父がおれに嫌がらせをいっているあいだ、兄が畳の上にならべたプラスチック片や接着剤のチューブのなかに立膝してせっせと模型飛行機を造りつづけ、おれたちみんなをまったく無視していたことを思い出した。カメラが撮影者の眼にそれと感じられなかった細部をうつしとっているときのように、おれも今までまったく気がつきはしなかったものの、記憶のフィルムには、おれたちにまったく無関心だった兄がちゃんとおさめられているのを発見したのだ。そして今、兄は十分前の小さな嵐をすっかり忘れさってハイ・ファイの再生装置のまえに、うっとりした頭を不安定に揺れる首の上にのせた麻薬中毒みたいな恰好でジャズに陶酔しているのだろう。そして時どき指の腹から、こびりついて固まった接着剤の薄皮をはぎとっているのだろう、おれは弟を殴りつけるべきだったとか、おれは妹にあまり調子にのるなと叱りつけるべきではなかったか、などとくよくよ反芻《はんすう》し、その考えからのがれるためになおさら低音域と高音域を人工的に誇張した再生装置のヴォリュームをあげてみたりしながら。

兄は秀才で一家の希望だったのだ、一昨年東大の教養学科を卒業しテレビ会社に就職した。兄は大学でもクラスの指導者で学生祭には凄い働きをしたが、会社に入ってからも始めのうちは報道番組の特集班のプロデューサーの仕事に情熱をそそぎ、良い仕事をしていたものだ。あのころ、おれは兄を信頼し尊敬し、父親でみたされないものを兄から滋養のように摂取していた。ところが去年の夏ごろから兄は、疲れた、疲れた、と口癖のようにいいはじめ、秋に一週間、休暇をとった。そして休暇のあと会社に出はじめはしたものの、人間が変わってしまったのだ。無口になり温厚になり、モダン・ジャズに病的に凝り、模型飛行機つくりのマニアになった。おれは去年の秋以来、兄が仕事について話すのを聞いたことがないし、兄が政治について話すのを聞くこともなくなった。そういうよりも、あの情熱的で確信にみちた饒舌家《じょうぜつか》だった兄が、今年に入ってからというもの、五分とおれにむかってものをいったことがないのだ。兄は去年の冬、おれをつれて谷川岳の難しい岩壁を登るという約束をしたまますっぽかして、おれに辛い思いをさせた。しかしおれは、酔っぱらった人間のように体じゅうぐったりしてモダン・ジャズを聴いている兄を見ると、この男とパーティーをくむのなら、どんなにやさしい沢にだってとりかかりたくないと、いくぶん負けおしみもあって思うのだ。ああ、兄はなぜあんなふうになってしまったのだろう。

兄が変わってから、おれは家でまったくの独りぼっちだ、独りぼっちのセヴンティーンだ。おれは十七歳でみんなから理解されながら、成長し変化していくべき時期にいるのだが、だれひとり、おれを理解しようとするものはいないのだ、おれはまったくピンチなのに……

かすかにしかしはっきりと、物置の外側からおれに合図している者がいる、おれは忘れていたのだった。おれは上体をおこし寝台脇の船窓のように丸く穿《うが》った窓をあけた。悠然とその者はおれの船室ベッドにおりたち、喉をごろごろやりながらおれの足をくるみこんでいる毛布の上で体をまるめた。ギャングだ。こいつはおれの家の近所を荒らしまわる泥棒猫なのだ。おれの父親も母親もけちだ、動物を飼ってそれに自分の食物をかすめとられることを思うと一瞬にしても悪寒におそわれるような人格だ。それでおれは、食物の心配のいらない動物しか飼うことができない。去年は蟻の一族を五十匹、壜《びん》のなかで飼っていたが、かれらは冬を越すことができなかった。おれの手には、凄く立体的な迷路のきざまれた壜だけが残った、おれは悲しんで涙を流した。そのあと、おれはギャングをてなずけたのだ。ギャングは虎斑《とらふ》の雄でやけに巨《おお》きい、泥棒猫なので食物の心配はいらない、夜ふけに眠りに帰ってくるだけなのだ。おれが自分だけのもの思いにふけっているときにギャングが帰ってきたので、感情をあたたかく揺さぶられた。おれはチッチッと唇を鳴らした。ギャングはおれの足の上の毛布からのっそりと重い体をおこし、おれの唾を飲みに来た。こいつだけがおれの十七歳の誕生日を祝ってくれるのだ、とおれはさかんに唾を舌でおくりだしてギャングに飲ませながら、感傷的になって考えた。しかしギャングはアル・カポネよりも凄い悪党なのだ、感傷的になったりすることは決してない。おれの唾を飲んでいるあいだも毛布をとおして胸の肉にくいこんでくるくらい爪をむきだしてしっかり足がかりをつくっている、いつでも逃げだせるようにだ。おれはギャングを抱いたことがない、向こうから近よってくるのを胸や膝にむかえることができるだけだ。喉をならし眼をつむり濡れた小鼻をふるわせて啼いているときでも、いったんおれが指をギャングの胴にまわしたりすれば怒りくるって逃げだすのだ。ギャングは束縛されたくないのだ。それがわかっていても、おれの唾がすっかりなくなり咽頭がちくちくしはじめたとき、ギャングが再び毛布の裾へ戻って行こうとすると、おれは孤独の深い穴ぼこにおちこむようで耐えられなかった。おれはギャングの巨きい虎斑の胴が余裕綽々《しゃくしゃく》と胸からおりて行こうとするのを抱きとめようとした。一瞬、火花がとびかうような激しさでギャングとおれの掌とが接触した、電車のスパークだ、おれはギャングの爪で肉をさかれた手の甲を舐めて血の味をあじわった。ギャングは自分の頭で船窓の覆いをはねとばすと、虎斑の鱶《ふか》になって荒れくるう大洋におどりこんで逃げ去った。傷は痛かったが、おれはギャングに腹をたてるどころか、あいつはなんとすばらしい悪漢だろう、と感嘆の思いにとらえられていたのだ。あいつは野蛮で、悪の権化で、恩知らず恥知らずで、爆発的で、一匹狼で、なにものも信頼せず、自分の欲しいものだけ掠《かす》めとる。それでいてあいつはおれに尊敬の念をおこさせるほど堂々としており、暗がりを獲物をもとめて歩く様子は堅固な建築物のように美しく、しかもゴムの柔軟さをそなえている。あいつに睨みつけられるとおれはおどおどし、弁解がましくなり、赤面してしまう。なぜあいつは、あんなに体じゅうどの隅っこにも弱点をもっていないのだろう。おれはあいつが秘密の物陰で白い猫を殺して喰っているのを見てぞっとしたが、そのときもあいつは平然とし堂々とし立派だった。

ギャングのような存在になりたい、とおれは考えたが、それこそ奇蹟でもなければ達成できない願望だということもわかっていた。なぜなら、おれの頭のなかに豚の白子のような弱い脳があり、自意識があるからだ。おれは自分を意識する、そして次の瞬間、世界じゅうのあらゆる他人から意地悪な眼でじろじろ見つめられていると感じ、体の動きがぎごちなくなり、体のあらゆる部分が蜂起して勝手なことをやりはじめたように感じる。恥ずかしくて死にたくなる、おれという肉体プラス精神がこの世にあるというだけで恥ずかしくて死にたくなるのだ。それでおれは、できるなら発狂してしまったクロマニヨン人みたいに洞窟で独りぼっちの穴居生活をやりたいと思う。他人どもの眼をケシテしまいたくなるのだ、さもなくば自分をケシテしまいたくなるのだ。ギャングは自分を意識しはしないだろう、自分の体なんか汚い毛皮と肉と骨と糞だとしか感じていないだろう、だから他人の眼に見つめられておどおどしたりすることはない。おれはギャングの大きく頑丈で傷あとがぽつぽつ禿げた頭のなかの小さな脳の夢を羨望した、猫の悪夢は灰色のもやもやであるくらいがせきのやまだろう。ところがおれの見る悪夢のもの凄さときたら、青酸加里《せいさんカリ》入りのジュースよりひどいはずだ。

おれは暗闇になれた眼が船室のガラクタの形と影に幽霊を見出すのを惧《おそ》れて眼をつむったまま、眠りの恐怖がちかづいてくるのを怯えて待っていた。眠りにおちいるまえにおれは恐怖におそわれるのだ。死の恐怖、おれは吐きたくなるほど死が恐い、ほんとうにおれは死の恐怖におしひしがれるたびに胸がむかついて吐いてしまいそうだ。おれが恐い死は、この短い生のあと、何億年も、おれがずっと無意識でゼロで耐えなければならない、ということだ。この世界、この宇宙、そして別の宇宙、それは何億年と存在しつづけるのに、おれはそのあいだずっとゼロなのだ、永遠に！　おれはおれの死後の無限の時間の進行をおもうたび恐怖に気絶しそうだ。おれは物理の最初の授業のとき、この宇宙からまっすぐロケットを飛ばした遠くには《無の世界》がある、いいかえれば《なにもない所》にいってしまうのだということを聞かされ、そのロケットが結局はこの宇宙にたどりつくのだ、無限にまっすぐに遠ざかるうちに帰ってくるのだ、というような物理教師の説明のあいだに気絶してしまった。小便やら糞やらにまみれ大声で喚きながら恐怖に気絶してしまったのだ。気がついたときの恥ずかしさ、臭い自分への嫌悪、耐えがたい女生徒の眼、しかしそれよりもおれは、物理的空間の無限と無の観念から、時間の永遠と死せる自分の無の恐怖にみちびかれ気絶したのだということを告白できず、教師と級友に癲癇だと思わせることに懸命だったのだ。あれ以来、おれには心をわけあう真実の友がいなくなってしまった。その上、おれは悪夢のなかでその無限の遠くへ独りぼっちで旅だつ恐怖を味わわねばならぬことになったのだ。死んだ人間なら無意識だから恐怖を感じることがない。ところが夢の中のおれは無限の遠方の星で独り眼ざめているので恐怖をつねに意識しているわけなのだ。悪意にみちた夢の配給官の悪がしこい発明だ。死の恐怖と、その悪夢は近づいてきていた。おれは悪戦苦闘して他のことを考えようとした。

皇太子妃ニ正田美智子サンガキマッタ新聞記事ヲ読ンダ時、美智子サンハ無限ノ遠方ノ星ニ行クノダ、ト考エ、胸ガ苦シクナリ涙ガ流レ、恐怖ニ震エタ、アレハ、何故ダッタロウ？　美智子サンガ死ヌノデアルカノヨウニオレハ恐レタガ。オレハ美智子サンノ写真ヲ壁ニハリ、ソレニ向ケテ結婚ガブッコワシニナルコトヲ祈ッタ、アレハ嫉妬デハナイ。ソシテ投石少年ヲテレビデ見タトキモマタ胸ガ苦シク涙グンデシマッタ。アイツモ押入レニ美智子サンノ写真ヲハッテイタソウダ。ソノ夜、オレハ自分ガ美智子サンデモアリ、投石少年デモアル夢ヲ見タ。アレハ何故ダッタロウ？　あれは何故だったろう、おれは死の恐怖から逃れられず体をおこし眼をひらき、震える体を抱きしめ暗闇を睨みつけた。今日はいままで一番ひどい恐怖で脂汗が流れてきた。おれは祈るような思いで、できるだけ早く結婚し、その美しくはなくても憐憫の情の厚い妻に夜じゅう眼ざめていてもらい、おれが眠ったまま死なないように見はっていてもらえたら、と願った。

ああ、どうすればこの恐怖から逃れられるのだろう、とおれは考えた。おれが死んだあとも、おれは滅びず、大きな樹木の一分枝が枯れたというだけで、おれをふくむ大きな樹木はいつまでも存在しつづけるのだったらいいのに、とおれは不意に気づいた。それならおれは死の恐怖を感じなくていいのだ。しかしおれは、この世界で独りぼっちだった、不安に怯えて、この世界のなにもかもが疑わしく思え、充分には理解できず、なにひとつ自分の手につかめるという気がしないのを感じている。おれにはこの世界が他人のもので、自分にはなにひとつ自由にできないと感じられる。おれには友人もなく味方もない。おれは左翼になって共産党に入るべきだろうか？　そうすれば独りぼっちでなくなるだろうか？　しかしおれは、いまさっき、左翼のえらい人たちがいうとおりのことをいって、ほんの看護婦にすぎない姉から撃退された。おれは左翼の人たちがこの世界をつかんでいるようには自分でつかめていないことがわかったのだ。おれには結局なにひとつわかっていないのだ。おれは自分を一つの小枝にしてくれる永遠の風雪に耐える巨大な樫《かし》の木を見つける能力がないのだ。理解できず不安の残り滓を頭にとどこおらせたまま共産党に入ってもおなじことだ、おれは信じることができず不安なままだろう。それに自衛隊の病院につとめている近眼の娘にやりこめられるようなチビを、共産党の人たちが相手にしてくれる筈はない。

ああ、簡単に確実に、情熱をこめてつかむことのできる手を、この世界がおれにさしだしてくれたなら！　おれは弱よわしくあきらめて再びおれの船室ベッドに倒れ、毛布のあいだをまさぐって性器をつかまえると自瀆するためにむりに勃起させはじめた。明日は進学のための学力テストと体育の試験がある。二度も自瀆したらおれは明日八百メートルを走る試験なんか無茶苦茶だろう。おれは明日にたいして漠然とした怯えを感じた。しかし恐怖の夜からせめてほんの短い間でものがれるためには自瀆するほかにみちがないのだ。物置の外では他人どもの大都会の夜が唸っていた、春のエッセンスが汚れた市街の空気にすりへらされながらも、遠方のむんむん匂うぶなの森から、おれの血や肉をかきたてて不安の海におしながしにきた。おれは十七歳だ、みじめな悲しいセヴンティーンだ。誕生日おめでとう、誕生日おめでとう、股座《またぐら》をいじりまわしてあれをやりたまえ。

猥褻なことを思いえがく必要にせまられて、おれは父親と母親がうんうん唸りながらやっていることを考え、あいつらの尻の穴は二つともまるはだかで臭いぬくもりのある蒲団のなかの空気にじかにふれて嬉しがっているのだと考え、突然、おれは父親の精液から生まれたのではなく、母親が姦通したあげく生まれた子であり、父もそれを知っているのであんなに冷たいのではないかと疑った。しかしオルガスムが近づくとおれのまわりには桃の花が咲きみだれ温泉が湧きこぼれラスヴェガスの巨大なイルミネーションが輝いて、恐怖や疑惑や不安や悲しみや惨めさを融かしさった。ああ、生きているあいだいつもオルガスムだったらどんなに幸福だろう、ああ、ああ、ああ、いつもいつもオルガスムだったら、ああ、ああ、あああああ、おれは射精し股座を濡らし、みじめな哀しいセヴンティーンの誕生日をふたたび暗闇の物置のなかに見出して無気力に泣きむせびはじめた。

2

おれは良い気分で眼をさましたのではなかった。頭が痛く、体じゅうに微熱があるようで、腕は重く足は重く、自分はなにもできない無能力者だということを、朝眼ざめたばかりのおれの体に、世界じゅうの他人どもが教えにきた気がした。今日は悪いことがおこりそうな予感がする。おれは去年まで、誕生日ごとになにかひとつ新しい習慣をつけることにしていた。しかし、十七歳の誕生日はおれになにひとつ新しいことをやりたい気分にしなかった。十七歳でおれは降り坂なのだ、五十歳で降り坂になるやつがおり、六十歳まで昇り坂のつづくやつがいる。そしておれの昇り坂は昨日でもう終わっていたんだ、とおれは感じた。おれは眼をさますとすぐ悪い気分の泥地に深く踏みこんでしまっていることに気づいたので、起きあがる気力もなく、毛布のぬくもりのなかで眼をあけたままじっと横たわっていた、どんなに気分が悪く、どんなに厄介なことをしょいこんでいるときでも、去年までのおれは、朝眼がさめた瞬間だけは、胸に熱い幸福のかたまりを感じたものだった、おれは朝が好きだった。おれは胸のなかのかたまりにせきたてられて早く戸外に駈けだし、朝の世界に挨拶をしなければならないと感じた。ラジオ体操の教官が、なんの理由もなしにあんなに陽気な声で叫ぶのを、おれは同感してうけいれることができたものだ、なぜなら朝だからだ、朝だからあなたも幸福で希望が湧いてくるんでしょう、と呼びかけたくなった。しかしいま、隣の家のお調子者の中学生が大きいヴォリュームでかけているラジオのそらぞらしい掛け声を聴くと、苛いらして腹が立ってくるだけだ。誰にも他人に掛け声をかける権利なんかないんだ、と知らせてやりたい！

　物置のなかには、扉や壁、それに屋根の透き間から陽の光がさしこんできて、埃をかぶった子供用自転車のサドルを金色に光らせたりしていた。おれが幸福な子供だったときの自転車だ、おれが公園のローラー・スケート場でこれを乗りまわしていると外国人の女が写真をとりたがって追いかけまわした。そしておれが自転車を藤棚にもたせかけて休んでいると、いつのまにかその金髪の大女がうしろから来て、おれの自転車のサドルに頬ずりしながらおれにほほえみかけていたのだ、おれは裸の尻にさわられたみたいで恥ずかしくて自転車を置いたまま逃げ出した。背後から女の気の変なみたいな笑い声が痙攣《けいれん》するように高まったり低まったりして追いかけてきた。そしてその大女が叫んだ言葉を、英語をな

らいはじめてから思いだした、凄く恐かったので覚えていたのだ、

《おお！　プリリ・リル・ボーイ、プリーズ、カムバック！　プリリ・リル・ボーイ！》

おれはちっちゃくて綺麗だったのだ。それはあの幸福で胸がわくわくする子供の時分で終わってしまったが、ほんとうにおれは、ちっちゃくて綺麗だったのだ。そして朝は気持がよく、世界じゅうの人間が気持がよく、太陽系の宇宙がどこもかも気持がよかった。しかし今のおれは宇宙どころか、この小さな物置のなかにさえいろんな暗く悪い芽を見つけてしまうのだ、自分の体のなかにさえも。便秘の気配や頭痛、そして体じゅうのあらゆる関節に数粒ずつ砂が入って、がりがりやっているようだ。おれは毛布をかぶったまま、悪い気分にだんだん深くのめりこんでいった。しかしおれが毛布にかくれて泣いてみても奇蹟でもおこらない限り、気分がよくなったりすることはないのだ。物置の外で、世界じゅうの他人どもが、おれの気分を悪くするために早起きして大活躍しているのだから。

おれは実にいろんなことどもを諦めて、寝台からのろのろと降りたち欠伸《あくび》をし、涙か他の体液かわからない透明状目脂《めやに》で下瞼をちょっと湿らせ、うなだれてズボンをひきずりあげた、性器はどこもかも縮みこんで膨《ふく》ら雀《すずめ》のように股座の屋根にちょこんととまっていた、朝だというのにインポテみたいだ、とおれは考え、ちょっとマゾヒスティックな悦びを感じた、十七歳のお誕生日に最初の兆候があったんですよ、と精神分析医のまえでズボンを膝までずらしインポテの毛だらけの里芋を見せている四十歳のおれが眼に見えた。あれの

しすぎだったんですかねえ……

玄関の方で姉と父親がなにか言い争うような調子の会話をかわし家を出てゆく気配があった、不機嫌そうな姉の声と、いやに超然として分別臭い父親のおだやかな声、しかし父親は決しておだやかな気持ではないのだ、あれはアメリカ流個人主義のつもりなのだ。とにかくおれは姉が失明した様子でもないので安心した、それに今朝は顔をあわせなくて済んだわけだ。おれはいつも取りこし苦労をする、おれは事件でも病気でも最悪の状態ばかり空想するのだ。それでいておれはなにか取りかえしのつかないことを仕出かしたことがない、おれは何事かをやる男じゃないのだ。おれは姉の眼玉を蹴りつぶすこともできない男だ。そして後悔したあげく、ほっと救われた気持になるような男なのだ。おれは現実の世界を少しでも変えたりすることのできない男だ、やれない男だ、インポテのセヴンティーンだ、おれがやることのできることといったら他人どもの眼からのがれて自瀆するだけだ。そしてこの世界の全体を造りかえたり補強したりするのはみんな他人どもだ、おれが物置の船室に閉じこもってあれをやっているあいだに、他人どもがこの世界をいじくりまわし、《さあ、これで良し!》というのだ。とくに政治ときたら何から何まで他人どもがやる仕事だ。おれはデモ行進に加わっても、いつも心の中では独りぼっちで、こんなこと無駄だよ、と考えている。おれが政治に力を加えたりすることができる筈はないのだから、それでおれはあんなことがまったく無駄だとわかっているのだ。政治家は、他人どもの中の他人どもだ、あいつらは議事堂や料亭で政治をやり、掌をぽんぽん叩いて《さあ、これで良し！》というだけだ、それが政治なのだ。二十歳になっても、おれは棄権ばかりするにちがいない、死ぬまで投票所に行かないにちがいない。昨夜姉がふりまわした意見のほうがおれの叫びちらした意見よりも、ずっと本当のおれにしっくりする、とおれは考えた。恥ずかしさが体じゅうに湧いておれの血や肉を酸っぱくした、結局おれは政治のことなんかまったくわからない馬鹿なのだ、おれには自分の意見なんかないのだ、チンパンジーになってあればっかりやっていればいいのだ、おれは再びマゾヒスティックな悦びを感じた。他人どもに酷いことをされて悦んでいる感じだ。おれは《おお！　キャロル》を歌いながら物置の外へ、凄く眩《まぶ》しく晴れわたった青空のもとで他人どもの世界が光り輝いている外へ出て行った。おれはこう歌いながら出て行ったのだ、おまえはおれを傷つける、おまえはおれを泣かせる、けれどももし、おまえがおれを棄てるなら、おれはきっと死んでしまうだろう、おお、おお、キャロル、おまえはおれに酷《むご》いことをする！

学校には二十分遅刻した。悪いことに学力テストがもう始まっていた、おれはすっかり慌てて答案用紙と問題紙とをうけとり、一番うしろの机についた。椅子に坐りながら隣の机のやつの答案を覗くと、もう四分の一ほども鉛の兵隊の足跡みたいな鉛筆の文字が並んでいるのだ。試験に遅れたということがどんなに不利かと思うと、早くから机に坐って気持をおちつけたり鉛筆をといで揃えておいたりしていた連中に憎しみを感じた。国語の試験だ、おれは問題を読んだが慌てているのでなかなか頭に入らない、頭には血があふれんばかりに湧きたぎっている。おれは恐怖におそわれながら問題を読み、読みかえし、それに集中しようとしたが、他のことがアブクのようにぶくぶく頭にまぎれこんでうまく考えられないのだ。

《月は入がたの空清う澄みわたれるに風いと涼しく吹きて草むらの虫の声々もよほし顔なるもいとたち離れにくき草のもとなり。鈴虫のこゑのかぎりを尽くしてもながき夜あかずふるなみだかな、えも乗りやらず。いとどしく虫の音《ね》しげきあさぢふに露おきそふる雲のうへ人、かごとも聞えつべくなむ》

この文章は誰のなんという作品にふくまれているものか？　きっと紫式部の源氏物語だろう、しかし自信はないのだ。もよほし顔とはなにをもよおしているのか？　おれにはわからない、もよほし顔なんてエロティックだとおれは考え、たちまち猥らな空想におちこんでしまう、いつか本屋で立読みした雑誌に笹の葉お銀という昔の女が浪人にあたしゃもよおしたわいなあ、というのがあったことを思いだす。二首の歌がふくまれているが、これは一人の歌か、そうでないか？　会話の部分を括弧でかこめ、おれはまた、いとどしく虫の音しげきあさぢふに露おきそふる、の一節から自瀆のあとの濡れた下腹の感覚を思いだす、おれは頭が悪くて色情狂だ。答案の三分の一が埋まった所でベルが鳴った、しまったアウトだ！　とおれは冗談にまぎらすつもりでつぶやいてみたが、それは思いがけなく鳩尾《みぞおち》にずんとひびいた、名前を書きおとすところだった。

試験のあとの教室は厭らしい、みんなうつむいて熱心に答案を書いたあとなので頰を上気させ眼はうるみ、ペッティングのあとのような表情になっている、そしてむやみに昂奮しているか意気銷沈している、おれはその意気銷沈組だ。みんなが思いおもいのグループでかたまって試験の結果について話しあいはじめる、そのときになってもおれは椅子に坐ったままぐったりして頭をたれていた。優等生の連中はかれらだけでかたまって、冷静に話し合っている、おれは去年まであのグループだった、しかし今はそこに加わりに行く勇気がなかった。しかしおれは、かれらの会話を盗み聴くために耳の神経を集中させていたのだ。かれら優等生はなんでも事情に通じているし、教師たちの計画をどこからか聴きだしてくる方途をこころえているのだ。かれらは実に厭らしいほど冷静に技術者のように話し合っていた、良い成績をとる技術者だ。おれなどにはちっぽけな関心さえはらおうとせず、高慢にそして善良そうに、

「桐壺《きりつぼ》はアナだったなあ、ぼくは漢文の問題とからみあわせたのが出ると思って大鏡なんかにあたってたけど」などとやっているのだ、あいつらは完璧な答案を書いたにちがいない。

「こんどの試験で平均点八十五以上が、東大進学コースのクラスに編制されるんだそうだ、ぼくはだめさ」

「ご謙遜でしょう、きみがだめなら、誰ひとり東大進学クラスに入れないよ」

おれは優等生の連中にむかつく、そして同時に昨夜父親がいった言葉を思いだし追いつめられた気持になる、ああ、おれはとても東大進学クラスに入れないだろう、あいつらがアメリカの上流社会の花婿みたいに幸福に、選ばれたクラスで勉強するあいだ、おれは程度の低いクラスで勝ちめのない悪戦苦闘をしなければならない、そこでは教師も本気に教えないだろうし。

「しかし、良い問題だったね、水準はこえてるね」

「源氏からの出題としてはスタンダードすぎるんじゃない？　実戦ではあんな風じゃないだろう、命婦《みょうぶ》の言葉をもっと手のこんだ問題にすることくらい簡単だぜ、あのパラグラフの次の行もいれると、敬語が誰にむかって使われてるか混同してわからなくなる」

「実戦では、とおっしゃると、きみは東大にご決定のようですな」

「いやいやとんでもない、予備校の入学試験ですよ」

嘔吐だ、げっとなるし腹も立つ、あいつらは試験の昂奮のなごりを楽しんでいるのだ。かれらとちがって、もっと率直な者らのグループもある。かれらはグループの周囲に、とくにそのなかの女生徒たちに笑いをひきおこす。剽軽《ひょうきん》なやつが突拍子もない大きい声でどなっている。

「おれはよう、小便をもよおしたんだと思ったんだ、なあ、平安朝には公衆トイレないじゃねえか？　それでよう、がまんできなくなってよう、虫の音しげきあさぢふに露おきそへたんじゃねえか？」これにはみんな笑ってしまう、この男は頭の良いやつだが変り者で、またそれをつねに意識してふるまう男だ、渾名《あだな》が《新東宝》だ、他の会社の映画をぜったいに見ないで、エログロ三本立週間などというのを場末まで追いかける、ときには千葉県へまでも追いかける。

「かごとも聞えつべくなむ、というのはなに？　新東宝さん」とつりこまれて女生徒がたずねる、滑稽な答を期待してくすくす笑いながらだ。

「お巡りがこごとをいったんだよ、軽犯罪法に触れるからねえ」

「あら、平安朝にお巡りさんいたの？　新東宝さん」

「あら純情ね、あなたあ」と人気者はこたえる。「じゃ本当の所をいうよ、音が聞こえるのをごまかしたんだ、なんだかカミキリ虫など鳴いてるようでござんすねえ、そして拭いたんだよ」

「まあ、この人、痴漢よ」と女生徒は身もだえせんばかりに叫び、教室から逃げだしてしまう。人気者は拍手喝采をあびる、そして両手でそれを制する真似をするが、それはアメリカのテレビの人気番組の司会者を模倣したものなのだ、上機嫌だ。

しかしとにかく、あいつもおれより正確にあの問題を理解したのだ、とおれはうちのめされて考えた。急に独りぼっちで椅子に坐っているのが耐えがたく思われた。不安の淵と無力感の淵のあいだの、崩れおちる砂の狭い道に立っている思い。おれは椅子をはなれたが、優等生たちのグループに近づく勇気はなかった。しかし新東宝がそのグループにおれを招きいれるような身ぶりをしたとき、おれは自分を不当に低い人間としてあつかわれたように感じ、侮辱を感じ、この人気者の芸人に背をむけると教室を出た。おれはすぐに自分のふるまいを後悔し、自分を心の狭い男だと考え、自己嫌悪におちいった。ほんとうにおれは独りぼっちで不安で、柔らかい甲羅に脱ぎかえたばかりの蟹のように傷つきやすく、無力だと思った。そしてまたベルが鳴るとこんどは数学のテストなのだと思うと、おれは恐怖に怯えながら教室に戻らねばならなかった。数学のおれの答案は、国語の不名誉な答案に輪をかけてまずかった。おれは泣きだしたい思いで終わりのベルを聴いたのだ。しかしおれは午後になってから、思ってみれば午前中はむしろ耐えぬくのに容易だったと考えるにいたったのである。

午後は体育の総合実力テストが行なわれた。おれは体育がいちばん不得意だ、自分の体を意識すると動きがとれなくなるし、体操パンツ一枚でいる時に勃起がおこったら困ると考えて怯えるからだ。そしておれは、ほとんど恐怖におそわれて八百メートルを走らねばならぬことを考えたのだった。しかも女生徒や一般の通行人たちの見物している大運動場で！

大運動場は校舎の裏にあって鋪道《ほどう》をへだてて商店街に面している。暇をもてあました大人ども、子供らが低い柵によりかかって運動場を眺める。かれらは美しく力強いスポーツを鑑賞するためにそこにいるのではない、かれらは滑稽な失敗をやる生徒を嘲笑するためにだけ集まってくるのだ。かれらは、生徒たちが教師に強制されて走りまわる苦しみに耐えるのを眺めながら、その一瞬だけは会社の上役や気難しい顧客や取引先などから自分の頭に乗っけられる不名誉な強制を忘れるのだ。

おれたちは男生徒だけ大運動場のトラックの真ん中に集まって準備体操をしながら、体育の教官がストップ・ウォッチや閻魔帳《えんまちょう》を持って体育教官室から出てくるのを待ち、怯えたり勇気にあふれたり、なにも考えずのんびりして晩春の陽の光を楽しんだりしながら、ざわめいて牛の群れのようだった。受験勉強で衰弱している優等生たちは陽の光にふれて眩しがり、そしてこれから走らねばならぬ長い距離に怯えているのがわかった、かれらは青ざめていた。しかしおれは、かれらのようにクラスの仲間から勉強家で疲れている男とうけとられている者には、この苦しい屈辱レースもおれよりはしのびやすいはずと考えた。勇気にあふれて、準備体操の掛け声をかける役目までかって出ているのは陸上競技の選手たちだ、とくに都の本年度最高記録を持っている男などは、試験後の教室で優等生たちがもっていたような態度を、もっと誇張して見せびらかしていた。かれは跳躍を一瞬止めて不審そうに踝《くるぶし》をしらべ、頭を二、三度ふり、そして再び他の者の倍ほどの高さに跳躍する。お芝居なのだが、おれにはそれが充分に羨ましく、劣等感を刺戟された。準備体操にも熱をいれず、陽の光をあびて楽しんでいるだけの連中、あいつらは教室でもおなじだった。あいつらは自分の能力を低くおとしめた場所において、他人から見られても自分でも平気なのだ、低徊趣味の恥知らずだ。おれはクラスじゅうの誰ともおなじでなく、独りぼっちで、おそらく誰よりも怯え、早くそれがすぎさることだけを望み、それについて考えまいと努めた。

大運動場から校舎のあいだに瘤《こぶ》のように突き出した小運動場では、女生徒たちがバレーボールをしていた。女生徒たちは不恰好なブルーマースを家鴨《あひる》のように穿いて鉢巻をしていた。また、コートの脇でスカートをつけたままの数人がじっと病気の獣のように立って試合を眺めている、あいつらは月経なんだ、とおれは軽蔑して考えた、それは公然の秘密だ、誰もが知っている、新東宝は毎週、熱心にそれらスカートの見学者の名前をメモしてまわり、ついには学校の女生徒全員の生理期間の表をつくった。そして新東宝は、荻野式を応用し、やっても安全な日をあらゆる女生徒に教えてやったのだ、《おれいつでも暇だから、重大なのを棄てる決心したら電話くれよなあ》と、あいつがみんなにいいそえたというのが評判になったことがある。あいつはそんな事をしても、女生徒から嫌われないし男生徒の人気者なのだ。もしおれが女生徒になにかしたら、翌日からおれは仲間はずれだろうし、学校に出てくる勇気さえ湧かないだろうに。なぜあいつだけ、なにもかも許されるのだろう？　それにあいつは学年で唯一人の経験者ということにもなっていた。あいつはおれが子供のころ教会の日曜クラブの催しで見た劇の悪魔役のようだ、神様も人間も苦しんだり働いたり懺悔したりしなければならないのに、悪魔役だけは、いつも冒瀆的なことや誤ったことやを叫びちらしながら寝そべって御馳走を食べていた。ああ、おれも悪魔役になりたいものだ、しかしこの現代の悪魔役はいったい何だろう？　あいつは学校を卒業したらどんな職業につくだろうか、それはおれにわからない現代社会の悪魔役の職業ではないだろうか？　おれは準備体操ではやくも息切れしながら考えていた、たとえば毒殺魔の職業？

当の新東宝はあいかわらず周囲の者らを楽しませていた、《困ったぞ、困ったぞ、先週のネヴァダの原爆実験で、異常がひきおこされたぞ、おれの調査表は訂正されなきゃならん、それとも杉恵美子嬢は下痢であらせられるのかなあ》。おれは耳をそばだて、小運動場をもういちど素早く盗み見た、それはおそらくすべての男生徒がやったことだ。杉らしい大柄の白い顔がこちらを見ていた、スカートをはいた湿っぽい者らの中で一人だけ昂然と頭をあげてこちらを見ていた。おれは胸を熱くした、そして男生徒みんなが嘆息するのにあわせて熱い息をはいた。あらゆる学年に一人ずつ女王格の生徒がいるものだ、美しいだけでなく圧倒するような威厳と媚びるような魅力をあわせもっていて、あらゆる女生徒に嫉妬され、あらゆる男生徒を熱中させる。おれたちの学年では杉がその人だった、おれも杉に恋文を書いたもののそれをわたす勇気なしに破いてしまった連中の一人だ。おれは杉に見つめられながら醜態を演ずることにあらためて苦痛を感じた。ブルーマースを穿いた女生徒が相手なら、その白く肥った腿を見つめかえす厚顔をもってすれば恥辱感をのりきることができるかもしれない。しかし堅固にスカートをつけた女生徒にはなにひとつ弱味がない、つけこんで相手をひるませ、見られる者から見る者へと自分を転換させることができない、しかもそれがあの杉なのだ……

「なぜ杉恵美子嬢がおれたちを熱心に見てると思う？」と新東宝はにきびで嵩《かさ》ばっている顔を得意の感情で輝かせて、おれに最後の一撃を加えるために叫んでいた。

「おれがなあ、あの子の机に怪情報を投げこんでおいたのよ、マスをかくやつはすぐにへたばるからすぐわかるとなあ、杉恵美子嬢はいまキンゼイ報告的な人生の真実にふれる所なんだ、禁欲者はへたばるな！」

体育教官が駈けてきて恐慌を収拾した、そして八百メートル競走の試験が始まった。四百メートルのトラックを十人ずつ組になって二周するのだ。出発点は小運動場の反対側だが、おれたちは出発およびゴールを女生徒から最も遠くでやれるかわり、鋪道から見物する連中には、それをすぐそばで観察されるわけだ。テストが始まり第一陣が走りだすと、貪欲な見物人どもはすぐに出発点に集まって柵に腰をかけ、おれたちの草競馬を眺めはじめた。

出発点に立ったとき、おれは陽の光に乾いている地面に石灰で引かれた線が無限につづくような感じをうけた、号砲が鳴り、隣のやつの裸の腕にごつごつぶつかりながら駈けはじめると足がもつれ、たちまち胸が苦しく喘《あえ》いだ。スタートから競走者たちは冷酷にも凄い速さで全力疾走する、人生は地獄だとおれは思った、地獄のこの世界を清潔なトレーニングパンツを穿いて野球帽をかぶり号砲を握った鬼に強制されて、喘ぎながら逃げまどう奴隷がおれなのだ、まぬがれることはできないのだ。おれはすぐに競走者の一団からとりのこされて、ずっと遅れて独りぼっちで走っていた。足は悪夢で怪獣に追われるときのように重く、頭のなかは灼けるようだった。そしておれは声をあげて呻きながら駈けているように自分に気がつく。女生徒たちの前を走りぬけるときには無理に胸をはり頭を擡《もた》げ足を高くあげて規則正しく走った、そしてすぐその揺り戻しが来た。おれは顎《あご》をだし腕を振ることもできず手首は腰よりも下にたれ、ほとんど地面に足をひきずってよたよた駈けていた、そして間断なく呻いていた。それでもおれは四百メートルを走り、一応出発点に戻った時には、そこで順番を待っている者たちに、照れかくしに笑った顔をむけようとしたが、顔の皮膚はこわばって動こうともしない、おれは悲しげな仏頂面をして眼だけきょろきょろさせることができただけだろう。《おい、男らしくがんばれ、内股でちょこちょこやるな！》と教師がどなった、《青い顔して病気みたい！》と鋪道から子供の声が追いかけてきた、それほどおれは遅く駈けていたわけだ。みんながおれの悲しく滑稽な走りを眺めていた、世界中の他人どもがみんな嘲笑《ちょうしょう》しながら、青ざめた頰に苦しみの涙をたらし唇を黄色にして内股でちょこちょこやっているセヴンティーンを見つめていた、他人どもは、さっぱりとして乾燥していて雄々しく余裕綽々だった、おれは恥辱で眼もくらみ哀れっぽく、ぎごちなく怯え、ぶくぶく肥り、臭い汁をだしていまにも腐ってしまいそうで、みじめな駈けっこをしているおれを見ていた。他人どもは、犬のように唾を顎にたらし腹をつきだしてのこのこ走っているおれを見ていたが、おれにはかれらの本当に見ているのが、裸のおれであり赤面しておどおどするおれであり、猥褻な妄想にふけるおれ自瀆するおれ不安なおれ臆病者で嘘つきのおれであることがわかった。他人どもはおれを眺めて喚いていた、《おまえのことはなにもかも知っているぞ、おまえは自意識の毒にやられ春のめざめにやられ、体の内側から腐っているんだ、おまえのみっともない湿った股座まで見とおしだぞ！　おまえはみんなの見るまえで自瀆する孤独なゴリラだぞ！》

おれは六百メートルまで走り再び女生徒たちに眺められた。おれは自分が心臓発作で死ぬことを願ったが、そのような奇蹟はおこらなかった、そのかわりにあくまでも眼ざめている自意識が熊のように唸りだすような事実を思い知らねばならなかったのだ、競走者から百メートルも遅れよろめきながらゴールインし、完走できたみじめな安堵に胸を熱い液でうるませたとき、苦笑いしながら教官がおれの背後を指さした、おれはそうすまいと思いながら、ついあいまいに卑小な笑いをうかべてふりかえり、おれが小便をもらしてつくった黒く長い道を発見したのだ、森の嵐のようにどよめく全世界の他人どもの嘲笑のなかで！　おれが誠実をつくして死にものぐるいで不恰好な八百メートル競走をおえたとき、受けた酷いもてなしがこれなのだ、おれは惨めで醜いセヴンティーンだが、それにしても他人どもの世界は酷いことをした、おれに酷すぎることをした、おれはもうこの他人どもの現実世界に善意を見つけだそうと縋《すが》りつくことは止めよう、おれは恥辱の淵に沈み疲労困憊し濡れたパンツの寒さにくしゃみしながら決意をかためた、敵意をもやし憎悪をかきたてなければ泣きだしてしまいそうだったかもしれないが。

3

「《右》のサクラをやらないか、よう？」と背後から近づいてきたやつが呼びかけた。おれは独りぼっちで電車を待っていたのだ、体育のテストのあと自治会がひらかれていたがおれはそれに出席する勇気をもたなかった。おれはふりかえり、真面目な顔でおれに近づいてくる新東宝をそこに見た。おれが殴りかかろうとでもしたというように、かれは一瞬たじろぎ、慌ててしゃべりはじめた、おれが緊張をとくまで、こんなに饒舌に、

「怒るなよ、なあ、おれも自治会なんか馬鹿くさくて出る気にならなかったんだよ。改札口んとこでおまえを見かけたから追っかけてきたんだ。ほんとうにおまえは勇敢だよ、おれ見直したぜ、おれにはとてもやれないことを、おまえやったもんなあ。体操の教師なんてやってるやつは屑だけど、あいつはとくに程度悪いよ。馬じゃないんだからなあ、八

百メートルを走りたかないんだ。それをむりやり走らせるんだ、暴力教師だよ、可愛い音楽の先生にふられて気が立ってるという話だけどなあ。おれだって駈けっこしながら相当頭にきてたんだ、おまえが小便したんで、みんな嬉しがってるよ、みんな小便してやればよかったんだよ、あの暴力教師、まいってたぜ」。その話がおれを苛立たせるだけだと敏感にさとると「おれの時どき顔を出す《右》の連中の党派がなあ、新橋の駅前広場ステージで演説をぶってる、それにサクラを頼まれてるんだ、とくに学生服のサクラがいいんだよ、日給五百円くれるよ、なあ、おまえ、サクラになってくれないか？　真面目な話なんだよ」

おれは自分が新東宝を恐がらせているのを感じた。おれはかれがそんな真剣な顔をして、そんなに切実な訴えのこもった声をだしたのをはじめて見た。かれはおれが半信半疑で黙っているのを見ると身の上話さえはじめたのだ。

「おれ自身はなあ、ライトサイダーというよりも無政府主義者なんだ、ビートみたいな新しい無政府主義者なんだよ。だけどなあ、進歩党や共産党が自衛隊の悪口いうだろ、そうするとおれは腹が立つんだ。いつかおまえがなあ、自衛隊を弁護したろ？　姉さんが自衛隊の看護婦してるといったなあ、あのとき、おれは嬉しかったんだ、おれは卑怯だから黙ってたけどおれの親父も自衛隊につとめてるんだよ、陸上自衛隊の一佐なんだよ。だからおれは、進歩党や共産党をぶっつぶしてやりたいんだ。《右》がそうしてくれるんなら、

《右》を応援したいんだ。それでおれは、《右》の連中の所へ時どき顔をだすんだ、皇道派という名聞いたことがあるだろう、ボスは逆木原《さかきばら》国彦だよ、戦争のあいだ奉天の特務機関にいたんだ。日本中の誰の権威も認めてないぜ、首相の岡とは満州以来のつきあいなんだ」

おれは新東宝が思っていたよりずっとナイーブな男であることに気がついた。ナイーブな新東宝は、結局なにものでもなかった。おれは軽い気持になり眼の前にとんできた優越感の鳥をしっかり摑んだ。そこへ電車が入ってきた。おれは新東宝にうなずき、そして二人で電車にのりこんだ。とにかくおれは家に帰って独りぼっちになることに耐えられなかったのだ。軽蔑しか感じない友達と一緒にいるのは、独りでいるよりずっと自尊心の傷に手をふれる惧《おそ》れがない、それで安心していることができる。大人が悪い酒に酔って不安を逃れることに似ている。電車に乗ると新東宝はうってかわって無口になった。《右》の演説会のサクラに傭われることを原爆スパイ級の秘密にしておきたいらしかった、本当にそれほどのことだと信じているのかもしれない。あの饒舌な新東宝が《右》の団体と関係をもっていることを誰にもしゃべったことが今までなかった筈だから。もし誰かにしゃべっていたら、その翌朝にはおれの高校の生徒の半分がそれについて知っているにちがいない。おれと、にきびだらけの新東宝とは胸をこすりつけあうほど体をよせて電車に揺られていた。おれは埃がポマードでねり固められたようなかれの頭がおれの顎にふれてから、新東宝よりもおれのほうが背が高いのを知った、それも始めて知ったのだ。奇妙な話、おれはそのことで心の底から慰められた。

新橋駅につくまで、こうしておれたちは黙ったまま胸をこすりつけあっていたのだ。都心の駅の午後三時の不思議に閑散としたプラットホームを新東宝と肩から腕をふれあって歩きながら、ふと、こんなにして桃色遊戯の仲間になってしまうんだな、という気がした。そのことを後になっておれはたびたび思いだした。そのとき、おれの生涯にとってきわめて重大な事件がかたまりつつあったのだが、とにかくおれはあの晩春の昼さがりの新橋駅でそういう感想をもった。それはあのときプラットホームを旧式の竹箒《たけぼうき》で掃除していた老駅員がそう感じたことだろうが、ごく冷静に見ておれたちはいま桃色遊戯に出かける、にきびと顔面蒼白の二人の高校生というところだったはず。

皇道派の逆木原国彦の演説はひどかった、演説のおこなわれている広場に出ただけでそれがわかった。誰ひとり真面目に聴いている者はなく、またステージの上で怒号している熱狂した初老の男自身、誰かに真面目にうけとられることを期待せず孤独に意味不明の怒号をつづけているようだった。おそらく逆木原国彦は新橋駅に入ってくる電車の轟音に独りで対抗した最初の男になりたかったのだろう、人間たちを見るよりも高い線路を疾走する電車を見つめて怒号していた。おれと新東宝はサクラらしく拍手したり喚声をあげたりするべきだったが、そのきっかけをつかめないでまごまごしていた。それに絶叫する危険な顔つきの人間ライオンは自分が傭ったサクラのことなど気にもしていないようなのだ。無責任な通行人たちの、そのまた背後でおれと新東宝はむしろ好奇心でいっぱいになって、この怒号する男を眺めていた。とくにおれは、こんなに数多くの他人どもの冷淡な無関心と嘲笑に向かって、軍隊のように堂々と攻撃的に怒号する男がいることに驚いていた、しかもかれの叫んでいるステージにはなにひとつかれを掩護《えんご》するものはかざられていないのだ、竹竿に日の丸がはためきもせずたれさがっているだけだ。ステージの両袖に、腕章をまいた黒シャツの青年たちと、背広を着た老人たちがいたが、かれらも逆木原国彦に注意をむけるよりは、広場の別の競馬情報板の方に気をとられているようだった、きっと皇道号とでもいう馬を場外馬券売場で買って大穴をあてる夢でも見ていたのだろう。

しかしそのうちに、一人のサクラが自分の仕事に情熱を回復した。それは妙に寒々とした貧弱な猫背の男で、ステージにむかって並んだコンクリートのベンチの中央に膝をかかえて坐っていたが、逆木原国彦が酷使した喉に唾をおくりこむために言葉をきり、無念やるかたない眼つきで虚空を睨む瞬間に、つまりその短い怒号の切れまに熱狂的な拍手と喚声をおくるのだ。かれ独りの熱狂は、広場の周囲にぶらぶらしているなにごとにも傍観者の立場を棄てずなにものにも巻きこまれまいとその親の死の床で誓ったような人々にスキャンダルを見る興味をひきおこした。人々は集まってきて輪をつくり始めた。その輪が閉じてしまわないうちにおれと新東宝はせきたてられる思いで広場のなかに入りこみ、一番うしろのベンチに掛けた。おれたちはとにかくサクラだったからだ、しかしおれには新東宝も単なる不熱心なサクラを出ず、時どき皇道派に顔を出すというのも眉唾のような気がしたのだ。かれが皇道派員なら、こんなに怯《お》ずおずと黙りこんでいるべきではないように思えたから。ベンチに坐ってみるとおれたちの前に二十人ほど坐っている男たちもみな、その中央で拍手し喚声を発する模範的なサクラと同様に、皇道派から傭われた者らであるのが見え見えだった。かれらはみな日傭労務者のような風態をして手持ぶさたで腰をかけている、そしてかれらの膝に一匹ずつ猫が配られるのを待っているという様子だ、そしてかれらの中央の男がますますファナティックに喝采するたび居心地の悪い身じろぎをして気詰りな悲しそうな表情をうかべた。

おれは新東宝が拍手をはじめるつもりかどうか窺ってみた、それが新東宝を狼狽《ろうばい》させた。かれは急いで、あいつらもみんな傭われたサクラなんだ、と説明した、「今日は晴れだけど逆木原国彦は雨の日に演説会をひらくことが多いよ、あぶれた日傭労務者が動員できるからな。そして自分では逆木原が演説するとき天は逆木原の忠誠に感じて末世を嘆く涙の雨をふらせるのだ、逆木原は尽忠の雨男だ、などとぶつんだけど、雨宿りしている連中はかくべつ怒らないよ、少しは受けるときだってあるんだぜ」

おれはそれはそうかも知れないな、と思った。雨は人間を感じやすくするからだ、とくにおれは雨のとき、湿度の高い日、また低気圧のときに体の具合が良くて他人に寛大になる。「それからなあ、雨であぶれている日傭労務者も喜ぶんだよ、苦しい仕事じゃないからね、黙って話を聴いて時どき拍手するだけでいいんだ」と新東宝はおれに疑われていると思いこんだように弁解する調子でつけくわえた。おれは自分が新東宝に圧力をくわえていることを知った、憂鬱ではなかった。おれは大運動場の恥辱感の記憶からすくなくともその短い間は自分が解放されているのを感じた。夜になれば、おれは自殺してしまいたいほど恥辱に震えるだろうが、いまはせめてもの執行猶予だ、とおれは考えた。

ベンチに腰をかけて自分の膝においた手を眺めている日傭労務者たちもまた、なにものかから執行猶予されているという印象をあたえた。かれらの、通行人からの視線の矢が千本も刺さっている背や肩、頭の上で、晩春の午後の陽の光が引潮のようにおとろえて行った、そして冬の夕暮のようにうら寒い失望感が陽ざしにまぎれこみはじめた。東京という大都会が失望し徒労感にうちひしがれているのだ。あの仕事熱心なサクラだけが性懲りもなく熱狂的な拍手と喚声をおくっていた。ステージの上の逆木原国彦は怒号しつづけたが、かれのだみ声はその重量に耐えながらおれたちの頭上を空にむかって飛び去った。広場を遠まきにかこんだ暇をもてあました男たちの冷たい嘲弄《ちょうろう》が鷹のようにそれを狙うだけだ。おれはしだいに眼ざめたままの眠りのようなものに沈みこんで行った、おれの耳は大都会の轟音を個々の声、個々の音というよりもその大群そのものを聴いていた。おれの疲れた体を夏の夜のあたたかく重い海のように轟音は現実から浮かびあがらせてくれた。おれは背後のヒマ人どもを忘れ、新東宝を忘れ、日傭労務者たちを忘れ、叫びたてる逆木原国彦を忘れていた、そして大都会の沙漠の一粒の砂のように卑小な自分を、いままでに一度も感じたことのないやすらぎで受け入れていた。

そして逆におれはこの現実世界にたいしてだけ、他人どもにたいしてだけ、敵意と憎悪を新しくしていたのだ。いつも自分を咎めだてし弱点をつき刺し自己嫌悪で泥まみれになり自分のように憎むべき者はいないと考える自分のなかの批評家が、突然おれの心にいなくなっていたのだ。おれは傷口をなめずっていたわるように全身傷だらけの自分を甘やかしていた、おれは仔犬だった、そして盲目的に優しい親犬でもあった、おれは仔犬の自分を無条件にゆるしてなめずり、また仔犬のおれに酷いことをする他人どもに無条件で吠えかかり咬みつこうとしていた。しかもおれは眠いようなうっとりした気持でそれを行なっていたのだ。そのうちおれは夢のなかにいるように、おれ自身が現実世界の他人どもに投げかける悪意と憎悪の言葉を、おれ自身の耳に聴き始めた。それを実際に怒号しているのは逆木原国彦だ、しかしその演説の悪意と憎悪の形容はすべておれ自身の内心の声だった、おれの魂が叫んでいるのだ、そう感じて身震いした。それから全身に力をこめて、おれはその叫喚に聴きいり始めた。

「あいつらの糞野郎めがだよ、国を売る下司《げす》の女衒《ぜげん》の破廉恥漢がだよ、日本の神の土地の上に家をたてて女房子供をやしなっているのはおかしいじゃないか？　ソ連・中共のけだものの国に行って日本人廃業すればいいじゃないか、おれはとめないよ、けつを蹴とばしてやるよ。あいつらフルシチョフの男色野郎におかま掘られて屁っぴる暇もねえだろう。ごろつき毛沢東にストライキ扇動してためた不浄金を賄賂にだすつもりだろう。それでも二年もたちゃ右偏向とかいわれて粛清だ、首切られるよ、自己批判させてもらってなあ、いいざまだ。あいつらおれたちを暴力団だというだろう、だけどねえ諸君考えてみてくれ、集団暴力で飯くってるのはあいつらだ、デモだストライキだ坐りこみだ。現代はじまって右のテロと左のテロとどちらが多いと思う？　文句なしにアカの豚野郎が沢山殺してるよ、強制収容所はナチスだけじゃない、ソ連のやつがもっとひどいんだ。あいつらの代表が中共へ行って人民の膏血《こうけつ》しぼった金でタダ飯くわせてもらって、日本軍国主義は大虐殺しました、三光策といって殺しつくし焼きつくしそれからもっと悪辣なことしました、どうかお許し下さいと日本帝国臣民の名においてだよ、謝ってきてくれたそうだ。あいつらの女房強姦させて殺させてやりたいと満州帰りの友人が泣いて怒っていたね。あいつらは売国奴だ、恥しらずでおべっかつかいで二枚舌の無責任で、人殺しで詐欺師で間男野郎で、へドだ。おれは誓っていいが、あいつらを殺してやる、虐殺してやる、女房娘を強姦してやる、息子を豚に喰わせてやる、それが正義なのだ！　それがおれの義務なのだ！　おれはみな殺しの神意を背におって生まれたのだ！　あいつらを地獄におとすぞ！　おれたちが生きるためにはあいつらを火焙《ひあぶ》りにするほかないのだ！　あいつらを地獄におとしておれたちは生きるほかない！　おれたちは弱いのだ、あいつらをみな殺しにして生きるほかないのだ、これはあいつらの神様のレーニンの兄貴が叫んだ言葉だとさ、諸君、自分の弱い生をまもるためにあいつらを殺しつくそう、それが正義だ」

悪意と敵意の兇暴な音楽が再生装置を破壊するヴォリュームで世界じゅうに鳴りひびいた、自分の弱い生命をまもるためにあいつらを殺しつくそう、それが正義だ、おれは立ちあがり拍手し喚声をおくった。壇上の指導者はおれのヒステリーをおこした眼に暗黒の淵からあらわれる黄金の人間として輝き煌《きら》めいた。おれは拍手し喚声をおくりつづけた、それが正義だ、それが正義だ！　酷いことをされ傷つけられた弱い魂のための、それが正義だ！

「あいつ、《右》よ、若いくせに。ねえ、職業的なんだわ」

おれは勢いを込めてふりかえり、おれを非難している三人組の女事務員が動揺するのを見た。そうだ、おれは《右》だ、おれは突然の歓喜におそわれて身震いした。おれは自分の真実にふれたのだ、おれは《右》だ！　おれは娘たちに向かって一歩踏みだした、娘たちはおたがいの体をだきあって怯えた小さな抗議の声をあげた。おれは娘たちと、その周囲の男たちのまえに立って、それらすべての者らに敵意と憎悪をこめた眼をむけ黙ったままでいた。かれらすべてがおれを見つめていた、おれは《右》だ！　おれは他人どもに見つめられながらどぎまぎもせず赤面もしない新しい自分を発見した。いま他人どもは、折りとった青い草の茎のようにじゅくじゅくと自瀆で性器を濡らす哀れなおれ、孤独で惨めなおどおどしたセヴンティーンのおれを見ていない。おれを一目見るやいなや《なにもかも見とおしだぞ》といっておれを脅《おびや》かす、あの他人の眼で見ていない。大人どもはいま独立した人格の大人同士が見あうようにおれを見ている。おれはいま自分が堅固な鎧《よろい》のなかに弱くて卑小な自分をつつみこみ永久に他人どもの眼から遮断したのを感じた。《右》の鎧だ！　しかも、おれがなお一歩踏みだしたとき娘らは悲鳴をあげたが、足が竦《すく》んだように逃げさることもできないのだ、おれは娘らの熱い血がどきどき脈うつ胸のなかの恐怖に性欲を、それも精神の喜びをそそられた。おれは怒号した、

「《右》がどうした、おい、おれたち《右》がどうしたというんだ、淫売ども！」

娘たちは夕暮ちかい雑踏のなかへやっとの思いで逃げこんで行った、そして残った男たちはぶつくさ不平をいいかわし、同時におれを恐がっていることをかくそうと努めていた。ああ、他人どもがおれを恐がっているのだ！　それからやっと、かれらがおれの、淫売という言葉がふりまいたスキャンダルの紙屑を始末させるつもりになったとき、おれのまわりには皇道派という文字の入った腕章をつけている者たちが集まってきていた、おれたちは《右》の集団だった。

おれの肩に力強い掌、親しい情念にみちた筋ばった掌がしっかりと置かれた。おれはふりかえり、激しいものに昂揚している初老の男を見た。おれはかれの燃える眼に魅入られ

た、おれは小さな子供のように感嘆をこめてこの憎悪と悪意の演説者に笑顔を向けた。

「ありがとう、きみのように純粋で勇敢な少年愛国者を待っていたんだ、きみは天皇陛下の大御心《おおみこころ》にかなう日本男子だよ、きみこそ真の日本人の魂をもっている選ばれた少年だ」

啓示の声は雑踏と電車とスピーカーと、そしてありとあらゆる大都会の吠え声を制圧しておれに美しく優しくふれた。おれは以前それにかかることのあった、ヒステリー質の視覚異常におそわれた。暗黒の淵に夕暮の大都会は沈みこみ、暗黒な金泥をぬりこめた墨のように光輝をふくんでおり、そして夜明けの太陽が燦然《さんぜん》とそこから現れた、黄金の人間だ、神だ、天皇陛下だとおれは感じた。「きみは天皇陛下の大御心にかなう日本男子だよ、きみこそ真の日本人の魂をもっている選ばれた少年だ!」

4

皇道派本部で入党の宣誓をしたあと、逆木原《さかきばら》国彦はおれに、これできみは最も若い皇道派員になったといってくれたが、本部での生活の当初はハイ・ティーンの党員などおれの他に一人もいないのではないかと思われた。やがて十九歳の党員を三人見つけたが、かれらもおれがもっていたハイ・ティーンのイメージとは似ても似つかぬ男たちだった。これら《右》のハイ・ティーンたちは尊大で重おもしく謹厳な表情を崩すことがなかった。おれが映画やジャズ、ポピュラー音楽の話をつい持ち出すと、かれらは軽蔑されたように猛然と憤って、おれのことを軽佻浮薄《けいちょうふはく》な輩《やから》だと罵った。こんな言葉づかいをかれらが好んでするたびに、おれは小さな失望の泥をかためた球を、おれの《右》の蟻穴のふちに一つずつ並べた。なぜなら、かれら若い《右》は、おれが党に入るまえに無責任に空想していた漫画的なそれとあまりにもそっくりだったから。それでいて死ぬほど真面目なところまでそっくりだった。おれは、ずいぶん前に『明治天皇と日露大戦争』という映画の広告を見たとき、若い《右》はこんな映画を観るんだろうと考えたことを思いだした。かれらに訊ねてみると、映画の話で初めてかれらは乗って来て、何度も見たこと、感動したことを話し、それからおたがい同士で、あの映画が歴史記録映画ででもあったかのように、俳優と人物とをすっかり混同してカンカンガクガク論じはじめた。

「明治天皇陛下は憂わしげなおんまなざしで兵を見つめられたなあ」とか、「乃木大将の馬は凄かった、東郷元帥は戦場でも顔にやつれが見えなかった、さすがは武人の心がまえだなあ、武士は摂生し非常時に完全なベストコンディションであたるべきだ」とか真剣に議論するのだ。かれらは他に、戦争映画と時代映画の剣戟物なら時どきは映画館にでかける様子だった。戦争映画で日本軍人が活躍する場面は心を躍らせたし、剣戟物には、刀剣をもちいて人間を殺すための技術が展開されていたからだ。かれらは西部劇や現代の暗黒街ものを軽蔑しふりむきもしなかったが、それは武器としてそれらの映画ではピストルがもちいられていたからだ。かれらにはピストルが入手できなかったし、総裁からそんなものは禁じられてもいたし、結局かれらには日本刀一本で完全な殺害をおこないうる技術のほうが貴重でもあり現実的でもあるように思えたからだろう。とくに《右》のハイ・ティーンの一人は鍼《はり》のツボ図のように裸の人体に朱い点がいっぱい記入された表を大切にしていた。その朱い点がなにを意味するかは、ある朝、新宿区で刺殺事件があったとき、おれにもわかった。かれが丁寧に新聞報道をしらべて、該当する体の一部に新しい朱点を記入したからだ。

「きみも誰かを刺すのか?」とおれがまだ新しい仲間たちに新鮮な好奇心をもっていたもので訊ねると、かれは黙禱する人のように厳しく眼をつむり、激しい孤独な声で、おれにむかって話すというのではなく「あいつらが、おかしなことをやめなかったらなあ、《左》のあいつらが、いつまでもおかしなことをやめなかったらなあ、おれはやる」といった。おれはおかしなことという言葉にもどかしがりながら、それでも他のもっと適切に表現できる言葉がみつからないで眉をひそめているその仲間の気持がよくわかると思った。そうなのだ「あいつらがおかしなことをやめなかったら」。それで充分に皇道派員にはつうじるのだ、雄弁は必要でない。

確かに若い皇道派員たちは雄弁でなかった、ボスは雄弁家だったし、幹部級にはおなじように雄弁な人たちがいたが、若い派員は決して雄弁でなく、また日常生活で饒舌でもなかった。むしろつねに沈黙していた、そして演説しなければならない時には、眼の前に敵が武器をかまえて立っているように、怒号し、睨みつけ脅《おびや》かすように腕をふりまわした、「おれたちは赤のやつらが、おかしなことをやるのをとめなければならないのだ！」

　皇道派員ではなく、保守党の青年部の若い男たちと一緒になるような場合には、皇道派員はすっかり黙りこみ、反対に饒舌だけに情熱をかたむけている保守党の若い男たちの雄弁を耐えしのんだ。おおむね、保守党の若い連中を、皇道派の青年たちは軽蔑していた。皇道派員だけがかたまるとつねに、あいつらは出世主義者どもだ、という非難の言葉が出た、「あいつらは自分の出世のことばかり考えているのだ、それに自分を押しだそうとしておしゃべりばかりしている、あいつらは《左》の出世主義者と似たところをもっている。あいつらも、おかしなことをやめなければ……」。おれは地方出身の保守党青年部員がおれにくれた葉書を思いだす、単なる顔見知りだというだけで、その男は自分の未来計画を洗いざらい告白してきたのだ、「私は株をやって二十万ためたが、いまも私の買っている株は順調に成長している。現在、私は二十四歳なので、二十五歳都議、三十歳代議士、三十五歳入閣の野望を達成すべく、片方では株による金力の把握、片方では党青年部文京区支部宣伝部長の役職をつうじ派閥への参加を狙っている。私は人間実力主義なので党本部に出入りする際は党幹部にも対等に議論をしかける。先日は都内某料亭において党幹事長と二時間にわたり世界情勢、国勢を論じ大いに煙にまいた。私が内閣に列するころ貴兄が院外団の有力者に成長していることを考えて愉快にたえず、文通を始めることにした。大いに論じあおう。なお株のことならば松川証券社長、政治のことならば党情宣部長菊山氏に紹介しよう」。これにはおれも驚いたり呆れたりした、本当にあいつらは僻《ひが》みっぽい田舎者で出世の手づるにしがみつきたがっているのだ。こういう連中と若い皇道派員とのあいだには時どき衝突がおこったが、さんざんかれらに言い負かされたあと、おれたちが黙りこんでかれらを脅《おど》かすように睨みつけると、すぐにもおれたちの正しいことが判明するのだった。おれたちには、この雄弁家どもと接触して有益だったことはない。おれたちはボスをつうじてのみ学んだし、ボスのすすめる書物を読んでのみ自分を支える知恵を得たのだ。それも多くの知恵ではない、少しだけの金の知恵を確固とした信念として硬く熱い鋲のように頭の芯にうちこむのだ。そしておれたち自身をも硬く熱い鋲にするのだ。とくにおれは、あの決定的な回心のおこなわれた晩春の夕暮から、ボスの声のみに学びボスに貸しあたえられた書物のみを読んで来た。純粋にそれのみを、そしてそれ以外のものをすべて憎悪と敵意をもって拒否していたのだ。

逆木原国彦は確かにおれを特別に待遇してくれたと思う、そしてかれがおれにそそいだ情熱におれは充分に答えたと思う。逆木原国彦はいったものだ、「きみにわれわれの思想をたたきこむのは、できあがっていた瓶に樽の酒を移すようなものだ。それにきみの瓶は砕けず、この醇乎たる美酒は零《こぼ》れることがない。きみは選ばれた少年だが、《右》は選ばれた機関だ、いまにそれが鈍感な奴らにも太陽のようにはっきり見えるようになるだろう、それが正義なんだよ」

あの夕暮から数週間たつと、逆木原国彦は、おれを皇道派本部にひきとりたいむね、おれの家を訪ねて父親と母親を説得してくれた。父親は例のアメリカ流自由主義で、おれが家に迷惑をかけず自分で道をきりひらくならそれを干渉する意志はない、といった。そしてまた、政治運動をやるにしても愛国心にもとづいているんだから、赤の全学連よりは健康でしょう、と逆木原国彦にお追従のようなことをいった。おれは父親が、息子が学生運動に深入りしては自分の教師としての立場が困るというふうなことを、そのアメリカ流自由主義とは裏腹なことをいっていたのを思いだし、これで父親はご安泰だなと考えていた。兄はおれに見つめられると困惑して眼をふせた。母親はおれが姉を怪我させたときもそうだったが直接におれに何もいわなかった。姉は逆木原国彦に自衛隊の看護婦であることを口をきわめて賞《ほ》められると、看護婦仲間で、逆木原国彦著の『真に日本を愛し日本人を愛する道』が、よく読まれているということを、汚らしいほど赭《あか》くなってイヤホーンから聴こえるくらいの小さな声で答えた。そして逆木原国彦は、おれが本部にうつり住むことを了解されたのを家族みんなに感謝し、おれの一生涯には全責任を負うと約束して独りさきにひきあげた。それから家族全員がおれに、いつから《右》の団体に入り、あのような大物と知りあうようになったのかと訊ねた。おれは嘘をいって、みんなを黙らせることに成功した、「姉さんが自衛隊の病院の看護婦になったときからだよ、おれは自衛隊のことを悪くいうやつらにがまんできなかったんだ」。おれは自分が家族みんなを一撃で退却させる能力をかちえていることを自覚した。その日おれが姉にいいまかされて泣きだしてしまった、おれの十七歳の誕生日からほんの十週間しかたっていなかったが、おれは奇蹟を経て別の人格となっていたのである、おれは回心していたのだ。

おれの回心は学校でもっとも劇的な成功をはくした。あのおしゃべりの新東宝は、いったんおれが皇道派に正式に入ってしまうと、結局皇道派では単なる気分的なシンパにすぎなかったその立場がおれに知れてしまったことをさとり、それからおれのための宣伝係、伝記作者となった。新東宝によれば、おれは数年前から《右》だったのであり、八百メートル競走でのおれに絶望的に感じられたあの失態は、体育教官への軽蔑の《右》的表現であり、そして「あいつはよお、新橋駅前の広場でなあ、《右》の悪口をいいにきた共産党の連中二十人ほどに向かってなあ、独りきりで喧嘩を売ったんだぜ。皇道派の逆木原国彦は、あいつを自分の後継者だと考えてるよ、あいつは皇道派の本部に住みこんでいるんだからなあ。あいつは本当の、根っからの《右》だぜ」ということになるのだった。

おれが《右》であり、皇道派員であるということは、たちまち高校じゅうのすべての生徒たちに知れわたり、それは教員室の最大のスキャンダルにもなった。おれは担任の教師に注意されると、《左》の学生がいていいように《右》の学生もいていい筈だといい、教師がわずかにでも《右》を非難するような言葉を発すると、逆木原国彦にそれをつたえてもいいのかという態度を示し、婉曲に皇道派の威力を暗示した。教師たちは生徒たちよりももっと深刻に新東宝のデマゴーグに影響されていたので、おれの暗示は効力充分だった。世界史の教師が、おれの出席する時間だけ過度に保守的になるという噂も聞こえるようになっていた。

《右》のおれにたいして敵意をもつ者が、おれの高校にいなかったわけではない。全学連と連絡をとってデモに参加する生徒自治会の委員たちは、おれに議論をふっかけてきた。おれは、かつて自分が《左》の指導者の意見に感じていた判りにくい所を、そのまま裏がえしてしゃべるだけでつねに勝った。姉が誕生日の夜のおれをうち負かしたように、おれはかれらをうち負かした。それにかれらたち自身、平和について、再軍備について、ソ連、中国について、アメリカについて、確信できるほどがっしりとは把握してはいなかった。おれはただ、これまでは自分の不安だったかれらの弱みを衝くだけでよかったのだ。しかもおれには切り札があった、「とにかく現在、日本のインテリには《左》が多数派で、《右》は少数派さ。しかしおれは、立派な大学教授の進歩派よりも、食うに困って自衛隊に入っている百姓の息子の味方をしたいんだよ。大学教授は名誉もあるし正義の味方だし、それだけで充分だろう？　きみたちの好きな大学教授が国連に駈け込んで訴えれば極東の局地戦争も解決されるだろう、だけどその間の二、三日に李承晩の軍隊に殺される日本の百姓の息子の味方をしたいのさ。それに、きみたちが誰より好きなサルトルがいってるけど、それを実現しようとしないのなら正義を語ることが何になろう。とにかくおれは頭が悪くて弱い人間だけど《右》の青年行動隊で生命をかけているんだが、きみたちの誰か一人でも共産党員になって地道な献身をしているかい？　きみたち東大に入って、やがては官僚か大会社の幹部になるんじゃないか？」

青ざめて絶句した秀才たちの背後から、あの傲慢な杉恵美子があきらかにおれに興味をよせている眼でおれを見ながらこういったのを思いだす、「あなたみたいに時代錯誤の《右》少年は防衛大学にでも行くことね」。おれは逆木原国彦に、自分が防衛大学に入学して同志を集め、やがてクーデターをひきおこす力になりたいという考えをのべた。逆木原国彦はおれの希望に深い満足を示した。おれは激しい幸福感に体を熱くした。

皇道派の制服はナチスの親衛隊の制服を模したものだが、それに身をかためて街を歩く時も、おれは激しい幸福感をおぼえ、甲虫のように堅牢に体いちめんに鎧をまとい、他人から内部の弱く傷つきやすい不恰好なものを見られることがないのを感じると天国にのぼったような気持がした。いつもおれは他人から見つめられるたびに怯えて赤面し、おどおどと惨めな自己嫌悪におそわれたものだ、自意識にがんじがらめになっていたのだ。しかしいま、他人はおれ自身の内部を見るかわりに、《右》の制服を見る、しかも幾分恐れながら。おれは《右》の制服の遮蔽幕のかげに、傷つきやすい少年の魂を隠匿してしまったのだ。おれはもう恥ずかしくなかった、他人の眼から苦痛をうけることがなかった。それはしだいに、制服を着ていない時にも、裸の時にも、決して恥ずかしさの傷を他人の眼によって負わされることがないという徹底をした。

おれはかつて、自瀆している自分を見つけられたなら恥辱のあまり自殺するだろうと考えていた。それこそ他人の眼の最大能力と、恥ずかしさに怯える最も弱い自分の肉との劇であった。しかしある日おれは決定的な体験をして、この劇の危機性さえ無意味となり崩れさるのを知ったのである。それは逆木原国彦との次のような問答から始まった、「きみは性欲に苦しむことがあるだろう、抑圧してはつまらないよ、女と寝るかい?」「いいえ、寝たいとは思いません」。「それじゃこうしよう、ソープの女にきみの男根をひともみさせるんだね、この金を持って行きなさい」

始めおれはそんなことが可能だと思っていたわけではない、自分の恥辱感の根がそれほど完全に掘りとられているとは思っていなかった。仲間がおれに制服を着て行けといった。夜だったが、おれは動揺していたので仲間の忠告にしたがい、昼しかつけない規約の皇道派の正装を、わが《右》の鎧を着こんで新宿の旧赤線地帯にある装飾ガラスの扉の奥へ入って行った、勃起するどころか惨めな子供が酷《むご》い刑罰をうけようとする時のように青ざめて、入党してはじめて総裁を怨みながら。そしておれは、わが皇道派の制服が鉛の潜水服より重くおれたちを支える錘《おもり》となり、わが《右》の鎧が他人どもにとっては皮の狭窄衣《きょうさくい》より激しく恐怖心を締めつけるものであることを知ったのであった。

頭を藁色《わらいろ》に脱色した体格の良い娘が、白いブラジャーとショート・パンツをつけただけで桃色の個室におれを迎えいれた。正確に五秒間だけ、湯気に濡れた裸電球の灯りのなかで娘はおれの制服を見つめた、そして陋劣《ろうれつ》なほど竦《すく》んだ顔になり、眼をふせた。娘は二度と眼をあげなかった。おれは裸になった、生まれてはじめて他人の眼のまえで、しかも若い娘の眼のまえで裸になった。そしておれはやっと筋肉の芽ばえはじめた薄い裸の体が装甲車のように厚い鎧をつけているように感じた、《右》の鎧だ、おれはもの凄く勃起した。おれこそが新妻の純潔な膣壁をつき破る灼熱した鉄串のような男根を(逆木原国彦のいったとおり男根を)もつ男だった。おれは一生勃起しつづけだろう、十七歳の誕生日に惨めな涙にまみれてその奇蹟をねがったとおり、おれは一生、オルガスムだろう、おれの体、おれの心、それら全体が勃起しつづけだろう。南米のジャングルの種族にはつねに勃起した性器をもっている連中がいて、かれらの性器は狩猟や闘争のさいの不便を惧れた神様が犬の性器のように腹に密着させていてくれる、おれはいわばかれらの種族のセヴンティーンだ。娘はおれを蒸風呂に入れ、洗い流し、風呂に入れ、タオルでぬぐってパウダーをふりかけ、医者の診察用ベッドのような台に寝かせてマッサージすると、黙ったままおれの男根を愛撫しはじめた。自瀆の習慣から形の変わっている包皮を惧れ畏《かしこ》む指先で静かに剝いたあとで。おれは傲然とあおむいて貴族のようだった、娘は自分が恥ずかしい悪癖をおこなっているとでもいうように赭らんでいた。娘はおれに杉恵美子にあてて書いた手紙のなかに姉の詩の本からぬいて引用した詩の一節を思いださせた、結局その手紙は自分で破いたのだが、

きざはしのいと高き敷き石のうへに立ち――
園におかれし甕《かめ》に倚《よ》り――
おんみの髪もて日の光を織りたまへ、織りたまへ――
はからざりしこころの痛みもちておん手の花を抱きしめたまへ――

おれの男根が日の光だった、おれの男根が花だった、おれは激烈なオルガスムの快感におそわれ、また暗黒の空にうかぶ黄金の人間を見た、ああ、おお、天皇陛下！　燦然《さんぜん》たる太陽の天皇陛下、ああ、ああ、おお！　やがてヒステリー質の視覚異常から回復したおれの眼は、娘の頬に涙のようにおれの精液がとび散って光るのを見た、おれは自瀆後の失望感どころか昂然とした喜びにひたり、再び皇道派の制服を着るまで、この奴隷の娘に一言も話しかけなかった。それは正しい態度だった。この夜のおれの得た教訓は三つだ、《右》少年おれが完全に他人どもの眼を克服したこと、《右》少年おれが弱い他人どもにたいしていかなる残虐の権利をも持つこと、そして《右》少年おれが天皇陛下の御子《みこ》である

ことだ。

おれは天皇陛下について深く知りつくしたい熱情にかられた、今までおれは兄より上の世代のように戦争のあいだ天皇のために死のうと決意していた者らのみが天皇と関係があるのだと考えていた。おれは戦中世代の者たちが天皇について語るのを聞くと嫉妬と反感をいだいてきた。しかしそれはまちがっていたのだ、なぜならおれは《右》の子であり、天皇陛下の御子だからだ。

逆木原国彦の書庫に入るのを許可されて、おれは天皇陛下をおれにときあかす書物を探し出した、おれは『古事記』を読み『明治天皇御製集』を読み、神兵隊や大東塾の先輩たちが教科書にした書物を読んだ、『マイン・カンプ』も読んだ。そしておれは逆木原国彦に示されて、谷口雅春の『天皇絶対論とその影響』を読み、求めていたものをかちとった、《忠とは私心があってはならない》。おれは最も重要な原則を把握した。

おれは情熱をもえあがらせて考えた、そうだ、忠とは私心があってはならないのだ！おれが不安に怯え死を恐れ、この現実世界が把握できなくて無力感にとらえられていたのは、おれに私心があったからなのだ。私心のあるおれは、自分を奇怪で矛盾だらけで支離滅裂で複雑で猥雑ではみだしていると感じ不安でたまらなかった。なにかをするたびに、これはまちがったほうを選んだのではないかと疑い、不安で不安でたまらなかった。しかし、忠とは私心があってはならないのだ。そうだ、私心を棄てて天皇陛下に精神も肉体もささげつくすのだ。私心を棄てる、おれのすべてを放棄する！　おれは今までおれをなやました矛盾にみちたもやもやがやきはらわれるのを見た。おれに自信を喪わせたもやもやは未解決のままふっとんで行ってしまう、もやもやは一掃された。天皇陛下はおれに、私心のもやもやを棄てろ！　と命じられ、おれはもやもやを棄てたのだ。個人的なおれは死に、私心は死んだ。おれは私心なき天皇陛下の御子となった。おれは私心を殺戮した瞬間に、おれ個人を地下牢に閉じこめた瞬間に、新しく不安なき天皇の子として生まれ、解放されるのを感じたのだ。おれにはもう、どちらかを選ばねばならぬ者の不安はない、天皇陛下が選ぶからだ。石や樹は不安がなく、不安におちいることができない、おれは私心を棄てることによって天皇陛下の石や樹になったのだ、おれに不安はなく、おれは不安におちいることができない。おれは身軽に生きてゆけるのを感じた。おれはあの複雑で不可解だった現実世界がすっかり単純に割り切れるのを感じた。そうだ、そうだ、忠とは私心があってはならない、私心をすてた人間の至福が忠なのだ！　しかもおれは不意に、死の恐怖からまぬがれているのをさとった、おれはあれほど絶望的に恐れおののいた死をいまやまったく無意味に感じ、恐怖をよびさまされなかった。おれが死んでもおれは滅びることがないのだ、おれは天皇陛下という永遠の大樹木の一枚の若い葉にすぎないからだ。おれは永遠に滅びない！　死の恐怖は克服されたのだ！　ああ、天皇よ、陛下よ、あなたはわたしの神であり太陽であり、永遠です、わたしはあなたによって真に生きはじめました！

おれは目的をたっして逆木原国彦の書庫と縁を切った。書物はもう必要でなかった。おれは唐手《からて》と柔道に熱中しはじめた。おれの稽古着に逆木原国彦は《七生報国、天皇陛下万歳》と書いてくれた。おれはかつて逆木原国彦がいったとおりの言葉を今や自分自身で、自分に呼びかけて良いと信じた、きみこそ真の日本人の魂をもっている選ばれた少年だ！

五月、《左》どもは国会デモをくりかえし行ないはじめた、おれは勇躍して皇道派青年グループに加わった。赤の労働者ども、赤の学生ども、赤の文化人ども、赤い俳優どもを、殴りつけ蹴りつけ追い散らせ！　おれたち青年グループの鉄の規約は、ナチスのヒムラーが一九四三年十月四日ポーズナーンの親衛隊少将会議で獅子吼《ししく》した演説から造られたものだ。《第一忠誠、第二服従、第三勇気、第四誠実、第五正直、第六同志愛、第七責任の喜び、第八勤勉、第九禁酒、第十われわれが重視し義務とするものはわれわれの天皇でありわれわれの愛国心である、われわれは他のいかなるものに対しても気を配る必要はない。》赤どもを踏みにじれ、打ち倒せ、刺し殺せ、絞め殺せ、焼き殺せ！　おれは勇敢に戦い、学生どもにむかって憎悪の棍棒をふるい、女どものかたまりにむかって釘をうちつけた敵意の木刀をたたきつけ、踏みにじり追いはらった。おれは何度も逮捕され、釈放されるとすぐまたデモ隊に攻撃をくりかえしそしてまた逮捕され釈放された。おれは十万の《左》どもに立ちむかう二十人の皇道派青年グループの最も勇敢で最も兇暴な、最も右よりのセヴンティーンだった、おれは深夜の乱闘で暴れぬきながら、苦痛と恐怖の悲鳴と怒号、嘲罵の暗く激しい夜の暗黒のなかに、黄金の光輝をともなって現れる燦然たる天皇陛下を見る唯一人の至福のセヴンティーンだった。小雨のふりそぼつ夜、女子学生が死んだ噂が混乱の大群集を一瞬静寂に戻し、ぐっしょり雨に濡れて不快と悲しみと疲労とにうちひしがれた学生たちが泣きながら黙禱していた時、おれは強姦者のオルガスムを感じ、黄金の幻影にみな殺しを誓う、唯一人の至福のセヴンティーンだった。

（二七五ページの引用詩はT・S・エリオット、深瀬基寛訳「なげく少女」より）

空の怪物アグイー

ぼくは自分の部屋に独りでいるとき、マンガ的だが黒い布で右眼にマスクをかけている。それは、ぼくの右側の眼が、外観はともかく実はほとんど見えないからだ。といって、まったく見えないのではない。したがって、ふたつの眼でこの世界を見ようとすると、明るく輝いて、くっきりしたひとつの世界に、もうひとつの、ほの暗く翳《かげ》って、あいまいな世界が、ぴったりかさなってあらわれるのである。そのために、ぼくは完全鋪装《ほそう》の道をあるいているうちに不安定と危険の感覚におびやかされて、ドブを出たドブ鼠のように立ちすくんでしまうことがあるし、快活な友人の顔に不幸と疲労のかげりを見出して、たちまちスムーズな日常茶飯の会話を、渋滞感につきまとわれた吃りの毒で、台なしにしてしまうことがある。しかし、やがてぼくはこれに慣れるだろう。もし、慣れることができないとしたら、ぼくは部屋の中だけでなく、街や、友人たちの前でも、黒い眼帯をかける決心をするつもりだ。見知らぬ他人たちがそれを古めかしい冗談だと憫笑《びんしょう》して、ぼくをふりかえりながら擦れちがうとしても、それにいちいち苛だつ年齢でもない。

これからぼくは、自分の生涯ではじめて金を稼いだ体験をものがたりたいと思うのだが、それを自分のあわれな右眼についてかたることからはじめた理由は、ぼくのその眼に暴力的なアクシデントがおこったとき、不意に、なんの脈絡もなく、ぼくの心に、あの十年前の体験が想起されたからである。その時ぼくの心に燃えたってぼく自身を束縛しはじめていた憎悪から、ぼくはそれを思いだすことで自由になったのだった。そのアクシデントについても、ぼくは最後にかたるだろう。

十年前、ぼくがあの体験をしたとき、ぼくはふたつの視力二・〇の眼をもっていた。そしていまぼくはその片方をだめにしてしまった。《時間》は推移したのだ、石礫《いしつぶて》にうたれてつぶれた眼球を踏み台に、ジャンプした《時間》。ぼくがはじめてあのセンチメンタルな人物に会ったとき、ぼくは《時間》の意味をごく子供らしいやり方でしか理解していなかった。背後の《時間》に見つめられ、前方の《時間》にも待ちぶせされるという苛酷な感覚を持ったことはまだなかった。

十年前ぼくは十八歳で50kg、170cmだった、ぼくは大学に入ったばかりで、アルバイトを探していた。ぼくはまだロクにフランス語を読めなかったにもかかわらず、二冊つづきの布表紙の『魅せられたる魂』を買おうとしていたのである。それもロシア語の前書きのついたモスクワ版で。前書きのみならず脚註も奥づけもスラブ・アルファベットなら、本文のフランス語も、文字と文字のあいだに細い糸切れのような筋がいっぱい刷りだされてしまっている、奇妙な版だったが、それでもフランス版にくらべてずっと頑丈で立派で、ずっと安かった。それを東欧系の本の輸入洋書店で見つけたぼくは、ロマン・ローランに特別な興味もよせていなかったのに、その二冊の本を自分のものにすべく走りまわりはじめたのだった。この時分、ぼくはたびたびおかしな情熱の擒《とりこ》になった。そしてそれをとくにあやしみもしなかった。自分が十分に激しくその情熱にとりつかれてさえいればとやかく思いわずらうことはないと感じていたわけである。

ぼくはまだ大学に入学したばかりで学生アルバイト斡旋所に登録していなかったので、知人のところをまわって仕事を探した。そして伯父に紹介されたある銀行家から、ひとつの仕事を斡旋されることになったのだ。銀行家は、ぼくに、

「きみは『ハーヴェイ』という映画を見たかね?」といった。「見ました」とぼくは生涯ではじめて他人から雇傭されようとする人間らしくひかえめながらも献身的な態度を示すべく試みていった。『ハーヴェイ』というのは、ジェームズ・スチュアートが、熊ほどにも大きい架空のウサギと一緒に暮らしている男に扮した映画だった、ぼくはそれを見て、まずとにかく笑ったものだ。

「うちの息子が最近、やはりああいう風に怪物にとりつかれるんだよ。それで仕事もやめて蟄居《ちっきょ》している。時どきかれを外出させたいんだがその付添いがいなくてね。きみがそ

れをやってくれないか?」と銀行家は微笑をかえさないでいった。

　ぼくは銀行家の息子の若い作曲家Dのことをかなり詳しく知っていた。かれはフランスとイタリアで賞をもらった前衛的な音楽家で、雑誌のグラビアなどに、「明日の日本人芸術家」というような一連の人物写真がのると、たいていそれに入っていた。ぼくはかれの本格的な仕事こそ聴いていなかったけれども、かれが音楽をつけた映画なら、いくつか見ていた。そのひとつは、非行少年の冒険的な生活をあつかった映画で、いかにも抒情的なハーモニカの短いテーマが使われていた。それは美しかった。ぼくはその映画を見たとき、三十歳近い男が(正確には、ぼくがかれに傭われたとき音楽家は二十八歳で、すなわち現在のぼくとおない年だった)ハーモニカの旋律を工夫している様子を漠とした違和感とともに空想した。ぼく自身は小学校にはいる年にハーモニカを弟にゆずったので。それに、ぼくがその音楽家について知っていたのは、そういう公的な事実だけではなかった。音楽家は、ひとつスキャンダルをまきおこしたことがあった。ぼくはその種の噂話一般を軽蔑していたのに、それでも、音楽家が生まれたばかりの赤んぼうに死なれたこと、その結果、離婚したこと、また、かれがある映画女優との関係をいわれていたこと、などを知っていた。それでも、ぼくは、かれがジェームズ・スチュアートの映画のウサギのお化けのようなものにとりつかれているとは知らなかったし、かれが仕事をやめて閉じこもっているというのも初耳だった。その病状はどの程度の話なんだろうか、強度の神経衰弱というくらいのことだろうか、それともはっきりした精神分裂症なんだろうか？　ぼくはあれこれと考えた。

「外出の付添いとおっしゃるのはどういうことでしょう、もちろんお役に立ちたいと思いますが」とぼくは微笑をおさめていった。こんどぼくは、好奇心と不安をおしかくし、同情心を、おしつけがましくないかぎりの強さで自分の表情と声に匂わせようとしていた。それが単にアルバイトであるにしろ、それはぼくの生涯の最初の就職のチャンスであったから、ぼくは順応主義者的なベストをつくすつもりだったのだ。

「息子が東京のどこかへ行くつもりになれば、そこへついて行ってくれる、ということだけでいいんだ。家では看護婦がついているが、女手にあまるような乱暴はしないようだから、そういうことを警戒する必要はないよ」

そう銀行家はいってぼくを自分の臆病さを発見された気分にした。ぼくは赤面し、失地回復をはかった。

「ぼくは音楽がすきですし、なにより音楽家を尊敬していますから、Dさんに付き添って話を聞くことはたのしみです」

「あれはいま、自分にとりついているもののことだけ考えて、その話しかしないそうだ」と銀行家はにべもなくいってぼくを赤面させた。「明日にでも、あれに会いに行ってみてください」

「お宅にうかがえばよろしいので？」

「精神病院にいれるほどのこともないのでね、うちにいますよ」と銀行家は心底意地悪な人間だとしか思えぬ調子でいった。

「ぼくが採用していただくことにきまればご挨拶にまいります」とぼくはうなだれて涙ぐみかねない状態でいった。

「いや、あれがきみを雇傭するわけだから(そう銀行家がいったので、ぼくは負け犬の反撥心をふるいおこし、よしDのことを、ぼくの雇傭主と呼んでやる、と決心した)その必要はないでしょう。わたしとしては、あれが外出先で悶着をおこして醜聞にならないよう、きみに気を配ってもらいたいと思う。あれの今後のキャリアのこともあるし、わたし自身の信用ということもある。そういうわけだ」

そうか、モラルの点からいえば、再びスキャンダルの毒でこの銀行家の家族が汚されないように見張る役目が、このおれの仕事というわけかとぼくは考えたが、もちろん、ぼくはただ、銀行家の冷えた心を信頼の熱でいくらかでもあたためるために、しっかりうなずいてみせた。

それにぼくはもうひとつ、ぼくの心におおいかぶさってくるもっとも肝要なことすら、口にだして訊ねようとはしなかったのだ。それがじつに聞きにくいことであったことも事実だが。すなわちぼくは、あなたの息子さんにとりつく怪物とは、いったいどんな怪物でしょう？『ハーヴェイ』同様、二メートルちかいウサギでしょうか、それとも、もっとおどろおどろしく剛毛の生えた雪男みたいなものなんでしょうか？と訊ねたいと思いながらついに黙っていたのだ。もちろんそれを本人に聞くことはできないだろうが、看護婦と仲良くなればそこから秘密をかぎだせるだろうと自分をなぐさめて。そのあげくぼくは頭取室を出てビルの廊下を歩きながら、だれか重要な人物に会ったあとのジュリアン・ソレルみたいに屈辱感に歯がみしながら、すさまじく細部にこだわる意識家となって自分の態度とその効用について採点を試みたものだった。ぼくが大学を卒業しても就職試験をうけることをせず、自由業を選んだ心理的な背景には、この日の不機嫌な銀行家との対話の記憶があったと思う。それでもぼくは、翌日、授業が終わると私鉄に乗って郊外のお屋敷町の、銀行家の私邸へ出かけていったのであった。

ぼくがその城みたいな邸宅の通用門をくぐった時、深夜の動物園さながら凄い獣たちの声が殷々《いんいん》と鳴りひびいたことをおぼえている。ぼくはショックをうけて萎縮してしまい、あれがぼくの雇傭主の叫び声だとしたら、とすっかりたじろいで空想した。この時ぼくがその獣たちの声を、ぼくの雇傭主をおとずれ、かれにとりついている、ジェームズ・スチュアートのウサギにあたる怪物の声でないかと疑うことがなかったのはまだしもだった。

ぼくがあまりにあからさまに衝撃をうけたので、ぼくを案内していた小間使は不謹慎にも声をたてて笑いながら歩いた。ぼくはそれから、もうひとりの、こちらは声なく笑っている人間を、植込みの向こうの離れの窓のなかに見出した。かれがぼくを傭ってくれるはずの人間だった、かれは音がうしなわれたフィルムのなかの顔のように笑っていた。そしてかれのまわりから盛んな野獣の吠え声が湧きおこっているのである。よく聴くとそれは一種類の獣が数頭あつまって喚きたてている声だとわかる。しかもそれはこの世のものとも思えぬ甲高い声なのだ。離れの入口まで小間使に案内され、そこに置きざりにされたぼくは、その獣たちの声が音楽家の録音のコレクションのひとつなのだろうと見当をつけて、勇気をとり戻しドアをひらいた。

離れの内部は幼稚園の教室を思わせた。広い室内にはいかなる区切りもなく、ただ二台のピアノ、一台の電気オルガン、数台のテープ・レコーダー、再生装置、それにぼくが高等学校の放送部員だったころ、ミクシング装置と呼んでいたところのものなどなどで、足の踏み場もない様だった。寝ている犬のようなものが赤っぽい真鍮《しんちゅう》のチューバだったりする。これこそぼくが空想したとおりの音楽家の仕事場で、ぼくはどこかで同じものを見たことがあるように錯覚さえした。Dが仕事をやめて蟄居しているというのは父親の誤解だろうか？　音楽家は、屈みこんでテープ・レコーダーを止めるところだった。どこか秩序のある混沌にかこまれて、Dは敏速に両手をうごかし、獣たちの絶叫は、一瞬沈黙の深く暗い穴ぼこに吸いこまれた。それから、上体をおこした音楽家は、じつに穏やかで子供っぽい微笑を浮かべてぼくを眺めた。ぼくは、その室内を素早く見まわして看護婦がいないことを発見し、いくらか警戒的になっていたのだが、銀行家がいったとおり、音楽家はやにわに乱暴なことをしでかしたりしそうにはなかった。

「あなたのことは父から聞きましたよ、さあ、あがってください、そのあたりに」と音楽家はよく均衡のとれている響きの良い、低い声でいった。

ぼくは靴をぬいでスリッパもはかず絨毯《じゅうたん》の上にあがり、それから腰を掛けるべきなにものかを探したが、ピアノとオルガンのまえの丸い椅子のほかに、この部屋にはクッションすらなかった。ぼくはテープの空箱とボンゴのあいだに足をそろえて手持ちぶさたに立っていた。音楽家自身、両脇に腕をたれて立ったままで、かれがいつか掛けることがあるのかと疑われた。かれはぼくに掛けるようにとはいわず、黙ったままずっと微笑しているだけだ。

「あれは猿の声だったのでしょうか?」とぼくはたちまち強張《こわば》りそうな沈黙を壊そうとしてたずねた。

「いや、犀《さい》ですね。回転数をあげたのでああいう声になったわけですよ。それに、音量も幾分高くしてあるし」と音楽家はいった。「しかし犀ではないかもしれないね、犀を、といって採集してきてもらったんだけど。まあ、これからはきみがきてくれるから、ぼくが直接、採集にゆけます」

「じゃ、ぼくは傭っていただけるので?」

「もちろんですよ。ぼくは今日きみを試験するつもりできてもらったんじゃない。だって並じゃない人間に、正常人を試験できますか？」ぼくの雇傭主ときまった男は冷静に、そして強いていえば羞《は》じらっているような様子でいった。そこでぼくは自分の、じゃ、ぼくは備っていただけるので、という商人的なニュアンスの卑屈ないい方を自己嫌悪した。音楽家はその実務家の父親とすっかりちがっていた。ぼくはかれに対してもっと率直であるべきだった。

「どうか自分のことを並じゃない人間などと、いわないでください。困ります」とぼくはいった。率直であろうとしたにしてもまったくおかしなことをいったものだ。しかし、「ああ、そうしましょう、その方が仕事しやすいでしょう」と素直に音楽家はうけとめてくれた。

仕事という言葉があいまいだが、すくなくともぼくがかれの所へ週に一度ずつ顔をだした数箇月のあいだ、かれは動物園へ本当の犀の声を録音しにゆくというほどの《仕事》すらしなかった。ただ、様ざまな乗り物あるいは徒歩で東京をあるきまわり、種々の場所をおとずれただけだった。したがって仕事とは、ぼくのがわに立ってのいいまわしだったのだろう。ぼくについていえば、ぼくは相当の仕事をした。かれの命をうけて京都まで人を訪ねていったりもしたのだった。

「それで、いつから始めますか？」とぼくはいった。

「きみさえよければ今日から始めましょう」

「ぼくなら結構です」

「じゃ、支度しますから表で待っていてくれますか?」

ぼくの雇傭主はそういうと楽器や音響器具、楽譜の類のあいだを沼地を歩くように注意深くうつむいて奥へすすみ、黒く塗った板扉をあけてそのなかへ入って行った。そのとき、ほぼ初老の頬に皺《しわ》だか傷あとだか濃く翳りのある面長な看護服の女が、かれを右腕でかかえるようにしてむかえいれ、左腕で板扉をとざすのをぼくは一瞥《いちべつ》した。あのぶんでは、ぼくが傭い主と出かけるまえに看護婦と話してみることなどできはしないだろう。ぼくは薄暗い室内のもっとも暗いドアのまえで靴をはくべくもぞもぞ足をうごかしながら、これからはじめる自分の仕事への不安がいやまさるのを感じた。あの男はずっと微笑していたし、ぼくが水をむけると、答えもしたが、それでも自分からどんどんしゃべるということはなかった、ぼくはもっと寡黙であるべきだろうか？　ぼくはそういうことを考えたりもしたのだった。表という言葉がふたつにとれたので、はじめての仕事に万全を期そうという覚悟のぼくは通用門のすぐ内側で、離れの方向を見まもりながら、ぼくの雇傭主を待った。

ぼくの雇傭主は痩せて小柄な男だったが、頭はひとなみよりも巨《おお》きく思えた。頭蓋骨の形の露わな彎曲した広い額に、色の薄い、よく洗われたボサボサ髪をたらして、いくらかでも額を低くみせようとしていた。顔の下半分は小さくて歯ならびが悪かった。それでもかれの顔がおだやかな微笑のよく似合う、いかにも静的な端正さをそなえていたのは、深く窪んだ眼の色のせいだったろう。かれの全体の印象は犬に似ていた。そしてかれは灰色のフランネルのズボンの上に蚤《のみ》みたいな縞《しま》のセーターを着こんでいた。かれはいくぶん猫背でそして腕が長かった。

やがて離れの裏口から出てきたかれはさきほどのセーターの上に水色の毛糸のカーデガンをつけ、白いゴム底の運動靴をはいてきていた。それは小学校の音楽の教師という印象だったものだ。手に黒いマフラーをさげ、それを頸《くび》にまくべきかどうか思案しているという様子で、かれは待ちうけているぼくに困惑した微笑をうかべてみせた。この日からぼくとかれとの交渉のあった期間、最後にかれが病室のベッドに横たわっていた時をのぞいて、ずっとかれはつねにこの服装だった。ぼくは毛糸のカーデガンを羽織っている大人の男に、仮装した女みたいな滑稽感を見出したのでかれの服装をよく覚えているのである。かれにはそのあいまいで不徹底な形と色をしたカーデガンがいかにもふさわしかった。かれは、いくらか内股で植込みのあいだを歩いてくるとマフラーを握った右手を、なんとなくもちあげてぼくに合図した。それからかれは決然とマフラーを頸にまいた。すでに午後四時で戸外はかなり寒かった。

かれがさきに通用門をくぐり、つづいてぼくがくぐろうとして(ぼくらはもう雇傭主と傭い人の関係にあった)ぼくがなんとなく看視されているような気持にとらえられてふりかえると、ぼくが最初に音楽家を見出した離れの窓の奥で、こんどは、あの頬に傷か深すぎる皺のある初老の看護婦が、逃亡兵を見おくる残留者のような様子で、亀みたいに唇をきつくむすんで、ぼくらを眺めているのだった。ぼくはできるだけ早く、あの看護婦をつかまえてぼくの雇傭主の病状の明細をききただそうと決心した。それにしても、ひとりの神経衰弱者あるいは狂人を看護している身で、その患者が外出しようとするとき、かれにつきそう人物になんらの注意もあたえないというのは、職業上の怠慢ではあるまいか、それくらいのことはいわば、事務引きつぎの行為ではないか？　そういう注意もいらないほど、ぼくの雇傭主は、おとなしく無害な病人なのか？

　鋪道に出ると、ぼくの雇傭主は疲れた女のそれのように広く黒ずんでいる瞼《まぶた》を窪んだ深いところでクルリと剝《む》いて、人気《ひとけ》のないお屋敷町の通りと屋並とを素早く見まわした。かれには、それが狂気の兆候であるかどうかはわからないが、とにかく突発的、不連続的に、敏速な行為をおこす癖があるようだった。かれは秋の終わりの晴れわたった空を見あげてはげしくまばたきした。窪んだ眼ではあるが、かれの焦茶色の眼にはじつに表現力にみちたところがあった。かれの眼はまばたいたあと、空の高みになにものかを探しもとめるように焦点をしぼっている。ぼくはかれの斜めうしろから、かれを見まもっていたのだが、かれの眼の動きとともに、ぼくにもっとも鋭い印象をあたえたのは、拳ほどにも大きいかれの喉仏の動きだった。ぼくはかれがじつは大男になるべき人間だったのに、幼児期のなにかの障害でこういう小柄な人間になったので、頸から上だけは、そうなるべきだった巨漢のおもかげをのこしているのではないか、と考えた。

ぼくの雇傭主は空を見あげていた眼をおろしてぼくのいぶかしがっている眼をとらえると、さりげなく、しかし異議をはさむことを許さないきびしさで、

「晴れた日には、空を浮游しているものがよく見えるんだ。そのなかに、あれがいて、ぼくが野天の場所に出てくると、たびたび空から降りてくるんです」といった。

たちまちぼくは脅された気持になって、ぼくの雇傭主から眼をそらし、はやくもおとずれたこの試煉をどのように切りぬければいいのかと思い迷った。ぼくはこの男が《あれ》と呼ぶものを信じるふりをするべきか、それともそうでないか？　いったい、かれは本当にもの凄い狂人なのか、それともぼくを、ひとつの冗談にまきこもうとしているポーカー・フェイスのユーモリストにすぎないのか？　懊悩《おうのう》しているぼくに、音楽家は救助の手をさしのべた。

「きみにその浮游しているものが見えもしなければ、もしあれがいまぼくの脇に降りてきているとして、かれを発見することもできはしないことはわかっているんですよ。ただ、あれがぼくのところに降りてきているとき、ぼくがあれと話しても、不思議がらないでくれればいい。突然きみが笑いだしたり、ぼくを黙らせようとしたりすれば、あれがショックをうけるからね。そして、ぼくが時どきあれとの会話の途中で、きみに相槌をうっても

らいたがっているとわかったら、相槌をうってほしいんだ、それも肯定の相槌を。ぼくはこの東京のことを、あれに、ひとつのパラダイスとして説明しているのでね、きみにそれが、気違いじみたおかしなパラダイスに感じられても、まあ、一種の滑稽なパロディだと考えて、肯定してもらいたいんですよ、あれが脇に降りてきている時には」

ぼくは注意深く聞き、ぼくの雇傭主の要求の輪郭をのみこんだ。あれというのはやはり人間ほどもあるウサギなんだろうか、空に巣をつくっている？　しかしぼくはそれを口にだして問うかわりに、

「それがあなたの脇に降りてきていると見わけるにはどうすればいいんでしょう？」ともっとも控えめなことを訊ねた。

「ぼくの様子を見ればわかるでしょう、あれが降りてくるのはぼくが戸外にいるときだけなんです」

「車に乗っている時は？」

「車でも電車でも、開いた窓のそばにいる時には、降りてくることがあるなあ。家にいても窓ぎわに立っていて、あれが降りてくるのに出くわしたことがあるから」

「それで、今は？」とぼくは恐縮しながら訊ねた、ぼくはどうしても掛算の原理の飲みこめない小学生のようだったろう。

「今はぼくときみの二人だけです」とぼくの雇傭主は寛大にいった。「それでは今日のと

ころは久しぶりに電車に乗って新宿へ行ってみることにしよう」

ぼくらは私鉄の駅にむかって歩いた。そのあいだぼくはぼくの雇傭主の脇になにものかがあらわれる気配を見おとさないように始終見張っていた。結局ぼくらが電車に乗りこむまで、それは出現しなかったようだった。ぼくがそれを見張る一方で気づいたのは、音楽家Dが、駅にむかう道すじで誰かれに挨拶をうけてもまったくそれを無視する、ということだった。かれはあたかも自分自身が存在していないかのように、かれにむかって挨拶する人の眼には、単なる幻影がうつってかれの存在と誤解されているのだというように、徹底して他人からの働きかけを無視するのだった。

他人とのかかわりあいを一方的に拒んでいる、という点では電車の切符売場と改札口においてもおなじだった。かれはぼくに千円札を一枚わたしそれで切符を買うようにいい、かれの分の切符を手わたそうとしても受け取らなかった。そしてかれはぼくが二人分の切符を切ってもらっているあいだに改札口をいわば透明人間のように自由な態度でとおりぬけた。電車に乗ってからもかれはおなじ車輛の乗客から空気のように無視されているふうにふるまい、いちばん隅の空席に小さくなって坐り眼をつむってじっと黙りこんでいるのだった。ぼくはかれのまえに立ち、かれの背後の開かれた窓から、それが入ってきてかれの脇に降りたつことを、しだいに緊張をつのらせながら注意していた。ぼくはもちろん、その怪物の存在を信じたわけではない。ただ、アルバイトの賃金をはらってもらうだけのことはするために、ぼくの雇傭主がその妄想にとらえられる瞬間を見おとすまいと心がけていたのだった。結局かれは新宿駅までじっと擬装死の小っぽけな獣みたいな状態だったので、ぼくはまだかれに空からの訪問者があらわれないのだろうと考えるほかなかった。ぼくとかれより他の人間がぼくらの周囲に居るあいだ、かれはまったく気むずかしげな沈黙の牡蠣《かき》となったので、ぼくはただそのように推察したにすぎないが。

それでもやがてぼくの推察が正しいことが確実にわかる瞬間がきた。音楽家Dを、いかにもあきらかになにものかが（というのも、Dの反応においてあきらかだったということである）おとずれたから。ぼくとぼくの雇傭主は駅を出てひとつの通りをまっすぐ歩いていた。夕暮にはまだいくらか間のある人通りのすくない時間だった。ぼくらは小さな人だかりのしたところへ行きあわせた。ぼくらは立ちどまってその人だかりに加わった。覗きこむと人だかりにかこまれて、ひとりの老人が脇目もふらずクルクル回転しているのである。威厳のある老人で黒っぽい三ツ揃いを着こみ皮鞄と蝙蝠傘《こうもりがさ》とを両脇にしっかりひきつけ、そして油でかためた白髪のいくらかを乱し、泳いでいる海豹《あざらし》のような呼吸音をたてながら、かれは死にものぐるいで廻っていた。それを見物している者らの顔は大気にしのびこみはじめた夕暮の気配に黒ずみ艶《つや》がうしなわれ、寒ざむと乾いているのに、老人の顔だけは紅潮し汗ばみ湯気をたてんばかりだった。

そのとき不意にぼくは、ぼくの傍にいた筈のDが数歩うしろに退き、かれの右脇に立っている、かれの背とおなじくらいの身長の、透明な存在の肩を抱いているのに気づいた。かれは自分の右腕を肩から水平にのばし、それで輪をつくり、その輪のいくらか上のあたりを懐かしげに深ぶかと覗きこんでいるのだった。人だかりの連中は、老人に気をとられてDの奇妙な動作に関心をいだいていなかったが、ぼくは怯えた。それからDがゆっくりぼくに顔をむけた。それはあたかも友人をぼくに紹介しようとする態度だったが、ぼくにはその動作をどう受けいれていいかわからない。ぼくは狼狽《ろうばい》し赤面するばかりだった、中学校の学芸会でつまらない自分の台詞《せりふ》を忘れたときのように。ぼくを見つめているDの窪んだ眼の底に、苛だたしくうながしている光が浮かんだ。Dはぼくにその空からの降下者に聞かせるための説明をもとめているのだった、懸命に回転している真剣な見知らぬ老人についてのともかくパラダイス風な説明を。しかし、ぼくの火照った頭にうかびあがってくる言葉といえば、あの老人の状態を舞踏病の発作というんでしょうか？　というくらいのことなのである。

ぼくが悲しい気分で黙って頭をふると、ぼくの雇傭主の眼から問いかけの色が消えた。かれは友人と別れるときのように腕の輪をほどいた。それからかれはゆっくり地上から空へと視線を移動させた。最後にはその大きい喉仏がすっかりあらわになるまであおむいて。幻影は空にかえったのだ。ぼくは自分がアルバイトの義務を充分に果たせなかったことを羞じてうなだれた。そのぼくに近づいてきて、

「それじゃタクシーをひろって帰ろう、今日はもう、あれも降りてきたし、それにきみも疲れたでしょう?」とぼくの雇傭主はいった、これがぼくの仕事の第一日目の終わりをつげる合図の言葉となった、確かにぼくはじつに永くつづいた緊張のあと疲れきっているのを感じた。

それからぼくとDとはガラス窓をすっかり閉ざしたタクシーに乗ってD邸のあるお屋敷町に戻り、ぼくは日当をもらってD邸を出た。しかしぼくはそのまま駅へひきかえしはしなかった。ぼくはD邸の筋向かいの電柱の蔭で待ち伏せしたのである。夕暮が濃くなり空が深い薔薇色《ばらいろ》に染まり、暗闇の確実な兆候があらわれる瞬間、D邸の通用門から、いまとなっては色彩のさだかでない裾のみじかいワンピースを着た看護婦が、真新しい女乗りの自転車を押して出てきた。ぼくは彼女が自転車に乗るまえにその脇にかけよった。看護服を脱ぎすてた彼女は平凡な初老の小さな女にすぎなくて、音楽家の離れで見かけたミステリアスな面影は失われていた。しかも彼女はぼくの出現にたじろいでいた。自転車に乗ることができず、といって立ちどまりもせず、自転車を押して歩きはじめた、彼女にぼくは威嚇するような調子でもって、ぼくら共通の雇傭主の病状について説明してくれと頼んだ。看護婦は苛だって抵抗していたが、ぼくが自転車のサドルをしっかり握っているのでやがて観念した。看護婦が話しはじめると強靭な下顎が言葉の切れめごとに厳しく閉じられまるで話す亀だった。

「あれは木綿地の白い肌着をきた肥りすぎの赤んぼうだといってるよ、それもカンガルーほどの大きさの。それが空から降りてくるんだといってるねえ。そのお化け赤んぼうは、犬と警官とを恐がるというよ。名前はアグイーだって。実際それがあの子にとりつくところに出くわしても、知らんぷりがいいねえ、無関心に限るよ、なにしろ相手はキじるしだろうが？　それにあんた、あの子が変な所に行きたがってもつれて行っちゃだめだよ、あのうえ淋病でももらってきたら、面倒見きれないよ」

ぼくは赤面して自転車のサドルを握っていた手を脇にたれた。看護婦は自転車のハンドルほどにも細く丸い足でペダルを踏み、しきりにベルを鳴らして夕闇のなかを全速力で走り去った。ああ、カンガルーほどにも大きい、木綿の白い肌着をきた肥りすぎの赤んぼう！

次の週に、ぼくが音楽家の前にあらわれると、かれはぼくをあの澄んだ焦茶色の眼で見つめて、とくになじっているというのではなく、こういってぼくを狼狽させた、

「看護婦を待ち伏せして、ぼくのところに空から降りてくるもののことを聞いたんだって？　仕事熱心な人だなあ」

その日、ぼくらはおなじ私鉄を逆に郊外にむかって三十分ほど乗り、多摩川の岸の遊園地へ出かけた。ぼくらはそこで様ざまな乗り物をためしてみた。ぼくにとって幸運なこと

に、Dのところへ空からカンガルーほどの赤んぼうが降りてきたのは、かれがひとりで空中ワゴンというものに乗っている時だった。風車につるされた船の形の木箱がゆっくり地上を離れ、空の高みに昇ってゆく。そのワゴンのなかで、ぼくの雇傭主が架空の同乗者となにごとかを話しあっているのをぼくは地上のベンチから見あげていた。傭い主は、かれを訪れている存在が再び空へ昇ってゆくまでワゴンを降りず、ぼくに合図しては、幾度も、空中ワゴンのためのチケットを買いに走らせた。

それとともにこの日の出来事でぼくの印象にあざやかなもうひとつは、ぼくらが遊園地を横切って、出口に向かっていたとき、セメントをぬりかえていた子供用自動車競走場へ、音楽家が、あやまって足を踏みいれてしまったことである。そこに自分の足形がつくと、Dは異様に苛だった。かれはぼくが作業中の労働者に交渉し、いくばくかの謝金をはらい、その足形を完全にぬりつぶしてもらうまで、頑としてその場を去らなかった。ぼくの眼にかれがいくらか粗暴な素質をあらわにしたのはこの時だけだ。電車に乗ってから、かれはぼくに荒い言葉をかけたのを後悔してのことだろう、こういう風に弁解した。

「ぼくはいま、すくなくとも自分の意識ではこの《時間》の圏内に生きていないんだ。きみはタイム・マシンによる過去への旅行の規約を知っているかい？　たとえば一万年前の世界に旅行した人間は、その世界でなにひとつあとに残るようなことをしてはならない。なぜならかれは一万年前の真の《時間》には存在していないんだし、かれがそこでなにごとかをあとに残すようなことをすれば、この一万年の歴史全体にわずかでも確実な歪《ひず》みがおこるからだ。ぼく自身、いま、この現在の《時間》には生きていないんだから、そのぼくが、この《時間》のなかであとに形をのこすことをしてはならないわけだ」

「なぜ、あなたは現在のこの《時間》のなかで生きることをやめたんです？」とぼくがいうと、ぼくの雇傭主は突然、自分自身をゴルフ・ボールみたいに堅固にとざしてぼくを無視した。ぼくは自分の饒舌《じょうぜつ》を後悔した。ぼくがつい自分に許された範囲をこえてそういうことを口にだしてしまうのも、結局、ぼくが、Dの問題に深い関心をよせすぎているからなのだ。あの看護婦のいったとおり、知らんぷり、あるいは無関心にかぎるのかもしれない。そこでぼくは、すくなくとも自分の方から、ぼくの雇傭主の問題に積極的に頭を突っこんでゆくのはやめようと考えた。

それから数回、音楽家と一緒に東京を歩いて、ぼくのこの新方針は成功をおさめた。しかし、そうしはしたものの、こんどはDの問題の方から積極的におしよせてくるということがあるのだった。ある日のことだ、ぼくがこの仕事をひきうけて初めて、雇傭主は確たる外出先をぼくにいった。ぼくとかれとはタクシーでそこへ出かけた。それは代官山にある、ホテルみたいな形式の高級アパートだった。そこにつくとぼくの雇傭主は地階の喫茶店で待機し、ぼくだけがエレヴェーターで昇って行って、すでに連絡してあるものを受けとってくることになった。それをぼくにわたしてくれるのは、そこに今はひとりで住んでいる、Dの離婚した夫人だ。ぼくが映画で見たシンシン刑務所の独房のドアみたいな個室の扉を(ぼくはあのころじつにたびたび映画を見た、あのころのぼくの教養の95パーセントが映画からとりいれたものだったような気がする)ノックすると、肥った丸い赭《あか》ら顔をやはり肥ってシリンダーのように丸い猪頸《いくび》にのせた女が扉をひらいて、ぼくに靴をぬいであがり窓ぎわのソファーにかけるように命令した。これが上流社会の連中の他人をむかえるやり方にちがいない、とぼくはその時、考えたものだ。それをことわって扉のところでぼくの雇傭主へのものをうけとりすぐに引きかえすには、貧民の息子のぼくとしては日本のハイソサイエティ全体に抵抗する勇気、ルイ十四世を脅《おびや》かした肉屋ほどの勇気が必要だった。ぼくはDの離婚した妻の命令にしたがった。

それがぼくの生涯で、アメリカ風なリヴィング・キッチンに足を踏みいれた最初の体験である。女はぼくに麦酒《ビール》をくれた。彼女はDよりもいくらか年上のようで、尊大な大仰な身ぶりをし重おもしくしゃべったけれども、全体に肥満しすぎて丸っこく威厳はなかった。インディアンの女のように裾の繊維をほどいて垂らした厚手の布地の服の胸に、インカ帝国の工芸家が金にダイヤをうめこんでつくったみたいな首飾りをつけていた。これらのぼくの観察もいま考えてみればあきらかにフィルムの匂いがする。窓からは渋谷周辺の市街が見おろせたが、女はその窓からの光を気にかけていて幾度も坐りなおし、頸同様充血したように赤黒く丸っこい脚をぼくに見せながら、ぼくを訊問する調子で様ざまなことを聞いた。

彼女にしてみれば、ぼくは別れた夫について偵察するための唯一のパイプだったのだろう。ぼくは背の高いコップに小壜《こびん》いっぽん分すっかりつがれたにがい黒ビールを、熱いコーヒーのようにちびちび飲みながら自分の知るかぎりのことを答えたが、ぼくのDについての知識は浅く不正確で、かれの離婚した妻を満足させなかった。それに彼女は、Dの情婦の映画女優が会いにくるかどうか、というようなことを訊ねるのでぼくには答えようがなかったのである。そこでぼくは反撥して、そういうことが別れた妻になんの関係があるだろう、そういうことを聞くのは女として恥というものではないか？　と考えた。そのあげく、

「Dには、まだあの幻影が見えるのね？」とDの離婚した妻はいった。

「ええ。カンガルーほどの巨きさで木綿の白い肌着をつけた赤んぼうで、名前はアグイーというんだそうです。看護婦がいっていました。ふだん、それは空を浮游していて、時どきDさんの脇に降りてきます」とぼくは自分が答えられる質問に接したことで勢いこんでいった。

「アグイーねえ。それはわたしたちの死んだ赤んぼうの幽霊でしょう？　なぜアグイーというのかといえば、その赤んぼうは生まれてから死ぬまでに、いちどだけアグイーといったからなのよ。Dの、そういう、自分にとりついたお化けへの名づけ方は甘ったれてる

と思わない？」と女は冷笑した、彼女の口腔から刺戟質の厭《いや》な臭いがぼくにむかってただよってきていた。

「わたしたちの赤んぼうは生まれたとき、頭がふたつある人間にみえるほどの大きい瘤《こぶ》が後頭部についていたのよ。それを医者が脳ヘルニアだと誤診したわけ。それを聞いて、Dは自分とわたしとを恐ろしい災厄からまもるつもりで、その医者と相談して、赤んぼうを殺してしまったのよ。おそらくどんなに泣き喚いてもミルクをあたえるかわりに砂糖水だけやっていたのよ。自分たちが植物みたいな機能しかない（それはその医者がそう予言したのよ）赤んぼうをひきうけなければならないのはいやだ、ということで赤んぼうを死なせたんだから、それはなによりもひどいエゴイズムね。ところが死んだ赤んぼうを解剖してみたら、瘤は単なる畸形腫にすぎなかったのよ。それにショックをうけたDが幻影を見はじめたわけ。かれはもう、自分のエゴイズムを維持する勇気をなくしたのね。そして、かつて赤んぼうを生きさせることを拒否したとおなじく、こんどは、自分が積極的に生きることを拒否したのね。それで自殺したというのじゃない。この現実から、幻影の世界に逃げこんでしまっただけ。しかし、いったん赤んぼうを殺してしまった血みどろの手は、現実から逃避してもきれいになりはしないでしょうが？　手を汚したまま、アグイーなどと甘ったれているのよ」

ぼくはぼくの雇傭主のためにかれの別れた妻の苛酷な批評を耐えがたく感じた。そこで

自分自身の饒舌に昂奮してますます赭ら顔になった女にむかって、ぼくは、
「あなたはどうしていたんです？　あなたは母親でしょう？」と一矢むくいた。しかし、
「わたしは帝王切開して、発熱して、一週間も人事不省だったのよ。眼がさめてみると
なにもかも終わっていたわよ」とDの離婚した妻はぼくの挑発をうけながすとキッチンの
方へ立っていって「もうすこし麦酒を飲むでしょう？」
「いいえ、もう充分です。それよりDさんにもって行くものを渡してください」
「それじゃ、ちょっと待ってよ、嗽《うがい》するから、わたしは歯槽膿漏で十分ごとに嗽するの
よ、臭いでしょうが？」
ぼくはDの離婚した妻から事務用の封筒に一個の真鍮の鍵をいれて渡された。ぼくが屈
みこんで靴紐をむすんでいると彼女は、背後からぼくの大学の名を訊ね、誇らしげに、
「あなたの大学の寮では＊＊新聞の購読者がひとりもいないそうね、あの新聞の執行部
に、こんどわたしの父が乗りこむのよ」といった、ぼくは軽蔑し、返事をしなかった。
ところがエレヴェーターに乗りこもうとして、ぼくは一瞬、胸をバタ・ナイフでかきま
わされるような感覚におそわれた。ひとつの疑惑がぼくを襲ったのだった。ぼくは考えね
ばならなかった。ぼくはエレヴェーターをやりすごし、脇の階段を歩いて降りることにし
た。Dが、その離婚した妻のいうとおりの状態にあるなら、かれは、この鍵でひらいた箱
から、ひとつつみのシアン化合物をとりだし自殺してしまうということもありえるではな

いか？　考えあぐねたぼくは結論を見出さないまま、地下の喫茶店のDの前に立った。Dは紅茶に手をつけないでテーブルに置いたまま眼をつむっていた。かれがこの《時間》に生きることを拒否して、別の《時間》からの旅行者となった以上、他人どものみまもるなかで、液体であれこの《時間》の物質をのみこんでしまったりはできないというわけだったろう。

「行ってきました、Dさん」とぼくはとっさに意を決して嘘をついた。「いままで談判したんですが、ぼくにはなにも渡してもらえませんでした」

ぼくの雇傭主はおだやかな表情でぼくを見あげ、窪んだ眼窩のおくの仔犬みたいな眼を不審げに翳らせたけれども、なんともいわなかった。タクシーでひきかえす間ぼくはDの脇でひそかに昂奮し、黙りこんでいた。Dがぼくの嘘を見破ったのかどうかははっきりしなかった。ぼくの胸ポケットで鍵が重かった。

しかしぼくはその鍵を一週間しか自分では持っていなかった。しだいにDの自殺という考えがセンチメンタルに思えてきたのと、Dが離婚した妻に問いあわせないかと気にかかってきたので、ぼくは封筒に鍵をいれて、ただDの住所だけを書き速達でおくってしまったのだ。その翌日、いくばくかの不安はいだきながらD邸に行くと、ぼくの雇傭主は離れのまえの小さい空地で大量の手書き楽譜を焼いていた。それはかれの作曲の草稿だったにちがいない。あの鍵はそれらをとりだすためだったのだ。その日ぼくとDは外出せず、ぼくは楽譜を焼却する仕事を手つだった。楽譜をすっかり焼きおわり、ぼくが穴を掘ってカサカサした灰をうずめていると、ぼくの雇傭主は、不意に、低くささやく声で独白をはじめた。かれのところへ空から幻影が降りてきたのだ。ぼくはかれから幻影が去るまで、のろのろと灰を踏んでは埋める仕事をつづけた。この日、アグイーという、確かに甘ったれた名前の空からの怪物は、二十分ほども、ぼくの雇傭主のそばにいた。

その後も、ぼくと一緒に外出して、空から降りてくる赤んぼうの幻影に接するたびに、Dは、ぼくが少し脇によけたり、数歩あとにしりぞいたりして、かれとかれのアグイーを避けるので、最初にいった言葉のうち、不思議がるなという注文だけがまもられ、相槌をうってくれという要請の方はぼくが無視していることに気づいたはず。それでも結局納得したようだった。そこでこの仕事はぼくにとってより容易になった。Dは戸外でスキャンダルなどひきおこす人格とは思えなかったし、かれの父親のぼくへの注意が滑稽にさえ思えてくるほどぼくらの東京めぐりは平穏に続いた。ぼくはすでにモスクワ版の『魅せられたる魂』を手にいれていたが、そのうちに、この素晴らしいアルバイトを放棄するつもりはなくなっていた。

ぼくとぼくの雇傭主はじつに様ざまな場所に行ったものだ。Dはかれの作品が演奏されたすべての演奏会場を訪ねたがったし、かれの卒業した学校もすべて訪ねた。かつて遊びに行った場所は酒場でも映画館でも屋内プールでも、一応そこを訪れ、そして中へ入ることはなしに帰った。Dにはまた、東京じゅうの種々雑多な乗り物への偏愛があって、ぼくらは少なくとも地下鉄の全線に乗った。地下では赤んぼうの怪物が空から降りてくる可能性がなかったのでぼくは穏やかな気分で地下鉄を楽しむことができるのだった。もっとも警官と犬とに出会うと、ぼくは看護婦の注意を思い出して緊張したが、そういう時とアグイーの出現の時とが一致することはなかった。ぼくはこのアルバイトを愛している自分を見出した。ぼくの雇傭主のDを愛しているのでもなければ、かれの幻影のカンガルーほどもある赤んぼうを愛しているのでもなく、単にこのアルバイトを愛している自分を。

ある日のことぼくは音楽家から、旅行をしてくれないかという相談をうけた。もちろん旅費はかれがだすし日当は二倍だ、一晩ホテルに泊まって仕事は二日にわたるから、事実上、日当は四倍になるわけである。ぼくはいそいそとひきうけた。しかもその旅行は、Dのかわりに京都へ行ってかれと関係のあった映画女優に会ってくるというのが目的だった。ぼくはまったく上機嫌になったものだ。そしてあの滑稽で惨めなぼくの小旅行がはじまったのだった。Dはぼくにその映画女優から最近とどいた手紙の封筒にあるホテルの名と、彼女がそこでDを待っている夜の日付を教えてくれた。それからDはぼくに、映画女優へのことづてをおぼえさせた。ぼくの雇傭主は現在のこの《時間》を実際に生きているのではなく、タイム・マシンに乗って一万年後の世界からやってきた人間のように生きている。

かれが手紙を書いて、そのようにかれの刻印のある物証を生みだしてしまってはいけないのだ。そこでぼくがDの映画女優への伝言を暗記したわけである。

おかげで京都のホテルの地階のバーで、深夜に、映画女優とむかいあったぼくは、まず、自分がどのような仕事をしているアルバイト学生であるかを説明し、Dがやってこられなかった事情を釈明し、つぎにDの《時間》の考え方を映画女優に納得させて、それからやっと伝言をつたえるチャンスをえた。そして、

「Dさんは今度の離婚を、あなたと約束していたもうひとつの離婚と混同しないでもらいたい、そしてもう自分はこの《時間》を生きてはいけないのだから、当然これからあなたと会うこともない、といっています」とぼくはじつに困難な仕事をしているという感覚にはじめてとりつかれつついったのだった。

「ふむ、ふむ、Dちゃんがねえ」と映画女優は対応してくれた。「あなた自身は、このことをどう思って京都までお使いにきたの？」

「Dさんが甘ったれていると思いますね」とぼくは思わずDの離婚した妻の言葉を借りていった。

「Dちゃんはそういう人なのよ、現にあなたにだって甘ったれているわね、こういう仕事を頼むなんてねえ」

「ぼくは、日当をもらって傭われているんですから」

「あなた、それなにを飲んでいるの？　ブランデーになさいよ」

ぼくはそうした。それまでぼくはDの離婚した妻のアパートで飲んだとおなじ黒ビールに、卵をいれて薄くしてもらって飲んでいたのだ。ぼくはDの情人に会おうとして、なんともおかしな心理関係の通路をへてDの離婚した妻のアパートでの記憶に影響されていたわけだ。映画女優は最初からブランデーを飲んでいた。ぼくは外国製のブランデーを生まれて初めて飲むのだった。

「それでDちゃんの見る幻影というのはどういうことなの？　そのカンガルーほどの赤ちゃんというのは……ラグビー？」

「アグイーです、生きているあいだにそんな言葉だけ、ひとこといったんですよ」

「それを、赤ちゃんが自分の名をなのったという風にDちゃんは考えたわけね、優しい父親ね。その赤ちゃんが無事に生まれたら、Dちゃんが離婚して、わたしと結婚することに結論が出ていたのよ。赤ちゃんが生まれた日も、わたしたちが一緒にベッドにいるホテルに電話がかかってきて、そして大変なことだとわかったのね。Dちゃんだけ起きてまっすぐ病院へ出て行って、それから音さたなし」。そういって映画女優はブランデーを勢いよく飲みほし、テーブルに置いてあるヘネシーVSOPを自分のグラスに果汁でもつぐようにしっかりつついだ。

ぼくらはカウンター脇の煙草が並べられた陳列ケースにかくれたテーブルに向かいあっ

てかけていた。ぼくの肩口の壁に、その映画女優自身の、麦酒の宣伝をしている大きい天然色ポスターが貼ってあった。心臓型の顔にいくらか象を思わせる垂れた鼻をした映画女優はポスターのなかで麦酒のしずくとともに輝いていた。ぼくの前にいる映画女優はそれほど光彩リクリではなく、額の生えぎわには大人の拇指《おやゆび》がすっぽり入りそうな窪みさえあったけれども、むしろその窪みのためにポスターの写真よりも人間らしい印象をぼくにあたえた。

映画女優はいつまでも赤んぼうにこだわっていた。

「ねえほら、なにひとつ生きた人間らしい行為をせず、したがってどんな記憶も体験もなしに死んでしまうということは、恐いことじゃない？　赤んぼうのまま死ぬとそういうことになるわけだけれど、ねえ、恐いことじゃない？」

「赤んぼう自身には恐いもなにもないでしょう」とぼくは遠慮しつついった。

「ほら、死後の世界を考えたら！」と映画女優はいった、彼女の論理は飛躍にみちていた。

「死後の世界？」

「それがあるとして、死んだ人間の霊は、生きた最後の瞬間の状態で思い出とともに永遠に存在しているはずでしょう？　ところで、なにもわからない赤んぼうの霊は、死後の世界でどんな状態なのよ？　どんな思い出をもって永遠に存在するのよ？」

ぼくは困惑し黙りこんでブランデーを飲むというより、ひとすすりした。

「わたしは死が恐いから、いつもそのことを考えるのよ、あなたが、わたしのいまの疑問にとっさに答えられなくても、自己嫌悪におちいることはないわ。それで、わたし思うんだけど、Dちゃんは、赤んぼうの死んだ瞬間から、もう自分も死んだ人間のように新しい思い出はつくるまいとして、この現実の《時間》を積極的に生きなくなったんじゃない？　それから赤んぼうのお化けにはどんどん新しい思い出をつくらせようとして、東京じゅうのいろんな場所で地上に呼びおろしているのじゃない？」

ぼくもその時は確かにそう思ったのだ。額の生えぎわに拇指のはいるほどの窪みのあるこの酔っぱらいの映画女優はなかなか独得な心理家だという風なことを、ぼくは考えた。おそらく新聞社の経営者になろうとしている男の娘の肥満した赭ら顔の女よりも、この映画女優のほうが、Dという音楽家と人間のタイプとして近いのではあるまいか？　そうぼくは思った。そして気がついてみると、Dの居ないこの京都で、忠実な傭い人らしくぼくはDのことばかり考えているのだった。しかもDのみならず、いつもDと外出するたびに緊張してその出現を見はっているDの幻影のことをもまた、ぼくは始終それを気にかけながら映画女優と話し続けたのだ。

バーの締まる時間がきた時、ぼくはホテルを予約していなかった。ぼくは、その年齢になるまでホテルに泊まったことがなかったので、予約のことなど知らなかったのだ。しかしこのホテルで顔のきく映画女優のはからいでぼくはひとつの部屋をとることができた。エレヴェーターでぼくの部屋のある階まできたとき、彼女はもう一杯飲もうといってぼくを自分の部屋に誘った。

それからぼくの酔っぱらって熱い頭に滑稽で惨めな記憶がのこることになったわけだ。映画女優はぼくを椅子にかけさせると、ドアのところへ戻って廊下を見まわし、ルームライトを消したりつけたりし、ベッドに坐ってスプリングを試す運動をし、浴室でちょっとだけ水を流し、ともかく、じつにおちつきのない一連の動作をした。そのあと彼女はぼくの隣の椅子にきて、ぼくに約束した一杯のブランデーをくれ、自分はフランス産の鉱泉水を飲みながら、Dと恋愛しているあいだも誰かに懇願されると一緒に寝てしまってDから顔が歪《ゆが》むほど殴られた、という話をした。また近頃の大学生はヘヴィ・ペッティングをするか？ と訊ねた。ぼくは、それは大学生による、と答えた。すると突然、映画女優は、夜ふかしする子供を叱る母親のような態度になって、ぼくに自分の部屋を探してすぐ寝るようにいった。ぼくは挨拶し、自分の部屋へ出かけてベッドにもぐりこみたちまち寝てしまった。夜明けにぼくは喉を火のようにして眼ざめた。

もっと滑稽かつ惨めなのはそれからだ。眼ざめてすぐぼくは昨夜、あの映画女優が、ヘヴィ・ペッティングのたくみな学生を誘惑するつもりでぼくに対したのだと考えた。その瞬間、ぼくは憤怒と絶望的な欲望の虜になってしまったのである。ぼくはまだ女と寝たことがなかった。しかしぼくはこの侮辱に報復しなければならない。ぼくはおそらくまだ、生まれて初めて飲んだヘネシーVSOPに酔っており、そしてなによりも十八歳らしい毒にみちた欲望に頭をやられていたのだ。まだ午前五時でホテルの廊下は人の気配がなかった。ぼくはそこを怒りくるいながらも足音をしのばせて走り、映画女優の部屋に到った。ドアは半開きだった。ぼくはそのなかに入りこみ、映画女優が化粧台にむかっている後ろ姿を見出した。ぼくはいったいなにをしようとしたのだろう。ぼくは彼女のすぐうしろにしのびより両掌を輪にして、彼女の頸を押さえようとした。一瞬、満面に微笑した映画女優がふりかえりざま立ちあがり、ぼくの両掌を自分の両掌につつみこんで、歓迎の挨拶をうける賓客のように嬉しげに揺さぶり、お早う、お早う！　と歌うようにいった。そしてそのままぼくは椅子に坐らされ、サイドテーブルに運ばれてあった朝のコーヒーとトーストを化粧なかばの彼女とともに、半分ずつ食べ新聞を読んだ。

そのうち映画女優は天候の話をするような調子でぼくに、あなたはいま、わたしを強姦しようとしていたわね、といった。ぼくは再び化粧をはじめる映画女優から逃げだして自分の部屋に戻り、実際には知らないがマラリア患者のようにひどく震えながら、再びベッドにもぐりこんだ。この小事件についてぼくはDのところへ報告がくるのを恐れていたが、その後、ぼくとぼくの雇傭主とのあいだに映画女優の話がでることはなかった。おかげでぼくはアルバイトを楽しくつづけることができたのである。

すでに冬だった。その午後ぼくとDとは、自転車でD邸周辺のお屋敷町と農耕地のあたりをひとめぐりする計画だった。ぼくは錆びついた古自転車で、ぼくの雇傭主は、初老の看護婦から借りた新しい自転車で、ぼくらはD邸を中心としてしだいに円の半径を拡大し、建築されたばかりの団地のなかへ乗りこんだり、お屋敷町に接する農地の方向へ坂を降りていったりした。ぼくらは汗ばみ、解放感をあじわい、しだいに昂奮した。ぼくらは、とDもふくめていうのはぼくのみならずDが、その日あきらかに上機嫌で、口笛さえ吹いていたからだ。Dはバッハのフルートとハープシコードのための奏鳴曲のひとつのテーマを吹きたてた。それはシチリアーナという曲だ、ぼくは高校で、まだ受験勉強をはじめないあいだ、フルートをやっていたので、その曲を知っていたわけだ。ぼくはフルートがうまくならなかったかわり、上唇をいつも貘《ばく》のように前に出してしまう、そういう癖を身につけてしまった。もっともぼくの上唇の癖を、ぼくの歯ならびのせいだという友人もいた。ただ、たいていのフルート奏者が貘に似てくるのは事実じゃないだろうか?

　ぼくは自転車を漕ぎながら、Dにならってシチリアーナのテーマを口笛で吹いた。それは息の長い優美な曲なのに、自転車を漕ぐことで息をはずませていたので、ぼくの口笛はすぐに短くピッ、ピッととぎれた。Dはいかにも悠然とのびやかに吹いたのに。ぼくが恥を感じて口笛を止めると、Dは口笛を吹くために、鮒《ふな》が呼吸するときのような具合に唇をまるめたまま、ぼくを一瞥《いちべつ》して穏やかな微笑をうかべた。自転車の新旧はあるにしても、二十八歳で病人の小男のDよりも、十八歳で痩せてはいるが背の高いアルバイト学生のぼくのほうが、息をきらせ、余裕をうしなっているのは自然でなくて惨めだ。ぼくはそれを不当な憤ろしいことに感じた。ぼくの上機嫌な気分はたちまち曇り、ぼくは自分のひきうけている仕事全体に嫌悪を感じた。

そこで突然ぼくは、サドルから腰をあげると自分の体重をすべてペダルにかけて、競輪選手のように闇雲にスピードをあげた。しかも野菜畑のあいだの狭い砂利道へわざわざ入りこんで行ったのだ。しばらく走ってふりかえると、ぼくの雇傭主はしきりに砂利をはじきとばしながら、ハンドルにかぶさる具合に前屈みになり、狭い肩のうえの大きくて丸い頭を振りたて、懸命にぼくを追いかけてくるのである。ぼくは自転車をとめ片足を野菜畑を保護している有刺鉄線の柵にかけて、Dが近づくのを待った。ぼくはたちまち、自分の子供っぽい気まぐれを後悔していた。

ぼくの雇傭主はなおも頭をふりたてて大急ぎで近づいてきた。そしてぼくはかれを幻影が訪れているのを知った。かれは砂利道の左よりに極端に片よって自転車を走らせている。そして、かれが頭をふりたてているように見えるのは、自分の右脇に存在している者、すぐ右脇をかれにしたがって駈《か》けるか飛ぶかしている者を力づけるために、そちらに顔をむけてはなにかをささやきかけているということなのだ。マラソン競走のコーチがロードワークに出た選手の脇を自転車で走りながら、適切な助言や励ましの掛け声をかけているのに似ている。ああ、かれはアグイーがかれの自転車の疾走にしたがって、傍を駈けている想定のもとに、あんなことをやってるわけだ、とぼくは思った。カンガルーくらいの大きさの怪物、白い木綿の肌着をつけたおかしな赤んぼうが、やはりカンガルーさながら、かれの自転車の脇をぴょん、ぴょん、跳んで駈けているのだ。ぼくはなんとなく身震いし、そして有刺鉄線の柵を蹴ると曲線を描いて自転車を走らせ、ぼくの雇傭主と、かれの想像上の怪物アグイーの到着を待った。

それでもぼくはなお、自分の雇傭主の心理上の赤んぼうの存在について素直に信じはじめていたわけではなかった。ぼくはあの看護婦の意見にしたがってミイラとりがミイラになるというか、病人の見張番が病人になるという、ちょっぴり深刻でニューロティックなどたばた劇の筋書きどおりにはなるまい、自分の常識の錘《おもり》を見うしなうことはすまい、と誓っていたのだし、ずっとその態度に固執してもきたのだった。そこでぼくは、意識して極度に冷笑的に、あの神経衰弱の音楽家は、おれについてみせた嘘のためのアフター・サービスとして、いまもあんな演出をこらしているわけじゃないのか？　ご苦労なことになあ、という風に考えてみたりもした。すなわちぼくは依然として、Dとその空想上の怪物とから、冷静な距離をおいていたわけだ。それでいてしかも、このぼく自身の心理に、奇妙なことがおこったのである。

それはこういう風に始まった。ぼくと、やっとぼくに追いついて一メートルほどの間隔をおいてぼくにしたがっていたDとが、なお野菜畑のあいだの一本道を走ってゆくうちに、ぼくらはふいの驟雨《しゅうう》のように思いがけなく、また逃れようもなく、いっせいに吠えたてる犬の群れの声にかこまれたのだ。ぼくは頭をあげ、砂利道の向こうから近づいてくる犬どもの群れを見た。それらはすべて体高五、六十センチにもおよぶ若い成犬のドーベルマンで、十頭以上もいるのである。そいつらは吠えたてながら狭い砂利道いっぱいに犇《ひし》きあって駈けてきていた。その背後から黒く細い皮紐をひと束ねにしてもった草色の作業服の男が、犬どもを追いたてているのか、犬どもにひきずられているのか、ともかく息せききって駈けてくる。

背から胴にかけて濡れたオットセイのように漆黒の毛皮につつまれ、頰から胸、股のあたりにかけてわずかに、かさかさしたチョコレート色でかざられている犬どもの一群。それらの尾を截《き》られた犬どもは、いまにものめりそうなほどにも前方に傾いて攻撃心のかたまりさながら、吠えたて泡をふき荒あらしく息を吐いて迫ってきていた。畑のむこうに農耕されていない草地がひろがっている。そこで犬どもを調教した男が、いまそいつらをしたがえて帰ってゆくところなのだろう。

ぼくは恐怖心に震撼されて自転車をおり、むなしく有刺鉄線のむこうの野菜畑を見まわした。有刺鉄線はぼくの胸ほども高さがあり、ぼく自身はともかく、小柄な音楽家をそのむこうに逃れさせることは不可能だった。恐怖心の毒に麻痺しはじめているぼくの頭が、数秒後におこるべき大災厄のイメージを一瞬いかにもあきらかに描いた。犬の群れが近づき、Dはかれのアグイーが、そのもっとも恐れている犬の群れに襲撃されると感じるだろう。赤んぼうが犬の群れに怯えて泣き叫ぶ声を、かれは聞くだろう。そしてかれはやむなく犬どもにたちむかうにちがいない、かれの赤んぼうを守るために。そしてかれは十頭をこえる獰猛なドーベルマンにたちまち咬み裂かれてしまうだろう。あるいは赤んぼうとともに犬どもを逃れようとして、しゃにむに有刺鉄線をくぐりぬけるべく試み、ずたずたに自分の皮膚を傷つけるにちがいない、ぼくはそのような痛ましい悲惨の予感に揺さぶられたのだ。

そしてぼくはなにひとつ策を講じることができず、すでに黒とチョコレート色の丈の高い幽鬼のような犬ども十数頭は、おぞましい顎で空を咬み、唸り声をあげ、吠えたて、身震いし、迫って来るのだ、そのヤニ色の鋭い爪が砂利を蹴る音まで聞こえてくる近さに。ぼくは自分が、Dとその赤んぼうのためになにもできないと感じた瞬間、捕えられた痴漢のように無抵抗になり、恐怖心の闇にのみこまれた。ぼくは背に有刺鉄線のトゲが痛みをあたえるところまで砂利道のすみに退き、自転車を障壁のように自分の体のまえにひきつけ、そして眼をつむってしまった。しかも獣くさい匂いが犬どもの足音と吠え声とともにぼくを搏《う》ったとき、ぼくは、硬く閉じた瞼のあいだから涙を流しはじめたのである。そしてぼくは恐怖心の波にはこびさられるまま自己放棄した……

ぼくの肩に、信ずべからざる優しさの、あらゆる優しさの真の核心の優しさの掌が置かれた。ぼくはあのアグイーに触れられたように感じた。しかしその掌が、いかなる恐怖心の大災厄にもおそわれず幽鬼のような犬どもをやりすごした、ぼくの雇傭主の掌であることをぼくは知っていた。それでも、ぼくの閉じた眼は涙をこぼしつづけ、ぼくはそのまま、しばらくのあいだ、肩をふるわせてすすり泣いていた。ぼくはもう他人のまえで泣く年齢ではなかったが、恐怖心のショックがぼくに一種の幼児期退行の症状をひきおこしていたのだろう。

それからぼくとDは(かれはもうアグイーに気をつかっていなかった、ぼくが泣いているうちにそいつは去っていたのだろう)自転車を押して有刺鉄線のあいだを、強制収容所のなかの人間のようにうなだれて黙りこんで歩き、他人どもが犬を調教したり野球をしたりする草地へ行った。ぼくらはそこに自転車を横だおしにし、自分たちもそこに寝そべった。涙を流したあと、ぼくは衒気《げんき》と反撥心と、疑い深い片意地な心とを失っていた。Dもまたぼくにたいしていささかも警戒的でなかった。両掌を組んで草のうえに置きそれに涙を流して奇妙に軽く乾いている頭をのせて眼をつむって静かに聴くぼくに、かれは片肱《かたひじ》ついた半身の姿勢で覗きこむようにしながら、かれのアグイーの世界を話してくれたのだ。

「きみは中原中也の「含羞《はぢらひ》」という詩を知っているか? その二節目はこうだった。

枝々の　拱《く》みあはすあたりかなしげの
空は死児等の亡霊にみち　まばたきぬ
をりしもかなた野のうへは
あすとらかんのあはひ縫ふ　古代の象の夢なりき

この詩はぼくの見ている死んだ赤んぼうの世界の一面をとらえていると思うよ。また、きみはウィリアム・ブレイクの絵を見たことがあるかね？　とくに「悪魔の饗応を拒絶したもうキリスト」という絵だ。また「歌い和する暁の星」という絵だ。どちらにも、地上の人間とおなじ現実感をもった、空中の人間が描かれている。それもまた、ぼくの見るもうひとつの世界の一面を暗示していると感じるんだ。ダリの絵にもぼくの見る世界にきわめて近いものがあったなあ。空を、地上から、ほぼ百メートルのあたりをアイヴォリイ・ホワイトの輝きをもった半透明の様ざまの存在が、浮游しているんだから。ぼくの見る世界というのはそれなんだよ。なにが空をいっぱいにうずめて輝きながら浮游しているかといえば、それはわれわれが、この地上の生活で喪ったものだ、それらが顕微鏡のなかのアミーバのような具合におだやかに光りながら、百メートルの高みの空を、浮游している。そしてそこから降りてくることがあるんだよ、われわれの（とぼくの雇傭主はいったのだった、そしてこのとき、ぼくはそれに反撥しなかった。もっともそれを受けいれたというのでもなかったが)アグイーが降りてくるように。しかし、浮游しているそれらの存在を見る眼、降りてくるかれらを感じとる耳、それはわれわれがそれ相応の犠牲をはらって獲得しなければならない能力だ。それでも突然、なんの犠牲も努力もなく、その能力がさずかる瞬間があるんだ、今さっきのきみの場合が、おそらくそうだったんだと思うよ」

なんの犠牲もなく努力もなく、ただいくらかの涙を代償として、と雇傭主はいいたいようだった。ぼくは、恐怖感と自分の責任をはたしえなかったことによる無力感と、自分のこれから展開する実際的な人生での困難の総体への漠然たる怯えから(それというのはぼくにとってはじめて働いて金を儲ける、いわば実人生の雛型《ひながた》の試みが、この気違いの音楽家を守護することなのに、ぼくにはそれが充分に果たせなかったのだから、今後も、ぼくにとって重すぎる出来事がつぎつぎに出現して、こちらを茫然自失させるだろうことは予測できたのだ)涙を流したのだったが、それについてぼくは雇傭主にむかってあえて異議をとなえようともせず、柔順に耳をかたむけていたのだ。

「きみはまだ若いからこの現実世界で見喪って、それをいつまでも忘れることができず、ただその欠落の感情とともに生きているという、そういうものをなくしたことはないだろう？　まだ、きみにとって空の百メートルほどの高みは、単なる空にすぎないだろう？しかしそれは、いまのところ空虚な倉庫ということにすぎないんだ。それとも、いままでになにか大切なものをなくしたかね？」

ぼくはその時、なんということもなく、京都のホテルで奇妙な会見をした、音楽家のかつての情人の、額の生えぎわに拇指がはいるほどの窪みのある女優のことを思いだした。しかし、もちろん彼女をめぐってぼくがなにか重要なものをなくしてしまったというようなことはありえなかった。ぼくはただ、涙をながしたあとの頭の間隙の穴ぼこにセンチメンタリズムの蜜を溜めこんでいたのだ。

「きみはいままでになにかとくに重要なものをなくしたかね？」とぼくの雇傭主はぼくと会ってはじめて固執した。

そこで唐突になにか滑稽なことをいってやりたいと思い付いたぼくは、

「猫をなくしました」といってみた。

「シャム猫かなにか？」

「いいえ、オレンジ色の縞《しま》の、つまらない猫ですよ、一週間まえに、いなくなってしまったんです」

「一週間なら、まだ帰ってくるのじゃないか、そういう季節なのじゃないか？」

「ぼくもそう思っていたんですけど、もう帰らないでしょう」

「なぜ？」

「強い牡猫で、かれ自身の広い縄張り《テリトリィ》をもっていたんですが、今朝、その縄張り《テリトリィ》のなかを、どこかの見知らぬ弱そうな猫が、とくに緊張もせず歩いていましたから。もう、あの猫は戻ってこないですよ」

そうぼくは説明し、そして自分がアンチ・クライマクスのお笑い種をいうかわりに、なんだか切実な悲しみに嗄《しゃが》れた声で、自分の家出した猫についての思いを話したことに気づいた。

「それじゃきみの空には、一匹の猫が浮かんでいるわけだ」とぼくの雇傭主は真面目にいった。

ぼくは象牙色の輝きをおびて半透明のアドバルーンみたいな巨大な猫のおかしな飛行風景を閉じた瞼のうらにえがいてみた。それは滑稽だったけれども懐かしくもあった。

「浮游しているものは、しだいに、加速度的にどんどんふえるよ。しかしぼくはぼくの赤んぼうの事件以来、その増殖をくいとめるために、この地上の世界の現実的な《時間》を生きるのを止《や》めた。ぼくはすでにこの世界の《時間》を生きていないから、新規に見出すものも、見喪うものもなくて、空の高み、百メートルの浮游状態は変化をおこさないんだ」とじつに安堵したというような調子で、ぼくの雇傭主はいった。

本当におれの地上百メートルの空は、オレンジ色の縞の猫のふくれたやつ一匹だけか？とぼくは考えた。そしてぼくはなんとなく、つむっていた眼をひらいて、すでに夕暮近い冬のはじめの晴れわたった空を見あげようとし、畏怖の情念におそわれて、逆に硬く瞼を閉じた。ぼくはそこいちめんにアイヴォリイ・ホワイトの輝きをもった、数しれない存在、われわれが地上の《時間》のなかの世界で見喪ったものの群れの浮游する光景を、自分が実際に見てしまったら、と子供じみたことを考え、それを見てしまった後の、自分自身を怖れたのだった。

ぼくらはその草地にかなり永いあいだ、寝そべっていた、おなじ憂鬱にとりつかれている人間同士の消極的な親和力の糸に結ばれて。それから、ぼくは感情の平衡をしだいにとり戻した。おれが、この変り者の音楽家に影響をうけていたわけだ、じっさいプラグマティックな十八歳のおれらしくもなく！　とぼくは自分を非難した。しかしぼくの感情の平衡はすっかりもとに戻ったのではなかった。あの奇妙な恐慌にぼくがおちいった日、ぼくの情念は、ぼくの雇傭主の情念と、地上百メートルの空の高みを浮游するアイヴォリイ・ホワイトの輝きをもったものの群れに、もっとも近づいたのだったが、ぼくはいくらかなりとその、いわば後遺症にとらわれていたのだった。

そしてぼくとぼくの雇傭主との関係の最後の日がきた。それはクリスマス・イヴだった。ぼくはDから、一日早いが、という弁解つきでかれの使っていた腕時計をもらったので、その日を確実に思いだすことができる。その日にはまた、午後すぐに三十分ほど粉雪が降った。ぼくとぼくの雇傭主とは銀座に行ったがすでに混雑がはじまっていたので、そこを離れ、東京港へ行くことになった。Dはその日、港に入っている筈のチリーの貨物船を見たがっていた。ぼくもまた船に雪がつもっている光景を空想して乗り気になった。ぼくらは銀座から東京港にむかって歩くことにした。ぼくらが歌舞伎座の前を歩いているとき、Dがなお雪もよいの汚らしく黒い空を見あげた。そしてアグイーがかれの脇に降りてきた。ぼくは例のとおり、Dとその幻影から数歩だけ遅れて歩いた。やがてぼくらは広い交叉点を渡らねばならなかった。Dとその幻影が車道に降りたとたんに、信号が変わった。Dは立ちどまった。年末の荷物を積んだ無闇に嵩高《かさだか》いトラックの群れが疾走して来た。その時だ、不意にDが叫び声をあげ、なにものかを救助するように両手を前にさしだしてトラックのあいだに跳びだし、一瞬、はじきとばされた。ぼくはただ茫然としてそれを眺めていた。

「自殺だ、あれは、自殺したんだよ！」とぼくの脇にいた見知らぬ男が動揺した声で言い張っていた。

しかしぼくにはそれが自殺かどうかを疑って見る暇はなかった。交叉点はたちまちサーカスの楽屋のように、荷物を満載した巨大なトラックの象が犇《ひしめ》きあう状態になったが、ぼくはDの血まみれの体の傍に膝をつき、かれをかかえこんで犬のように震えた。ぼくにはどうしていいかわからなかったし駈けつけた警官はすぐまたどこかへ駈け去った。Dはまだ死んでいなかった。しかし死んでいるより、もっとひどかった。すなわちわずかな雪で汚らしく湿った鋪道の隅で、血となにやらわけのわからぬ樹液のごときものを流して死につつあったのである。雪もよいの黒い空が裂けてスペインの宗教画みたいなものものしい光が、ぼくの雇傭主の血を愚かしい脂のように輝かせた。寒さと好奇心が皮膚をさかいにしてせめぎあうので、斑《まだら》な顔色になった他人どもが群れをなし、ぼくの雇傭主を覗きこんだ。そしてぼくらの頭上には恐慌におそわれた鳩さながら数かずの「ジングル・ベル」が飛びかっていたし、Dの脇に跪《ひざまず》いて、それがなんのためだというのでもなく耳を澄ましていたぼくには、遠方で人間の叫び声がつねに聞こえていたのに、ぼくらのまわりの群衆はうら寒げに黙りこんで、また、それらの叫び声にも無関心なようなのである。ぼく自身、その後、街角であのように耳を澄ましたこともなく、あのような叫び声を聞いたこともないのだが。

やがて救急車がきた。ぼくの雇傭主は人事不省のままそこに運びあげられた。かれは泥と血に汚れて、体全体がショックで縮んだように見え、そして白い運動靴がかれに負傷した盲人の印象をあたえた。ぼくは医者と消防署員と、それにぼくと同年輩の意味もなく傲然としているひとりの若者とともに救急車に乗りこんだ。この若者は、Dを轢《ひ》いた長距離便トラックの少年労働者だった。救急車はますます混雑を深めている銀座を横切った。ぼくが最近見た統計では、この年のクリスマス・イヴが銀座の人出の最高記録だということだ。救急車のサイレンを聞き車を見おくる人々の顔にはほぼ共通して神妙な謹慎の表情があって、ぼくは茫然とした頭の片隅で、日本人のミステリアスな微笑癖というのは、ありえそうで、じつはありえない、あやまった通説だ、というようなことを考えたりもした。そのあいだも、Dは人事不省のまま不安定で傾きがちなベッドの上で血をこぼしながら死につつあった。やがてぼくらは病院につき、Dは土足のままの消防署員たちの担架に乗せられて病院のどこか奥まった場所に運び去られた。ぼくはまた忽然とあらわれた先ほどの警官からおだやかに様ざまのことを訊ねられた。

それからぼくはDの運びこまれた病室へ行くことが許された。そこを探しあてると病室の外にベンチがあってそこにはすでに、あの少年労働者が坐っていた。ぼくもかれの脇に掛け、長いあいだそこで待っていた。少年労働者は初め、かれの仕事の予定が狂ったことについて不平がましくつぶやいていたが、二時間もたつと、こんどは空腹について思いがけなく幼い声で嘆きはじめて、ぼくのかれへの敵意を削《そ》いだ。またしばらくたち銀行家とその妻と、パーティーのために着かざった三人の娘たちとがやってきてぼくと少年労働者を無視して病室に入った。銀行家は別にしても四人の女たちは、肥満した短軀で赭ら顔で、Dの離婚した妻のタイプだった。ぼくはまた待ちつづけた。その永い時間、ぼくはひとつの疑惑に苦しめられていたのだ。ぼくの雇傭主は、はじめから自殺するつもりでいたのではないか？　自殺するまえに、離婚した妻やかつての情人とのあいだの整理をし、楽譜を焼き、そしてかれ自身のために懐かしいすべての場所に別れの挨拶をしに行く、そのお人善しの案内人として、ぼくを傭ったわけではないのか？　この計画のカムフラージュのために空の高みを浮遊する赤んぼうの怪物などという発明をしてぼくの眼をくらませて？　ぼくは結局、Ｄの自殺をたすけるためにのみ、この仕事をさせられてしまったのではないか？　少年労働者はそのうちに、ぼくの肩に頭をこすりつけて眠った、そしてたびたび苦しげに身悶えした。かれは人を轢き殺す恐ろしい夢を見ているのだ。

すっかり夜になってから銀行家が病室の入口にあらわれてぼくを呼んだ。ぼくは少年労働者の頭から静かに自分の肩を離して立って行った。銀行家はぼくに日当をくれ、それから病室にいれてくれた。Ｄは冗談のようにゴム管を鼻孔にさしいれてベッドにななめあおむいていた。かれの燻製のように黒い顔がぼくをたじろがせた。しかしぼくは自分をとらえている恐怖にみちた疑惑のことをＤに問い糺《ただ》さないではいられなかった。ぼくは瀕死のぼくの雇傭主に呼びかけた。

「あなたは自殺するためにだけぼくを傭ったんですか？　アグイーなどあれはカムフラージュだったんじゃありませんか？」そしてぼくは涙に喉をつまらせながら自分にも意外なことを叫んでしまったのだ、「ぼくはアグイーを信じてしまうところだったんです！」

そのときＤの黒く小さくなった顔に人を嘲弄《ちょうろう》するような、また好意にみちた悪戯《いたずら》をするときのような微笑が浮かびあがるのが涙で潤みなにも見えなくなるぼくの眼にうつった。ぼくは銀行家にドアの外へつれだされた。ぼくが涙をぬぐって帰ってゆこうとする時、少年労働者はベンチにすっかり横たわって寝ていた。翌日の夕刊でぼくは音楽家が死んだことを知った。

そして突然、この春のことだ、ぼくは街を歩いていて、不意になんの理由もなく(なかった、と思う)、怯えた子供らの一群から石礫《いしつぶて》を投げられた。ぼくがなぜ子供らを脅したのかはわからない。ともかく恐怖心からひどく攻撃的になった子供らの一群の投げた拳ほどの礫《つぶて》が、ぼくの右眼にあたった。ぼくはそのショックで片膝をつき、眼をおさえた掌につぶれた肉のかたまりを感じ、そしてそこからしたたった血のしずくが、磁石のように鋪道の土埃を吸いつけるのを、片眼で見おろした。その瞬間、ぼくのすぐ背後から、カンガルーほどの大きさの懐かしいひとつのものが、まだ冬の生硬さをのこす涙ぐましいブルーの空にむかってとびたつのを感じ、ぼくは思いがけなく、さようならアグイーと心のなかでいったのである。そしてぼくは見知らぬ怯えた子供らへの憎悪が融けさるのを知り、この十年間に《時間》がぼくの空の高みを浮游するアイヴォリイ・ホワイトのものでいっぱいにしたことをも知った。それらは単に無邪気な輝きをはなつものだけではないだろう。ぼくが子供らに傷つけられてまさに無償の犠牲をはらったとき、一瞬だけにしても、ぼくにはぼくの空の高みから降りてきた存在を感じとる力があたえられたのだった。

Ⅱ　中期短篇

頭のいい「雨の木《レイン・ツリー》」

（連作『「雨の木《レイン・ツリー》」を聴く女たち』の1）

——あなたは人間より樹木が見たいのでしょう？　とドイツ系のアメリカ人女性がいって、パーティーの人びとで埋まっている客間をつれ出し、広い渡り廊下からポーチを突っきって、広大な闇の前にみちびいた。笑い声とざわめきを背なかにまといつかせて、僕は水の匂いのする暗闇を見つめていた。その暗闇の大半が、巨《おお》きい樹木ひとつで埋められていること、それは暗闇の裾に、これはわずかながら光を反映するかたちとして、幾重にもかさなった放射状の板根《ばんこん》がこちらへ拡がっていることで了解される。その黒い板囲いのようなものが、灰青色の艶《つや》をかすかにあらわしてくるのをも、しだいに僕は見てとった。

板根のよく発達した樹齢幾百年もの樹木が、その暗闇に、空と斜面のはるか下方の海をとざして立っているのだ。ニュー・イングランド風の大きい木造建築の、われわれの立っているポーチの庇《ひさし》から、昼間でもこの樹木は、人間でいえばおよそ脛《すね》のあたりまでしか眺めることはできぬのだろう。建物の古風さ、むしろ古さそれ自体にふさわしく、いかにもひそやかに限られた照明のみのこの家で、庭の樹木はまったく黒い壁だ。

──あなたが知りたいといった、この土地なりの呼び方で、この樹木の名は「雨の木《レイン・ツリー》」、それも私たちのこの木は、とくに頭のいい「雨の木《レイン・ツリー》」。

そのようにこのアメリカ人女性は、われわれがサーネームのことははっきり意識せぬまま、アガーテと呼んでいた中年女性はいった。……このように書くと、わが国の近来の小説にしばしば見るように、外国語に練達な同胞の、異国での愛の物語めくが、僕としてはその種の余裕をもって、あの十日ほどを過ごしていたのではなかった。僕はハワイ大学の『東西文化センター』が主催した、《文化接触と伝統の再認識》なる問題設定のセミナーに出ていたのである。そして僕の英語力では、カナダからやって来たはずの三名の代表が、みなインド人であることを不審に思っていたのが、じつはインドのカンナダ地方から来た参加者であると、それも会議のなかば過ぎて納得されたりするほどのものなのであった。

事実この会議は、インドの人文主義者アナンダ・クマラスワミの思い出にささげられていたので、インド各地からの、多様な差異のある英語の使い手の参加があった。ボンベイから来たユダヤ系インド人の発言など、いかにもインド的であり、かつまぎれもなくユダヤ的なところもある、かれの人格のユーモアを僕は好んでいたが、会議の後でいちいち意のある所を問いただされば、つづいての対応が難しいようなものでもあった。

アメリカ本土からの参加者は、ビートニクの代表として一時代を劃した詩人で、毎朝、肉体の疲れと心理の傷痕をあらわした(すくなくともそのような痛ましさに僕には見える)

少年をともなっては会議にあらわれ、セミナー参加者の円卓の、うしろの床で居眠りする少年を優しげに見やっては、——He is my wife. といったりした。そしてニューヨーク育ちのかれの、およそ独自な方向づけに洗練と逸脱をかさねる談論は、大方僕にその英語をフォローすることを許さぬものなのであるが、しかしかれは次のような、かれのいわゆるハイクについて僕の批評を聞こうとする。そこに詠まれた、ガラス窓につぶれてこびりついた蝿の、羽根ごしに見た雪の山の絵までを、カフェテリアの紙ナプキンに描いて。つまり俳句の国の小説家の真正な批判を、どうしても聞き出そうとするのであった。そのようにして友人となったかれの発表の間、僕としてはなにやらほかのことを夢想して過ごすわけにもゆかなかったのである。

Snow mountain fields
seen thru transparent wings
of a fly on windowpane.

そうした会議のその日のスケジュールを終えて、毎夜開かれるパーティーまで、なんとかひと休みするつもりで、宿舎となっている学生寮の、それも女子寮に戻って来ると、顔面の神経に障害のある、いかにも苦悩した小柄なアメリカ人が、ロビーで待ちうけているということもあった。かれは五年前まで、日本海に面した地方都市でヴィエトナム戦争からの脱走兵を援護する仕事をしていた。そのうちかれがＣＩＡのスパイだという噂を仲間うちでたてられているのを知って、ひそかに東京へ逃れ、そのままアメリカへ戻った。あの運動の指導者たちは、いまもなお自分のことをスパイとして記憶しているのだろうか？　あらためて連絡をとろうにも、自分としてはかれらの名前さえよく覚えていない。もともと自分は難聴者である上に、日本語はもとよりのこと、日本人の話す英語は充分に理解できず、実際に運動をしていた間にも、それに由来するさまざまの行きちがいがあって、当惑することが多かった。

そのようにかきくどくアメリカ人青年は、このスパイ嫌疑をめぐっての、いかにもとらえどころのない記憶に悩まされるあまりに、いまは精神病者のための民間の施設に入っている。このハワイには、高い費用を要するものから、多様なレベルの、そのような施設がある。自分はほとんど実費のみですむ部類の施設に入っているのだが、しかしその費用を稼ぐために、昼間はそこから働きに出てもいる。僕としてこの憐れに苦しむ小柄な体の全体が油煙でくすんでいるようなアメリカ人青年を(それはかれの労働の職種と関わりのあることのようであったが)、どのように慰めることができただろう？　しきりに鳥のように小首をかたむけ、それも僕の口先に耳を押しつけるようにするのだが、僕のすなわち日本人の話す英語を、難聴の耳によく聞きとれぬようである鬱屈した男を。

……暗闇の前方を埋めている、わずかにその発達した板根の裾のひろがりのみが見えている樹木を、僕に示している中年女性も、あの苦悩するアメリカ人がいったような、精神病治療の民間施設の、これはあきらかに高級な方に属するものを、当のニュー・イングランド風の古く大きい建物で、経営しているひとりである模様なのだった。

アメリカ各地の大学や研究機関の公開セミナーには、いわゆるスポンサーたちの集りが付随していることが多い。おもに中年すぎから老年の婦人たちの、決して大きい額をというのではない寄付をした人びとが、セミナー参加者の背後を囲む傍聴者としてやってくる。時には、質問のかたちをとってではあるが、自分の意見を発表しにかかることもある。そして夜は順送りに、それらのスポンサーたちがパーティーを催し、セミナーの参加者たちを自宅に招待するのである。そしてそのパーティーが、英語を母国語とするのではない参加者にとっては、なかんずく僕のような語学力の者にとっては、昼間のセミナー自体におとらぬ苦行なのであった。それというのもスポンサーたちは、当日のセミナーの発言をめぐって、いかにも飽くことない質問を繰りだしつづけるのであったから。

アガーテと仲間たちがよぶ、そのようなスポンサーのひとりのドイツ系アメリカ婦人が、パーティーの開かれている大きい続き部屋から僕を連れ出して、ポーチから暗い庭の樹木を見せようとしていたのも、その日のセミナーで僕が話したことに、直接関わりがあった。

セミナーと並行しておこなわれているクマラスワミの蒐集品展観のなかに、インドの民芸に属するもので、バナナの葉をつづり細密画のデッサンをほどこした、「樹上のクリシュナ」の絵があった。川のなかには、クリシュナに呼びかけている全裸の女たちがいる。――その女たちの肉体の、いちいちの表現がいかにもインド的であり、それはあたかもインドの女性の肉体のかたち、とくにその胸と腹部が、世界じゅうのインドより他の国土の、いかなる女性たちの肉体ともちがうものであるかのように、把えられている。そして実際にインドを旅行してみると、まさにこのような肉体をした女たちが生きていると、ヒンズー文化研究者でもあるビートニクの詩人がまず発言した。それに対しての、東洋の別の地域からのコメントをもとめられるということがあり、その過程では、傍聴しているインド女性たちからのアメリカ詩人への反撥があったこともあり、僕としては問題を樹木に置きかえて、考えをのべたのだ。

――僕はいまアレンが話した言葉のうち、インドの民衆芸術の、人間のかたちの表現が、そのスタイルにおいてインド的な個性を持つという指摘に、いうまでもなく賛成する。それがインドの人間の肉体のかたち自体にまで、逆行するようにして影響をあたえているという意見にも、なかば賛成する。それはインドの人間の肉体のかたちが、その民衆芸術のスタイルを決定しているということの、アレンらしい表現だと理解して良いはずのものだろうから。しかし僕としては、インドの女性の肉体について経験的に語る資格はないわけだから、おなじことを樹木について見たいと思う。

クリシュナが攀《よ》じ登っている、この黒い樹木は、おそらくインドボダイジュとわれわれの国で呼ぶ木だろう。それは確かに、インドの民衆芸術のスタイルの感覚・技法によって描かれている。つまりは特徴が誇張されているのだが、しかしこの幹の質感と枝の曲り具合、また葉の尖端が尾のように伸びているところにしても、それはリアリズムの観察に立っているのだ。それでいてあらためてその樹木全体が、いかにもインド的なものに、僕には見える。これを具体例として、僕はアレンの意見につらなる仮説をたてたいと思う。僕は、ある土地の樹木と、そこに生き死にする人間とに、似かよっているところがあるように思うのだ。クラナッハの樹木は、いかにも高フランケン地方の人間の肉体が、そこに立っているようではないか……

僕はあわせて自分の、樹木および土地土地のその呼び名への愛着についても語った。僕は外国に出るたびにその風土での、いかにもその土地らしい樹木を見ることを楽しみとしている。それも当の樹木の、土地での独自の呼び名を知ることで、はじめてその樹木をよく知ったと、その樹木に真にめぐりあったと感じるのだ。さきにいったように日本人は、このクリシュナの攀じ登っている木を、インドボダイジュと呼ぶ。それはわれわれにとって、この木を Ficus religiosa Linn. と分類するのとはまた別の、ひとつの表現行為なのだ。僕は学名について、それを樹木についての説明と受けとめて、その樹木の名とは別のものだと思っている……

そのような前もってのいきさつがあり、アガーテは僕をパーティーの席から引き抜くようにして、建物の前庭を占める巨大な樹木の前にみちびいたのであった。といっても日が暮れてからこの家に連れて来られた僕には、小型バスを降りる時も樹木の全容を見ることはできなかったし、現にいまも樹木がそこにあるはずの暗闇を見つめているのみなのであったが、ともかくもアガーテは、その樹木の、この土地における呼び名を教えてくれようとしたのであった。

――「雨の木《レイン・ツリー》」というのは、夜なかに驟雨《しゅうう》があると、翌日は昼すぎまでその茂りの全体から滴《しずく》をしたたらせて、雨を降らせるようだから。他の木はすぐ乾いてしまうのに、指の腹くらいの小さな葉をびっしりとつけているので、その葉に水滴をためこんでいられるのよ。頭がいい木でしょう。

嵐模様のこの日の夕暮にも、驟雨がすぎた。したがっていま暗闇から匂ってくる水の匂いは、その雨滴を、びっしりついた指の腹ほどの葉が、あらためて地上に雨と降らせているものなのだ。パーティーがおこなわれている斜め背後の部屋の喧噪にもかかわらず、前方に意識を集中すると、確かにその樹木が降らせている、かなり広い規模の細雨の音が聞こえてくるようなのでもあった。そのうち眼の前の闇の壁に、暗黒の二種の色とでもいうものがあるようにも感じられた。

そのように感じはじめてみると、ひとつの暗黒は巨大な徳利型のバオバブの樹のようであり、その暗黒のへりに底なしの奥へ落ちこんでゆくような、吸引力のある暗黒があって、そこにはたとえ遅い月の光があらわれても、山襞《やまひだ》や海をふくめ、いかなる人間世界の事物も見出されぬだろうと信じられる、そのような暗黒。これは百年あるいは百五十年前、アメリカ大陸からここに移住してこの建物を造った者らが見た、その最初の夜の暗黒とおなじものだろう……、というふうに僕は考え、そのつづきで次のようなことを口に出そうとして、外国語で話す際の、これから声に出そうとする言葉を検閲する性癖のおかげで、そのまま口をつぐんでいることができた。

——このように、それを見る者の魂から肉体まで吸い込みにかかるふうな暗闇が、庭の向こうに開いている環境とは、おおかれすくなかれ精神異常の人びとを収容するこの家に、ふさわしいものだろうか？

僕がそのような言葉を口に出さなくてよかったのは、アガーテがこの建物に住み、病者たちの責任をとっている人間だとする以上、僕の言葉は、直接彼女への批判がましく響きえたはずだからだ。それでも僕のその二種の暗闇への感じ方、もとより自分の想像力がつくった樹木のかたちの暗黒のへりと、その外側の暗闇への感じ方は、僕の斜めうしろに立った、ドイツ系のアメリカ婦人に理解されたようであったのである。彼女はそのまっすぐの背骨の上の、顎《あご》をそらした面長な顔からくっきりと聴きとれる長い嘆息を、やはり暗黒の矢を宙に吹き出すように発したから。そしてわれわれは闇のなかの水の匂いのする樹木に背を向けて、板張りの広いポーチを引きかえしたのであった。

もっともアガーテの方では、なにごとにつけ実用的、実際的な行動家であるセミナー周辺のアメリカ婦人の例にもれず、そのように黙って暗闇の庭から遠ざかるというほどの行為にすら、積極的な動機をしこんでおかずにはいなかった。彼女はその長いポーチにそった、いかにも部屋数の多い一階の部屋のひとつの前で立ちどまると、その正面奥の壁を、わずかに腰をおとしまっすぐに背を倒して覗きこみ、まことに愛しげなものを見やるそぶりを示した。それに誘われて、僕も高い漆喰《しっくい》天井からのほの昏《ぐら》い照明に浮かびあがる(パーティーが現におこなわれている部屋もまた、僕がこのハワイ滞在の際にしばしば見たサイケデリックな光のあつかいとはことなる、穏和な灯りのもとにあって、ここがやはり精神障害者のための施設であることを納得させるものがあったが)、書棚に覆われた壁面を見た。僕の背たけでは、アガーテほどに体をかがめる必要もなかったのである。

それまでは暗闇を見つめていた眼に、その薄明とでもいうほどの明るさのガラス窓ごしの室内の、壁面全面の本棚のなかほどに、奇態な掛け方というほかにはない、背後の本をかくしてしまう具合に、十号ほどの油絵が宙づりになっていた。それはいま僕らがそうしているようにポーチから覗くか、あるいは庭の暗黒の樹木の根方から眺めるために、好都合な位置に吊られているとでもいうふうなのだ。そういえばあのよく発達した板根の間には、暗い色のペンキを塗った鉄の椅子がひとつ見えていたようにも思われる……

――「馬上の少女《ア・ガール・オン・ホースバック》」、とその絵の題名を読みあげるようにアガーテがいい、そして僕にも頑丈な農耕馬のような栗毛の馬に、それも胴に深くめりこんで見える鞍を置いて乗馬した、金髪碧眼の少女の絵であることがわかった。

背後の囲いの壁は、収容所か刑務所のように陰気でいかめしいもので、それは乗馬のスポーツとしての雰囲気とは裏腹であるのが不思議なのではあったけれども、……そのうち僕は当の「馬上の少女《ア・ガール・オン・ホースバック》」が、ほかならぬアガーテ自身の幼女期の肖像であるらしいことにも気づいていた。僕がそのことをいうと、アガーテは暗がりでも薄い皮膚の裏で血がカッと沸き立つような顔つきをあらわして、

――そうだわ、まだドイツにいて、本当に恐ろしい不幸なことは起こっていなかった頃の「馬上の少女《ア・ガール・オン・ホースバック》」、と答えた。

そしてそのようにいうアガーテの、金色の生毛《うぶげ》が先端から熱を放射するほど紅潮した頬と、爛々たるブルーの眼には、僕に本当に恐ろしい不幸なこととはどういう出来事をさすのかと問いかえすのを禁じる、切実な強い力があったのである。彼女がドイツという母国を棄てて(それが東であるか西であるかすらをも、僕は確かめていなかったが)、ハワイに移住した人間であることのみが、僕の知るところであった。しかしわれわれのセミナーに参加しているヨーロッパとアメリカのユダヤ系のメムバーたちが、この夜のパーティーをそろってボイコットしている事実も、それについてこだわってみれば、意味のあることに

ちがいなかった。（ユダヤ系インド人のボンベイの詩人は、海岸に出ても小さな蟹一匹とらえることに反対した一方、政治上の人間の生死については、いわば大乗的見地に立っていたが。）しかしそうしたことがらのいちいちを立ちいって調べ・判断することの一歩手前で、誰もがとどまっていようとするところに、このようなセミナーや、それに付随するパーティーを平穏に進行させる知恵が働いているのであった……

さてパーティーが開かれている続き部屋に戻ると、われわれの短い不在の間に、それまでのアガーテの役割を引きとった、新しい中心的存在が出現していた。それもアガーテのホステス役に対比すれば、これは僭主としてパーティーに君臨するとでもいうような、圧倒的に座の中心をなす存在があらわれていたのである。はじめは童話劇の、魔法使いの老婆に扮装した子供かと思ったほどの、小人のような初老の男。車椅子に深ぶかと腰をおろし、長く伸ばした象牙色の髪を、朱色の繻子《しゅす》の上着の襟もとで丸く刈りそろえている。口だけは大きく犬のようだが、高い鼻も二重まぶたの灰色の眼も昂然たる美しさで、大口から強い張りのある声を発する様子こそ傍若無人だが、車椅子の背後から脇に立ったり、膝もとへ坐りこんだりしている者らには、たえず注意をはらっている。男がそのようにしゃべりたてる言葉の、直接の標的となっているのは、かれの車椅子の正面に立ちふさがったビートニクの詩人なのだが、かれらの論争は、一種のゲームあるいは演劇的なパフォーマンスであって、詩人の方はともかく、車椅子の男は、論争の相手より、周りの観客たちこそを意識しているのがあきらかなのであった。

——建築家のコマローヴィチ、天才建築家の！　今夜は気分が良いらしいわ！　とアガーテはもっとも誇りにする資産について説明するように、それもさきの「馬上の少女《ア・ガール・オン・ホースバック》」について説明した際の、奥深いところには陰鬱なものをとどめている昂揚とはちがった、眼の前のパーティーの陽気さにたちまち同化しているる明るさでいったのだ。そして彼女は僕を後に残して、車椅子の男の脇へ、床に坐った者らの足や膝をたくみに除けつつ、大股の姿勢正しい歩きぶりで近づいて行った。

そこで僕も、入口脇に立ちどまったままではあるが、ほとんど催しもののようなそのパーティーの中心の出来事の、車椅子の建築家とビートニクの詩人との論争を見物したのであった。この夜に起こったこと、行なわれたことの総体を、バランスよく描き出そうとするならば、この建築家と詩人との論争は、対話による、動きのすくない一幕物の戯曲でも書くかたちで、表現しなければならぬはずだ。かれらの論争は一時間ちかく続いて、その後すぐ急激な終わり方をしたこの真夜中の、精神障害者のための施設でのパーティーの、もっとも大きい部分を占めたのだったから。

しかしはじめにのべたとおり僕の聴きとり能力では、妙に調子の高い、装飾過多なものいいをする建築家と、ニューヨーク育ちらしいソフィスティケイションにビートニクの偶像であった人間らしいひねりを加えて、ほとんど唇を閉じたまましゃべる詩人の、およそ多義的な意味が交錯しあう論戦を、逐語的には把握しえなかったのであった。僕はすこしずつ遅れながら、かれらの言葉の端ばしから再構成してゆくようにしてのみ、その論理と非論理の言葉のゲームを受けとめていたのである。そしてそれなりに、僕はこの論戦の一時間近くを退屈しなかったのでもあった。

したがっていま僕がここに記述するのも、あの場で自分が論戦を再構成したものを、もういちど記憶のひずみと時間のもたらしたズレとに影響されながら、のべなおすことにほかならない。そこで単なる退屈な要約にそれをとどめぬためには、あの場で視覚に受けとめた論戦の雰囲気をも、あわせ記しておくべきかと思う。建築家と詩人の自己演出もさりながら、そのようにしての論戦を熱心に傍聴し、かならずしもでしゃばるようにしてではないが、つねにそこへ参加するようであった聴き手たち、つまりパーティーへの参加者たちと、かれらのために飲みものや食物をつくり、配って廻る者らの反応が、あのセミナーでしばしば使われた言葉でいえば、すこぶるカラフルなものにいまも思いなされるからだ。

終始立ったままで、車椅子の建築家に応戦した詩人の足許には、兄弟のように似かよっているので、つまりはそのような顔つきや体型が詩人の美意識にかなうのであるらしい十五、六の少年が三人坐っていた。かれらはともにおよそハワイのスポーツ少年たちとは似ても似つかぬ、生涯一度も海岸に出たことがないような、青みがかって白い顔を伏せて、思いに沈むふうだった。そのうちの一人は、たまたまこの朝のセミナーに、処女を失ったばかりの娘のような動顚ぶりを示して詩人の後にしたがい、参加者みなの眼をそむけさせた少年であったが、かれらを囲み床を埋めている、すべて詩人の共鳴者である若い人びとのなかには、いささかもくたびれたところのない柔道着を着こんだ娘がいて、彼女としては若い男の子を演じることで詩人の関心をひきつけようとする模様なのだ。もっともすでに彼女は酔いすぎており、詩人の言葉に力強くうなずいて賛同の意をあらわすかと思うと、すぐさまガクリとその頭をたれて眠りこみ、つづいて首を振りたてては、詩人の言葉を聴きつづけていることを示そうとする……

車椅子の建築家の両脇とその背後には、この天才の堅実な後ろだてとでもいう具合に、アガーテをふくむ中年、初老の婦人たちが、行儀よく椅子やソファーに坐り、とくに敵陣営の柔道着の娘の酔っぱらいぶりを、憐れみにみちた、決して直視するのでない仕方で眺めやっている。彼女らの無言の非難は、詩人その人に向けられているのであって、しかもその倫理的感情の総体が、建築家によって代弁されているわけなのでもあった。もっともそのようにして建築家を沈黙のうちに掩護《えんご》し、かつかれに攻撃を代行させている婦人たちこそが、むしろ床に坐った若者らよりもアルコール飲料をとっていたのだ。

この夜更けのパーティーに、アルバイトとして傭われて来た学生であるのらしいバーテンと、男女とものの給仕たちがサービスする飲みものは、ジン・トニックと水割りのバーボン・ウィスキーにビールの三種のみであったが、襟もとにレースのかざりのある子供服のような衣裳を、それも制服のようにそろってつけた、いかにも老嬢あるいは未亡人という感じの婦人たちが、アガーテもそのとおりなのであったが、ビールでなく強い飲みもののグラスを人目をさけるように素早く飲みほしては、またすぐさま給仕に合図をおくるのだ。そこでビールを飲んでいるのは、論戦を遠まきにしたセミナーの参加者たちのみなのであった。

そしてこれらのバーテンと給仕たちが、アルバイト学生であるはずにもかかわらず、服装のみにかぎられぬ、およそ独自のスタイルを相互訓練したというふうな、不思議な連中なのであった。かれらはお揃いの古風な黒いチョッキに袖のふくらんだ絹のシャツをつけ、娘は婦人たちとおなじ服にかざりのついたエプロン姿であったが、それ以上に、そろって蒼ざめて痩せほそり、ただ外見の感じのみからいうのではあるが、自閉症的な若い人びとなのである。それが音もなくパーティー参加者の間を行き来して、飲みものなり軽食なりを手渡す時も、決してその視線を相手に向けはしないのであった。そしてその素早い身のこなしにもかかわらず、あるいはあまりに敏捷な体の動かし方のせいというべきであるのか、僕はかれらと彼女らが自分の脇を擦りぬける時、いかにも疲れ果てている者の粗い呼吸の音を聞きつけた。そしてかれらと彼女らの誰もが、その清潔さと矛盾せぬ、なにやら異様に古めかしく澱んでいる体臭を漂わせているように感じもした。それはセミナー参加者のうち、討論に冷淡であった者らが、私語するようにしてみんな不思議がっていることでもあったのだ。

このような舞台装置において、建築家と詩人との論争は続いていたのである。建築家の攻撃と、それをはぐらかしながらの、しかし決して不真面目なというのではない詩人の防戦。攻撃の側に立ってそれを要約してゆけば、それはすくなくとも僕の聞きとりにおいて、次のようなものであった。

——きみは少年、青年を熱烈に愛しているのだが、それはそれ自体として素晴らしいことだ。むしろ自分ときみとの共通のスタンドポイントとしてそのことがある。しかしこの出発点において早くも、われわれの間に乗り超えがたい差異があるのはあきらかなのだ。なぜなら、きみは若者たちを下降させ・堕落させる方向づけにおいて、かれらを熱烈に愛する。しかし自分は、若者たちを上昇させ・啓発する方向づけにおいて、熱烈に愛するのであるからだ。きみは若者たちを暗く神秘的な知と感受性の深みへいざなうのだというかもしれない。現にいまきみは、肉体の愛も、精神の愛も、暗く神秘的な本質を持つゆえに、人間にとって重要だといった。（つまりこのように詩人が冗談めかしながらではあるが、短く鋭い言葉で反駁《はんばく》し、それを建築家が装飾過多で冗長な文脈にとりこんでひっくりかえし、すくなくとも、かれの側に立つアルコール飲料の嗜好者たちに、論戦の勝利をわけもつ快感をあたえていたのである。建築家のいいまわしの冗漫さや不正確さを、詩人は確実に指摘しえたはずであるにもかかわらず、しかしかれはサンタクロースのようにホッ・ホーという叫び声をあげて肩をすくめはするものの、建築家の弱みを深追いはせず、論争の表層においての連戦連敗を、楽しがっているかのようですらあった。）しかし肉体の愛も、精神の愛も、それは明るく神的な核心に向けて、つねに高まりつづける螺旋《らせん》階段を昇るものでなくてはならない。とくに少年、青年をみちびく行為としての、肉体の愛、精神の愛は……

また建築家は、この精神障害者の施設の建物の、建築家として見た特質と、その特質にのっとっての、現に施設が運営されている仕方について、これはすでに講壇からの口調で説き聞かせもした。かれ自身の建築そのものへの信条、それを展開する上での構想をあきらかにするかたちで。

――この古い建物にアメリカ全土からやって来る、鋭敏、繊細な病める魂の持ち主のために、そのいちいちの肉体にふさわしい隠れ家が、準備されるのでなければならないはずだったのだ。ひとりひとりのために、ひとつの丘、ひとつの谷というものがありえたとしたら、それはどのように良いことだろう。ヨーロッパの古き善き諸時代の、様ざまな運命における狂王がその隠遁所とした、城や領地のように！　しかし今日のアメリカ全土からの傷ついた赤裸の魂には、ひとりひとりに一軒ずつの家屋すら保障されぬのだ。そこで自分は、この建物におけるかぎり、ここに隠れ住む者らに、かれら個々のための「位置」を確保しようと、精魂こめて働いたのだ。自分自身のための「位置」としては、建物におけるもっとも低いところに、すなわち地下のガレージに仕事部屋をしつらえて。そのような自分にならって、われわれがいま立っているこの床の下方の、地下の仕事部屋にまず下降することからはじめ、その「位置」から、この建物のあらゆる部屋、あらゆるその仕切りのなかの、この建物の住人たちの「位置」を想像してもらいたい。

それらはいちいちが、つねに上昇して行く方向づけを持った、ひとつの総合体である。そのようなそれぞれの「位置」の集積である。すぐさまそれにきみたちは気づくだろう。自分はそのような「位置」の集積において、とくに若者らが、自分自身を天に向かって螺旋状に高めて行く、その階梯《かいてい》を昇っていると自覚できるように、この建物の内部構造を設計し、改築を実現せしめたのだ。この施設で共生する、若者より他の者らは、その若者らの絶えざる上昇を、基礎構造として支える部分に「位置」をあたえられる。おもに高年の婦人たちである彼女らは、その「位置」において、子供ら、青年たちの神的な高みに向けての上昇を嘆賞の心で眺めるのだ。（そして詩人が、その構想には胸をうたれるが、しかしそのように下辺の「位置」をわりあてられた者らが満足するものだろうか、ピラミッドを見ればわかるように上層へ「位置」しうる者はすくないわけだから、そのような構想は社会全体からは批判されるし、そのような構想に加わる若者らは、かえってひどいめにあわされるのではないか？　このように閉じたひとつの施設としての「社会」においてすらも、と疑問を提出すると、建築家は一挙に神がかり的な高姿勢へと、自分を押しあげた。）

きみは少年たち、青年たちを熱烈に愛しながら、かれらを高みにみちびく道については、それを社会に公認させることを惧《おそ》れる。そこにこそ、きみがかれらに頽廃と堕落をもたらす理由があらわれている。きみは若者たちと、暗がりの低い所に潜りこんではお互いを汚し、腐敗させあうことにのみ熱情を持っているのだ。死体愛好者のような熱情を！

しかし自分は根本的に、きみとちがう。自分はすでにこの建物においてそれをなしとげたとおり、この閉じた「社会」の外側の社会、アメリカ全土にむけて、さらには全世界にむけて、若者たちを上昇の階梯のそれぞれの「位置」におく、そのための建築運動を準備している。とくに子供らの学校、子供らのための劇場、図書館において、まずそれが着手されねばならぬ。自分がかつては一般成人の身長、体重であったこの肉体を、凝集化・縮尺化して、いまこのように車椅子に坐った子供の肉体となりおおせているのは、まず自分を子供の肉体と同じ高み、ひとしい「位置」に置いて、そのような肉体と精神の眼から、世界がどのように見えるか、世界がどのように感じとられるかを知るためであったのだ。

自分はこの世界の全体を、子供の肉体と精神の規準にそくしてモデル化するために、子供としての自分の肉体と精神を、そのままこの世界のなかに置いてみることで、どのような空間とその構造が、子供にとってもっとも良い建築かを、日夜考えつづけているのだ。この自分の凝集化・縮尺化した肉体こそが、未来の全建築のための、新しいモデュロールたるべきものなのだ！

……このように宣言する建築家をよく見れば、それが可能なこととして胸から腰の間で二重、三重に体をたたみこむ具合に坐り、人工の朱儒《こびと》となったような、確かにそういうありようなのである。肉体のそのような外見の操作のために小道具として車椅子が必要なのであるらしい。その建築家が朱色の繻子の両腕を頭上にパッとかざすところは、小さく愛らしい犬の口をしている薔薇色《ばらいろ》の王様のようで、かれの背後の、むしろ酔いによってさらに慎重な身ぶりとなった婦人たちは、ひかえめにではあるがついに喝采した。論戦の当の相手であるビートニクの詩人すらもが、——この男は気狂いじみてファンタスティックだ、と鬚《ひげ》ダルマのような顔の、強度の近眼鏡のかげから眼をキラキラさせて若者らをあおり、かれらも心おきなくその喝采に加わった……

それにつづいて、パーティーの参加者たちが、車椅子の建築家の大きい構想の、現に具体化されている建物の内部を、参観して廻ることになったのは、自然の勢いであっただろう。すでに真夜中をすぎていたが、われわれは建築家を載せた車椅子を先頭に押したてて、とくにかれの構想の核心である、上昇の方向づけにそくし、部屋部屋を見て行ったのだ。パーティーの行なわれている一階は、他に集会室と図書室に使われているのみだということで、われわれはまず二階への階段を、むらがって昇って行った。車椅子は、さきほどまで建築家に沈黙の対抗心をあらわしていた若者らが、三方から抱えあげるように運びあげた。われわれはいかにも共通の昂揚感のうちに、次からつぎへと折れ曲がっては現れる、短い階段を昇る印象のままに、その広大な建物を、連続する無人の個室を覗きこみつつ経めぐった。

いや無人の個室というよりも、それはそれぞれに基底部の床の高さをことにする、箱の集積というべきものであった。もともとは大きいひとつの部屋であったのを、その内部に四つから五つの直方体を仕切りだすように分割し、それらのいちいちに、低い所から高みへ向けて上昇する動きの印象をあたえている。それが隣りの部屋では、前の部屋のなかの箱のいちばん高いものからはじまって、さらに上昇するという、現実にはありえぬことを、とくに色彩の眼くらましの技法によって繰り返しているのだ。

そしてとくに階段においては、この上昇の印象づけを具体的な事実にそくして強調しうるのであるから、そこを昇るうちに、自分が高い塔のうちに宙吊りにされたような気分になるほどだった。それをなおも昇ると、なにやら集団の狂気にとりつかれて塔の階段を駈けのぼる鼠どもの群れに、自分たちがなってしまったかという思いすらあったのだ。そのやはり共通に分けもたれた感情を嫌がって、行進から脱落して行く者もいたわけである……

なお行進につらなる者らが、建物の最上階に到った時には(建築の方向づけによって、われわれはその上になお屋根裏部屋があるのではないかと思ってもいたが)、ますます小さく分割された、箱のような個室のそれぞれの奥の、真っ暗な窓のむこうに、さきにその所在のみを確かめた巨大な樹木「雨の木《レイン・ツリー》」の葉の叢《むら》りがあると、むしろその大きい葉叢《はむら》のうちにこれらの部屋そのものが、鳥の巣箱のように包みこまれているのだと感じられた。そのようにわれわれは、ずっと無人の箱としての部屋を経めぐって行ったのであるけれども、最上階奥の隅の部屋の、四つに分割された箱のひとつにだけは、そこに居住する者がいた。

さきにいったとおり、この行進の気分を好まなくなった者がおり、また木造建築の階段と廊下の強度を自然に意識するということがあり、あるいはまた、奇態ではあるが同じ様式の繰り返しである部屋部屋の改築の仕方にあきる者もあって、その奥の隅まで昇って来ていたのは、車椅子の建築家と、その椅子をいまは二人で運んでいる若者らにビートニクの詩人、そしてアガーテと僕に、ボンベイから来たユダヤ系インド人の詩人のみであった。

そしてそれは望ましいことであったと思う。そのいちばんどんづまりの、建物の側壁から突出している箱のような部屋には、床じゅうをしめるほどの金盥《かなだらい》を敷いたなかに、四十過ぎの女が、それも顔の表情を見るかぎりさきほどまで建築家の車椅子の脇とうしろでおおいにかれの弁説を楽しんではアルコール飲料をたしなんでいた、穏やかな婦人たちとの近縁を感じさせる人物が、全裸のまま片膝立ちに坐り、頸《くび》から下を赤黒い液で塗りこめつつあったのだ。彼女はわれわれに黒い小さな穴のような眼を向けると、今度はその狭い箱型の額に、赤黒い液をまっすぐ横なぐりした……

ビートニクの詩人はなにもいわなかったが、むしろかれは感銘しているようですらあったが、ユダヤ系インド人の生真面目な詩人は、この臭気だけはがまんならぬ、という露骨な不平をもらした。それに対して建築家は、——この女性がいまいる部屋は、彼女のための「位置」ではない、今夜のパーティーのために、臨時に彼女をここへ移したのであって、その「位置」と場所のズレのために、彼女は平衡を失ったのだ、とそれまでの昂揚ぶりとはうってかわった、沈鬱な様子で弁解したのである。そしてアガーテは、インドの詩人の抗議へむしろ反感をあらわにして、——彼女が、自分の古い血液を使わねばならぬといって、それを非難はできない、彼女は新しい生きている自分の血を使って、あのようにすることもできるのではあるけれど、それは彼女の生命にとって特別な時なのだから、といった……

そしてその言葉をきっかけにするようにして、一挙に様ざまなことが起こったのだ。まずユダヤ系インド人の詩人が、つづいて僕が共通のことに気づいた。ついでビートニクの詩人は、むしろなにもかもを最初から見ぬいていたのにちがいないと、お互いの顔を見かわしてわれわれが認めた時、……つまり今夜のパーティーは、この精神障害者の施設の、ここでいま自分の生殖器からの血にまみれている婦人をのぞいた、すべての収容者によって開かれたこと、さきの飲酒しつづける穏やかな婦人たちはもとより、酒や食物をサービスしてくれた若者らに娘らも、その収容者たちに他ならぬと確認した時、階下からイラン人のジャーナリストであるセミナー参加者が駈け上がってきたのである。かれはメムバーみなで、すみやかにこの建物から退去することになったと告げた。

つづいて僕がくっきり覚えているのは、それまで車椅子に坐る少年のようであった建築家が、一挙にその身長を倍増させる具合に立ちあがり、むしろ人並より長身の体を前かがみに、アガーテの肩によりかかりつつ、階段を駈け降りて行くうしろ姿である。全身血にまみれている女性を驚かせぬように、いったんその下の階まで降りてから、楽しげな笑い声を響かせはじめたビートニクの詩人とわれわれにむけて、イラン人が語ったのはこういうことだ。

——みんなが階上へ向かってから、それまですでに奇妙だと感じていた、自分と韓国の英文学教師とが、地下のガレージの建築家の仕事場に降りて行った。そこには制服の大男が二人、アメリカ製のテレビ映画そのままに縛られ転がされている。隣りのコンパートメントでは、すなわちトイレでは、やはり縛られている看護婦三名も見つかった。かれらとの協議により、われわれがすぐさまセミナー宿舎の小型バスで退去すれば、われわれについては今日の出来事の責任につき不問に付すと、夜間警護人たちも承知してくれた。その後で、かれらと看護婦たちに叛逆した収容者らへ、なんらかの報復がおこなわれるにしても、それは自分らセミナー参加者の関知するところではない。それにこの施設そのものが、収容者の家族からの高額な入院費でまかなわれている以上、たいした処罰がおこなわれるはずはないであろう。……しかしこのような不祥事にまきこまれたことが新聞記事にでもなれば、韓国代表と自分には、帰国してから困ったことが起こりうるのだ。(それはホメイニ師による革命がおこる、数年前のことであった。)

そこでわれわれはそのまま、自分らの「位置」に戻ろうとして狭い階段やら廊下やらを右往左往する酔っぱらった婦人たち、そしていまもやはりうつむいている若者たち娘らに挨拶するどころか、かれらを押しわけるようにして、前庭ですでにエンジンの音をたてている小型バスに乗り込んだのである。僕としてはそのようにわれわれを追いたてているはずの、この施設の夜間警護人たちについてはその姿さえ見かけず、ただ誰もが背をかがめて右往左往しているなかで、おそろしく大柄な肩をそびやかした看護婦二人を見かけたのみであった。そして結局僕が、暗闇のなかから姿を現すそれを見ることのなかった、頭のいい「雨の木《レイン・ツリー》」の方角から、およそ悲痛の情念に内側から体が裂けるような、大きい叫びとしての女性の泣き声を、二度、三度聞いたのである。

バスはオートバイに分乗して逃げ去る若者らと前後して、急な坂道を、しかも折れ曲がるそれを、やはり逃げまどうようにして走り降りたのだが、暗い小型バスのなかでグルグル廻っているその泣き声の残響のごときものは、それまでずっと大声に笑いつづけてきたアメリカのビートニクの詩人をも、ついには故国の独裁体制への、このスキャンダルの影響を憶測する韓国とイランの、それぞれの代表と見わけのつかぬほどに、思いつめた憂い顔とさせたのであった。

……それにしても僕は、たとえどのように暗い夜であれ、明け方近かった空の明るみに向けてなら、黒ぐろとした全容を浮かびあがらせたはずの巨大な樹木を、バスの窓からふりかえることもしなかった自分を、いまは奇妙に感じる。その地面と接するところ、大きく襞のように張り出した板根の間に、彼女としての「位置」をさだめて椅子を置き、ポーチごしの書斎に「馬上の少女《ア・ガール・オン・ホースバック》」の絵を眺め、また当の樹木と対をなすもう一本の巨木のような、はてしなく天上へ向けて上昇する構造をそなえた建物を見あげるアガーテを、しばしば僕は思い描くのだが、彼女のいう頭のいい「雨の木《レイン・ツリー》」が、いったいどのような種の樹木であるのかを、確かめる手だてとて今はないのであるから……

「雨《レイン・ツリー》の木」を聴く女たち

（連作『「雨《レイン・ツリー》の木」を聴く女たち』の2）

一年ほど前、僕は十数年も書くことのなかった短篇を、ひとつ発表した。このように永くそのジャンルから遠ざかっていたことにも、そしていま自分があらためて当の分野で仕事をしようとしていることにも、つまり僕の作家としての生き方が、内部から新しく動きはじめているらしいのに、これから書く物語は関係があろう。結局僕は、人が死にむけて年をとる、ということをいっているのだが——ともかくもその久しぶりの短篇の主題は、「雨《レイン・ツリー》の木」であった。

それからしばらくして若い時分からの、友達というより友人にして師匠《パトロン》というのがあっている、音楽家のTさんから、「雨《レイン・ツリー》の樹」という音楽を書いている、ついてはきみの小説の会話の一節を楽譜のはじめに引用したい、と話があった。この楽譜と演奏の録音は外国でもつくられるから(むしろわが国より先に欧米で発売されるのが、このところのTさんの仕事のありかただから)、そのために当の文節を英訳したものもほしい、とTさんはいわれた。

僕はその英訳の作業を、大学の教養課程からの友達で、いまは母校にあり、われわれが友人になった際の年頃の学生を教えているY君に頼んだ。かれもまた僕にとって、その精神生活全体をおしはかりうるとはいえぬ、底深いところを築いてきた人間であって（かれは英国で孤独な永い時を研究生活にすごし、メランコリーの文学的時代思潮について長大な研究をなしとげた）、そのような学究としての友達と、ジャーナリズムでの自分の生き方への思いも、やはり人が死にむけて年をとるという課題の一変奏として、このところの僕にある。またかれと共通の教室にいたこともある友人が、これから僕の語る対象なのでもある。まず僕の小説での「雨の木《レイン・ツリー》」の定義を、音楽家のTさんの楽譜に引用されるはずの、Y君が英訳してくれたかたちで書きとめておきたい。

It has been named the 'rain tree', for its abundant foliage continues to let fall rain drops collected from last night's shower until well after the following midday. Its hundreds of thousands of tiny leaves — finger-like — store up moisture while other trees dry up at once. What an ingenious tree, isn't it?

僕はTさんが完成した「雨の木《レイン・ツリー》」を主題とする音楽を、初演の演奏会で聴いた。そこが音楽会の会場である以上、僕は精神と肉体の全力を注ぎこんで（こういう書き方を、

——ああ、例の大袈裟なやり方だと、若い批評家にいわれそうにも思うが、僕としてそれを、いくばくかのユーモアの自覚とともにやってきたのであることは、いいたい気もする)音をたてぬよう終始したのであったが、はじめから涙が流れつづけた。隣りの椅子の妻は、いぶかしげに、やはり音なく身じろぎするようだった。若いわれわれは理解しあって結婚し、共通の、大小の苦難に立ちむかってきたが、しだいにお互いのうちに、理解不可能なかたまりの所在を発見するようにもなっている。しかもそれがわれわれを離叛にみちびくのとは逆であるところに、やはり人が死にむけて年をとることに付随しての発見がある。

さきに共通の苦難といったが、その大きいものとしての、われわれの間に障害児が生まれたいきさつにそれは起因するのだが、当の障害児に関わる長篇を僕が書きはじめてから、夫の小説を読まなくなった妻は、Tさんの音楽の「雨の樹《レイン・ツリー》」についても、プログラムに標題を見て、——五月に雨の声をまなぶらむも、あはれなりという、あの檜《ひ》の木のことかしら？　と『枕草子』の作者のいう、露を集めて雨のようにふりそそがせる樹木の、そのけなげさを連想している様子だった。僕もそれをとくに訂正はしなかったのだ。

……僕がTさんの音楽から情緒的にすぎる感動をあじわったのには、「雨の木《レイン・ツリー》」の暗喩《メタファー》が力をくわえている。暗喩《メタファー》の喚起力ということについて、それがTさんの音楽の発想の段階で、つねに重要であることを、僕はつねづね考えてきた。それを示すために寄り道をすると、数年前にさかのぼるが、やはりTさんの演奏会のFM生中継の、休憩時間をうずめるために、僕ら友人がTさんの音楽についてのコメントを録音したことがあった。モニター室で僕の話を聴いていた、演奏会では主役を演ずるはずの、混血ではないのにまったく北欧風な顔をした日本人指揮者が、――暗喩《メタファー》だって、それなにいってるの？と権威にみちた不満をあらわした。僕はあたふたして、――Tさんが注記している、五角形の庭に鳥たちが舞いおりる、この暗喩《メタファー》は、デュシャンや滝口修造の……などと説明しようとしたが、若い指揮者は拒否的なままで、ついにはそっぽを向かれてしまった。その後で、僕はただこの指揮者が、暗喩《メタファー》という言葉を知らなかったにすぎぬと、気づいたのであった。「雨の木《レイン・ツリー》」の暗喩《メタファー》。当の小説を書いている間、そのように意識していたのでないばかりか、書き終えて時がたって、Tさんの音楽会の場で、自分にもはじめて十全に納得されたのだが、「雨の木《レイン・ツリー》」の暗喩《メタファー》をひとつ宙に架けるようにして提示することに、小説の目標はあったのである。ハワイ大学の『東西文化センター』のセミナーに出た経験をもとに、フィクションを加えてのことにちがいはないが、人間関係についてはは事実にそくして、僕はこの短篇を書いた。その想像力の発揮のモティーフとしては、書きすすめながらなお充分には把握していたといえぬ「雨の木《レイン・ツリー》」の暗喩《メタファー》があった。そして小説を書きおえてしまうと、やはりその意味が充分に意識化されたというのではないが、しかしそれでも、必要な力はすべてこの暗喩《メタファー》にしこまれたと、そのような手ごたえの「雨の木《レイン・ツリー》」がゲラ刷りを読む心の宙空にかかっていた……

小説の表層に関わるかぎり、その語り手も真夜中の暗闇のうちに、「雨の木《レイン・ツリー》」の総体を見きわめることはできない。ただ指の腹ほどの大きさの葉を(このいい方で僕は、指の腹がおさまるほどの窪みを持つとも示したかったのだが、指の腹という言葉は英語の表現になじまぬらしく、Y君の翻訳でも、その後コーネル大学から送られてきた日本語科の学生の翻訳でも、それはただ指の大きさの、ということになっていた)びっしりつけた巨大な樹木だと人物のひとりがいう。実際僕は芽ぶいてすぐのケヤキにひきつけられるけれども、それは樹幹の大きさ、樹枝の延長の広さに対して、不つりあいにこまかな葉が、しかし無数について均衡している、そのありようによってなのである。ハワイの「雨の木《レイン・ツリー》」は、この島で繰り返される深夜の驟雨《しゅうう》を、葉の窪みに一滴ずつためこむようにしてたくわえ、次の昼すぎまで滴《しずく》をしたたらせつづける。「雨の木《レイン・ツリー》」の樹かげの地面はいつまでも湿っている。

Tさんの「雨の樹《レイン・ツリー》」の音楽は、まっすぐ正面を向き、ある距離をおいて舞台を占めている三人の演奏者によっておこなわれた。Tさんの作曲の演奏において、その演奏者の位置は、近来ますます重要である。Tさんの音楽は、人間と人間の位置、人間と世界の位置関係を、宇宙論的な視座でならべかえる。そしてまったく新しく洗いだされた位置を、くっきりと提示する。まずそれはわれわれの耳に提示される音の位置だが、その音楽をつくりだしている人間、いま演奏《パフォーマンス》のさなかにある人間たちの、それぞれの間にはっきり認められる位置でもある。それは眼に見える位置である。

「雨の樹《レイン・ツリー》」の場合、はじめ舞台の照明はしぼられていて、演奏者の髪の輪郭のわずかな光や、男の服装にしては肩のパッドが張りすぎているシルエットなどから、中央のひとりが女性であるとわかるのみの、そういう暗がりのなかで演奏は始まった。三人の演奏者はみなパーカッションの専門家で、中央のヴィブラフォンと両脇のマリンバの前に立っている。しかしはじめに響いてきたのは調律された三個のトライアングルの音で——音楽についてのこのような説明が豊かな意味を伝えうるとは思わないが、それぞれのトライアングルの偶然のような和音、そしてこちらは人間の精神の営為だとはっきりしている不協和、ズレ。びっしり茂ったこまかな葉叢《はむら》から、たえまなくしたたり落ちる雨の滴、そのようなトライアングルの音質と進行に、僕は暗黒の宙空にかかっている幻の樹木を見た。そして僕がこの小説で表現したかったものは、その「雨の木《レイン・ツリー》」の確かな幻であって、それはほかならぬ僕にとっての、この宇宙の暗喩《メタファー》だと感じたのである。自分がそのなかにかこみこまれて存在しているありかた、そのありかた自体によって把握している、この宇宙。それがいまモデルとして「雨の木《レイン・ツリー》」のかたちをとり、宙空にかかっているのだと。僕は「雨の木《レイン・ツリー》」という宇宙モデルを、暗喩《メタファー》として提出するのに数多くの言葉をついやしたが、ともかく暗喩《メタファー》は音楽家に伝達されて、それと照りかえしあうもうひとつの「雨の木《レイン・ツリー》」の暗喩《メタファー》が、それもこの音楽家のいだく宇宙モデルに重ねられ、いまあらためて暗い舞台に鳴りひびく……

そのうち音楽はヴィブラフォンと二台のマリンバによる、およそ闊達な、大きい骨格とひろびろした展望の世界に移行した。僕はひとり魂を浄化されたように、なお「雨の木《レイン・ツリー》」の宇宙モデルの影響下にあって、声にならぬよう息をとめ、涙を流していたのである。そしてその涙には、僕がハワイでのセミナー期間に経験しながら、あの短篇に書くことのなかった出来事が、直接に関係しているとも自覚された。音楽家のTさんはおよそセンチメンタルな表現者でなく、僕もまたたとえ涙を流すにしても、それをかならずしもセンチメンタルなのみの行為とはみなさないが、僕がハワイで経験しながら、むしろそれを隠蔽するためのように、それぬきの話として「雨の木《レイン・ツリー》」の話を書いていた間、僕はある悲嘆の気分につきまとわれていたのであった。

しかしその悲嘆の気分について、それを引きおこした直接の出来事は排除しつつ僕が短篇を書いたのである以上、はっきりそこに当の悲嘆の気分が刻印されているかどうかはさだかでない。あの小説の言葉の積みかさなりに火を放って、一瞬あがる炎ともいうべき暗喩《メタファー》「雨の木《レイン・ツリー》」、つまりこの小説を書くことで僕が確かめようとした宇宙モデルは、どのような情緒的色彩をおびているだろう？　小説は、ついに具体的な「雨の木《レイン・ツリー》」を見ることなしに、それが生い茂る中庭を後にする語り手が、「雨の木《レイン・ツリー》」の方角から、悲痛さに体が裂けるような女の泣き声を聴くことでしめくくられた。

しかし僕が深夜あのハワイ滞在を思い出す際などには、「雨の木《レイン・ツリー》」のもとにはつねに、僕の不幸な友人が連れてきたもうひとりの不幸な女がニュー・イングランド風の椅子にかけているのである。そしてこの「雨の木《レイン・ツリー》」の葉叢にかさねて女たちを覆っているのは、悲嘆の気分だというほかにはない。しかも、第三、第四の女たちが、そこに集まってくる気配もある……

さて僕は悲嘆という漢字に、英語の grief というルビをふりたいと思う。つまりは、悲嘆《グリーフ》の気分と書きたい。それというのも、僕がいま不幸な友人と呼んだかつての同級生が、その生涯の最後の挨拶をするために（それはなんとも汚らしいもの悲しさに、なにもかもを染めつけてしまう挨拶だったが）僕の宿舎にあらわれたのが、ハワイでの出来事の発端であるからだ。そしてその友人が若い時分に常用した言葉が、grief という英単語であったのだ……

かれのことを僕は、教室で呼びならわした名で表記する。もっともそれは、かれが大学に登録した名そのままではない。しかしかれはそのように呼ばれることを望んだ。それがかれの十八、九ころから生き方の基本態度とした、自己の神秘化、韜晦《とうかい》のひとつであったことはわかるが、その理由はあきらかでない。しかし教室の友人たちには、そのようなかれに対して、——ああ、そうかい、それならそれでいい、そう呼ぼう、という具合に、軽く受けとめるところがあった。おそらくはそこにもかれの不幸の始まりはあるのだが、そしてわれわれ友人はその点について咎められるべきところがあるのだが、じつは僕自身、いま次の事実を認めて驚くのである。高安カッチャンという呼び名、僕としてもこの二十年来それがあまりしばしばであったというのではないが、その名を耳にしてはビクリと心を戦《おのの》かせることのあったかれの呼び名の、そのカッチャンがどういう漢字にもとづいたかを知らないのだ。国外からはもとより、国内からもかれはK. Takayasuと署名して手紙を書いたのだったが……

ある時、その高安カッチャンが、駒場の教養課程で同じ教室だった者らすべてに、つまり本郷の学部に進学してからは仏文、英文、西洋史などの学科に分かれた、なかには野球部で名高かったA君のように農学部に行ったりもした、そのすべての同級生にあてて、タイプで打った英文の手紙をよこした。一九五七年春のことだが、手紙の消印がアメリカはヴァージニア州のシャーロッツヴィルであることは疑いようもなかったのである。高安カッチャンは、なお外国留学の機会がかぎられていたこの年に、しかも英文科に在学している学生の身分で、どのような手づるによるのか、アメリカに渡っていたのだった。それもかれは、その年からウィリアム・フォークナーがWriter-in-Residenceとしてヴァージニア大学に着任することを知っていたのであり、そこでのフォークナーの講義を聴くために渡米したというのである。

そこでわれわれ同級生のうちには、その二年前に日本に来たフォークナーとじかに談判した高安カッチャンが、この高名な作家をつうじて渡米の糸口をつかんだという者もいた。高安カッチャンは手紙で、フォークナーの講義は、学生たちとの質疑応答だったとつたえた。高安自身、当の教室に坐っていたのか、後からカフェテリアかなにかでその噂を聞いたのかはあいまいなままに、しかし権威とともに手紙を書いてくる、その仕方が、僕がかれを知って以来つねに感じつづけた性格のひとつなのだが、ともかくかれを感銘させたフォークナーの言葉だというものを書きしるしてもいた。ある学生の質問に答えて、フォークナーがいったというのだ。……between grief and nothing, man will take grief always.

これについて、フォークナーを専門に読んでいた英文科進学の仲間を中心に、僕もそのひとりであったことを告白しなければならぬのではあるが、あらかたの同級生は、この英語の一節ゆえに高安を嘲笑《ちょうしょう》したのであった。つまりここに教室のフォークナーの言葉とされるものは、『野生の棕櫚《しゅろ》』の結びの、あの悲劇的な決意の美しい表白を丸うつししたものじゃないか、そうである以上、決してフォークナーがしゃべりそうにない言葉とはいえまいが、と。Yes, he thought, between grief and nothing I will take grief. そういうわけで、高安の訪米への嫉妬まじりのひとさわぎは、なしくずしにおさまっていったのである。

しかし、二、三年たってのことだったろう、僕は小説を書きはじめて、研究室とは無縁な道を歩きはじめていたのだが、大学院に進んだ、さきのフォークナー読みから電話があって、――まいった、まいった、高安カッチャンの例の手紙に書いてきたやつね、フォークナーの言葉、あれはあのとおりだったよ。『大学のフォークナー』というタイトルで、講義記録が出版されたんだがな、出てるんだよ！　フォークナーという人も、芝居気たっぷりなことをやるなあ！　と嘆いたのであった。それできみ、あれ以後の、高安カッチャンの消息聞いた？　あのまま復学していないんだけど、学生課のいうところだとね、まだ除籍にはなっていないそうだよ。どういうわけなんだか……

その時、僕は高安カッチャンの消息を知っていたが、友人にはなんとなくいいだしかねた。なぜなら高安カッチャンは帰国していて、大学の籍は維持できるように手をうちつつ、しかしヴァージニア大学までフォークナーを追いかけてゆく積極さで歩んでいた学者の道はほうり出すと、小説を書くことに専念していたのだ。そのようにして次つぎに作品を書きあげるものの、あてにする雑誌からは軒なみつきかえされて、はやくも悲嘆《グリーフ》という言葉が、かれの常用するところとなっていたのだが。それも高安カッチャンが僕に面とむかっていったところによれば、――きみのようにありふれた男の小説がマスコミにむかえられ、一応それに触発されて始めたことは認めるが、おれのように個性豊かな男の書くものが無視されるというのなぞ、実際怒りより悲嘆《グリーフ》を感じるよ！　というわけなのだ。

そしてかれは、なんとか作家として仕事をつづけている僕に対してはもとより、大学院へ進んで順調に学問の方向づけにある同級生たちに対しても、子供じみているほどの憎しみを示した。——あいつらの下級生として教室に出られると思うか？　それも大学院入試では、あいつらが試験監督に来るというんだよ！　と。そのうちに結局大学とも縁を切って再び渡米することになり、そしてそれからはずっと外国での噂しか聞くことのなかった高安カッチャンが、二十年ほど時をへだてて、ハワイ大学の『東西文化センター』に突然あらわれたわけなのだ。しかもどうやらアルコールとそれにあわせて薬物中毒のあるらしい衰弱をあらわしてズズ黒く、しかし背はまっすぐに伸ばして、過度に優雅な煙草の喫《の》み方をする高安カッチャンは、なおも僕をふくめた同級生たちへの憎しみを持ちつづけている。それにいまは外目にも見てとれる重たげな外套《がいとう》のような悲嘆をまとっているのであった。いまもし高安カッチャンが生きていて、この直喩を眼にするとしたら、どんな冷嘲の身ぶりを示すか？　そういう一種の懐かしさもあり、ハワイの話として場ちがいなこの修飾句を、定稿にいたるまで僕は残しておこうと思う。

——国際作家よ、ハワイまでドサ廻りに来たか？　それにしてもきみは英語を話せるのか？　とまず高安カッチャンはいったものだ。実際僕は『東西文化センター』のセミナーに、英語力の貧しさから大汗をかいていたのであるから、日灼けまでが衰弱のしるしのようであった高安カッチャンは、その同級生を見る眼において、なお鋭い批評力を保っていたのだ。

ともかくも二人肩を並べて、センターの教員と学生のための食堂へ向かおうとするわれわれに、寮の三階から声をかける者がいた。――日本人は、そんなに憂鬱げに、だからといって泣き出しもせず、連れだって歩く国民か？　Ken、パール・ハーバーを忘れるな！　元気を出せ《ベア・アップ》！　と悪意のない嘲弄を、つまりは励ましをおくってくるダルマのような髭面のアレンが、高名なビートニクの詩人であることを僕がいうと、高安カッチャンは突然嫉妬に燃えあがらんばかりで、当の詩人の近年の仕事をこきおろした。初期のアレンの仕事の大きさを、どのように評価してもしつくすことはできないと考える僕は、その点についても、かつて英米文学の専門研究者たらんとした高安カッチャンの批評力を認めたい。それにしても永い時をおいてのこの旧友再会は、そのはじめのシーンから悲嘆《グリーフ》の気分のつきまとうものであった。いまとなってはとくにそのように思い出される。

Tさんは演奏会の冒頭、すべて自作である当日の演目について解説された、とくに初演の「雨の樹《レイン・ツリー》」の音楽についてては、もちまえのひかえめではあるが鋭敏なユーモアをこめて、詳しく話した。――僕は三角関係に興味を持っているんですよ。この男二人と女ひとりの演奏者による音楽は……そこで会場に好意にみちた笑いがおこり、Tさんの言葉はよく聴きとれなくなったが、実際に演奏がはじまってすぐ、僕は、宙空に「雨の木《レイン・ツリー》」の暗喩《メタファー》がかかるのを見た・聴きとったといった、さきの経験にかさねて「雨の木《レイン・ツリー》」の暗喩《メタファー》が三人の男女によって具体化されてもいるのを感じたのだ。それは作曲の構造づけの核心にまっすぐみちびかれるようにしてまず感じたが、当の音楽の、骨太な展開の進みゆきの間も意識に残りつづけたのであった。

そして僕が「雨の木《レイン・ツリー》」の小説の動機づけにもちいたハワイの短期滞在で、現実に体験しながら小説の表層からは消しさっておいた出来事が、やはり三角関係といわねばならぬところのあるものだったのである。それは奇妙に捩《ね》じれたかたちの、いわばひずんだ球体に描いた三角形の、とでもいおうか、それも高安カッチャンの生き方の根柢《こんてい》にあるものが危機的なあらわれを示す際、その三角関係の形式をとるようだと、僕には認識されていたのである。

高安カッチャンは、ほぼ二十年もの間隙の後、そうしたことは意に介さぬふうに、セミナー参加者の宿舎玄関にあらわれてすぐ、すでに書いた挑発的ないいかたをした。それにつづいてかれが語りかけたのは、夫子《ふうし》自身を一員とする奇態な三角関係の、もうひとりのメムバーの運命に関わっていた。もっともそれは高安カッチャンがあの午後した話を信ずるとすれば、ということなのであるが……

——おれがわざわざきみに会いに来たのは、と高安カッチャンは、僕がしだいに加速度的に示すやもしれぬ懐かしさを、あらかじめ遮断したがっている具合にいったのだった。つまりは異国で旧友に会っての箍《たが》がゆるんだような親近感を拒むという具合に、きみと会うこと自体が目的じゃないんだ、と。斎木正彰が白血病で死んだね。その葬式を、きみが葬儀委員長としてやったということだ。おれたち同級生による葬儀、という建前だったそうだから、おれにも一言する権利がある。当然そうだろう？　それをきみは自分の名誉心のために、およそ不似合な大葬儀場でやったというじゃないか？　費用は斎木のテレビ会社に負担させて。あまり良い評判ではなかったそうだよ。どうしてそういうことをやったかね？　国際作家ともなると、ケチな葬儀場にはお出ましねがえないか？

――そういうことじゃなかったよ、そういうことではないんだが……

――しかし青山葬儀場でやったのは事実じゃないか。それを死んだ斎木が望むということはありえぬし、斎木の会社の首脳部は、なんとか場所を変えようと骨を折ったということじゃないか？　それを斎木の、その噂についてならおれも知ってる、例の女房ときみとが、立派な葬儀場を主張したというじゃないか？

――きみの質問に、きみ自身で答を出せるヒントはあると思うがね。しかしきみがそのように問いつめて、僕の口から答をもとめるというのなら、いうことはあるよ。それがきみにどういう意味を持つかは別にして……

――あいつの人生の転回点で、おれは大きく影響した人間だと思うからね、あいつの死の後でも、葬式の仕方などでつまらぬことをいわれたくないんだ。不愉快なのさ、つまりは斎木があわれでね。

高安カッチャンの話の前半について、僕はわけがわからない思いをした。しかもかれの、斎木正彰の葬式についてのものいい自体に受け入れがたいところがあったのだ。むっとした僕のその反応に、高安カッチャンもすぐさま反撥し、そこでわれわれは黙りこんで、火山島の斜面らしい高低を生かした敷地の、寮の高台から下方に見える、教員と学生用の食堂に降りてゆこうとした。その、芝生のなかに丸石をしいた細い道で、頭上からビートニクの詩人に声をかけられる、という出来事があったのだ。つまりはこの詩人の観察眼も正確だったといわねばならない。

われわれは『東西文化センター』の食堂で、といってもそこは教員のためのものでもあるが、やはり学生の食堂であって、両側に陣どって話すには大きすぎるテーブルが並んでいる。したがってわれわれはそのテーブルに並んで腰をおろしたが、それも高安カッチャンには、満足ななりゆきでない様子なのであった。そのように肩を並べることで、あらためてかれは過度の懐かしさをおしつけられることを避ける難しさを憂える具合だったのだ。かれはそれまでこきおろしていたビートニクの伝説的な詩人のかわりに、今度は当の食堂自体に攻撃の目標を転じて、――国際作家もこういうところでめしを食わねばならないか？　ハワイ大学はもっとましな待遇を準備しないかね？　というのだった。

――僕としては気にいっているよ。われわれのセミナーの参加者のうち、大学の外のレストランに出かける連中もいるようだけど、おおむねここで食事をすることに不満なようじゃないね。エンライトという、日本でも教えたイギリスの文人ね？　かれのアジアでの足跡を調査して本にした学者がいるんだ。かれはわれわれのセミナーでいちばん上流の出身だし、年をとってもいるんだが、毎朝ここで会うとね、ハワイの朝の光のなかで、日本式の庭園を眺めて、ここのイングリッシュ・マフィンを食うのはすばらしいと、天国の楽しみだというよ。

われわれは現にその、日本政府から寄贈された資金による庭園に向かって、もっとも午後の光のなかではcelestialというほどの眺めではなかったが、ともかくそれを眺められる窓ぞいに坐っていたのだ。しかし高安カッチャンは、庭園に関心をあらわすかわりに、――その学者は、英語を話せぬ日本の作家を、ただからかってみてるのじゃないか？と突きはなしたのであった。それでどういう料理が出てくるんだ？　おれのような外部の人間にも、ここで食事をすることは許可されているのか？　たとえばきみのような立場の者と一緒なら食えるのかい？

すでに食事をしている学生はまばらだったが、まだ昼食時間の下限のうちではあった。さきに食事をした自分はそれとして、僕はセルフサービス式に料理を選ぶ囲いのなかへ、高安カッチャンを案内した。そこで高安カッチャンが盆《トレイ》に選んで載せる食物が、いずれも中国と日本の家庭料理をミックスしたような、つねに醬油を、つまり当地でいうソイソースを使った料理のみであったことを覚えている。それに氷水のバケツでじかにひやしたビールの、アメリカのビールより幾らか値段の高い、日本からの輸入ビールを、小瓶ではあるが八本も盆《トレイ》に林立させたこと。そして緑茶バッグをひたす白湯《さゆ》のために、紅茶の茶碗でなくガラスの大コップを選ぶので、それが熱湯に割れはせぬかと気がかりであったこと。地下鉄の入口のような囲いの関門で、僕に金をはらわせる高安カッチャンの、大様なような狡猾なような態度よりも、その料理の選択のことが記憶の中心にあるのは、すでに日本で暮らした日々とつりあうほどの永さの外国暮らしの高安の、その食物の嗜好が、強迫観念に類するほどにも日本指向であり、しかもしばらくぶりで会った日本人の、それも大学の同級生である僕に隠すそぶりを見せなかったことである。

高安カッチャンは、紅茶を盆《トレイ》にとってきたのみの、したがって見かねてかれの盆《トレイ》からビールを移して運んでやった僕に、儀礼的に一杯すすめはしたものの、すぐにひとりで飲みかつ食いはじめながら、あらためて僕に文句をつけた。

――きみは自分の葬式が、つとめていた会社の上層部には総スカンだし、朋輩には嘲笑まじりで眺められるような、そして参列者もあらかたとまどうような、立派すぎるものにされたとして、斎木の身になってどうかね？　おれはここの税関で面倒を見てやった日本のカメラマンから、その話を聞いたんだ。それもくわしく聞いたからね、それがきみと斎木の女房の方針だったことを知っているんだよ。たとえ一緒にテレビ番組で働いたやつでも、斎木の生涯とは深い関係のなかったカメラマンなどに、非難がましく噂をされたのが不愉快でね。おれは斎木があわれなんだよ。

高安カッチャンが「照焼ライス」という大皿のものを食い、「パパイヤ豆腐チャンプルー」という、これは沖縄―ハワイのルーツをたどることのできるはずのものを食い、そして日本からの輸入ビールを、これはアメリカ式に瓶からじかに飲みつづけるのを、僕は紅茶をすすりながら聞いていたのだが、ここにいたって反撃しないわけにはゆかなかった。

――高安カッチャン、きみは死んだ人間の魂を信じるか？　僕は信じないよ。だから死んだ人間について、その死後の出来事とからめてあわれだとは思わないね。ともかく葬式は、生き残っている人間のためのものだよ。われわれ同級生は、なにより斎木の奥さんの意図を尊重したんだ。葬儀委員長などといってもね、僕はなんにつけ未亡人のいうとおりにして、彼女が敵に廻す相手には、僕も一緒に対立することにしただけだ。その敵というのが次つぎに出てきたけれどもね。仕方がないじゃないか？　夫を急に白血病で亡くして、絶望している女がいたら、彼女が常識はずれのことをするにしても、僕は葬式の前後くらい彼女のやり方に反対しないね。

――カメラマンは、きみへの世評も詳しくつたえたよ、と高安カッチャンはいった。きみはきみで報いも受けているわけだ。そんなことなら自分はいいというのなら、まずは美談だがな。斎木の女房はまだ魅力的かね？　……いや、おれは特別きみに皮肉をいうのじゃないよ。もっと一般的な意味で、彼女は噂の高かった女だろう？　おれが税関で世話をしたカメラマンも、彼女がつとめていたバーに行ったことがあるそうだ。彼女はね、きみとちがってな、これはそれこそきわめつけの、国際作家の femme fatale だったともいうじゃないか？　それは以前からおれも聞いていた噂だが、カメラマンはその話も、格別に面白おかしくしていったからね。

　高安カッチャンのビールの飲み方は、およそふつうではなかった。そもそも僕はかれが訪ねてきた出合いがしらに、高安カッチャンがいくらか酔っていることに気づいてもいた。そこで僕としては、かれの話がしだいに下品になりまさるのに、まともに腹を立てるということはなかったのだ。それも大学の初年級のクラスで、高安カッチャンの饒舌《じょうぜつ》を取り巻くことしばしばだった、若者らしい軽蔑まるだしの沈黙を思い出してというのですらなかった。ただどうにもうとましさの思いが先に立って黙り込み、なお残っている栓を開けたビールの列を、うんざり見まもっていたのである。

　――どうしてあの斎木正彰が、その種の女と結婚したか、それが問題なんだが、きみたちは斎木の葬式に同級生で集まって、その話をしたかい？

　――その種の女ときみがいう、それでなにを意味したいのか、僕にはよくわかっているとはいえないがね、われわれは集まって、彼女の過去の話はしなかったよ。それはわれわれの問題じゃないから。それに、きみの問題でもないのじゃないか？

　――そうかい？　まあ、そうだね。おれは斎木の女房を直接には知らないからな、どういうことになってもおれに責任はないんだ。それに四十面をさげてカマトトのきみたちが、その種の女というような表現を好まぬのもわかるよ。きみたちは東大をスンナリ出て二十年、あけてもくれても上昇志向だものな。いまや大学の助教授だったり文芸雑誌の編集長だったり、民間放送の中堅幹部だったりさ。ＮＨＫ官僚だったりすらもするわけだ。きみは国際作家だしな……

——きみがそういうのなら、と僕はおよそ荒涼たる気分でいったのだ。斎木正彰がその人を愛して結婚して、遺された子供も幼い人が二人いる。その未亡人について、きみのいうことは根拠もないし、もともと出すぎたことだと、僕としていうよ。斎木は意識のある間、自分が白血病だと知らぬふりをしたが、僕は最初からかれがそれを知っていたと思っている。斎木が総合ディレクターだったラテンアメリカ紹介の番組で、僕が文学の側面を語った際に、エヴァ・ペロンの話が必要でね。ほらペロン大統領の前の夫人の聖女エヴァさ。彼女の白血病による死を現に話し、それに関係して被爆者の白血病についてもね、原爆病院のフィルムをいれたいと斎木がいいはじめた。これはラテンアメリカにスペイン語版を送る企画でもあったからね。その時かれはこの病気についてよく知っていたよ。その斎木が発病してすぐ、夫人に「僕はきみの人生をメチャメチャにしてしまったね」と、いったというんだ。斎木らしい語り口じゃないか？　夫人は医師やら看護婦やら、相手かまわず喧嘩をしたりもしたらしいが、それはそれで彼女がいかに夢中になって看病したかということだ。僕としてはそれで充分だね。斎木の結婚について立ちいったことをいう気持はない。もとより自分に、かれをあわれがる権利があるとも思わないよ。

そこで高安カッチャンが、売り言葉に買い言葉というふうにいいつのってきただろうか？　そうではなかった。こうしたところが、若い時分のかれとは大きなちがいで、別れてからあと気にかかった、かれの新しい態度なのだった。実際それがなければ、この日の深夜、高安カッチャンが中国系アメリカ人の女性を連れて、宿舎の僕の部屋にやって来た時、ドアを開くことはしなかったと思う。ともあれさきのように僕がいいかえした時、高安カッチャンは両肱《りょうひじ》をテーブルにつき、頭のうしろを両掌で支え、大きく鼻を鳴らして嘆息した。そしてあらかた食い終わってということではあるが、盆《トレイ》の食物にすっかり興味を失ったように忌わしげに顔をそむけた。そのうち気をとりなおしてということだろう、残っていたビールを二本、たてつづけに飲みほすまで、僕に一語もかえすことはしなかったのである。

それから高安カッチャンはいかにも低姿勢に、しかし考えてみれば、さきに高姿勢でいったことをただ繰り返したのであった。

——しかし斎木が日本に帰って仕事に戻り、東京のマスコミ生活のなかでバーの女と結婚する、ヨーロッパでその転回点をつくり出したのはおれだからね。それを思うと心が痛むんだよ。つまりはあいつがあわれなんだよ。……おれはきみにその話を聞かせるつもりで来たんだが、しかし長い話だから、きみ、ビールをもう二、三本持って来ないかね？日本の水を使ったやつが、いまのおれの胃腸に合うんだがな。

僕はむしろアルコール症をあからさまにした高安カッチャンへの冷淡な気分から、かれのいうとおりに日本からの輸入ビールを持ってきてやって、その打ち明け話を聞いたのだ。まだ午後三時だったし、そこは大学構内の教員と学生の食堂だった。ビールを運んで、支払いカウンターを通り抜ける僕に、国際結婚してこちらに来ているのだといい、二、三日前、それでは東京の御家族にお元気だと電話しましょうかというと、それは差しさわりがあってと笑った女性が、あからさまに辟易《へきえき》した態度を示したものだった。

しかし高安カッチャンが長ながとした話は、生前斎木から聞いていたところを足場にして、すぐさまそのつくりもの性をあきらかにできるたぐいなのだ。事実と見ていいところについては、もとよりそれは斎木の側から見てのことであるけれども、ずっと前に斎木がそれを僕に話していた。斎木は、三十歳の春、つとめていた民間放送の社内の位置はそのままに、フランス政府に選ばれた職業研修生として渡仏した。そしてかれはO・R・T・Fと改組されたばかりの国営放送局で学び、かつ仕事をした。かれはその期間につくった人間的なつながりを律義に育てたので、斎木の葬儀の際にもっとも感銘深かったのは、そこでのもと同僚からの弔電だった。それは五月革命の際に独自の役割を果たした、このフランス・ラジオ・テレビ放送局での、斎木の外国人らしいひかえめさと、しかし果断な行動とを回顧していた。

その五月革命の騒乱のしずまった直後、突然アメリカの高安カッチャンがパリを訪れたという話を斎木から聞いていたのである。高安カッチャンはわが国の電鉄会社系大資本の一族の娘と同行して、ニューヨークからパリに飛んできたというのだった。そして高安カッチャンは、アメリカとヨーロッパに進出している、当の大資本の文化的な前衛を構築するために、英・仏二国語による国際誌を出すプランを示した。そこで放送メディアとはいえすでに国際ジャーナリストといっていい仕事をしてきた斎木に、編集権の半分をゆだねるといったのだ。大資本の娘は、高安カッチャンのいうかぎりかれの愛人であって、この事業にはもとより、この事業に賭ける高安カッチャンに情熱を燃やしている。資金面の不自由は一切ない。そのようにいって高安カッチャンは、斎木に決断をせまったのだった。

もっとも斎木は、この話を滑稽譚のようにして、――そうだ、パリでは高安カッチャンにも会ったんだけど、昔のままだったよ、と話し始めたものだ。したがって高安カッチャンが深刻な出来事として話すことが、せんこく底の割れたホラ話としか僕には聞こえなかったわけなのだ。すでに斎木がこう語っていたのだから。――高安カッチャンが、計画の金主だといって連れてきた人がね、例の＊＊の娘なんだけれども、カッチャンの話とはずいぶんちがったなあ。かれの愛人のはずが、ものすごく不愛想でね、話にもなにもならないんだよ。ブンむくれで、そこいらを睨んで黙っているからね。そのまま＊＊の娘は東京へ帰るし、高安カッチャンは、割引切符の往復券の都合でね、ニューヨークへ舞い戻るほかないということで、それっきりだよ。あいかわらず不思議な男だなあ。僕は事実、活字メディアに興味があったんだけど……

僕と一緒にこの話を聞いた、やはり同級生で大手の出版社の社長秘書をやっている友人が、かれはおよそ同級生から信頼される人柄で、斎木の葬儀では司会役を見事にはたした人物だが、――高安カッチャンは妄想を持つんだね。しかもその妄想が現実に根をつなげてもいるから、そこが困るんだね、と憂わしげにいった。ああいうふうにして生涯を、不発に終わるのかね。ずいぶん才能のある人だと思うがなあ。

――いやいや、斎木によると高安カッチャンはさらに雄大な計画を持っているようだったよ。それは当然軽はずみに口には出せないわけね。その計画が実現したらば、これまでのかれのマイナスのカードの積みかさねが、一挙にプラスに変わるはずのものらしいよ！

僕はその計画の役に立たなかった、といっていた。

高安カッチャンが僕に語った物語では、しかしかれの愛人であった大資本の娘に斎木がたちまち熱中してしまったことが、計画蹉跌《さてつ》のおおもとにあったというのだった。娘は高安カッチャンを排他的に愛している。そして斎木の求愛がうるさくてたまらない。高安カッチャンから見れば、その計画に娘も斎木も必要である。しかし娘は斎木に心を移さぬし、斎木は斎木で、娘への愛を拒まれたままではおよそ計画参加どころではない。

――それでおれは、斎木にいったんだよ。いいじゃないかと、おれたち二人で彼女を共有しようじゃないかと。おれがね、彼女に、それが最良の方法だといえば、彼女はすすんでおれにしたがうんだ。国際的な高い教育を受けて育った女だから、それだけ自由だし、なによりおれの事業計画を尊重しているから、結局はおれの意志にしたがうと。すぐに彼女を説きふせるから、おれたち三人で共棲の関係をつくりだせるように、まずアパートを借りようと、斎木にそういったんだよ。大きいアパートにすれば、雑誌の発刊準備局にも使えるだろう？　資金は問題ないんだから。ところが斎木はね、その場になって変に古風なのさ、大体がおれの提案にショックを受けてしまったんだよ。

つづまるところ斎木は、国際的な総合雑誌の主幹として、汎ヨーロッパ的に活動する道を自分で閉ざしてね、またもとのテレビ会社に戻ってしまったわけだ。東京でそんなことをしていても、ニューヨークやパリから見れば無にひとしいのにね。大体、あとに残らぬ仕事だしさ。加えて女性に対しても、国際的に高い教育を受けたタイプには、拒絶反応をおこすようになったのじゃないか？　むしろその対極にあるタイプと家庭を持ちたかったのだと思うよ、あの傷をもいちどあばかぬようにさ。おれが自分に責任を感じ、斎木正彰をあわれだといって、立ちいりすぎだとまだ思うかい？

……ともかくあの事業の中絶は残念だよ。その後、同種の雑誌は出ていないしね、日本人の知の分野の、公的な損害だったね。おれ自身としていえば、この雑誌に英・仏語の大河小説を発表するはずだったんだ。構想は全部できてたんだよ。やがて書くには書くつもりだが、しかし発表機関がきまらぬうちは、筆が動きはじめないものだね。きみもそうじゃないか？　おれの場合、国際的な総合雑誌でないと、構想が生きてこぬという仕事だからね、まったく厄介なんだよ。つまりはな、きみの仕事とは競合せぬものだから、安心していてくれ。

その気になれば、僕は高安カッチャンに、——いや斎木から聞いたところでは、その大資本の娘に関するかぎり、きみの連れてきたブンむくれの不愛想な女として記憶しているのみだったよ、ということもできたのだ。また、——きみの話が事実だとすればなおさらのこと、斎木が去った後、きみがその女性と別れねばならない理由はなかっただろう？　そうたやすく別れることのできる関係でもなかったようじゃないか、と反問もできた。

しかし僕は黙ってその長広舌を聞いていたのみだったし、高安カッチャンが僕の受身な反応に苛立って、その大河小説の構想とは、地球上の様ざまな場所に、それぞれ別べつに生きる男女たち、しかもそろって現代世界の運命打開に責任のある立場の男女たちが、宇宙のへりでの鷲の羽ばたきに感応して行動をおこす話だ、とうちあけた時にも、黙ったままでいたのだった。しかし宇宙のへりの鷲の羽ばたきのイメージは、斎木正彰がテレビ会社の激務のかたわら準備していたという、そして僕の知るかぎりその妻にのみ語っていたという、かれ自身がやがて書く小説の構想だったのである。

したがって僕は公平に見て、高安カッチャンに寛大すぎるほどだっただろう。しかし夕食の時間帯が来る前に、清掃婦らの仕事が始まって食堂を追い出される時、高安カッチャンは受身に終始した僕の反応に直接不満をあらわして、次のような捨台詞《すてぜりふ》を吐いた。それでも僕は高安カッチャンを厄介払いできることに気分を明るくして、ワイキキの浜へ下るバスの停留所までかれを送りさえしたのであった。

——斎木正彰の想像力の欠陥は、おなじくきみにもそなわってるのじゃないか？　卒業まで東京大学にすがりついていた連中に、それは共有のものだからね。つまり、いろんなことをいってもさ、結局は保守的なんだよ。男たちが協同して真に偉大な仕事を達成するために、ひとりの女を共有できると、どうして考えられぬかね？　男同士ならば、ついには対立する瞬間がある。しかし介在する女が優秀ならば、決してかれらを離叛させはしないよ。そのように女は、女性独自の大きい力を発揮して、失われかけた友情を回復させる。そして偉大な協同作業にむかわせるよ！　一体いつまできみたちは一夫一婦制のつまらぬ幻想に縛られているつもりだ？

その真夜中ちかく、宿舎の個室のドアをノックする者がいる。セミナーの初めから左隣りのボンベイの詩人のところへは夜になっても来客があったが、それまで僕には皆無だったから、隣りのドアだと考えてベッドから出て行かなかった。壁ぎわにつくりつけの妙に背の低い兵隊ベッドで、そこに横たわっていると、ノックは天井のあたりまで響きわたるようなのだ。廊下でしきりに憤激してくぐもり声を連れにぶつけている男の言葉が、そのうち僕の感じとったままに書くならば、それが英語であることは確かにもかかわらず、いわばもうひとつの日本語のようなのだ。そこで僕は立って行った。

ドアを開く、その勢いを押しかえす具合に、すでに電灯が消された廊下から、日本酒の臭いの棒を吐きかけて高安カッチャンが入って来た。そのまま僕をかかえこもうとするのだか、押しのけようとするのだか、さらに一歩進み出るのへ、なんとなく僕は跳びすさるぐあいに後ろへさがった。その高安カッチャンと僕の脇を、われわれより十歳は若い年恰好の女が、スルリと部屋の奥へ入ってしまったのである。

この真夜中に起こった出来事を楽しい思い出としているのではないが、このスルリという印象については、僕としてそれを強く記憶にきざんでいる。それが彼女への定義づけともなっているように思うので、まずそれを書きたい。スルリといっても、彼女が敏捷にふるまったとか、スポーティーな物腰であったとかいえば、それはちがうのである。むしろ肉のついている体のゆったりして大様な動かし方なのだ。東洋人の顔つきながらその背筋はまっすぐで、高く張った腰から下は畳に坐ったことのある者のそれではない。そういう体つきの、平べったい靴をはいた女性が、スルリと入ってきたのである。

そして束髪のようにまとめている紡錘形《ぼうすいけい》の頭をわずかに前にかたむけ、こちらにやはり紡錘形の肩のふくらみを示して、うなだれるというのではなく、それまで僕が横になっていたベッドを見おろしている。たまたま僕はハワイの植物園のカタログを読みながら寝そべっていたのだが、小さなサイドランプの光の照らしだすその表紙を見ているのだ。そのまま僕に挨拶しようとはせぬのが、かえって高安につきしたがってきた者としての、礼儀にかなっているようでもある――その女性をすぐに僕は中国系のアメリカ人と感じとっていたのだった。

そこで高安カッチャンがうしろ手にドアを閉じてから、日本語で次のようなことをいった時、僕は英語と中国語のバイリンガルな女性の連れの面前で、なんとも剝《む》き出しなことをいう配慮があってかと感じもしたのである。その昼間から、僕は高安カッチャンと日本語でしか話さなかったのに。それは僕の出席していたセミナーでただ英語のみが話され、僕としても英語のみを聞くほかにない生活をつづけていた、その間の事情と無関係ではないのであったが。

――きみはアメリカでもフランスでも、まともなコールガールと寝たことがないだろう？　それでおれが極上等の女を連れてきたよ。あとで三百ドル払ってやってくれ。紹介料として、おれもきみの後でやらせてもらうよ。女とは、契約した際に了解をとってあるからな。きみがこちらのベッドでやる間おれは向こうのベッドで待ってるよ。

……性病の心配はないんだ、おれにはな、きみの小説を読んで見当をつけてることがあるんだ。きみは、あれだ、日本語でなんといったかね？　syphilophobe だ。しかし彼女に病気はないよ。ピルを服《の》んでるから、妊娠の心配もない、もっともそちらは女の側の心配だがな。さあ、元気にやれ、一発でも、二発でもやってくれ。おれはあちらのベッドで待つから！

高安カッチャンは泥酔しているといってよかった。それもアルコールによるのみではないはずの、深い酔いに上体をグラグラさせながら、これだけのことをゆっくりゆっくりいったのだ。それも単語のいちいちをゆっくり発声するというのではなく、せきこむようにひとつの文節をしゃべると、不自然な間をおいて、早口でしゃべる次の文節にむかい、そこでまたつかえる、という仕方で。そしてかれは、僕のベッドがつくりつけられている壁と反対側の壁のベッドに向けて上体をグラグラさせながら歩いて行き、崩れるように、しかしやっと間にあって、低いベッドに倒れこんだ。

セミナー期間、僕にあたえられていた寮室は、そのようにひとつずつベッドが壁ぎわに固定された二人用の部屋で、それらの壁面にはさまれた広い窓際に、ふたつ書物机が並んでいる。ベッド間の距離は五、六メートルあったし、当面僕の側のサイドランプしかついていないので、部屋の全体は暗かった。窓の向こうはインドボダイジュの葉叢に深ぶかと閉ざされて、月夜だったが、そこから光が及んでくることもないのであった。

高安カッチャンが、なんとか体勢をたてなおしてベッドに両膝を立てるように坐りなおす、その子供じみた恰好が安定感のあるものに見えるところに、この低すぎるベッドのそれとして根拠があると思ったのを覚えているが、しかし僕はその酔いに沈鬱な高安カッチヤンがこちらを眺めている前で、かれの連れてきた女と性交するつもりはなかった。彼女もまた僕との性交は予期していないふうである。さきにスルリと入って来たままの立ち姿で、僕のベッドの植物園のカタログの、緑と紅のブーゲンビレアの写真を見おろしている。もっともその姿勢のまま佇《たたず》んでいるありように、スルリと入って来た様子とは裏腹な、彼女としての緊張を僕は見てとったが……

そして彼女の、ひいては僕の宙ぶらりんの状態は、酔いの気まぐれによる翻意というより、はじめからそう意図していたのらしい高安カッチャンの、新しい行動によって解消された。かれはそれ自体の重みによってガクンと前へつんのめる頭をふりたてるように起こすと、僕には日本語で、つづいて女性には英語で、こう呼びかけてよこしたからだ。その二国語の渋滞せぬ交替には、高安カッチャンのアメリカ生活の経済的基盤が通訳であるらしいことを感じさせる勢いもあった。

——きみがぐずぐずしている以上、おれがさきにやるほかない。一晩中、三百ドルで買い切ることはできないからな。ペニー、コチラヘキテ、オレタチノキウリデ尻ノ穴ヲ突ッツイテクレ。おれも年だ、近頃は疲れてきて、そうしなければよく立たぬのでね。おれはわざわざ日系の百姓がつくっている日本式のキウリを買ってきてね、トゲをつぶして軽く塩でもんだのを準備してるんだ。この塩でというのが難しいんだぜ、よく洗いおとさぬと尻の穴がヒリヒリするし、早くもみすぎると使う時グンニャリしてね。

……こちらのサイドランプをつけると明るすぎる。しかし暗闇ではな。きみの側のをつけたままにしておいてくれ。覗いてもかまわんが、マスはかくな。おれがやった次はきみの番だからな。ペニー、裸ニナレ。ノロノロスルナ！

そして高安カッチャンは、幾分説明的すぎるその言い分どおりのことをした。ベッドに戻り、あおむけに寝そべり、あらためて植物園のカタログというのもわざとらしく、そのまま薄暗がりに眼をやっていた僕に、なんとなくとらえられた眺め、聞こえてきた物音。それはまず高安カッチャンがペニーと呼んだ女性の、モス・グリーンのジャージーのワンピースを、やはりスルリと脱ぐ姿だった。彼女がブラジャーをとりさり、それでも広びろした胸に白い布地がまつわりついているようだったのは、そこはハワイらしく海浜で水着の痕を残してということだった。ベージュ色のペチコートをたくしあげて、おなじ色のパンティを脱ぐと、やはり陽に灼けていない尻がスルリとあらわれた。そして女がペチコートひとつで床を踏みにじるように靴を脱いでいる間、気がついてみると高安カッチャンがベッドにあおむけのまま、難渋してデニムのズボンを脱ぎ、やはりのろのろと体をひっくりかえして、これは全体に白い腿から尻を宙に差し出すように腹這いになるところなのだ。ベッドに横坐りしたペニーは、大きいハンドバッグから植物園のカタログ同様生なましい緑色の棒をとり出し、まず牛の舌のような長い舌で、入念にそいつを湿らせる具合だった

……

僕はそこまで見た。それからは眼をつぶっていたが、高安カッチャンはやはり説明的すぎる言いまわしでペニーに様ざまな指令をくだしたので、実際にかれが射精にまでいたったかどうかは別に、彼女がいったんベッド脇にひざまずき精製したキウリを操作する役廻りから、大急ぎでベッドに昇って高安カッチャンをあおむけにし、騎乗する、その全体の過程は耳で承知していた。当のペニー自身は終始一語も発することがなかったけれども、最後のあたりで荒い息づかいを示しはしたのである。

……それから高安カッチャンは、子供がするようにジーンパンツのジッパーをあげながら、長袴《ながばかま》で進み出る恰好で、僕のベッド脇に歩みよって来た。僕は眼をひらき、下方から光のあたっている人間の顔の、なにやら殺気立っているふうに見える、高安カッチャンの顔を見出した。そこがハワイであるにもかかわらずそれは寒さに総毛立っているようなのだ。

——さあ、これできみの番だぞ、あいつとやれ！

——おれは嫌だね。もう、きみの連れと一緒に帰ってくれ。

——え？　なにをいってるんだ、いまになって？　おれはちゃんとやったじゃないか？

僕はカッとなり、自分を制御しえないというより、自分を制御することを重要に思わなくなるのを感じた。しかしそれでも僕は立ちあがって高安カッチャンと鼻面を突き合わせることはなく、ベッドに上体を起こしただけで床にはだしの足をおろし、——おれは嫌だ。

あの人を連れて、きみはもう帰ってくれ、と繰り返していたのだった。

——どうしてもやらぬというのか？　しかし契約は契約だ、おまえは契約した。三百ドル払わないで、あいつを帰すことはできないぞ、と高安カッチャンは喉に痰のつまったような声でいった。僕の言葉の勢いを、酔った人間特有の敏感さで受けとめ、戦術転換をはかる具合なのだ。そしてかれはその連れに英語で命令を発した。その語句のいちいちすべてを僕がよくフォローしえたとはいえないが、それまでの突起型の憤怒から窪み型の嫌悪によってとってかわられる思いがしたのは、かれがこういったようだったからである。

——ペニー、オレハドアノ向コウヲ決シテ動カヌゾ。ドウシテモコイツト性交シテ、三百ドルヲ取レ。三百ドルヲ取ルマデハ、ドアカラ外へ出ラレナイゾ！　もっとも高安カッチャンはこの台詞を僕に聞かせるためにのみいったのかも知れないのだ。かれはやはり上体をグラグラ揺れさせてドアに歩みよると、いったん僕を振りかえってこういいもしたのだから。

——ひどく絶望した女がいたら、なんであれ、どんなに常識はずれであっても、そいつのやることに反対せぬと、おまえはいったのじゃなかったか？　あれはただ口先だけのことか？

高安カッチャンは中庭に面している廊下に出て、ドアを閉ざした。そしてそのままドアにもたれてズルズル床に坐りこむのがわかる。しかも戸口の脇から紙袋を引きよせて、酒瓶を取り出す気配まではっきりつたわった。高安カッチャンはどうしようもなく酔っぱらっているが、酒瓶を室内に持ちこまぬだけの遠慮深さはそなえていたのだ。僕はそのように感じ、それをアメリカの大学寮の風習にふさわしい節度と感じもしたのである。それまで高安カッチャンが部屋のなかでやっていたことは、およそいかなる大学寮の風習からも遠いものだったにちがいないが、ただ紙袋の一件だけで、僕は高安カッチャンへの懐かしさを回復するようであったのだから、やはり十八、九でなじみあった者の感情を僕は持ちこたえていたのだろう。

向こう側のベッドには、そこを思いがけない手ぎわよさで整頓して、高安カッチャンの連れてきた女が腰をおろしていた。身につけているのはやはり先のペチコートだけで、乳房をかくすこともなく、腿に両手をついて、斜め下方をのんびり眺めているふうなのだ。彼女の頸も腕も、それに乳房も、断面図はすべて紡錘形だろうという感じがした。それは僕が、わが国の女性からは受けとったことのない印象だったが、紙のように白い乳房より他の、どこもかしこもが卵色のなめらかな皮膚もまたそうだった。さきほどまでの激しい運動による血の過熱とでもいうものは、そのいかにも静かにしている四肢に波うっている……

僕がそちらを見つめている気配を受けとめて、女は、ゆったりと紡錘形の顔をあげた。いかにも真面目な、そしてよく見ると汗粒だらけの顔に、当然のことながら僕は頭を振った。女は考え深そうな、化粧のない、一皮の眼で霧をすかすようにこちらを見ていた後、おなじく頭を横に振って、たちまちサバサバした表情をあらわした。しかし酔っぱらった高安カッチャンはドアの向こうで待ちうけているわけである。僕にとって、当のセミナーのハワイ滞在で自由な金が、ほぼ高安カッチャンの提示額どおりであった。僕はそれを窓ぎわの机のパスポート入れに取りに行った。その動きに、ゆったりと落ち着いていた女が構えるような身ぶりをあらわすのを見て、僕は高安カッチャンのジャージーの怒りをよみがえらせたが。ともかく僕は隣りの机に載せてあるモス・グリーンのジャージーの服の脇にそれを置いてやった。その服の色は、ハワイに来て陸上でも海のあたりでもその種の色には出会わなかったが、しかしこれはいかにもこの土地の植物にありそうな色だと感じられた……

その時、ドアが勢いよく開かれて、実際僕は、性的なしぐさのさなかを不意打ちされたような気分になったが、高安カッチャンが日本酒の四合瓶と紙袋をかかえたまま逃げこんできたのだ。廊下を歩み去ってゆく、悠揚せまらぬはだしの足音から、僕には高安カッチャンを怯えさせた者の正体がすぐにわかった。それは僕の右隣りの部屋にいるセミナー参加者の、西サモアの作家なのだ。太平洋の小さな島での、民俗とキリスト教とがむすびあって新しい神話のみなもとをなす小説を読んで、僕はかれと友人となったのだが、そのアルバートが壁ひとつへだてたこちら側の気配に眠りを妨げられ、廊下のはずれの化粧室へ出かけたのにちがいない。そしてかれのそのような際の恰好は、黒光りする裸の上体に、腰から下は極彩色の布をグルグル巻きしたものである。ドイツ人の植民者を祖父にして、島の首長の家系に生まれたかれの肉体には、深夜の廊下でぬっとあらわれたとしてド胆をぬかせるだけのものはあった。

しかしそれにしても高安カッチャンの怯え方は並はずれていて、酔いの高揚どころか沈みこんで震えてすらいる。かかえこんだ紙袋と四合瓶をじっと見おろすように立ったまま、僕にも女にも声をかけず、あえぐような呼吸の音だけをたてている。その間に女は、部屋へスルリと入った時同様にゆったりと、しかし効率良く立ち働いた。ブラジャーとワンピースを身にまとうと、ベッド脇の床からパンティーを拾いあげ、脇に転がっていたキウリをそれに包んでハンドバッグにしまいこんだ。そして表情も言葉もうしなった高安カッチャンを、自然なつきそい方で廊下に連れ出し、周到にも、アルバートが戻ってくるかもしれない側とは反対の階段の暗闇へ消えて行ったのである。

翌日、セミナーの会議日程をすべて終えて宿舎に戻ると、受付の日系三世の学生が、来客のメッセージを渡した。午前中に女性が置いていったというのだが、丸っこい慣れた書体はアメリカの女子学生がレポート用紙に書きそうな感じで、あらためて僕には高安カッチャンの高級なコールガールという紹介が疑われたのである。内容が次のようなものであったこともある。——昨夜いただいたお金を、落とすか盗まれるかしてしまい、見あたらないので当惑している。もしや部屋に置いたまま帰ってしまったということはないだろうか？　そうだったならば、あのお金はあとでお返しするつもりであったから、かえって好都合なのだが……

ただ僕が気ぶっせいな思いをしたのは、その女の来客が僕の出発予定を訊ね、受付の学生が、宿泊スケジュールから割り出してそれを教えたと、あわせ聞いたからだ。高安カッチャンが空港で税関の仕事をしているのだという以上、かれが飛行機の見当をつけて、空港ロビーに待ち伏せすることはありうるから。そして実際そのとおりであったのである。おなじ飛行機でハワイを発つインドの詩人ともども、セミナー仲間のワイキキに住む詩人の車で空港に着くと、いかにもそこで仕事をしている者らしい的確なカンで高安カッチャンが待ちかまえていた。

航空会社の手続きをすませ、免税品の店で子供たちに土産を買うインドの詩人につきあうことにして階段を上がって行くと（かれは宗教上の理由で、五人も子供を持ちながら、なお三人の子供を養子にしているという）、大きい一劃がまるごと免税店の集りとなっている囲いの脇に、濃いサングラスをかけ、アロハシャツを着た高安カッチャンが立っていたのだ。かれのアロハシャツは、しかしハワイのそこでもここでも見るという色あいのものでなく、地味な、しかし穏やかな夜明けの空のような青色で、その色あいには、先夜の女のワンピースと通いあうものがあるように僕は感じもした。高安カッチャンは僕とインドの詩人を引き離しながらわずかな弁明の身ぶりもあらわさず、すぐ脇のカフェテリアを顎《あご》でさして、――まあビールでも飲もうや、おれはスピリットをやらぬことにして永いのでね、といったのだ。そしてそのようにいう高安カッチャンの、妙に皮膚がテラテラした顔には、その日もすでにアルコール飲料の気配があった。

ともかくもわれわれはスタンドに掛けてビールを飲んだ。それが沖縄で醸造するオリオン・ビールであったことを、つづいての免税品売り場で話した沖縄出身の婦人とのつながりで記憶しているが、高安カッチャンは自分の瓶を飲み干すと、断りなしに僕の瓶の残りを自分のグラスに注いだ。そして次のように用件を切り出した。

――十年ほど前自分が親しんだ女性で、いまのところ一時的にではあるが、自力で稼がねばならぬ人間がいる。そこで時おり免税の時計を送ってやっているのだが、今回その運び役を引き受けてもらいたい。税関での立場上、自分の名が出ることは困るが、もとよりそれは表向きの話で、成田の同僚との話はついているのだ。それにこれは自分の利益をはかるというのではない。きみが斎木の未亡人の力になりたいと考えるのと同じだ。きみはああいう孤立無援の女性のためなら、いくらかの無理はあえて引き受けるのだろう？　ともかくも頼む。いったんこちらの税関に入って免税品の紙袋がわたされたなら、ケースも保証書もいらぬから、時計だけとり出して、胸ポケットにいれておいてくれ。成田空港で税関をくぐりぬけたならば、わずかな時間そのあたりで立っているだけでいい。呼び出しを通じて、すぐさま連絡をとってくる人物があらわれるから。高安カッチャンの申し入れは、そのようなものであった。

軽率にも、僕は承知した。そしてすぐさまそれを承知した意識の裏に、それもごく浅いところに、高安カッチャンの連れてきた女と寝ることを拒みとおしえた自分への満足と、いわれもないかれへのひけめの感情が作用していたと、今になって思う。それにあわせて、残りのビールをチビチビ飲みながらの高安カッチャンの話運びに、学生時代のいたずらの気分で乗ってゆかせる、不思議な力もあったのだ。話がきまるとわれわれはいかにも背の高すぎるスタンドの椅子から降りて、免税店を囲む板ガラスのなかにおもむいた。そこで高安カッチャンは免税品を買う際に旅行者があたえられるカードを見せろという。ハワイでの余分の金はかれの連れてきた女にわたして、土産を買う余裕をなくした僕が、そうしたものを持っているはずはない。そこで高安カッチャンは僕のパスポートをレジスターの女性に提示して、カードを作る手続きをした。

そのレジスターの女性が、いかにも沖縄の育ちの良い女性のアクセントである。僕はできあがったカードを持って高安カッチャンが時計売り場へ行くのを見送ったまま、その女性に首里の出身かと問いかけてみた。すると彼女は、――わかりますか？　と羞《は》じいるふうなのである。いやそのような意味ではないと説明するのに窮して、僕は自分が沖縄の文化に関心を持つ者だといい、現にいまハワイ大学に来ていられる『おもろさうし』の専門家の、Hさんを尊敬しているむねをいった。女性は、自分もH先生の公開講義に出ているといい、親しみをあらわしてくれたのである。しかしそこへ高安カッチャンが戻って来ると、僕がかれと関係を持っていることについて、それをかんばしいこととは感じていない様子をあらわして、彼女は口をつぐんでしまった。また僕にパンチの入ったカードを渡し、税関を通ってから時計を受けとって処置する仕方を繰り返してから、あっさりと立ち去って行った高安カッチャンが、話している間いつも、アロハシャツの胸につけているカラー写真入りの身分証明書を、僕の眼からそらせるようにしていたことが、のちになって奇妙なことだったと納得されもしたのだが……

成田空港の税関を出て、呼び出しを待っている僕に、確かに呼び出しはあった。しかし呼び出しステーションにおもむいた僕を待ちうけていたのは、まだ二十二、三歳の、いかにも堅固な任務への忠誠心をいだく税関の係官だったのだ。取調べ用の小部屋に連れこまれた僕は、時計を「密輸」したはずだと詰問された。そしてそれは考えてみるまでもなくその通りだ。しかしなお高安カッチャンを税関の職員だと信じていた僕は、ともかくかれの名は出さぬことにした。そのために取調べは、解けにくい結び目をほぐしつつ進行することになり、係官の心証はさらに悪化したのである。

時計の銘柄こそ、現物を見ればわかるとして、その価格を僕が知らぬという。保証書他は棄ててしまっている。その上で裸にした時計を胸ポケットにいれて税関を出たのだから、これは悪質な手口ではないか。なぜこの期に及んで、時計の価格をごまかそうとする？　しかし僕はそれを知らぬのだから、途方にくれるしかなかったのである。係官が僕を取調室に残して出て行った後、思い屈して白木のテーブルを見おろしていると、そこかしこにボールペンや万年筆の細かな字で、――寛大な御処置を、とかいう漢字まじりの短文が書きつけてある。それはやがて僕も署名させられた調書に、ここで取り調べられた旅行者が当局に寛容をねがう文章の下書きだったのだろう。僕のために作られた調書で記憶に残っているのは、――税関を出た所で係官に呼びとめられました、と実際はスピーカーからの呼び出しにこちらから出頭したのであったにもかかわらず、定まり文句というわけだろう、そのように書かれていたことと、係官が別室で調べてきた、問題の時計の免税店での小売価格が、三百ドルと記入されていたことである。

指先を黒ぐろと染めて、僕が調書への捺印を終わると、それまでは「密輸」犯人を追及することに熱中し、おおいに表情も硬かった係官が、その年齢らしい和らぎをわずかながらあらわして、

――あんたは作家だね？　あんたの書いたもの読んでるよ。『僕たちの失敗』というのを読んだよ、といった。

確かに僕と高安カッチャンは失敗した、しかしその小説は別の作家の書いたものだし、とくにその作家は僕と混同されることをいさぎよしとせぬだろうと、そのような言葉が胸

のうちに湧いたが、それを軽口のように声に出す気分ではなかった。つまりはその段階にいたっても、僕はこれが高安カッチャンにとってもまた失敗だったのだと考えて、時計を受け取るべくむなしく待っていたはずの、不幸な婦人のために心を痛めていたのであった。

もっとも僕が心を痛めて妥当であったはずの女性は、いまでは架空の人間であったとわかる時計の受取人ではなく、もうひとりの不幸な女性であったのだ。自分が高安カッチャンに一杯食わされたことに永く気がつかなかったのも滑稽だが、その裏側には僕がおおよその同級生とともに、高安カッチャンにいだいていた見くびりがあっただろう。高安カッチャンが悪意を示すことがあるとして、その悪意をすらもあらかじめ見くびっているようなな。

この出来事から半年あまりたってハワイからハードカヴァーの本が一冊とどき、その表紙の裏には手紙がセロテープで張りつけてあった。差出人はPenelope Shao-Ling Leeというのだが、そのペネロープの愛称がペニーであることに頭をめぐらせなかった僕は、はじめのうちそれが高安カッチャンの連れてきた、かれのいうところでは高級なコールガールの女性であることに気がつかなかったのである。それというのも彼女が送ってよこした本は、ダグラス・デイという研究者のマルカム・ラウリー評伝で、僕はハワイのセミナーでメキシコから来た学者を中心にする『活火山の下《アンダー・ザ・ヴォルケイノ》』の分科会に出たのでもあったから、たまたま当の評伝のアメリカ版が出た機会に(最初の版のオクスフォードから出た分を、僕はすでに持っていたが)、なんらかの増補改訂がなされているものとして、セミナー参加者が送ってくれたのだろうと考えたのだった。

手紙自体、その前半には高安カッチャンについての記述がないのでもあった。まずそれはハワイ大学の聴講生としてマルカム・ラウリーの研究をしている女性が、自己を語っている文章だった。彼女は少女時代、香港《ホンコン》製作の空手映画で若い女武闘士が活躍するシリーズに主演していた。その後、様ざまなことがかさなって、いまはハワイにいる。つまりは『活火山の下《アンダー・ザ・ヴォルケイノ》』終局の、雷鳴とどろくメキシコの夜の森で、インディオが逃がした馬に蹴り倒されるイヴォンヌ。この事故の光景を、地獄に落ちてのように永劫《えいごう》繰り返し見るのかと、意識の戻る一瞬そのように考えるイヴォンヌが、かつてハリウッド西部活劇の少女スターだったことを思えば、ペニーの経験は、マルカム・ラウリーの世界と直接通じあうものがあるわけだ。

そこで彼女は大学に通って(それも働きながら夜間のクラスに通って)、マルカム・ラウリーを研究しているのだが、自分の関心の焦点は、完成した作品といえばまず『活火山の下』のみだといってもいい、このアルコール症の作家の伝記的事実にある。さらにいえば、作家の妻マージャリーに魅きつけられているのだ。大学に提出する論文では、彼女の運命を中心にすえるつもりなのでもある。マルカムの天才を信じ、かつその天才がすでにひとつの作品に具体化し成功しているのではあるものの、しばしば罵倒され、乱暴され、負傷すらすることもありながら、マージャリーがアルコール症の作家を守りつづけたことに、自分は深く関心をいだく。またマルカムの死後、彼女が書いた手紙に見られる粉飾やねじ曲げ、あるいは嘘のいちいちを読んでゆくと、マージャリーが世界各地にちらばっている夫の友人たちに、自分の無罪を訴えかける心がよくわかる。アルコールと睡眠薬の大量服用によるマルカムの死の直前に、いさかいをした自分が殺人をおかしたのではないかと疑われることへの惧《おそ》れ。それがＡＷＡＲＥでならない。

さてK. Takayasuは、やはりマルカム・ラウリーのように多年のアルコール症であり、かれ自身その克服のために努力をかさねているのだが、効果がない。繰り返し精神病者の施設に入ってのかれの努力は、マルカムが独房のように狭く暗いところに閉じこもって行なった自己治療にくらべても、その勇気はおとらぬと思う。しかし最近は、精神病者の施設に入ること自体に、強い反撥を示すようになった。それはマルカム・ラウリーについて自分と話しあううち、マルカムのもと同級生の医師が、ロボトミー手術を考えていたことを知り、被害妄想にとらえられたからである。一九五〇年代の英国と今日のアメリカでは、ロボトミー手術への評価はちがうことを、理性では承知しながら、感情が納得しないのだ。マルカム・ラウリーのような天才の脳を、もと同級生の医師が一部切除する！　その手術がありえたということを思うだけで、高安は大きい恐怖にうちひしがれてしまう。その手術が実際に行なわれるいとまもなく、マルカムはアルコールと睡眠薬で自己破壊してしまったのだけれども……

プロフェッサー、あなたをセミナーの分科会で発見したとつたえた時、高安は近来なかった昂奮をあらわした。そしてあなたとの合作で、懸案の小説を書く決心をしたのだった。青春時代を同じ教室におくった者らの合作とは、なんという自然な計画であろうか？　永く日本を離れて、外国人の間で暮らしてきた高安には、世界を遍歴した経験に立つ大きい構想と多様なディテイルが準備されている。しかし日本語の文体に不安があるようなのだ。それに加えてアルコール症を克服しつつ小説を書きつづけるには、自分を束縛するパートナーがいるとも思う。

しかし思いがけないことに、あなたと高安との話し合いは不成功だった。私がついて行った二度目の話し合いも、高安があのように酔っぱらっていては、実のあることが成就するはずはなかった。プロフェッサー、高安はあなたの拒絶を大きい侮辱と受けとめ、それにふさわしいだけの報復はすでに加えたといっている。それは本当のことなのだろうか？　もしその報復を行なったという確信と、その行為への罪障感が、酔っている際の高安と、宿酔《ふつかよい》の際の高安の、それぞれの思いこみにすぎないのなら、プロフェッサー、あなたが再考してはくれぬだろうか？　あなたが高安と合作してくれる可能性は、本当にないのだろうか？　その作業をつうじての治療のみが、いまは唯一、高安の自己回復への手だてだと思われるのだが。高安の小説の構想はまことに雄大である。この現代世界を包みこむ宇宙のへりに、一羽の鷲がとまっており、その鷲の羽ばたきが……

ペネロープ・シャオ＝リン・リーは、僕が彼女に直接返事を書くことを望んではいなかった。むしろそうなることを惧れて、幾度も念を押しているのだった。あくまでも僕が自発的に思いたって、高安カッチャンに協同の仕事を申しこむかたちとなるように。そこで手紙の宛名の高安カッチャンの住所は、やはりセミナーの仲間であった中国系アメリカ人の女流作家、マキシーン・ホン・キングストンに問いあわせて教わったと書くようにと、細かな心づかいを示してもいた。それは僕に、酔った高安カッチャンがマルカム・ラウリー同様、その妻に暴行を加えることがあるのじゃないかと、疑わせるものでもあったのだが。もっとも僕は高安カッチャンあてにであれ、ペニーあてにであれ、返事を書くことはしなかったのである。そしてそれは僕自身の問題として、やはりいかんともしがたい対応だったと、いまも僕は考えることにしているのだ。

……さてはじめに書いたように、僕は「雨の木《レイン・ツリー》」の暗喩《メタファー》をめぐる小説として、もとよりフィクションをまじえてではあるが、ハワイでの経験をふまえた短篇を書いた。そして高安カッチャンは、ペニーが日本文学科の研究室でコピーしてきたものを、かなり早い時期に読んだのであったらしい。小説を発表して百日たたぬうちに、今度はペネロープ・シャオ＝リン・タカヤスと署名した手紙がハワイからとどいた。それは高安カッチャンが、数年やめていたスピリットをまた飲みはじめ、薬品も併用することをかさねたあげく、ついに事故で亡くなったという知らせであった。酔って乱暴をする高安をさけて、自分はおなじアパートの女友達のキッチンで朝まで話していた。したがってその深夜の高安の事故死に関係がないことには証人がいる、とペニーはまず書いていた。マルカム・ラウリーの事故死の場合も、マージャリーは隣家の老婦人のところに避難していて、つまりは証人がいたわけだが……

高安は、あなたの「雨の木《レイン・ツリー》」小説を読んだ、ここに描かれている精神障害者施設のアイデアは自分のものだ、かれにはハワイのその種の施設での経験はなかった、といっていたともペニーは書いていた。そして小説は直接的には自分のことを書いていないが、暗闇のなかでたえず水滴をしたたらせる、巨大な樹木の暗喩《メタファー》が自分のことを指すのは確かだといっていた、と書いてもいるのだった。ペニーの手紙の、結びの部分を訳出して引用する。

《私もあの小説を読んだ。高安には黙っていたが、私はあの樹木が、単なる暗喩《メタファー》だとは思わない。現実に「雨の木《レイン・ツリー》」はあると思う。また小説では、あなたが「雨の木《レイン・ツリー》」を見なかったと書いてあったが、私はあなたが見たはずだと思う。ハワイの夜が、家の前の樹木も見えないほど暗いだろうか？　高安が入院していた施設には、どの場合にも、「雨の木《レイン・ツリー》」はなかった。いったいどの施設がモデルなのか、「雨の木《レイン・ツリー》」がある施設を教えてください。私は「雨の木《レイン・ツリー》」の水滴の音を聴きながら、その下に坐って高安のことを考えていたい。私のとなりに精神障害の女性がいて、私と同じように「雨の木《レイン・ツリー》」を聴いていてもかまわない。

この現代世界には、私らのような女がいるのだ。マルカム・ラウリーは日記(未発表)にWhat do you seek?／Oblivion と書いている。しかし高安のように一度も世間に知られたことのない人間が、ただ忘却されるのではAWAREだと思う。AWAREというのはgrief の日本語だと、高安が教えてくれたのだが。これからは、プロフェッサー、あなたと私だけが高安を記憶しつづけることになろう。高安の小説の、鷲の羽ばたきの構想は、あなたが使われてよい。死の時が近づいていると知って、高安はあなたを許していた。あの小説の構想を、自分のクレジットなしでいいからと、あなたが使うことを望んでもいた。真実あなたのものである、ペニー》

さかさまに立つ「雨の木《レイン・ツリー》」

（連作『「雨の木《レイン・ツリー》」を聴く女たち』の4）

《プロフェッサー、あなたが書く小説は、私らが日本文学の教室で最初に驚かされる、「私小説」ではないはずでしょう？　あなたは、現実に経験したところに立つが、ともかくフィクションをつくりだしている。ところがそのうち「私小説」の作家のおちいらぬ、罠《わな》につかまってしまったのではないか？　自分の作ったものにひきよせられて、現実から足が離れ、フィクショナルなものとアクチュアルなものと、その境界が、あなた自身にもあいまいになっているのではないか？

マルカム・ラウリーがそうであった。かれの小説論を書いた学者がいっている。一九五七年六月二十七日の夜、作家がむさぼった睡眠薬は、多年にわたり、少しずつおこなってきた自殺の、批准をしたことにすぎなかったのだと。プロフェッサー、あなたもすでにそのようなところに入りこんではいないか？　高安は死んだが、あなたもまた、かれと同じころ、死にはじめていたのではないか、いまも死につづけているのではないか、by degrees for many years.》

僕はハワイで死んで時がたつ高安カッチャンの未亡人から、まず右の一節のように書きだす手紙を受けとった。その長く内容のつまった手紙全体の、僕にもたらした反応は、これは本当にまいったなあ、なにひとつ抗弁できるものじゃないなあ、という嘆息であった。もっとも、よくわれわれが、——これはまいった、まいったなあ、といいながら、まさに完膚なきまでやっつけられたことで、カタルシスを感じたりもするように、僕はこの手紙を読みかえしながらあるおかしみをも感じ、書き手の人間としての資質を、このましいものに再発見するようでもあったのである。

僕はおおいに滅入りこみながら、力なく笑いだしたりもするほどであったのだ。それは僕自身が、不注意につくっていた固定観念の、根拠のなさをみずから笑うことでもあったが。ひとつ僕の感じたおかしさはこういうことであった。——あの高安カッチャンには、自分の考えと他人の考えだしたところとの、境界など意に介さぬ癖《へき》があったが、そしてそれは近頃の若い漫才師のいう、一種「病気」のようですらもあったが、ペニーにもおなじ傾向があるなあ。それもこちらは意識的に断固として、ひとの文章を自分の文脈にとりこむところがある。たとえ死別しても、夫婦という結びつきは、奇妙な、しみじみした感じのものだなあ。

話を順序だてるには、僕が『「雨の木《レイン・ツリー》」を聴く女たち』という短篇を発表したことからはじめねばならない。それは僕が、大学の初年級で一緒だった男で、ずっと捩《ねじ》れのある友人関係に終結した、高安カッチャンの生と死を書いたものだ。ペニーもいうとおりに、僕の小説の書き方として、それは事実に立ってはいるが、その範囲に想像力を限定するのではなく、つまりは自由な小説づくりの論理で書かれた。ペニーは高安カッチャンの、生涯最後の時期の共生者であった。僕は一度だけ会った彼女のイメージを、高安カッチャンの肖像にないあわせて書き、かつ彼女からの手紙を翻訳して作中に引用しもした。いまその手紙を読みかえしてみると、ペニーはこう書いてきていたのである。《私もあの小説を読んだ。高安には黙っていたが、私はあの樹木が、単なる暗喩《メタファー》だとは思わない。現実に「雨の木《レイン・ツリー》」はあると思う。》

はっきりペニーは僕の小説を読んだと書いていたわけだ。ところが僕は、高安カッチャンとペニーに会った際、かれらの会話が英語でおこなわれ（高安は彼女のことを高級なコールガールだといいはっていたのであるから、ペニーとしては、日本語を理解するそぶりをあらわしてはならなかったのだ。たとえハワイでなりと、日本語につうじた中国系アメリカ人のコールガールは不自然であろう）、かつペニーからの手紙が、いかにもアメリカの女子大生風の英語であったことから、彼女が日本語を読むということについて本気にとらなかったのである。

そのペニーから、僕が「雨の木《レイン・ツリー》」を主題にしたもうひとつの小説を、つまりほかならぬ高安カッチャンと彼女をめぐって書いた小説を読んだといってきたのだ。それなりに面白かったが、この小説は高安と彼女の至福の時期については描いていない、したがって自分についてはともかく、高安カッチャンについての、あまりの卑小化がAWAREでならない、これではマルカム・ラウリーのいう世間からの忘却、oblivion よりもっと悪いではないかと、ペニーは長い手紙で僕にショックをあたえたのであった。

ペニーの書きぶりを模していうなら、――それではプロフェッサー、あなたは私が日本語を読まぬと、そうタカをくってあの小説を書いたのか、もし自分があなたの小説を日本語で読むと意識していたならば、小説の書きようは変わったはずのものなのか？　そのようにペニーは問いつめることだろう。しかし僕は、それはそうでなかったと答えるとも思うのである。高安カッチャンの死について知らされた時をさかいに、僕はかれと関わったすべての人びとが、おなじく死の翳《かげ》りをおびて退きさがるように感じたのだ。ほかならぬ僕自身についても。つまり高安カッチャンとともに死んだ、自分の生涯のある部分について、その記録を残すように、僕はあの小説を書いたのである。僕は次のように始めていたのであった。

《一年ほど前、僕は十数年も書くことのなかった短篇を、ひとつ発表した。このように永くそのジャンルから遠ざかっていたことにも、そしていま自分があらためて当の分野で仕事をしようとしていることにも、つまり僕の作家としての生き方が、内部から新しく動きはじめているらしいのに、これから書く物語は関係があろう。結局僕は、人が死にむけ

て年をとる、ということをいっているのだが――ともかくもその久しぶりの短篇の主題は、「雨の木《レイン・ツリー》」であった。》

死んだ高安カッチャンともっとも密接にからみあって、より深く死の領域に後退して行った人。そのように感じられる人物として、当然ながら、かれの死をつたえてきたペネロープ・シャオ＝リン・タカヤスがあった。僕は高安カッチャンを追想するようにして書いた小説に、おなじく「過ぎ去った生」として、ペニーの生の断片を封じこめたつもりであった。ところが当のペニー自身から、生なましい抗議の手紙が届いたのだから、僕が狼狽《ろうばい》したとして、むしろ自然であったわけだ。

僕は実際追いつめられた気持で、ペニーの長い手紙を読み進んだ。しかしそのうち、さきに書いたおかしみの感情も湧きおこって、本当にまいったなあ、という思いが消えるというのではないが、余裕を回復するところもあったのだ。

《マルカム・ラウリーは、経験を文学に合体させるために生きた。そしてかれにとっては、もっとも生きいきした経験が、書くこと自体でした。しかしプルーストやマラルメにはもっとも豊かな主題となったことが、ラウリーにとっては致命的だったのだ。かれが作品のなかに具体化した生活が、もうひとつ他の自分を結晶させて、それが作家本人を消滅させるように働きました。それというのも、かれは自分の作品そのものになり、それから離れると、アイデンティティーが枯れしぼむようだったから。》

ペニーは右のように書いて、はじめの直接攻撃につづけているのだが、これもさきの文章の本体をなすところも、じつはペニー自身の文章ではないのである。かれの小説論を書いた学者がいっている、と彼女がいう、そのラウリー研究家の書物から、多くをまるまる引いてペニーは手紙を構成しているのに、それを自分のオリジナルな手紙として示し、いささかもひるむところがない。それは、やはり死んだ僕の友人の創作プランを自分のものとして語っていた、高安カッチャンにそっくりであるし、むしろその「引用」ぶりには共通したおおらかささえ感じられるのであった。

ペネロープ・シャオ＝リン・タカヤスは、はじめの手紙で自己紹介してきたとおり、僕もさきの小説に書いたのだったが、ハワイ大学へラウリー研究の論文を呈出しようと準備している。したがって彼女が集中的に読む本が、ラウリーの数すくない著作の他は、かれについての研究書であって当然な話である。それらに影響を受けるのも、むしろ望ましいことだ。しかし彼女の「引用」の仕方は、すべてが自分に発する文章のようにしてやるのである。それがまことに徹底しているので、まだ四十代でメキシコ・シティーに滞在して以来、『活火山の下《アンダー・ザ・ヴォルケイノ》』の著者に関心を持ち、ラウリーの研究書も読んできた僕には、あ、これはあの本からじゃないかと、思いあたるところがあった。そして赤線を引きながら読んである、比較的新しい研究書、『マルカム・ラウリー——その小説への序』という、リチャード・K・クロスの本をとりだしてみると、まさにペニーが引用符号なしに新しい手紙に書きつけている文章があった。しかも幾つもの箇所にわたって。

「引用」は、ペニーが高安カッチャンの旧友たちを(誰より僕をその前段に引きすえて)非難しているところにすら、顔を出したのである。彼女はまず、高安カッチャンがなお学生でありながら、日本の英米文学の教授はなしとげえなかった、フォークナーの講義を聴きにアメリカへ渡る事業を実現したことを思い出させた。そしてつづまるところ、高安は同級生たちに指導者としての影響力を持っていたはずと書いていた。高安の影響力は服装にはじまって生活全般におよび、それは関西の素封家の息子である高安にのみ当時日本で可能だった、経済的な豊かさに裏づけられていた。まだ日本の気狂いめいた経済成長以前のことだった!

ペニーが誇らしげにそう書いているのを読み、はじめて僕は高安カッチャンに外遊を可能にした、その条件に気がついたのだ。僕らの学生だった時期は、おたがいの間に貧富の差のすくなかった、つまり戦後の総体的貧困の余波のうちの時期として記憶しているのだが、そういえば確かに高安の服装には、水ぎわだったところがあった。それが同級生をとくに感銘させたかどうかは別にしても……

ペニーは、同級生たちの高安への敬愛の思いが同性愛の水準にまで高まったと、確信をこめて書いていた。卒業後しばらくたって、フランスでの国際出版の事業に協力をもとめられた同級生は、高安の、その時期の愛人に惚《ほ》れこんでしまった。それは公然と同性愛に踏みこむ勇気を持たぬ者が、友達ともっとも近い関係を築くには、友達の妻か情人と性関係をむすぶのが近道であるからだ。

このようなペニーの主張は、ここでいわれているクラスメート斎木正彰の、高安への冷静な対応を知っている僕には、もとよりおかしな言いがかりにすぎなかった。しかもそれはさきの本で『活火山の下《アンダー・ザ・ヴォルケイノ》』の主人公と、その妻を寝とるフランス人との関係をクロスが分析したところから、「引用」した論理にほかならないのだった。

つづいてペニーは、僕の小説への激しい糾弾に戻る。《プロフェッサー、この小説で許しがたいのは、あなたが自分のことを書く際の不正直さです。あなたは、多くのことを隠蔽している。小説のなかのあなたは、お人好しの傍観者として、軽微な被害をこうむる。それでも魅力ある登場人物ではない。マルカム・ラウリーは、かれ自身について書くのに中途半端なことはせず、そこで見事な作品をつくりだしたのだが。しかしこれもプロフェッサー自身が蒔《ま》いた種子《たね》、いたしかたはあるまい。

……それより私が怒るのは、あなたが自分をニュートラルな場所に置き、心のなかにあるものを覆いかくしてしまったことだ。その結果、高安の人間像は矮小化された。かれの行動はみな、私との共同の行動として、あなたは小説に書いたのだから、プロフェッサー、私にも抗議する権利があるが、それは魂を病んでいる人間の気まぐれにおとしめられてしまった。このようにフェアでないことを、プロフェッサーは死んだ同級生におこなったのだ。あなたは若い頃からの、高安への同性愛的な感情を隠蔽した。その上で、あなたは高安を滑稽な、ひとりよがりの夢想家に書いている。高安は決してそのような人間ではなかった。

高安が私をつれてあなたの宿舎に行き、まず私と性交し、つづいてあなたに性交をうながしたこと。それはあなたの高安への同性愛の希求について、もっともそれに近い達成へと、あなたをみちびこうとする思いやりだった。それでも私との性交を拒否したあなたを、のちに高安はこう批評したものだ。――仕方がない！　あいつもまた、子供じみた拗《す》ねかたをしたのだ。あいつはおれと同性愛の関係をむすびたいが、その勇気がない。それでいて代案は受けつけない。ただダダをこねるだけなんだ。たとえあいつがそのダダを意識していたにせよ、そうでなかったにせよ。あいつもＡＷＡＲＥだが、おれは同性愛者ではない、そこまではつきあいかねる！》

僕もこの部分では嘆息せぬわけにゆかなかった。もっともつづいてのペニーの指摘には、それはそういうことだったのかと、教えられる気がしたのだ。僕は小説に、高安カッチャンがペニーと性交する力をふるいたたせるべく、自分の尻の穴にキウリを操作させたと書いた。そしてある批評家から、これはすでに作者の書いたものでお眼にかかったと同じ、と批判されもした。そして、考えてみるとそれはそのとおりなのだったが、この間の事情を説明するものとして、ペニーはキウリの役割への高安の構想をあかしてもいるのであった。

《プロフェッサー、高安はあなたの若い頃の小説のなかの――その英訳はハワイ大学のCO＝OPにもあるが――体を真っ赤に塗り、キウリを肛門に入れて縊死《いし》する人物のことをよく話した。それが自分たちに共通する、AWAREな青春像のシンボルなのだと。プロフェッサー、あなたはそのシンボルにならって死にたがっていたのであり、それができぬから、かわりに小説を書いてきたのだ、と高安はいっていた。だから高安はあの夜キウリを持って行ったのだ。日ごろの私たちの寝室に、キウリが登場したことはない。あなたはキウリの象徴的な意味と、内密の自分とを隠蔽するために、それを戯画化した。

これらの二点に関わる隠蔽によってプロフェッサー、高安はあのように衰弱した性交をする人間として小説に書かれた。多くの人びとにそのように記憶されもしよう。私はそのような高安がAWAREでならない。それはいかなる oblivion よりも悪い。》

ペネロープ・シャオ＝リン・タカヤスは、長い手紙のむすびに高安カッチャンとの至福の時の思い出について語っていた。《プロフェッサー、私はこの生活を小説に書きたい。しかしまだその時期が来ていないと思う。あるいは自分にその才能がないかもしれない。幾たびもそれを試みては、成功しないのであるから。しかしプロフェッサー、あなたは私が書く小説のかわりに、ラウリーの死後発表の短篇を読んでください。私たちとおなじ不幸を担った男と女の、しかもまぎれもない至福の時が描かれているから。》そのようにペニーは書いて、クロスの研究書に依拠しているのがあきらかな、次の文章を、引用も他の記述も区別せぬ仕方で書きつけているのであった。

その短篇は『泉への森の道《ザ・フォレスト・パス・トゥ・ザ・スプリング》』というもので、『活火山の下《アンダー・ザ・ヴォルケイノ》』に書かれた者らが再生の地としてあこがれ、ラウリーと妻マージャリーが実際そこに永く住みもした、ブリティッシュ・コロンビアの漁村エリダナスを舞台としている。ある秋の日の散策に、とくにこの土地の風景に感銘して、音楽か小説にその印象を表現しようと主人公が発心する。しかし主題のあまりの豊かさが、かえって仕事を達成させないのだ。はかどらぬ仕事の日々、かれはもう数年前に書きつけた祈りの言葉を、なにも作曲していない楽譜に読む。

それはほぼ次のような言葉であった。親愛なる神よ、心からお祈りいたします、私が作品を秩序づけることができますよう、お助けください、それが醜く、混沌として、罪深いものであれ、あなたの眼に受けいれられる仕方において。……乱れさわぎ、嵐をはらみ、雷鳴にみちているものであるにはちがいありませんが、それをつうじて心を湧きたたせる「言葉」が響き、人間への希望をつたえるはずです。それはまた、平衡のとれた、重おもしい、優しさと共感とユーモアにみちた作品でなければなりません……

主人公を保護しているのはかれの妻で、この漁村での日々、男ははじめて彼女のうちに、女性の真の深さ、内なる潮の満ち干を感じとる。彼女は、海鳥や野生の花や星のめぐりを教えてやるのみならず、夫がこの世界を新しく、無垢のうちに、愛をこめて経験しなおすための、媒介者の役割を果たす……

《アメリカで多くの仕事を計画し、不成功に終わることをつづけた高安と香港映画の女優だった私の、それぞれの永い苦しみの後で、また共にした苦しみの後で、ハワイは私たちのエリダナスになるはずでした。高安の父は癌を病んでおり、遠からずかれの死はマルカム・ラウリーがそれを得たような、大きな遺産をもたらすはずであった。生活の基盤ができれば、私も高安の再生の、媒介者たることがやさしかっただろう。現にその予感は、高安も私も感じていたのだ。

プロフェッサー、あなたがハワイにあらわれたので、高安は荒あらしい感情を経験した。それはもっとも苦しかった生活のレベルまで高安を退行させた。プロフェッサー、あなたが見たのはそのような高安であった。あの直前、私たちのハワイの生活は、しだいにマルカムとマージャリーの経験した、高く美しいものにかわっていたのに……　高安は、プロフェッサー、あなたが自分のことを正しく記憶しつづける人間だと信じて、宇宙のへりで羽ばたきする鷲のイメージを、あなたの小説にゆずろうとした。しかしあなたは鷲のような高安のかわりに、病んで卑小な高安を書いたのだ。この手紙は、プロフェッサー、あなたに抗議し、高安の小説の構想をあなたから取り戻すために書いた。さようなら、私はもうあなたの友人ではないと思います。》

高安カッチャンは、確かにひとり「雨の木《レイン・ツリー》」のもとでかれを思いつづける女を得て死んだと、僕は抗議されるもとになった小説の結びとしていたが、その部分に関するかぎり、僕の書いたことは正しいとペニーもいうだろう。僕として、彼女の抗議にこたえる道は、ともかくも彼女が主張するところのことを、まず僕のもうひとつの「雨の木《レイン・ツリー》」小説に書き記すことであろう。そこで僕はいま、彼女の思いこみにほかならぬことについてもそのままに、手紙を翻訳しあるいは要約した。しかしひとつだけ、ペニーの抗議にかさねるようにして、つけ加えたいことがある。さきの短篇の舞台となった海ぎわの土地に、小屋を建てて暮らしたマルカムとマージャリーの、つまり高安カッチャンとペニーが至福の生活の規範として思いえがいた生活には、評伝作者ダグラス・デイによれば、次のような一日もあったのだ。

マルカムはある日、いつものように酔って、水泳パンツ一枚で家をさまよい出た。近くの小屋に大工をしている男をたずねて、一杯の酒をふるまわれる。おそらく酒はその一杯にとどまらなかっただろう。飲むうちに、醜い気分がかれをとらえる。たまたま大工の子供たちのひとりは、重い知恵遅れであった。マルカムは、苦しみをのがれられぬこの子供をジロジロ見つめてから、あざけるような調子で大工に声をかけた。——こういうたぐいのガキが、あんたの生み出したものである以上、いったいあんたはどういう人間かね？　大工はマルカムの顔を力をこめて殴り、小屋から海岸の岩地へ押し出した。つまずいて血を流し、泣きながら、マルカム・ラウリーは妻の救いをもとめて家に帰った……

高安カッチャンとペニーをめぐって小説を書き、発表もしながら、僕はのんびりしていたものだ。結局のところ僕には高安カッチャンともうひとりの同級生の死を、いくぶんかは自分そのものの死のように、怯えながら悼む心があり、つまりかれらの死は実験用の膜を透かしてのように隠微・着実にこちらの生に浸透してくるようであって、まずはその圧力のもとで小説を書いたのであった。そこでただひとり生き残っているモデルからの反撃に思いおよばなかったのである。彼女の手紙に接して以来、僕は自分の一種甘ったれた鈍感さについて、いくたびか夜更けにじっと赤面して考えこむということがあった。

じつはこの手紙が来た時、僕はハワイへの再度の旅に発とうとしており、そこでの計画のなかに高安カッチャンの未亡人ペニーを誘って墓まいりをし、かつさきの滞在にハワイの「雨の木《レイン・ツリー》」として教えられた大きな樹木を、熱帯の昼の光のなかに見に行くことを考えていたのだ。その樹木のありかは、おなじセミナーに出た、ハワイ在住のアメリカ人メムバーに問いあわせればわかるはずだから。深い断崖のように海を見おろす高みの、精神障害者のための民間施設の庭に立っている「雨の木《レイン・ツリー》」。さきの手紙でペニーは、その施設に住む、精神に傷をこうむった女性とともに、葉叢《はむら》からしたたる水滴の音を聴きつつ静かに坐って、死んだ高安を思っていたいと、書いてきていたのであったから……

時をおいて届いた新しい手紙に冷水をかぶせられたふうであったのだが、しかしそれまでに定めていたハワイ行きの計画は実行するほかなかった。僕はハワイの日系アメリカ人の商工会議所センターでのシンポジウムに出る約束をしていたのだ。それはさきの『東西文化センター』のセミナーで話した、日本の政治状況と文学における周縁性の文化の意味というテーマを、シンポジウムの主題とするから来てくれと、ハワイ大学の日本文学研究者から呼びかけられたことによる。シンポジウムの全体は、ハワイの日系アメリカ人が、日本での研究やビジネスに際して、どう受け入れられてきたかということや、二世、三世の日系アメリカ人が、ハワイでの移民の文化遺産をどう掘りおこそうとするかということ、それに直接政治的なレベルの主題までが統合されておこなわれるはずであった。

そしてじつはこのシンポジウムに出るなら、飛行機の切符代を相手の負担とすることなく、もうひとつの集りに出ることができる。むしろそれがシンポジウムのための具体的なプランを進めさせる動機ともなっていた。この夏、盆の墓参に帰国した南予出身のハワイ在住の婦人に、彼女たちが民間でおこなう、反核兵器の集りに出て話をするよう頼まれる、ということがあったのだ。

その婦人は亡くなった夫の出身地である広島の、そこに本社を置く新聞社から教えられて、僕の家にあらわれた。幼女の年齢でアメリカに渡った、いわば原型の肉体を、それまでのとはちがう脂肪と蛋白質が包んだような体つきをしているのだが、同じく南予で子供時代をすごした僕には、懐かしいアクセントで話す人だった。

もう英語のみが言葉である孫たちに、古い日本語で話すことをからかわれるのが辛く、それぞれに孫たちが居ない時を見はからって友人を訪ねる、自分らはそのような世代だ、と彼女はいっていたが、この宮沢さんという老婦人は、カウアイ島で観葉植物、庭園用の樹木の農園をいとなんでいるというのである。新聞社の友人の電話があってから、僕が彼女の到来を心待ちにしていたのには、そのような農園を持つ彼女に、ハワイの樹木についで、ひいては「雨の木《レイン・ツリー》」について聴きたいという思いがあった。

宮沢さんの方では、すでに十年以上も前に渡米してハワイ諸島でも西の辺地のカウアイ島を訪ねてくれた、広島のジャーナリストKさんについて聞きたい、という用件で訪ねて来られたのだが。宮沢さんとKさんとはその一度きりの出会いだけで、クリスマス・カードの一方的な送付のほかには(年賀状の、というのでないところが、いかにも古式な南予の方言で語る彼女のいうこととして面白く響いたが)Kさんと交渉はなかった。しかしこの夏、夫の側の親戚を多く原爆で亡くしているということがあり、亡夫がわりの墓参りのために帰国をするにあたって、Kさんと会うことがしきりに望まれた。それはKさんが自分らの農園に来訪した際、夫とKさんとの間に論争があったからだ。

そのようにいって、当の論争を、永年の外国暮らしで間接話法になおしてつたえるのが苦労らしく、そのまま思い出して宮沢さんは話した。そのゆっくりゆっくりした話しぶり。

興味深かったのは、彼女が恐縮してつたえる夫の荒あらしい言葉は、まことに小さな声音によって発せられることであった。それが内容の戦闘性と対比をなして、奇妙にズレのある面白さをかもしだしていたのだ。それへのKさんの対応をつたえる言葉にも、その宮沢さんのいいまわし、抑揚のうちに、思いがけなく、かつて僕が維新の下級武士のようなと書いたことのあるKさんの声音がよみがえる印象もあった。それは僕の母親などにもあるが、宮沢さんには、地方の老婦人の一種もの真似の才能というべきものがあったわけだ。

Kさんは、その訪米にあたって、ハワイを皮切りにアメリカ西海岸の多くの日系アメリカ人たちに訴えたいことがあるといった。それらの日系アメリカ人たちには広島県出身者のパーセンテージが大きいのであるが、とくにかれらに広島・長崎の原爆被害の惨状をつたえたい。それは日系アメリカ人を主力とする核廃絶の運動が、全米に拡がることを期待するからだと、Kさんは農園主に対して、いかにも遠慮深げにではあるが、しかし断乎たるものもあらわしていわれた。そのように、まず宮沢さんは話したのだ。

そしてまさにそのようなKさんの口調であったろうと、僕も思う。大戦末期、兵隊として戦場にあったために自分は被爆しなかったが、広島現地の新聞記者として、原水爆問題の報道と論評に復員後の生涯をつぎこむようであったKさん。このジャーナリストにはじめて会った時、僕はすでにそれとおなじ印象をあたえられていた。一九六四年夏の、広島での原水爆禁止世界大会の、ひとつの分科会においてのことである。Kさんは「原水爆被災白書」の提案をされた。その際に――僕は会議を傍観する報道陣のひとりとしてKさんを見まもっていたわけだが――まだ永く広島で仕事をしてというのではない模様の若い記者が、Kさんに向けてこういう質問をした。広島の一般の庶民は、原水爆体制について怒りをいだいているようでないじゃないかと。それまで、いかにも遠慮深げにしかし強いところも示して、つまり僕がルポルタージュに書いた描写をそのまま引けば、《生真面目な維新の下級武士といった印象》で報告をつづけていたKさんが、この質問に対し涙ぐまんばかりに激昂されたのである。――庶民にも怒りはあるが、それを表す方法に迷っているのではないか？　われわれもそれに迷っているのではないでしょうか？

Kさんがカウアイ島を訪問して、観葉植物と庭園用の樹木の農園主と話し合った際、Kさんのひかえめな、しかし確信に立った議論を強い言葉ではねつけ、ついにはKさんを追いかえすことすらを、宮沢さんの夫がした。幼女としてハワイに渡った宮沢さんが、成人して結婚した御主人である、こちらは広島出身の日系二世の農園主がそうしたのだ。その時のかれの論旨は、政治状況について夫と対話をかわすことのなかった宮沢さんに、不思議な気がかりさの思いをしこりとして残らせるものであった。

宮沢さんの死んだ夫は、Kさんに対して次のようにいいたてたのだ。日本人が真珠湾攻撃をおこなった。その結果、近代戦争に奇襲の可能性ということが加わったのである。冷たい戦争、原水爆による威嚇競争としての戦争の、そのそもそもの発端は、真珠湾へ攻撃をかけてきた日本軍のやり方が、国際関係の基本型を変えてしまったからだ。かりにこう考えてみてもらいたい。日本が再び軍事国家となって、もとより核武装もし、その結果、アメリカとの間に緊張関係がたかまるものとする。たいていのアメリカ人は、いつ日本人が核兵器によるパール・ハーバー攻撃をしかけてくるかと、不安でならぬはずであろう。

そこでわずかでも早く日本を核攻撃すべきだと、世論がたかまってペンタゴンを動かすだろう。いまさいわいに日本人は、かれらの判断で投下しうる核兵器では武装していない。そのかわりに、ソヴィエトとアメリカ相互の核兵器による威嚇競争がある。われわれが税金でアメリカの「核の傘」を日本にさしかけているのだ。それにしてもいつ相手国が全面攻撃をしかけてくるかもしれぬ、それに対抗しよう、という核武装競争の原理は、まずパール・ハーバーへの攻撃がつくり出したのだ。パール・ハーバーを忘れるな！というのは、本来そういう意味でなければならない。

農園主のこの主張を、Kさんはていねいに聞かれた。「核の傘」という言葉については反問し、農園主が兇暴な日本を閉じこめる「核の檻《おり》」という意味に使っているのだというと、それは卓見だと賛成しもした。つまり日本は「核の傘」に守られているのではないのだと。その上で、農園主の居丈高な語り口とは逆に、穏やかな言葉づかいで次のようにいった。核脅迫によるエスカレーションの基点に、パール・ハーバー奇襲があるという考え方を認めよう。むしろそれを認めるからこそ、アメリカにおける日系人の、広島・長崎の実状によく通じた核廃絶運動がおこるならば、それに期待がかけられると。ところが農園主はそれにたいして、もう筋みちだった論理のない当りちらしかたで、ついにはKさんと握手をすることもなしに農園からの退去をもとめた……

宮沢さんが、夫の論理と突然の激昂を奇妙に感じ、恥ずかしく思いもしたのは、次のような背景があったからだ。Kさんの来訪まで、宮沢さんとの永い生活において、農園主がパール・ハーバー奇襲を日本軍の悪として批判したことはなかった。爆撃隊の日本兵士が不時着したのをかくまい、かれとともにアメリカ軍に抵抗して自決した日系移民もいたのだが、それに準じる立場をとるというのではないまでも、戦時中の苦しかった収容所生活の間、宮沢さんの夫は日本軍を批判せず、ながく事業が復調しなかった戦後も、それはおなじであった。

ところがKさんがアメリカにおける日系人の、反核運動についていうのを聞いたとたんに、パール・ハーバー奇襲を批判しはじめ、さらに憤慨をつのらせて、客を追いはらうようなことすらしたのだ。宮沢さんとしては、そこにはなにか無理があったように思うのだが、そしてそれについてむしろ、夫を痛ましく気の毒に思いもするのだが、その後かれはこの話題を持ち出すことを絶対に許さなかったので、その態度をよく納得しえぬまま、死に別れることとなった。あれはどういうことであったのだろう？

宮沢さんは広島に帰ることになった機会に、Kさんに意見を聞いてみたいと思っていたが、広島の新聞社をたずねてみると、Kさんも癌で亡くなったとのことであった。そこではKさんの著書の名を教えてもくれたが、それは自分らの読みうるものではない。そこでKさんについて、わずかなりと書いたことがあるというあなたに、Kさんのことを話してもらいたいと思う。あなたは自分と同郷であるということだから、それだけの親切を示してくれそうに思ったのだ。あなたはそもそも広島の原爆被災者について本を書いた作家でもあるというから、さらに自分として聞きたいことがある……

僕はともかくも、そこで宮沢さんにむけて、Kさんの思い出を話すことから始めたのである。まず僕の頭に浮かんだのは、もしハワイの日系人について次のようにいう訳知りめいたジャーナリストがいたとすれば、広島の大会でのかれの発言と同じような言葉が、Kさんの答をなしたのではないか、ということだ。つまりハワイの一般の庶民は、パール・ハーバーで起こったことについて、いま怒りをいだきつづけているようではないじゃないか、と挑発されたとすれば、やはり涙ぐまんばかりに激昂して、——庶民にも、パール・ハーバーからいまに続く事態への怒りはあるが、それを表す方法に迷っているのではないか？　われわれもそれに迷っているのではないでしょうか？　Kさんはそういう人柄のジャーナリストであったのだと。それを説明するために、僕はもともとの広島での大会でのKさんの発言ぶりを話した。

宮沢さんの、アメリカ人らしくゆったりと容量のある、しかも荒あらしい雨風に抗してそれをつくりだしてきたという印象と、僕には懐かしい地方の老婦人という感じそのものの、つつましく内部にひきこもるようで、その奥から幼女の好奇心の眼をこちらに向ける仕方が好ましかった。そのようにして熱心に聴く宮沢さんの前で、彼女の耳になじみそうな言葉をさがして話すことが、じつはKさんのものの考え方を、もっともよく再現しうることであるようにも感じたのだ。

Kさんは地方に腰をすえた老練のジャーナリストらしく、硬派の主張を具体的な言葉に表現するのがたくみであった。つねづねKさんは現場で煮つめるようにしてものを考え、反芻《はんすう》しつづけて、その上で短い文章に書かれた。原爆は「威力」によって広く知られてきたが、その人間的な「悲惨」はなおよく知られているといえぬ、というようにKさんは書いた。またKさんは、そこから展開した思考のつみかさねに立って、広島・長崎以後の、「難民諸相の総合研究」を提唱しもした。Kさんは、核攻撃に対して広島と長崎で生き残った者らを、「原爆難民」と呼んでいた。そしてそれを今日から明日へ、世界じゅうで増加してゆく「公害難民」とかさねていた。そのような手つづきをとおしてみれば、未来にむかう日本人の切実な原点として「原爆難民」を置かねばならぬことは納得されるではないかと……

その頃僕は、Kさんに連絡したい要件があって電話をかけ、内密にしているのだが、Kさんはいま病床にあると、新聞社の答を受けとった。それも戦場でわずらった結核の再発だと、説明されたままに信じていたのである。たまたま広島へ旅行する機会があり、仕事を終えた夕暮、Kさんの入院していられる大学病院を見舞った。とくに看護婦受付まで出てきた医師から、この患者は議論しはじめるときりがない、早めに退出してほしいと注意された時、当然に僕は、Kさんの病状をさとるべきであったろう。しかし身の周りにまだ深刻な病人を持つことのない者の、つまりは無経験な若さのままに、僕はよく考えることもなく病室へ向かった。

ベッドに上体を起こしたKさんの、奇妙に幅の狭くなったような背を夫人がさすっていられるところであった。Kさんは不審そうに僕を見つめられたあと、激しく嗚咽《おえつ》された。しかしすぐに立ちなおり、肉体的な苦痛と闘っていると、感情のバランスが崩れやすいのでと、いかにもKさんらしい説明をされた後、「難民諸相の総合研究」のほかのことはもういっさい話されなかった。僕はほとんど黙ったまま、ただ話を聞いていたのだが、そのうちKさんの憔悴のただならぬ気配に、医師の注意を思い出した。そしてあわてぎみに病室を出て、茫然と薄暗い廊下を歩いてゆく僕を、小走りするようにしてKさんの夫人が追ってこられた。Kさんが病室にまとめて買いおいてあるのらしいムスタキの『ヒロシマ』のドーナツ盤を、私へのおみやげにといわれた。それから半年もたたぬうち、たてつづけにインドとフランス、そして中国の核実験のニュースがもたらされていた梅雨のさなか、Kさんは癌で亡くなられた。Kさんの遺著としては、現代世界を覆う「核権力」をとらえた、われわれへの遺言といってよいものがある……

——その御本は、これでしょうが？　買うてきてありますが。さきほど申しましたように、私らはよう読みませんでしょう。宮沢さんは他人事のように平坦な、しかしかすかに悲しみもたたえた様子で、自分の、またハワイの仲間たちの読書力を批評するようであった。いまあなたに話をうかがうと、Kさんという方は、私らの思うとおりの方でしたが。あの方がどんなにして生きてこられたか、原爆のことがあの方にどれだけ大切であったか、それもようわかりましたが。主人があのように真っ赤になって言いつのっても、Kさんはな、はかばかしゅう受けこたえもされんのやった。そやけれども、お心のなかでは、煮えたぎっておられたやろうと思います。

……おかしなことですが、いつも考えることやからいうのですが、Kさんはうちの主人のような人間やなかったのか。そう思いますのや。そうやからあの時はさらにね、胸のうち腹のなかは、せつないような思いでいっぱいやったやろうと思いますわ。主人が浅慮なことを申して、よそから来られた人は、それに言い返すことができぬようなことをいいたてました。それでもKさんはですな、なにやしらん、うちの主人と共感するところもあられたように思いますのや。せつないような腹立たしいような、むごい思いやったのやろう。そう思いますがな。

帰国されてから、Kさんはな、私らの農園のことを立派な記事に書いた新聞を送ってくださいましたよ。主人のいうたことはなにも書かんで、日本の人に感じの良さそうなものにしてくれはりましたのや。ていねいな記事でした。それに主人の広島の親かたのことを調べてありましてな。その記事のおかげで、親類との文通がまた始まったのですわ。それからのおつきあいで、私もな、こんどは広島へ墓参に帰ったわけなんですのやね。主人の遺骨も分骨させてもらいましたし。本当にKさんがお亡くなりになって残念ですわ。Kさんにお眼にかかって御相談したいと思うてね、たずさえてきたプランもありましたのやし。

その宮沢さんの「プラン」が、つづまるところ僕をハワイへ引きよせたのだ。雨風をしのいできた童女という顔つきの老婦人にふさわしいけれども、一種断乎たる、しかし漠然としたところもある「プラン」で、それはあった。宮沢さんは、Kさんに(つまりハワイで彼女と仲間たちは、Kさんの死を考えてもみなかったのだから)カウアイ島へ来てもらって、この前は宮沢さんの夫の反論によって充分には展開することのなかった、核状況についての話をしてもらいたいと思う。

しかし彼女のグループにKさんをハワイへ呼ぶ資力があるのではない。そこで宮沢さんらは、Kさんが新聞社の仕事か私用かで、アメリカへあらためて旅行する日を待つ。この二、三年、あるいは四、五年のことならば、それはいつのことでもかまわない。いったんKさんがハワイを通過するようであれば(ロスアンゼルス、またはニューヨークへ直行する旅程であれば、帰りになんとかハワイへ立ちよってもらって)カウアイ島へ招きたい。ハワイ滞在中のKさんの世話は、喜んで彼女のグループがする。このやり方ならばKさんに、カウアイ島の農園で核状況について話をしてもらうことは可能なのではないか……

宮沢さんらの「プラン」を断乎たるところがあるが漠然としてもいるというのは、二年から五年の期間、Kさんの訪米の機会を待ちつづけるという仕方についてだが、しかしその「プラン」も、Kさんが亡くなってしまっていては瓦解せざるをえない。そこで宮沢さんは、Kさんの思想をKさんのかわりにカウアイ島で語ってくれる人間として、僕に眼をつけられたわけなのであった。僕をカウアイ島へ招く計画の細目も、当然にKさんに対するのと同じであって、あらかじめ永い期間を予測しつつ、気ながに実現を待つといわれるのである。

僕はハワイ大学の日本文学研究者に向けて、シンポジウムに参加するむね電報をうつとともに、カウアイ島の宮沢農園へもエアメイルの手紙を出した。すぐに宮沢さんからカウアイ島での講演会がこのように早く実現することになって嬉しいと返事が来た。彼女の仲間は、できうるかぎり誘いあってシンポジウムを聞きに行くつもりだし、それが終わりしだい僕にカウアイ島へ移ってもらうようホテルへ迎えに行くとのことだった。自分のグループは、カウアイ島にとどまらず、ハワイの各地に住んでいるが、この機会に、はじめてみんなでカウアイ島へ集まることを楽しみにしている、とも宮沢さんは書いていた。

なぜそのように様ざまな島に自分の仲間たちが散らばっているかといえば、それはもともとの、グループのなりたちと関係があるのだ。ハワイのラジオ放送局の、電話で聴取者が参加する日本語のトーク番組を介して、宮沢さんのグループは生まれた。午後長い時間をかけてオンエアされるこの番組では、アナウンサーが放送室に待機しているところへ、各地から電話をかけてくる。たいていひとつのトピックに電話が集中して、電波にのせられ、その日の放送を特徴づけることになる。最初に電話をかけてきた人の提出した問いかけへ次つぎの電話による回答がよせられて、そこからまた展開がなされてゆくのであるからだ。この放送のファンである宮沢さんは、ある日思いたって、カウアイ島を訪れた日本の新聞記者と夫がいい争った話を電話した。それは死んだ夫の思い出、というようなトピックのなかでのことだったのだが、宮沢さんの電話を契機にして、話題が核問題へとかわったのだ。それも日頃はこういうことに発言せぬ老婦人からの電話が多かった。それは週日の昼間のこの放送を聴き、電話をかけてくる人びとが、宮沢さん同様、現役を退いて暮らしている婦人たちが多いからでもあったのだが。しかもそれ以後、ラジオ局へ問いあわせて知った電話番号をお互いにダイヤルしては、放送のつづきを話しあうグループができたのである。

……僕がこのようにしてすすめていたハワイ行きの準備のさなかに、ペニーから来た抗議の手紙によって、ハワイ滞在中ペニーと会い、彼女ともども高安カッチャンの墓に参り、例の「雨の木《レイン・ツリー》」を見に行くという計画は棄てねばならなくなった。しかしそのうちに宮沢さんの農園を訪れるというプランが、シンポジウムにかわって旅の目的の中心に坐り、ハワイ旅行自体、楽しみなものに思えてきたのである。観葉植物に加えて、庭園用の樹木を多く育てている宮沢さんの農園には、時代をへた「雨の木《レイン・ツリー》」が幾株もあるという。宮沢さんは、僕が精神障害者の民間施設の庭で、海を見おろす暗がりを閉ざした背の高い巨木として、はっきり「雨の木《レイン・ツリー》」の存在を(眼には見ることができぬまま)感じとったと話した際、樹木の農園を持っている専門家らしい慎重さをあらわして、次のようにいわれたのであったが。

――そら立派な樹木やろうねえ、そやけどもそれがもし私らのいう monkeypod tree やったならば、それはハワイの言葉では ohai というて、アカシアを大きうしたような花をつけますのやが。それは大きい樹もありますがなあ、上に高う延びるよりは、横にこう枝を張る木ですが。そやからね、あなたが見られた、ただまっすぐ背の高いような木とはちがうのやないやろうか？　そう思いますのや。オアフ島の高いところにある民家でしょうが？　そうした家の庭木でしたらば、それも、その高さに見あうほど横に枝を張る ohai でしたらば、維持することが難しいのやないでしょうか？　あなたがその「雨の木《レイン・ツリー》」を見られたのやから、そうした樹木はあるはずなのやが。

あらためて書くが、僕はその樹木のありうべき所をみたしている暗闇の壁を見たのであって、放射状の幾本もの板根《ばんこん》をのぞけば、「雨の木《レイン・ツリー》」全体をはっきり見たというのではないのだった……

ハワイの指定されたホテルに着いてみると、シンポジウムに招かれている日本人は、僕のみでなかった。むしろ僕はシンポジウムの主流からはずれたところで、中心の課題の文学的反映を語る分科会に予定されていたのであった。婦人問題の日米比較という課題をふくむ分科会には、エスキモーの集落にはじまる多くの野外調査をした女性の文化人類学者、Hさんが参加されていた。また政治学者のM教授も来ていられた。第一日目、シンポジウムの基本姿勢を定める全体会で、海外参加者の受入れ責任者もつとめるフィンランド人の女性が、日米の選挙における政治意識の比較を行なった。その際、彼女はMさんのつくりだされたものとして知られているテクニカル・タームを分析の軸にしていた。それを見てもわかるように、このシンポジウムは、アメリカにおける、M教授のお弟子さんたちが組織したものである様子なのだ。

それでも招待されたメムバーとして、自分の出る分科会だけですますわけにはゆかない。そこで僕も作家としていくらかなじみやすい、最初の日と次の日の午前中、Hさんの出席される文化人類学の討論を傍聴していたのだが、そのひとつは女性問題の活動家たちをとくに対象にして組織され、聴衆も（会場に入れなかった学生が、こういう言葉で批評したのを借りれば）female-chauvinism の印象がある女性たちであった。とくに入場することに熱心でなかった僕は早々にあきらめたひとりだが、大半が若い娘である、入口の混雑のなかで、いかにも立ち姿のくっきりした女性が、スルリと人の列をくぐりぬける、その体の動かし方に記憶を刺戟された。

はっきりしたものではなかったが、僕は気がかりな思いを持ったのである。高安カッチャンが、高級なコールガールというふれこみでつれてきたペニーが、そのような体の動きを示す女性であったことが、すでに顔かたちの記憶はあいまいなのに、銘記されているようだったから。もっとも僕が見おくったその後ろ姿は、インディアン風というか、太平洋諸島風というか、ともかく幾重にもないあわされたビーズの頸《くび》かざりをつけていて、高安カッチャンと一緒だった際のペニーの、高安はコールガールだと言い張ったわけだが、ハワイではめずらしく落ち着いた色彩感覚だと感じた記憶からはかけはなれているようであったが……

僕が話す分科会で、先導的な役割を担ったのは、僕も以前から知っている日本文学・哲学の専門家であった。このE・Nさんはハワイ大学の教授で、南欧風の、しかも貴族的にひややかでもある容貌の持ち主で、あらためて会うたびに政治的になりまさるという印象を僕にあたえる。かれはさきに僕の提出した文化的な周縁性の課題を、まるごと政治的な周縁性の問題に置きかえて語り、ついこの間のニカラグァの革命こそ、周縁性の勝利だとし、つづいてエルサルバドルにも革命の勝利が近いとのべた。

E・Nさんは僕がすぐさま同調して、おなじく政治的な立場から話すと期待されたようであったのだが、これまですくなからぬ政治集会に出てきた僕は、せっかく文化的な周縁性という課題をとりあげたのである以上、政治的な見方はそれを最後に置くことを望む。したがってしだいにE・Nさんは、僕の態度を生ぬるく、あきたらぬものに思うようであった。かれがアメリカ人であり、かつアメリカの大学の公職についている身でありながら、エルサルバドルの軍事政権をささえるアメリカ軍の介入について、それこそが周縁の自律性に対する、時代遅れな、中心の論理の露呈だと批判すると、最前列で長い腿を組んでいた金髪の女子学生が、ブラヴォ！　と叫んだりもしたのだが。

このE・Nさんを、元気の良さでの最右翼とすると、僕とならんで、むしろ僕よりもさらに元気のよくない、アメリカ人の若い作家が、われわれとパネルを囲んでもいた。かれは自分のアルコール症をよく飼いならしえずにいるために、日々問題をおこしているさなかというふうな人物であった。会議前、僕とふたことみこと言葉をかわした際には強い酒をまだ一杯もひっかけていない様子で、恥じらいにみちたまなざしを伏せ、突然娘のように真っ赤になったりもした。もっとも討論でのかれ自身の発表の際には、午後のセッションということもあり、もう幾らか飲んでいたように思う。作家は韜晦《とうかい》をかさねながらも、あまりに積極的だったE・Nさんをスマートに皮肉るほどの芸は見せたから。

かれによれば、学者も作家も、学生はもとより、現実社会ではまったく役に立たぬ者ら、すくなくとも実際の仕事につく前のモラトリアムにいる者らだというのだった。実際に社会の役に立つ仕事をするのは、中心にいる連中、インサイダーであって、われわれの未来は、かれらからさらに周縁へと追いこまれる未来である。その周縁とは、性病にかかって、しかも治療を禁ぜられた者らの病棟のようだ。よろしい、その居場所にふさわしい者らとして、自分を恥じてちぢこまって、ウミの出る性器をにぎりしめていよう。それくらいの行為は許してもらえるだろうから。中心の権力を担う者らの、自己確認のために必要な道具。その、周縁のアウトサイダーたちをかれらがどうしてそれ以上迫害しよう？　われわれがあまり元気に自己回復したつもりにさえならなければ。しかも死の時には、われわれはみな平等である。

若い作家はこう話しおわると、髪の毛のすでに薄い頭から蠅を追うような身ぶりをして、あきらかに一杯飲むために中座した。そしてそのまま飲みつづけることにしたのだろう、もうパネルに戻っては来なかったのであった。さきにいった午前中の立ち話で、かれは僕の作品を翻訳で読み、森のなかの村の暴動に興味をひかれたといい、自分の本も読んでくれと、ペーパー・バックスの扉に署名をしてくれるうち、どういうわけか真っ赤になって、――この本を本当に読んでもらえるとしたら、コンラッドの引用の一節だけだ、といって引用のあるページに僕の名と自分の名を書きつけると、その一枚だけ破きとってそれをくれた。このような仕方で自著をくれる(それも一部分を)作家に会ったのは、僕としてもはじじめてのことだ。しかし僕は結局のところ、人前で話をする約束をした自分に腹を立てている、僕よりも十歳ほどは若かったアメリカ人の作家に好意をいだいたのである。

切りとられたページに印刷されているコンラッドの一節を、中野好夫訳『闇の奥』から、つまりは最良の日本語訳で引くと次のようであるのだが。《暴力や、貪慾や、情慾の鬼みたいな奴も知っている。だが、奴等は、すべて頑丈で、元気で、血に狂ったような眼をした悪魔どもだった、そしてそいつらが、人間を、——いいかね、人間をだぜ——支配し、そして駆り立てていたのだ。だが、僕はこの丘腹に立った時、すでに予見した、この眼も眩《くら》む激しい太陽の国、ここでやがて僕は、もっと臆病な、気の弱い、ただ貪婪《どんらん》で無慈悲な悪魔振りを衒《てら》っているだけの愚かな人間と相知るにいたるだろうということをね。》

かれが討論を待たずに去ったことでも示されるように、われわれの分科会のパネルは成功でなかった。後半の一般質問に答えての討論は、われわれの発言が大筋において提出したところを更新する・深めるというよりは、パネラーそれぞれへの批判的な質問と、苦しい応答に終始した。E・Nさんは、エルサルバドルにおけるアメリカの役割を評価する、世界秩序の擁護者然たる聴衆を相手に、おおいに戦って、さきにいった金髪の女子学生から、——ブラヴォ！ ブラヴォ！ と孤独な声援を受けたのであったが。

僕の発言への批判者は、二世か三世の、日系アメリカ人の婦人であった。一重瞼に点のような眼と、顔の輪郭のあいまいな、というほかにはその特徴が思い出せぬ顔つきの、しかしそれを裏がえしされた特質とすれば、アメリカの大学都市でよく出会う日系アメリカ人、あるいは留学生のタイプの、まだ三十そこその女性の批判はこういうことであった。――プロフェッサーが、日本の作家として日系アメリカ人の文章に、新しい日本語の文体への喚起性を見出すといったこと、それがまったくわからない。英語は英語、日本語は日本語じゃないか？　自分はそれをわかろうとも思わないのだ。なぜなら自分はなによりアメリカ人であるから。アメリカ人として生まれた自分らが、日系二世、三世だからということで、日本人から勝手な親近感をよせられるのはうっとうしい。プロフェッサーは、日系アメリカ人の文学者と日本の文学者との橋わたしに役立ちたいという。しかしそれはお止めなさいといいたい。日系であろうがなんであろうが、アメリカ人と日本人の間には乗りこえがたい溝がある。その溝をうずめる道は far, far away の道だ……

先方からこういわれてしまっては、ハワイの大学から招かれた日本人作家として、なんとも挨拶のしようがないではないか？　討論を前に立ち去ったアメリカ人の作家をうらやみつつ、僕はさきにいったところを嚙みくだくように説明しなおしたものの、日系アメリカ人の質問者は、椅子から立ちあがったまま、far, far away という意味の身ぶりを繰り返して意気軒昂たるものなのだ。彼女が僕の話し終わるのを待ちかねて、再び司会役のハンドマイクへ腕を伸ばした時、いつの間にか(というよりもそこへスルリと現れた瞬間の記憶も、視覚の隅にあるようなのだが)パネラー席にいちばん近い扉口に立っていた女性が発言をもとめた。そしていまやあきらかにインディアン風あるいは太平洋諸島風の服装のペネロープ・シャオ＝リン・タカヤスが、マイクなど必要とせぬ、職業的にきたえた発声で、日系アメリカ人の批判者に立ちむかってくれたのである。

――聴衆同士として、あなたに質問したい。それというのは、プロフェッサーがアメリカの聴衆に特殊な印象を持つようだと残念だから。あなたが自分をアメリカ人だと感じていること、それは当然だが、しかしあなたの発言はごまかしをふくんでもいるのではないか？　これは死んだ人だが、たとえばの話、ジョン・オカダのような日系アメリカ人の作家と、ジョン・アップダイクとが、パネラーとして討論したとする。その際あなたは、自分が二人のジョンのどちらに近いと感じるだろう？　自分もワスプのひとりであるかのように、アップダイクの側だとは思わないでしょう？　二人のジョンに等距離だとも感じないのではないか？　それならば、いまのようにプロフェッサーを拒否する態度はフェアだったろうか？　あなたとして正直だったろうか？

いまあなたがここに来ているのは、やはり日系アメリカ人だからじゃないか？　それで日本とアメリカ、日本人とアメリカ人というテーマに興味をひかれるのではないか？　むしろあなたは自分が日系アメリカ人だからこそ、プロフェッサーの話に苛立ったのだろう。英語がまずく、風采もあがらぬパネラーが、日本人の作家であることに、あなたは日系アメリカ人として恥を感じたのだろう。それならば批判の内容は、また別のものでなければならない。

ペニーのイギリス風の堂どうたる英語が、（それは彼女が香港で育ったことのみならず、女優としての才能も持つことと関係があろう。後に僕と話した際の英語ははっきりアメリカ風であったから）なにより論争相手の意気を阻喪させたように思う。ペニーが話すうちに彼女は腰をおろしてしまったので、ペニーの問いかけへの答はなく、それをきっかけに討論も切りあげられた。僕はペニーに援護されたわけではあるが、自分の語学力や風采についで身も蓋《ふた》もないことをいわれてしまいもしたわけだった。

もっとも人まえで話をした後は、おおかれすくなかれ他人にたいして不当な権利行使をした気分になり、こちらを否定してくる言葉にすりよるような、嗜虐的《しぎゃくてき》な態度をとってしまう。この日もシンポジウム終了後の雑踏のなかで、なにがなしさきの日系アメリカ人と似た顔つき、似た化粧の仕方の女性が近づいてきて、癖のある日本語で、

――足が震えていましたよ、いちばん前の列でよく見てたんですけどね、というと、目鼻だちの薄っぺらな顔に挑むような笑いを浮かべて、僕の応答を待つふうである。

――自分では気がつかなかったけれど、と僕はあわれな弁解をして、あなたは三世の方ですか？　と訊ねた。

――いいえ、いいえ！　神戸の大学でアメリカ文学を専攻して、こちらでは日本の近代文学でドクターをとるつもりなんですよ。……どうして日本の殿方は本気で英語をおやり

にならないのかしらね……

ところがまたもやスルリと僕の脇に立っていたペネロープ・シャオ＝リン・タカヤスが介入したわけなのだ。

――プロフェッサーの英語は、あなたが考えているより上等かもしれない。文法は正確だし、ボキャブラリーはソフィスティケーテッドだし。フルーエントでないのは、話す習慣がなかったからでしょう。それは作家という職業に不自然ではない。……東京の大学では、日本の近代文学を教えるドクター・コースはないの？　それともあなたの研究する近代作家は、特別にハワイと関係があるの？

女子留学生は僕がペニーを示唆して反論させたのだとでもいうふうに、僕を怨みっぽく一瞥《いちべつ》すると、黙って立ち去って行った。そこで後に残された僕は、思ってみればはじめて直接言葉をかわすのみならず、さきの手紙において愛想づかしまでされたペニーと、わだかまりなく、自然に話しはじめる具合であったのである。話してみて、彼女が手紙に書いた僕への対立感情をなし崩しにしたのでないことはすぐ承知されたのであるが……

われわれのシンポジウムに気を腐らせたというのでもあるまいが、分科会の責任者が姿を消していたので、Ｅ・Ｎさんは別格として、パネラーたちは意気のあがらぬ挨拶をかわした後、各自で昼食をとりに出ることになった。ことの勢いとして僕とペニーは、シンポジウム会場が街なかの商工会議所センターだったこともあり、二、三ブロック離れた中華料理店へふたりで飯を食いにゆくことにしたのであった。

背の低い火炎木の並木にそって歩きながら、ペニーは高安カッチャンをどのように埋葬したかを話した。それは正確にいえば、埋葬という言葉のあたらぬ仕方によるのであったが。近い将来の死を予感するようになってから、高安カッチャンは自分の死体について、火葬して骨と灰にした後、この地球の上の汚染のすくない場所をさがして撒いてもらいたいといいはじめていた。肉体が、人間の死後、原子あるいは分子にかえって地上にほとんど遍在するようになる。そう考えることではじめて、人は死の恐怖を相対化することができる、それは青年のころ発見した知恵だと、高安カッチャンはいったともいうのだ。そこでペニーはやはり『東西文化センター』のシンポジウムのはじめに知りあった西サモアの作家アルバートと、あの時裸で僕の部屋のベッドに坐っていたペニーは、まんざら見知らぬ他人でもなかったということになるが)ミクロネシアの孤島へ旅行した。

そこで高安のいいのこしたとおりに、高く山へ昇って下方の原生林へ灰を撒き、また珊瑚礁へカヌーを漕ぎ出して、澄みわたっている海に骨を沈めた。まっすぐ沈んだ重いほうの骨のいくつかは、すぐさま珊瑚礁と見わけることができぬようであった。このようにして高安カッチャンの遺骨は、自然のただなかというところを越えて、むしろ世界のふところのうちに戻った。その話を聴いていて、僕はある驚きを、それもまったく思いがけぬことしての驚きを見出したのである。なぜなら、これまで生をかさねるうちに自分の魂から自発したと考えてきた、死生についての根本的な思い、それが若い時の高安カッチャンからあたえられていたものであることに気がついたから。

僕は学生時分から永くお世話になったW先生の死の後、メキシコへ向かう飛行機の上で、陽に輝く雲と海面とを眺めて、この自然のうちに原子となった先生の肉体が遍在すると考えた。それは深いところから自分が治癒される大きい解放感の経験であった。そしてその納得の仕組みが、僕のうちにおのずから湧きおこった思想であることを疑ってみもしなかった。しかし思い出すきっかけをあたえられてみれば、確かに駒場の教室で授業のはじまる前の雰囲気ともどもよみがえってくる光景があるのだ。その朝、高安カッチャンが、自分は永く乗りこえられなかった死への恐怖をついに乗りこえたと、昂奮をあらわしてこの考え方を話し、クラスの仲間はみな軽薄な深刻趣味として、——ああ、そうかい、そういうものかい、しかし分子となって遍在する、というほうが正確なのじゃないの？　などと受け流したのであった。しかしあの朝の高安カッチャンの昂奮に、われわれが同調せぬばかりか、軽微な感銘も受けなかったのは、今考えれば、ただわれわれが稚《おさな》かったのだというほかないではないか……

照明源のある天井が高すぎるために、妙にガランとして暗い中華料理店で僕とペニーは食事をした。ペニーが中国系の人間らしい、本格的かつ実際的な選び方をした料理。もっともそれはパイナップルのはいった酢豚と、黒っぽい焼きソバのランチに、鶏のカラ揚げと野菜の炒めものを一皿ずつ注文したにすぎないが、お互いに相手の皿から半分ずつをとりわけて、われわれは夫婦のような食べ方をしたのである。食事の間、いま気づいたばかりの、高安の若い頃の考え方の影響に不意をつかれたような思いがし、シンポジウムの疲れもあって、黙りこみがちな僕に、ペニーもまた饒舌《じょうぜつ》だったというのではないが、もうひとつ高安カッチャンについてやはり意外な話をした。

高安カッチャンには、アメリカに定住するようになってすぐ、ニューヨークでユダヤ系の女性と結婚していた時期があった。しばらくして離婚した彼女との間に、ザッカリー・Kという息子がいる。そのKはカッチャンの略だというのだ。ということは、なにやら酷《むご》たらしい気もするのだが、かれはわれわれ友人たちがいくらかは軽んじてその呼び名とした、カッチャンといういいかたが気にいっていたのだろう。ザッカリー・Kは、高安と別れてアメリカ人と再婚した母親のもとで育った。いまや二十五歳で、仲間たちを組織した音楽グループを持っている。かれはグループのリーダーであるのみならず、発売しているLPレコードの作詞と作曲もみなかれのものだ。

高安カッチャンの死の報せを受けてハワイに来たザッカリー・Kが、父親の、結局は作品に結晶させることなく、永い期間ノートに書きつけるのみであった草稿に感銘を受けたのだ。かれははじめて父親を発見した。そしてかれは厖大《ぼうだい》な量の草稿から音楽に活用できる言葉をぬき出すたび、ペニーに使用料をはらう条件で、ノートをすべてニューヨークに運び去った。すでに父親の草稿に感化されて、グループ名も変更したザッカリー・K・タカヤスとその仲間の、LPがすぐ発売された。そこにおさめられた曲によるシングル盤は、二種類のヒットチャートでベスト10に入っている。現にペニーはそのレコードの分の、ノート使用料を受けとりはじめた。ミクロネシアへの旅行費と現在の生活費は、その金でまかなったのだ……

――車にLPレコードを一枚持っているから、あとでさしあげます。シングル盤でなく、どの曲も連続性のなかで聴かなければならない音楽だと思うから。またザッカリー・Kも父親の古い友達に、自分がどのようにして父親の仕事を受けついでゆくか、知ってもらうことを喜ぶだろうと思うから。

……あなたは高安の生涯が oblivion のむこうへ流されるほかになくて、ただAWAREなだけだと考えていたでしょう。私もこの間までそう考えて苦しんでいた。あなたの小説に失望したのもそのためだ。いまは高安が忘れられうるとは考えていない。むしろあのように考えた自分を不思議に思う。マルカム・ラウリーの死後、むしろ盛んな勢いでかれの仕事は出版されて行った。高安の草稿も、ノートにすぎないから出版不能だと思っていたが、ザッカリー・Kの音楽という手段があったのだ。それをつうじてこれから広く理解されてゆくと思う。高安が小説として完成したとしても、期待できなかったような規模で。

そしてそれは当然のことです。高安はあのように独特な人だったのだから。高安が生きている間、私たちの生活はめぐまれなかったが、あの人の死後、次つぎに見とおしが明るくなってくる。それもラウリーの場合を考えれば、そうなるはずのものでした。私はザッカリー・Kと共同して、高安のノートから次つぎに新しい音楽を世の中へ出してゆきたい。マルカムの死後、マージャリーが努力をつづけたのを見ならって、私がそうすることを見こして、高安は安心して死んで行ったのかもしれない。そうではないですか？　プロフェッサー……

話のとおりに、ペニーはシンポジウム会場まで歩いて戻って駐車場で別れる際、最初の出会いの夜の服の色を思い出させる、モス・グリーンのフォルクス・ワーゲンから、そのLPレコードを取り出して僕にくれた。レコードのジャケットには、ハルニレのように幹のひびわれた大きい樹木が、正確な描法で描き出されていた。しかし倒立したかたちで。はじめ僕はジャケットをひっくりかえして見なおしたほどだ。確実に枝や葉の微細な線が引かれてはいるのだが、図鑑風というのではない。それというのもこの樹木は、地上部分とみあうだけ大きいひろがりにおいて、樹根が描き出されていたから。

その樹木の、大きい枝が支えるグリーンの葉叢《はむら》に、透明感を強く出した球体が描きこまれ、それらのいちいちに配した文字が、レコードのタイトルと演奏グループの名を示している。“Inverted Qliphoth”というタイトルに、“Máquina Infernal”という演奏グループ。

つまりそれらはあからさまに、マルカム・ラウリー起源を前へ押したてているわけだ。カバラの宇宙論による「転倒したクリフォトの木」というイメージ、もともとはジャン・コクトーに由来する「地獄機械《マキナ・インフェルナル》」も、ラウリーの『活火山の下《アンダー・ザ・ヴォルケイノ》』の読者にはなじみの深い、主人公ファーミンのおちこんだ苦悩の世界の暗喩《メタファー》である。

――なにからなにまでマルカム・ラウリーだなあ。

――そうです、why not? しかしそれは高安の草稿ノートによる、高安の解釈をつうじてのマルカム・ラウリーです。高安の媒介があったから、「地獄機械《マキナ・インフェルナル》」はかれらの音楽を発見できた。高安の遺したノートに引用されたラウリーから、ザッカリー・Kは音楽をインスパイアされたのだから、言葉はラウリーそのものを歌っている。しかしザッカリー・Kの音楽のつくり方を見ていると、マルカム・ラウリーが歌のすべてにあらわれていても、それは、ラウリーが高安の一部分をなしていたからだと理解されるのだ。あらためて、プロフェッサー、私があなたに高安の構想を小説化してほしいと頼んだことはまちがっていたと思う。じつはあの構想をふくめて草稿のノートそのものが、そこにある数多くの引用をふくめて、高安の作品だったのだ。

それを他の作家に小説として完成してもらわなければ、なにもかもゼロだと思いこんでいたのは、高安の死によって心の力を衰弱させていたからだった。高安の草稿ノートを根拠に音楽としてinterpretする、ザッカリー・Kの方法がなにより良かった。もしかしたら高安は、それすら予見していたのかもしれない。プロフェッサー、あなたはこのLPを聴くことで、自分の理解できなかった高安の深さ、強さを発見して驚くでしょう。

そのようにいうとペニーは積極的な精気とでもいうものを全身にみなぎらせて、それは、あのとりあわせこそ雑駁《ざっぱく》だがコッテリしていた中華ランチで充電したもののように思えたが、スルリと小さな車に入りこみ、こちらは見ないで手をふりながら走り去った。

午後の、総括の全体会の間、僕は聴衆の席に坐ってレコードのジャケット裏のこまかな活字を読んでいた。そこにはK・タカヤスのノートによるという注釈のもとに、しかしほかならぬダグラス・デイのマルカム・ラウリー評伝の文章が引用してあった。しかもそこがさらに興味深いことだが、最後にいたるまで、それより他のことはなにも書いてないのだ。もとより版権に厳密なアメリカのレコード・ジャケットに印刷される文章である以上、引用されたものの版権については、はっきりクレジットが示されてもいた。

ザッカリー・Kとそのグループには、版権への配慮と、そのための実際的な手つづきをおこたりなく踏まえる、有能なプロデューサーがついているのであろう。それが高安カッチャンのノートからの孫引きであるからという理由で、高安未亡人に使用料を払うのは、ザッカリー・Kの思いつきであろうけれど。

さて、引用されていた文章を訳出すると次のようである。なかにはさまれている『活火山の下《アンダー・ザ・ヴォルケイノ》』からの一節は、早く刊行された加納秀夫訳を借りるが、それには半行ほど原文から省略されているところがあるので、僕としてそこには自分の解釈をつけ加えたい。それというのも、ここで省略されている部分は、はじめにのべたクロスの研究書の結びにも引かれているくらいで、ラウリーの精神世界を理解するために必要な、キーワードをなすように思うから。もっともその部分、God's lightning back to God についても、僕の解釈に語学的な自信があるというのではないが……

《……これらすべてについて完璧な説明をもとめるためには、パール・エプスタインの『マルカム・ラウリーの個人的な迷宮』をひもとかねばならない。しかしわれわれの当面の目的を達するためには、次のようにいうことで充分である。カバラの聖なる書物『ゾハール』によれば、神はその世界創造において、かれの存在を十個のセフィロト（神から発するところのもの）によってあきらかにした。それはプラトンの知的存在に類似しているところの、眼に見えぬものと物質世界との間の媒介物である。これらの神から発出するものらは、霊的な状態から物質的な状態へ階層をなして並べられて、セフィロトの木として知られている、いりくんだ構造をなしているが、道をきわめる人にとっては、自己救済を達成するための方法にほかならない。楽園失墜にいたる以前、人間はこの樹木の梢まで、つまりセフィロトの、ケテル（王冠）、コクマー（知恵）そしてビナー（理解）の三つ組のところまで達することができた。しかしいまや人間は腐敗して、（カバラの秘儀を体得することなしでは）第二の三つ組、ケセド（慈悲）、ゲブラー（峻厳）、そしてティファレト（世界的な栄光)より高くはいたることができない。いわんや一般の人間は、この樹木の低みの枝、欲求と情念の物質世界に属している枝にしかいたりえぬのである。

道をもとめる人が清純で貞潔であるかぎり、この樹木はまっすぐ立っており、人は救済をもとめることができる。しかしかれが掟をみだすやいなや、この樹木は(地獄機械のように)ひっくりかえってしまい、罪人が頂上に向かって昇って行くことは、抜殻や悪魔の領域であるクリフォトのなかへ滑り落ちてゆくことにほかならなくなる。これこそはジェフリー・ファーミンがよく知っていたとおり、またイヴォンヌがメキシコを去って六箇月後に、かれが手紙に書いたとおりに、その身の上に起こったことだった。……ぼくが慈悲と理解の間で、つまりケセドとビナー(ぼくはまだケセドでもたもたしている)の間にあって――ぼくの均衡。均衡がなければどうにもならない、不安定だ――橋渡しのきかない恐ろしい虚空の上、神にかえる神の稲妻の、あと戻りできない小路の上で平均をとり、シーソーをやっているのがわかるかい？　ぼくがまるでケセドから離れられないでいるみたいだ。クリフォトに似てるようだ。

ひとたび、転倒したセフィロトの木のかたちをした地獄機械が動きはじめるやいなや、世界のあらゆるものが力をあわせて、着実に増してくる勢いとともに、樹木の下の深淵へとかれをひきずりおろすのである。》

全体会の間、僕としては、ここに引用されているセフィロトの木、あるいは生命の樹の転倒についての解説と、地獄機械についての言及を読みながら、高安カッチャンとユダヤ系の妻との間の息子、それも成人した二十五歳の息子という、思いがけない存在がつくりだしている音楽を想像してみるのみであったが、しかしペニーがいったとおりに「地獄機械《マキナ・インフェルナル》」という演奏グループが、アメリカの若者の関心をあつめていることの端的な証拠として、この午後遅くシンポジウム全体の閉会が告げられた直後、混雑のなかで、僕はいくたびもハワイ大学の学生たちやハイスクールの生徒らに呼びとめられて、僕が午前中におこなった話についてひととおりの挨拶はあったものの、もっぱらこのLPレコードをどうやって手に入れたかと熱心に問いかけられたことをいわねばならない。

翌朝は晴れわたっていたが、恐ろしいほどの勢いで風が吹き、ホテルの高い層の窓を開けることもできぬのに、海は荒れていないのがワイキキ浜ということか、その浜に泳ぐ連中はもとより、甲羅をほすだけの者らもあらわれぬ時間から、僕は宮沢さんの連絡を待っていた。しかし午前中はついに音さたなく、二時過ぎになって電話が鳴ったが、それはフロントからの問いあわせであった。

僕のところに本を届けに来ている客がいるのだが、そのまま置いていってもいいといっているけれども、その人に会うか？　僕はロビーに降りて行って、それこそ満面に笑みをたたえた、少女のように華やかな顔だちの、しかし白すぎる皮膚はすでに疲れはじめている、三十すぎの女性に迎えられた。その微笑にはいかにもデモンストラティヴな大きさがあって、日系アメリカ人の微笑というよりなにか別のものを感じさせられたのだが、あとで話に出たところでは、彼女は四分の一アイリッシュだということであった。彼女の背後には、遠慮深く距離を置いて、幼児を肩車した日系アメリカ人の、それも彼女の弟のような年頃の夫がこちらを見まもっていた。

——自分らは昨日のプロフェッサーの話を聞いたものだ、と彼女は英語でゆっくりいった。それは僕の語学力を配慮してくれて、ということであろう。質問者が、日本の文学者と日系アメリカ人の文学者との交流に、否定的な意見をのべたが、自分らはちがう考えだ、と彼女は竹の写真を表紙にした一冊の小説集をくれたのである。少部数のもので、それは自分が持っていたコピーだが、今朝作者を訪ねて、あなたあての署名をしてもらってきたと。そこには三つの中篇がおさめられていたが、タイトルのひとつ "I'll crack your head Kotsun" が端的に示すように、日系アメリカ人の少年時を回想した小説だった。

海とは反対側の、駐車場と土産物売場にはさまれた通路にコーヒーの自動販売機とアイスクリーム・スタンドがある。風の吹きさらしの場所ではあるが、子供がそこへ行きたがっているので、われわれはみんなでゆき、僕は自分らにはコーヒー、子供にはアイスクリームを買って、しばらく立ち話をした。彼女自身、"Talk story" という、日系移民の思い出話を文章に記録する文学グループのひとりで、夫は建築家だが理解がある。日系アメリカ人の創作活動について調査に必要な手だすけがいれば電話をくれといい、話していたのはわずかな時間にすぎないのに、邪魔をしてしまったと、彼女はしきりに恐縮するのである。建築家は終始沈黙して、ただ微笑していたが、僕はこの夫婦がもうひとつ肝心な用件をかかえていながら、それを口に出せないでいるのではないかという気もした。

しかしこちらにはかれらの用件をおしはかれぬまま、言葉の切れたきっかけに、今日のうち、あるいは明日、カウアイ島へ渡るつもりだと僕は話した。ハワイの島と島の間の飛行機の便はしばしばあるのか、また空港までと飛行時間は、どれほど要するものだろうかと。宮沢さんは仲間がホテルを訪れて案内するといっていたが、僕ひとりでカウアイ島へ渡らねばならぬかもしれないからと。ところが彼女は、僕の質問には直接答えず別の話をしたのである。

昨日のシンポジウムの聴衆だった日系アメリカ人のうち、原水爆の廃絶にむけてゆっくりした運動を考えているグループが、僕から広島について話を聞くことを望んでいたのだが、エルサルバドルへのアメリカの干渉を批判したE・N教授と僕に近い関係があると受けとめて、ショックを受けたようだと。ハワイの日系アメリカ人の反核兵器の運動は、注意深く穏健にやらねばならないと、そのグループは考えている。E・N教授は、自分の信条に立ってハワイの有力紙に反核兵器の投書をかさね、少数の参加者の行進ではあるが、デモも組織した。その日系アメリカ人グループも、E・N教授に敬意をはらってはいるのだが、自分らとしては広い層に支持される方向で運動したい。つまり政治的な方向性を持った知識人とは一線を劃したい。そこで昨日のシンポジウムが終始E・N教授によってリードされたことに警戒の念をいだいているのだ……

そのように話すと、彼女はおよそわが国のその同世代にはすでに見られぬ、したがって日本的な礼儀正しさとのみはいうこともできぬはずの、茫然としたような恐縮ぶりをあらわして、コーヒーとアイスクリームのお礼をいい、僕の時間を妨げたことを繰り返しわびて帰って行った。僕は自分の部屋に昇ってゆきながら、いまの話を反芻《はんすう》しもしたが、直接それを宮沢さんから連絡がないことと結びつけることはしなかったのである。そのようにして夕暮までずっと待機していたのだから、結局それはおまえのおめでたいところだといわれてもしかたはないのだが……

午後四時にはじまった日本語のラジオ放送で、僕は東京の家を訪ねてくれた際宮沢さんが話した番組に出会った。それを聞きながら、宮沢さんが連絡をしてきてくれたなら、まずこの話をしようと考えたことも覚えている。つまりはその時点でも、さきの訪問者が遠慮深く告げていった言葉の含みに気づいてはいなかったのだ。それを外国滞在の際自分にしばしばおこる一種の退行、幼児化のあらわれのひとつだったというべきかもしれないと思うが……

その日の聴取者参加の電話問答では、カルメ焼きが話題となっていた。直接宮沢さんを思い出させる声音の、それもこれは中国地方の方言を偲ばせる語りくちの老婦人が、まず電話でカルメ焼きについて話した。それをスタジオで受けるアナウンサーは、東京の若い人の今風の話しぶりに敏感な女性である。それでも三十歳はこえているのだろう、言葉つきの軽薄なほどの新しさと裏腹に、生活に根ざした教養はそなえていたから、電話の応答はとどこおりなく展開する。最初の電話の老婦人は、はるか昔、子供が集まってカルメ焼きというものをしたが、それはザラメ糖に重曹をいれてふくらませるだけのものだったろうか、も一度やってみたいが正式の仕方を教えてもらいたい、というのであった。つづいてカルメ焼きの方法を、様ざまな声が(それもみな初老から老年の婦人たちの声であった)伝授したが、そのうち論点は、カルメ焼きのためのカネの杓子《しゃくし》ということに集中した。どうしてもカネの杓子はいる。しかしいまはもう、内地でもカネの杓子は手に入らぬのじゃないか?

あるひとりはこういう思い出を語りもした。自分は戦前ハワイへ渡って来た者だが、出発の直前、日本に残る姉と居間の火鉢でカルメ焼きをした。どういう具合か、溶けた砂糖がはねて鼻の脇にくっつき、小さいものだが火傷をして、いつまでも涙がとまらなかった、それを覚えている、という電話。この婦人は、アナウンサーがとくに異例をもうけて再度の電話をとりついだが、いま思いたって、明るいガーデンに出て鼻の脇をしらべてみると、火傷の痕はまだ残っていたと、涙声で語った。彼女は老人ホームに収容されている老婦人のようなのであった。そして、これがカルメ焼き論議のしめくくりをなしたのだが、この日はじめて男の聴取者からの電話があり、カネの杓子は現にいまもハワイで作られており、ケアモク農林局前の雑貨店で売っている、という。この放送を聞いて買い手が殺到するはずであるから、最初に電話をしたコウダさんのために、雑貨店主のフルゲンさんに電話をし、一本確保しておきました。――それは、それは、南キング街のオカモトさん、どうもありがとう、スミエ、感激！　とアナウンサーが叫び、そのようにして番組は終わった。

僕は宮沢さんの話した、ラジオ番組の参加者によって核兵器をめぐる話し合いの仲間ができたといういきさつを、彼女の仲間の、いずれは老婦人たちが中心であろう、その雰囲気ともどもも想像することができたのだ。もっとも当の宮沢さんのグループからは、夕食の時間をすぎても連絡がなかったのであるけれども。そのうちようやく僕は、風の激しいなか一冊の本を届けにきてくれた、異様なほど恐縮して話す昼間の客の、その訪問の意図に思い到ったのである。まだ若い人ではあったが、彼女もまたおそらく宮沢さんのグループのひとりなのである。

そのように考えれば、すべては明瞭すぎるほどのものだ。すでに婉曲な仕方ではあるが、宮沢さんのグループは講演中止を申しいれてきていたわけなのだ。昨日のシンポジウムのリーダー格のE・Nさんのエルサルバドルにおけるアメリカ帝国主義批判とおなじく、強い調子のアメリカ核体制批判が出ては困惑するということで。実際に僕として、昨日のシンポジウムの際、エルサルバドルへのアメリカ軍介入にからめて、その背後にある核体制までもを擁護する聴衆がいたとしたら、E・Nさんともども、それに強く反対したはずだ。自分の論理を尖鋭に表現しえぬ英語力について、足どころか全身震えるほどのくちおしさをあじわったのみだったかもしれないが……

僕はむしろ、実際にハワイに来ている僕のことをいまどのようにあつかえばいいか、苦慮していられるだろう宮沢さんを思って、気の毒に感じた。しかし、僕の日本への飛行機の予約は、カウアイ島の農園訪問を予定にいれて三日後にしているのである。僕はあと二日どのように過ごしていいものか考えあぐねながら、窓の側のみならず、むしろ箱としての部屋の六方をすべて風の音に閉ざされている暗がりのなかで、なんとか眠ろうとつとめた。昼間もらった日系アメリカ人の小説を読むうちに、浅い眠りをさそわれ、しかし胸苦しく暗い夢、ハワイに核攻撃がせまっているのを以前から知っていたというような、しかし胸苦しい夢にビクリとおののいて眼ざめると、すがりつく恰好で枕の脇の小説を読みつづけようとする。事実英語で書かれていながら、深いところで日本人としての懐かしさのある文体に励まされながら。そしてまた短い不安な眠り、そのようにして風のおさまる明け方までを僕はすごした。

翌朝は、早くから泳いだ。浜を見わたしても遠方に甲羅をほしている人らが点在するだけで、水は冷たいが濁《にご》りはなく、泳ぎながら水泳用ゴーグルで、中層や深みの、あざやかな色あいの熱帯の小魚類や、素早く跳びたってくる蟹を見た。またいかにもありふれたカマスやカワハギに似た魚が、生活圏に踏みこまれた不快をあらわして逃げさってゆくのも、泳ぎながら見た。しかし心は悪夢のつづきのように滅入ったままで、不安な情動がたかまるようでもある。つねづねプールで泳いでいるために、自然だが不規則な波の動きになれぬせいか、あるいは泳いだ距離をつかめぬせいかと、僕は浜に上がった。見わたすと高みにプールがある。まだ足跡のない砂浜を歩いてコンクリートの階段を昇り、観覧席もある二百メートルの競泳用プールであることを確かめて、そこで泳ぐことにした。

しかしいったん跳びこんで上をあおぐと、設備は古く管理もおざなりで、水面からの壁が奇妙に高く、しかもこまかな貝殻がいっぱい付着しているのだ。プールの底もまた深く暗く、どこかに海と通じているところがあるのか(?)プールらしくないうねりもつたわってくる。僕は壁にそって一往復したが、そのうち水は死んだ魚の臭いがしはじめ、いったんあがろうとすると貝殻の付着した壁面はどこもかしこも危険で、金属パイプの梯子《はしご》が埋めこまれた場所は、さらにひと泳ぎしなければならぬ遠さ。

やっとの思いでプール・サイドにあがると、発声器官に障害があるのらしい、困難をこえてものをいう十五、六の藁《わら》のような金髪の娘がよってきて――ここで泳いでいいのか？　魚《フィッシュ》がいるじゃないか！　とどなりつけるようにいう。いくらか離れたところの、コンクリートの観覧席に、すこし年長の黒人の少年が坐って、こちらを見張る様子だ。昨夜からプール敷地内のどこかですごしていたのらしい二人が、あまり人の泳がぬ場所で往復をはじめた中年男を、それも日本人をおどかして10ドルほどという魂胆なのだ。しかしせっかく見つけたプールでも満足する泳ぎのできなかった僕は不機嫌で、――魚《フィッシュ》？　それならばむこうの海にも泳いでいるんだ、といいかえすとまた砂浜に降りた。

今度はおいおい泳ぐ人らが増えてきている、したがって水が灰青色の砂をまきあげて澱り、魚の姿は見えなくなった海で、ホテルの敷地の幅につきだしている突堤の間を往復することにした。浜から遠く出て、それを繰り返す。泳いでいる腹のうちに湧きおこってくる、単純だが強いもの、それはどうにもやりばのない怒りだ。それはこの夜明けまで繰り返された、夢に驚いての眼ざめに短く区切られるが、連続した恐ろしい夢、徹底した無力感に似た眠りと、それがかさなるにつれて疲労のようにしみついた怒りだ。そのうち口のなかが塩水の味よりも、鉄の匂いのようなものにみたされてくる。それは怒り自体の匂いだ。僕はただ泳ぐ。海水になかば隠れるようにして(ずっと潜りつづけていることができれば、さらにいいだろうが)、鱶《ふか》に追われているとでもいう具合に泳ぐ。そのようにして感じ、しかし感じるだけのものでしかない怒り。

この怒りについて、たとえば高安カッチャンの亡霊があらわれ、――きみは結局、自分のためにも他人にとってもムダなことにすぎぬ長い旅をし、女の聴衆からきいたふうなことをいわれてはかばかしい応答もできず、旅の目的だった約束はすっぽかされ、それでも相手を咎めだてすることはできない。そのへマさかげんに腹を立てているんだ！　そういうとすれば、それはそのとおりだったろう。しかしこの無力感の灰に覆われた埋れ火のような怒りは、自分の根幹の生に、永くかかってセットされたものだ。僕はそれを表現するためにこそ小説を書いてきたのかもしれぬのだが、現にこの経験を小説に書くことがあっても、いま身内に湧く怒りについては、それをよく表現しつくしえないだろう。

僕はいまや自分の父親が急死した年齢に近づいている。数えで五十歳の父親は、冬の真夜中に半身を起こして、脇に寝ていた母親を心底震えあがらせ、終生「ノーシン」と縁が切れなくするほどの、怒りに燃える声を発することがあった。そのあげく大水の川に短艇を乗り出して死んだ。その息子の僕もまた、自分の中途半端な生を終えるにあたって、憐れにも、忿怒の声をあげるのみではないか？　自分の死後の、この世界への原子か分子となっての同化。その平安をもたらす死への思想も、僕らが若い時分から気の毒に思い、しかもそう思うことにおいてまじめであったのではない、あの高安カッチャンに発していた。その思想こそが、忿怒の声とともにまぬがれぬ死を見つめる、その最後の時の唯一の慰藉かもしれぬのに。……そのうちこのようにこまごまと継起する頭のなかの動きすら間遠になって、五十メートルほどあるふたつの突堤の間を、僕はただ怒りのかたまりになって泳ぎつづけた。

すでに陽は高く、陽灼けどめのクリームを塗っていない皮膚に陽ざしは強すぎる。いったん泳ぎをやめると、砂浜に寝そべって休むわけにもゆかない。突堤の石段から砂浜を横ぎって、ホテルの裏口に急いでゆく僕を、ペネロープ・シャオ＝リン・タカヤスが砂浜まで張り出している軽食用のレストランで見張っていたのだろう。厚手の葉に人が名前をきざむこともできるので、ハワイでは「オートグラフの木」というのらしい、汐風に強く育つ木のかげから、例のスルリという体のこなしであらわれた。

——やはりプロフェッサーだった。楽しむというのでもなく、示威するというのでもなく、あのようにただ泳ぎに泳ぐプロフェッサーは、高安のいっていた一面をあらわしていた、とペニーは観察の持続に立つ確かな冷静さでいったのである。カウアイ島の集りへは、これから発ちますか？

僕はそれが受入れ側の事情で、事実上中止になったむねを、なお荒い息をつきながら話すほかなかった。ペニーは、中国人らしいなめらかさの広い頬に睫《まつげ》の影をおとして、伏眼になにごとか考える具合だったが、直接にはなにもいわなかった。彼女もまたカウアイ島行きは実現しないのではないかと疑って、ホテルに寄ってみてくれた模様である。そこには僕のうかがい知れぬ、ハワイでの反核運動のむつかしさが、彼女らにわけもたれている知識としてあるのかもしれなかった。それならばエルサルバドルの反政府軍を支持しつつ、反核兵器のデモもまた実現した、E・Nさんは勇気のある行動を続けていられるのだった。

南欧系の血が流れている大学教授と日系アメリカ人の老婦人というちがいを考えるまでもなく、僕には宮沢さん個人について不服に思うことはなかったけれども。そこで僕は、――これから「雨の木《レイン・ツリー》」のある施設に行ってみようか？　おとといシンポジウムに来てくれた詩人から、一緒にパーティーに出た場所を確かめておいたので、と提案した。

――「雨の木《レイン・ツリー》」？　しかし私たちは死んだ人のことより、生きている人間のことをしよう、と準備してきた言葉のようにしてペニーはいった。プロフェッサーはまだザッカリー・Kのレコードを聴いていないでしょう？　友達のアパートに再生装置があるから、それを借りて聴きたい。アパートからはポカイ湾が近いから、そこで泳ぎ直してもいいと思う。ポカイ湾はこれほど汚れていない、海らしい海だから。

僕はワイキキの浜が汚れているとは思わなかったが、魚がいるのに泳いでいいのかと、幼すぎる語り口の娘に文句をつけられた、あのプールの死んだ魚の臭いを思い、それがしみついているかと、着かえる前に少し長くシャワーを浴びもした。そして僕は「地獄機械《マキナ・インフェルナル》」のLPレコードを持って、ペニーが車寄せへ廻してきたフォルクス・ワーゲンに乗りこんだが、われわれはオアフ島西岸のポカイ湾へまっすぐ向かうかわりに、一年前高安カッチャンと再会したハワイ大学の高みへ向けてまず昇って行ったのである。

それというのは、ペニーが大学のCO＝OPの書籍部で、ペンギン・ブックのモダーン・クラシックスに入ったマルカム・ラウリーを数冊見かけたといったからだ。専門の学者、研究者とちがって、僕は自分がとくに関心を持つ作家についても、あらかじめ輸入書籍店に注文する仕方になじめない。書店に通って、それとなく網を張りつづけるのが僕のやりかたである。したがってはじめに引いたペニーの手紙に出てくる短篇をおさめた、『あなたの住家である空から神よわれらの声を聴きたまえ《ヒア・アス・オ・ロード・フロム・ヘイヴン・ザイ・ドウェリング・プレイス》』をはじめ、妻のマージャリーの編による、また研究者デイとの共編による、遺著の三冊を手にいれられたのは良かった。僕がそれを買ってくる間、太平洋諸島関係の棚の前に姿勢よく立って待っていたペニーに、僕は『千年王国と未開社会』という題での邦訳が面白かったピーター・ワースレイの"The Trumpet shall sound"を見つけて説明した。そしてポカイ湾まで車で運んでくれるお礼に、それを贈りものとした。

オアフ島を東西に横断する車のなかで、彼女として先刻承知のことかもしれぬが、僕はカウアイ島での集りが流れた理由とおしはかるところを話した。ところがそれに対するペニーの反応が、およそ独自のものだったのである。アメリカ人がおこなっている反核兵器の運動はすべて無意味だというのだ。ハワイ大学の急進派の教授が組織するデモも、カウアイ島の日系老婦人らの穏やかな集りも、つまるところ無意味な点では差異がない。高安は僕の反核兵器の談論もその無意味さのカテゴリーのものだといっていた。ペニーはそういうのだが、つまりは僕の評論の仕事も高安カッチャンが読んでいたということにはなろう。

高安は、僕が広島の被爆者の悲惨について書くと同時に、医療にたずさわった医師たちの、また被爆者自身の、再生に向けての奮闘を敬意をこめて書き、それを人類への信頼にかさねていることについて、結局において甘いといっていたというのだ。僕と再会した際、それをかれが口に出さなかったのは、根本的な批判をつきつけることで小説を合作する気持を僕に失わせるのを惧《おそ》れたからだ。高安はそのように合作を大切に思う点では僕の文学的な仕事を認めていたわけだが、だからといって僕への批判を持たなかったのではない。原水爆についての考えのちがいはその一端を示す、とペニーはいった。高安カッチャンがおこなった僕への批判はペニーにそのまま受けつがれている。それを彼女は運転しながら次のように話した……

――プロフェッサーは核兵器の状況に危機感をいだいているけれども、つづまるところ世界規模の核戦争は起こらぬと信じているのではないか？　これという確実な根拠もなしに？　しかし高安はカバラに学んだ哲学的な信条にもとづいて、アメリカ圏とソヴィエト圏は、つまり現代文明の大半は、核の大火に焼きつくされると考えていました。なぜかといえば、すでに地獄機械は動きはじめているのだから。セフィロトの木は転倒してしまっているのだから。

文明圏の人類の大方は、セフィロトの木を昇っているつもりで、じつはもの凄い勢いで、地獄へ、クリフォトへと滑り落ちているのだ。そのように高安は信じて死んだ。私はそのように信じて生きている。原爆のキノコ雲の写真を、高安は『ニューズ・ウィーク』の表紙から切りぬいて、草稿のノートに貼りつけていた。「転倒したセフィロトの木」と注のように書きつけて、ラウリーの引用も一緒に。ザッカリー・Kの今度のLPに、直接そのページからインスパイアされた歌があります。

オアフ島西岸のペニーの友人のアパートは、高台にあって海を見おろしはするものの、ベッドがわりに使われているらしい大きいソファーの他には家具ひとつない、白塗りの倉庫の一室のようであった。留守にしている友人は学生の様子で、ペーパー・バックスの古典と、やはりペーパー・バックスのベストセラーが床にじかに積んである。そのなかに置かれたソニーの再生装置で、われわれはザッカリー・Kのグループが演奏する一連の歌を聴いた。

原水爆がテーマの歌も、このLPのすべての歌がそうであるように、マルカム・ラウリーから高安カッチャンがノートに抜書きした言葉を、ザッカリー・Kが作曲した歌なのだ。キノコ雲の写真とともに、高安カッチャンは『活火山の下《アンダー・ザ・ヴォルケイノ》』の、ファーミンが殺されて犬の死骸とともに深い峡谷《バランカ》へと投げ棄てられるむすびから、死にわずかにさきだつ幻想をノートにうつしていた。そこをやはり加納秀夫訳で引用する。

《おそろしい爆発だ、いや待てよ、これは火山じゃない。世界が爆発しているのだ。爆発したあげく、村々が真黒な噴流となって虚空にはじき出されている。おれもいっしょになってその中を落下する。無数の戦車の想像を絶する大混乱の中を、おびただしい肉体の燃える火の中を、落下する、森の中へと落下する――》

つづいて演奏グループの全員はじつに長ながと絶叫するのだが、それもまたラウリーの意図を生かしてということになろう。小説は次のように終わっていたのだから。《突然彼は絶叫した。その声は木から木へとひびいて、こだまを返し、ついには木々が群がり、押しよせ、あわれみつつ彼を包んでゆくようだった……／だれかが彼に続いて犬の死体を峡谷に投げこんだ。》

ＬＰレコードが音楽的にも独特なものであることを、僕は認めた。若かった同級生たちの誰も本気で相手にはしなかった高安の、しかしじつは、こちらの方がそれを見出す能力に欠けていただけかもしれぬ、ある確実な才能を、その血を受けたザッカリー・Ｋをつうじて、いわば追認しているという気がしたのだが。しかしこのＬＰ両面を聴くことは、徹底的に気の滅入る音楽受容の経験でもあったのである。それはペニーも同じであったらしく、われわれはカーテンのない窓から（それもハワイのアパートとして不思議なほどの投げやりさだと思われたが）湾に囲みこまれた、金属の溶液のようにも透明なブルーの海を見おろしはしたが、人影も見あたらぬそこへ降りて行く気にはならず、黙りこんでまた床に寝そべってしまった。

そのうちペニーは友人が帰って来ぬとわかっているわけなのか、僕にはなんとも気がかりなところが残る、見知らぬ他人のアパートで、思い立ったようにスルリと裸になった。この前、負けずおとらず変則的なありようで僕が彼女の裸を見た、あの際の、体のありとある部分が紡錘形《ぼうすいけい》をしていると感じられる体に、クリーム色の微光をはなつ脂肪がついたペニーと、大きいソファーで僕は性交した。それをいうのは、夕暮方ワイキキ浜のホテルへ戻る車のなかで、ペニーのいったことをこそ書きとめたいからだ。まだ海からの光の残っているうちに、山のなかで車をとめて、ペニーは茂みのなかに姿を消すと、ユッカランの白い花びらをひとつとってきて僕にくれた。しかしそうした情緒的な態度とは不連続な、乾いた語調で次のようなこともいい、僕はその言葉を忘れないのである。

——私と高安の性交は、良い性交《グッド・ファック》でした。高安が衰弱してきた後も、数は少なかったが、そのたびにうまくいった。それは心理的な側面とは別に、物理的な段階でうまくゆかないと感じる。そして思い出してみると、高安との結婚期間忘れていたのが不思議なほど、それは高安と出会う以前、性交のたびに私が感じていた不満なのだ。

高安が日本人であったから性交が具合良かったのかと、今日はプロフェッサーとためしてみたが、やはりうまくゆかなかった。高安の肉体そのものに、独自なところがあったのだ。プロフェッサーにも良くない性交だったでしょう？　それでも努力してくれていることに気がついていた。おそらくそれは私の性器の位置に関係していると思う。私と高安とはお互いの性器の位置や角度まで、他に代りを見出せない組みあわせだった。プロフェッサー、死んだ人のことより生きている人のことを、といったけれども、やはり死んだ人のことに戻ってしまったね。

僕としてはあいづちの打ちようもなかったが、翌朝眼ざめると、腹や背なかに、永年の間、あるいはかつて一度も使ったことのない部位の筋肉が、軽く痛みをつたえてくる。それはペニーのいったことをなんとなく納得させたのだ。

東京に帰って半年たち、つまりこの冬のさなかにペネロープ・シャオ＝リン・タカヤスから写真を一枚同封した手紙を受けとった。僕はいまテレビやグラフ雑誌に樹木の詳細な画像を見かけると、ぐっと顎を突き出すようにしてしげしげと眺めるようになっている。妻はその恰好が、彼女としては会ったことのない僕の父親の、老年となった様子を思わせると、僕の姿勢を好まぬようなのだが。

僕はペニーの手紙に入っていた写真を、まさにそのようにして見つめながら、妻の視線に根拠のあいまいなうしろめたさを感じた。しかし僕はペニーともうひとり見覚えのある女性が写っているその写真の、二人の女性の間に立っている、真っ黒な樹木の基底部を見つめていたのだ。その樹木の、人間の高さほどから上は、最近焼けつくしてしまったのらしい。地面にそって張り出し樹幹にそって狭まりつつ上に伸びる板根がはっきり写っていて、それは生きたまま焼かれた樹木の身悶えが固定したような痛ましさだ。
僕はその無残な焼けのこりの樹木が、暗闇のうちにその根方を見た巨大な「雨の木《レイン・ツリー》」だと確信した。それにつらねて、ペニーと黒い樹木を間にして並んでいる、まっすぐに背を伸ばした金髪の女性が、アガーテというドイツ系のアメリカ人女性であることも認めた。僕と会った際の彼女は、人あたりが良く若く見えもしたのに、写真では謹厳な五十女のようであったが。

彼女が精神障害者の民間施設に収容されている仲間たちと主催したパーティーで、僕は奇妙な経験をしたのである。それをこの「雨の木《レイン・ツリー》」小説のはじめの作品として書いたのでもあるが、ハワイにおける「雨の木《レイン・ツリー》」という呼び名とその由来について、僕に語ってくれたのがアガーテであった。そのアガーテの豆つぶほどの顔が、樹木の焼けのこり同様、正視にたえぬ表情をあらわしているのを見て、僕は息苦しい思いをいだいた。

ナチスの収容所長であったのらしい父親と、高い塀の内側で暮らして、そこで乗馬に励んだ少女時代を持つアガーテは、僕と会った時もこのように良い姿勢をしていたが、表情はおよそ別のものだったのだ。写真の顔つきに彼女の内部からの信号を読むとすれば、「雨の木《レイン・ツリー》」を焼き、当然にこの樹木のあった施設のニュー・イングランド風の木造建築をも焼いてしまったはずの火事の、その原因とアガーテがむすびつくのではないかと疑われたから。

しかしペニーの手紙には、そのようなことを推測させる要素はなかった。彼女は新聞で、精神障害者の民間施設が火事で全焼したという記事を読み、それが僕の書いた「雨の木《レイン・ツリー》」のあるところではないかと感じた。そこで早速車でかけつけ、そのとおりであることを確認したというのである。そしてただひとり収容者が焼死した他は(その焼死者は、僕が見た、自分の排出する血にまみれていた女性であったにちがいないと思う)、なんとか生命は無事に避難した収容者の避難先をたずね、看護婦ではないが施設の仕事もする収容者であり、とくに避難者の誘導に功があったというアガーテと友人になった。

《プロフェッサー、あなたの「雨の木《レイン・ツリー》」は燃えてしまった。マルカム・ラウリーは、死にのぞむ人間の叫びが樹木から樹木へこだましたと書いているが、「雨の木《レイン・ツリー》」も燃える際には、人間の耳に聴きとれぬ大声をあげたのではないか？　しかしまもなくアメリカもソヴィエトもヨーロッパも日本も、核爆弾の大火で燃えつきてしまうのだから、プロフェッサー、それに先だつ「雨の木《レイン・ツリー》」の炎上を、とくに悲しむのもセンチメンタルであろう。もともとその種のセンチメンタリズムが、高安も指摘していた、プロフェッサーの終末観の甘さと対をなして実在するとしても。

この世界のセフィロトの木は、すでにさかさまになってしまっている。ザッカリー・Kが LP レコードのジャケットに引用した文章どおりに。(そのシングル盤はクリスマスまでに二百万枚を越すということです。)やはりラウリーの自殺についていわれた言葉のとおりに、いまにも世界各地で原水爆の大火が始まるとして、それは世界が永年にわたっておこなってきた自殺の、“only a ratification”なのだ。

しかし私自身は、核爆弾に滅ぼされなければならぬ人間だとは思わない。高安の灰と骨を撒きに行った太平洋の島にも、核の大火に焼かれる理由のない人びとが住んでいた。かれらは核爆弾をつくり出す文明に手を貸したことはないのだから。それらの島々のうち、アメリカに対して核実験被災の補償訴訟をおこしているマーシャル島の人びとや、ベラウの反核運動の進め手たちの話は聞いているでしょう。しかしこれらのミクロネシアの人びとは、もう一歩進めて運動すべきなのだ。

メラネシアの荷物《カーゴ》カルト運動について分析した本を、プロフェッサーにもらった。それはメッセージをこめてのことだろうと、私は考えている。なぜなら次のように思いあたるからだ。メラネシアの多くの島で、いまにも「千年王国」が来る、そして物資の贈りもの、荷物《カーゴ》をふんだんに受けとることができるという信仰が生じた。それを迎える準備のために、まず自分らの家畜や農作物を食べつくし、金は海中に投げすてようという運動。

そのことは私も、高安の灰と骨を撒いたサモアの南で聞いていた。荷物《カーゴ》カルト運動の指導者のうちには、牢獄から出てまだ生き延びている者がいるとも聞いた。ピーター・ワースレイの本を読んで、この種の指導者は次つぎに新しく生まれて来るはずだと信じる。つまりそれが、プロフェッサーの私へのメッセージではないのですか？

私は高安の灰と骨を撒いた島にアガーテと、彼女の友達の建築家との三人で、移住しようとしています。ザッカリー・Kのレコードから資金は保証されると思う。私らは原地人の若者のうちに、指導者を発見するでしょう。そしてできるなら、新しい荷物《カーゴ》カルト運動を始めるつもりだ。それを原水爆荷物《カーゴ》カルト運動と呼びたい。

ソヴィエトとアメリカ、ヨーロッパと日本が、核の大火に焼かれてしまえば、多くの物資が荷物《カーゴ》として、太平洋に漂い出るにちがいない。島の人びとは、それをただ拾えばいいのだ。その大いなる日の来たるまで、さかさまになったセフィロトの木の世界に加担することは止めていなければならない。それが私らの運動の原理です。

漂って来るものを拾うだけではない。ゆっくりと何十年でも放射能が減少するまで待ちさえすれば、あらゆる文明圏の物資は、カヌーに乗って出かけて行く島の人びとのものだ。

プロフェッサー、あなたと会うことは二度とないし、手紙を書くこともないと思う。だから最後に、マルカム・ラウリーの祈りの言葉をもういちどあなたに送る。それ以上のことは、さかさまになったセフィロトの木の側にいるプロフェッサーのためにしてあげられない。それを悲しいと思うが、ラウリーも高安もやはり絶望して死んだのだ。プロフェッサー、あなたの「雨の木《レイン・ツリー》」も、ひとり炎に焼かれたのです……

“Dear Lord God, I earnestly pray you to help me order this work, ugly chaotic and sinful though it may be, in a manner that is acceptable in Thy sight. . . . It must also be balanced, grave, full of tenderness and compassion and humor.”》

無垢の歌、経験の歌

（連作『新しい人よ眼ざめよ』の1）

外国へ向けて、職を得た滞在をふくむ、ある長さの旅に出るたび、見知らぬ風土で根なし草となる自分が、ありうべき危機になんとか対処しうるように――すくなくとも心の平衡をたもちうるようにと、ひとつの準備をすることにしている。それはただ、出発までの時期読みつづけた一連の書物を、旅に携行することにすぎないが。事実僕は、いま異邦の土地に孤《ひと》りでいるのはそのとおりだが、しかしこの間まで東京で読んでいた本のつづきを読んでいると、ビクついたり苛だったり沈みこんだりする自分を励ましえたのである。

この春は、ヨーロッパを旅行した――といってもテレビ・チームとともに駈《か》け廻るようであったウィーンからベルリンへの旅程の、どこでも樹木は新芽を吹いていず、花といえば葉よりさきに開いて無闇に黄色い連翹《れんぎょう》と、やはり葉の青みなしに地面から蕾《つぼみ》をもたげるクロッカスのみだったが。この出発の際には、二、三年読みつづけてきたマルカム・ラウリーの「ペンギン・モダーン・クラシックス」版を四冊持って行った。二、三年ラウリーを読みつづけたといったが、それにあわせて僕はラウリーに触発されるメタファーを脇に置くようにして、一連の短篇を書いてきたのでもあった。そこで僕が、むしろ積極的にもくろんでいたのは、旅の間ラウリーをもう一度読み、旅の終わりに、――よし、自分としてラウリーはこれでしめくくることにしよう、と決意することであった。そして旅に同行する人びとに一冊ずつ、当のラウリーを贈ることにする手順であったのだ。若い頃、心があせるまま、ひとりの作家に永くとどまりつづけることができなかった。中年すぎになれば、やはり老年から死にいたるまでに集中して読むという作家の数が見えてくる。そこで時どき意図的に、このようなしめくくりをおこなわなければならないのでもある。

さて、旅の間、僕はかつて経験したことがない濃密なスケジュールで動きながら――しかしかれらとしての仕事への論理にしたがうテレビ・チームと、気持の良い関係をたもちつつ――移動の飛行機や汽車、またホテルの部屋で自分が様ざまな時に引いた赤線のあるラウリーの小説を次つぎに読んでいった。夕暮のフランクフルトに汽車が到着する直前であったが、ラウリーのもっとも美しい中篇に思える『泉への森の道《ザ・フォレスト・パス・トゥ・ザ・スプリング》』の、作家であり音楽家でもある語り手が、創作への励ましをもとめる祈りを書きつけた箇所に、僕は新しく自分を引きつける契機を見出したのである。

新しくというのは、以前にもそこを読んで感銘を受け、祈りの言葉の前半を小説に引用したほどであったのに、今度はさきに重要に思えた部分につづく、祈りの後半に、眼をひかれたのだからだ。自分の再生のための新環境を主題に音楽をつくりだそうとして果たせぬ語り手が、親愛なる神よ、と呼びかけつつ、援助してくれることを祈りながらいう。《私は、罪にみちておりますゆえに、誤った様ざまな考えから逃れることができません。しかしこの仕事を偉大な美しいものとする営為において、真にあなたの召使いとさせてください。そしてもし私の動機《モティーフ》があいまいであり、楽音《ノート》がばらばらで意味をなさぬことしばしばでありますなら、どうかそれを私が秩序づけうるようお助けください、or I am lost…》

もちろんそれは文章全体の流れに立ってであるが、僕はとくに最後に原語のまま引いた、その半行ほどに特別な牽引力を見出したのだ。僕は信号を受けとめたように感じた、――さあ、いまはラウリーの作品から別れて、もうひとつ別の世界へ入ってゆき、また数年間はそこに逗留すべき時だと、はっきりある詩人の作品群を示し、優しい手つきで指し示してくれる師匠《パトロン》の声のような……　それは日曜の夜で、金曜から帰郷していた若い応召兵士たちが、また兵営へ戻る旅立ちの時だった。学生のような兵士たちが寝台車の窓際通路に立ち、圧縮バルブのついた小さなラッパを長ながと高鳴らせて、かれらの都市に別れをつげる、なおプラットホームに残っている兵士たちには、少女めいた愛人たちがなんとかなだめて汽車に乗せようとする。あるいは別れを惜しんでもう一度抱きあおうとする。そのような雑踏のプラットホームに降り立ったことが、僕に自分としての別れの思いをくっきりきざませた、というのでもあるのだが……

駅から出てホテルに向かいながら、僕はテレビ・チームが大量の器材を運びだす時間を利用して、駅構内の書店から見つけてきた「オクスフォード・ユニヴァーシティー・プレス」版のウィリアム・ブレイク一冊本全集をたずさえていた。その夜から、僕は数年ぶりに、いや十数年ぶりに、集中してブレイクを読みはじめたのであった。最初に僕が開いたページは、《お父さん！　お父さん！　あなたはどこへ行くのですか？　ああ、そんなに速く歩かないでください、話しかけてください、お父さん、さもないと僕は迷い子になってしまうでしょう》という一節だった。この終わりの一行は、原語で"Or else I shall be lost."である。

ここに書きうつした翻訳は、十四年前に――つまりはっきり辿ってみると、さきに書いた、数年ぶりに、いや十数年ぶりにというところが、実際、数年どころではなかったのだと気づくのだが、過去のことをいうについておなじような経験はこのところしばしばしてきた――障害のある長男と父親の自分との、危機的な転換期を乗りこえようとして書いた小説で、僕が訳してみたものである。そのような特殊な仕方でかつて影響づけられた詩人の世界に、あらためて強く牽引され、そこへ帰って行こうとしていること、それはやはり他ならぬ息子と自分の間に新しくおとずれている、危機的な転換期を感じとっているからではないか？　そうでなければ、ラウリーの or I am lost が、ブレイクの or else I shall be lost へと、どうしてこれほど直接にむすんで感じられるだろう？　フランクフルトのホテルで、僕は幾度もベッドサイドの灯を消しながら、眠ることができぬまま、あらためてブレイクに——この本には赤い紙表紙に、艶《たお》れつつある裸の男が墨色で刷られていたが——戻ってしまいつつ落ち着かぬ思いで考えたものだ。

僕はこの息子が畸型の頭蓋を持って誕生した際、その直後に書いた小説にも、ブレイクの一行を引いていた。いまはどのようにしてそのブレイクが、まだ若く読みためた本もすくない自分の記憶にあったのか不思議なほどだが、「出エジプト記」の、ペストを主題にしたブレイク自身の版画についても記述しつつ。《Sooner murder an infant in its cradle than nurse unacted desires》、赤んぼうは揺籠《ゆりかご》のなかで殺したほうがいい、まだ動きはじめない欲望を育ててあげてしまうことになるよりも、と二十年前の、この小説を書いていた僕は訳したのだが……

さてはじめに引用した『無垢の歌』の「失われた少年」からの後半は次のようだ。《夜は暗く　父親はそこに居なかった　子供は露に濡れて　ぬかるみは深く　子供は激しく泣いた　そして霧は流れた。》

三月の末だったが、フランクフルトではまだ日暮から霧が立った。一、二週後にせまっている復活祭《イースター》の、自分としてはヨーロッパ民俗の、死と再生のないあわさったグロテスク・リアリズムの源の祭りにかさねて、つまり観念的にのみ知っているその復活祭《イースター》が、人びとに待ち望まれ、盛大に祝われることの切実な意味を、はじめて僕は納得するようであった。街路をかざる橡《とち》の巨木にわずかな新芽が吹き出すということもなく、ただ黒い樹幹に街灯の光をやどした霧がからむようであるのを、不眠のままに立って行った窓から見おろしながら……

成田空港に戻りつくと、日本の春は終わりに近く、その陽気の気配自体、こちらの感受性から体の具合まで、それとなく弛緩させるふうだったが、迎えに出てくれていた妻と次男とが、僕のそのような気分とはなにやらチグハグな様子なのである。いつもなら空港バスで箱崎へ向かうところを、テレビ会社が準備してくれた車に乗りこんでも、妻も次男も口を開こうとしない。かれらなりに難しい戦闘を、頽勢《たいせい》のなかで戦いつづけてきたというふうな、ぐったりした様子でシートにへたりこんでいる。私立の女子中学校の上級に進んで、宿題やテスト準備に追われている娘は別として、長男が迎えに来ていないことについても黙っている。

はじめ僕は、花の名残りをさがすというより、新芽の勢いのあきらかな雑木林を薄暮の光に見つめていたのだが、そのうち気がかりな思いでよみがえってきたのは、旅の後半ブレイクを読みながら、あるいはその行間で放心するようになりながら、息子と自分の間に、つまりは僕の家族全体に、危機的な転換期がやってきつつあると、幾度も感じるようであったことだ。そしていかにも疲弊した様子の妻から、現実に始まっている徴候の二、三について聞かされる際の、ドカンとやってくるだろう衝撃に、なんとか防禦態勢をつくろうとして、そのように自分も黙ったまま樹木の新芽を眺めつづけ、こちらからは——ある小説で障害のある息子のことをそう呼んだように、ここでもイーヨーという渾名《あだな》をもちいることにしたいが——イーヨーはどうだった？　と聴き出さねばならないのを先に延ばしている自分に、気づいていた。

しかし成田から世田谷にいたる車での道のりはまことに長いのだ。ついには妻も口を開かざるをえない。そしていったん口を開けば、なにより彼女の心に覆いかぶさり真っ暗にしている事態について話すほかにはない。そこで妻は、低く鬱屈しているが、たよりないことでは幼児的な声音で、——イーヨーが悪かった、本当に悪かった！　と報告したのであった。つづいて彼女が運転手の耳への気がねもあり、押さえ押さえしているのがわかる語り口で、つたえたところは次のようだ。

僕がヨーロッパへ発って五日目に、息子はある確信に到ったかのように——その確信がどういう性格のものであるかについては、妻はこの点とくに他人には異様に響くであろうことを惧《おそ》れて車の中では話さず、また帰宅しても息子にお襁褓《むつ》をさせてベッドに入れるまで話さなかったのだが——乱暴を始めた。養護学校の高校一年から二年にあがるところで、春休みの一日それまでの級友と別れる集りがあった。養護学校に近い、砧《きぬた》ファミリー・パークという所へ集まったのだが、そのうち鬼ごっこをすることになった。子供らが鬼になって、各自の母親を追いかけるやり方である。他の母親たちと一緒に妻が駈け出した時、息子は遠目にもあきらかな逆上ぶりを示したというのだ。

怯えて立ちどまった妻に、追いすがってきた息子は、体育で習った柔道の足払いをかけた。うしろむき真っすぐに倒れた妻は、頭の皮膚から出血したのみならず、脳震盪《のうしんとう》をおこしてしばらく起きあがれぬほどであった。担任の先生方や、ほかの母親たちが、あやまるよう口ぐちにいわれたが、息子は頑強に黙りこみ、仁王立ちして地面を睨みつけるのみであった。

その日帰ってから、気がかりなまま観察することをはじめた妻の眼に、息子は弟の部屋に入りこんでは、羽がいじめしたり小突いたりして、弟を迫害している様子なのである。誇り高い弟は声をあげて泣くことはせず、母親に告げ口をすることもなかったのだが。そして本人は車のなかで、その話をする母親に対し、恥を耐えているようにうつむき体を硬くしてはいるものの、話の内容を僕に否定しはしなかったのである。息子のお襁褓《むつ》の世話をすることをはじめ、万事につけ障害のある兄に気を使う妹が、その心づかいのためにかえって反撥されて、顔のまんなかを拳で殴られるところまで妻は目撃した。

そうしたことが重なり、怯えた、あるいは腹をたてた家族にかまってもらえなくなった息子は、養護学校が休みであったこともあり、朝から晩まで大ヴォリュームで再生装置をならしつづけた。そしてこれも帰宅しての深夜にようやく妻が話したことなのであるが

――三日ほど前、皿にあるものをわざわざ一度に頰ばってむさぼるようにする息子の、おそろしく早い食事に遅れて、妻たちが食堂の隅にかたまって夕食をつづけていると、台所から庖丁を持ってきた息子が、両手で握りしめたそいつを胸の前にささげるようにして、家族とは反対の隅のカーテンの脇に立ち、暗い裏庭を見つめて考えるようであったという……

――病院に収容してもらうよりほかないかと思ったわ。身長も体重もあなたと同じなのだから、私たちには歯がたたない……

妻はそういってあらためて黙りこんだ。そこでずっと口を開かなかった次男ともども、われわれ三人は暗澹《あんたん》たる巨大なものの影のうちにある具合に、全的に萎縮して、なお長い道のりをすごしたのである。庖丁うんぬんについてはもとより、先にいった、息子を見舞った奇態な固定観念についても、まだ耳にしていなかったにもかかわらず、それでもすでに僕は、ヨーロッパの旅で蓄積した疲労の総体に抗しがたいようであった。

そしてこのような経験に際して、まずおちいる退嬰的《たいえいてき》な心の処し方があらわなのであるが、僕は直接妻の言葉に面とむかいなおすより前に、いったん迂回路をとって考えることを選んで、ブレイクのもうひとつの詩を思い描いていた。次男をはさみ脇に坐っている妻のてまえ、膝の上のショルダーバッグから「オクスフォード・ユニヴァーシティー・プレス」版のブレイクを取り出すことまではしなかったけれども……

『経験の歌』に、不定冠詞のついた、「失われた少年」という詩が――もとより広く知られた一篇がある。『無垢の歌』の定冠詞つきの少年とちがって、こちらのある自立した性格の子供は、父親に挑戦的な抗弁をする。《誰ひとり自分より他を自分のように愛しはしない　自分より他を自分のように尊敬しはしない　また「思想」によって　それより偉大なものを知ることは不可能なのだ／だからお父さん、どうして僕が自分以上に　あなたや兄弟たちを愛せよう？　戸口でパン屑をひろっている　あの小鳥ほどになら　あなたを愛しもしようけれど。》

脇でそれを聞いた司祭が腹を立て、少年を引ったてるのみならず、悪魔として告発することさえしてしまう。《そしてかれは焼き殺された　かつて多くが焼かれた聖なる場所で、泣いている親たちの涙はむなしく　このようなことがいまもなおアルビオンの岸で行なわれているのか？》

憂鬱な家族を乗せた車がついに家まで辿りつき、暗い玄関先にトランクを運び込んでいるところへ娘が顔を出した。彼女もまた母親や弟同様、あからさまに鬱屈をたたえた表情だったが、僕としては車のなかで妻にいいだしかねていた、――それほどみんなとイーヨーとの関係が悪いのならば、あの二人だけで留守番させておいていいのかい？ という気がかりな思いは解消したのであった。そこで気勢はあがらぬながら、なんとか旅帰りの陽気さをあらわすように声をかけあって、われわれは居間へ入って行ったのだが、ソファーの息子は相撲雑誌に見入ったままなのだ。

通学用の黒いダブダブのズボンに、こちらは窮屈そうな僕の古ワイシャツを着こみ、尻をあげて両膝をついた不自然な恰好で、終わったばかりの春場所を特集した雑誌に、それも下位取組のこまかな星取表に見入っている。その息子の背から下肢にかけて、僕はアンビヴァレントなものを見るようだった。旅の間、もうひとりの自分はずっとそこにいた、かつ自分を拒もうとして覚悟をかためた息子もそこにいたのだと。身長も体重もまったく僕と同じで、肥りぎみの背をまるめがちな姿勢まで似ている息子に、日ごろそのソファーに横たわって――僕の場合はあおむきに寝そべって――本を読んで過ごす自分をかさねるのは、僕としてむしろ自然な感じとり方なのだが、同じくその時の僕は、息子が、（もうひとりの息子である僕の分身ともどもに）いまやはっきり父親を拒否していると、それも単純な行きがかりでの反撥というのではなく、底に捩《ね》じくれ曲がって続く過程をおいて、はっきり覚悟した拒否を示していると、感じたのである。そこで僕は、

――イーヨー、パパは帰ってきたよ、相撲はどうだった、朝汐は押したか？　と声をかけながらも、あらためて妻たちの鬱屈の、本当の重みを思い知る具合であったのだ。

しかしその時、僕はまだ息子の眼を見ていなかったのである。この帰国した夜、いかにも端的にいま起ころうとしている――すでに起こっているのでもある――問題の核心に面

とむかわせたのが、息子の眼であったのに。僕はかれのためにベルリンでハーモニカを買ってきていた。自分はスイスのアーミー・ナイフをもらった次男が、呼んでもソファーから降りてこない兄にハーモニカを持って行ったが、息子は見むきもしない。食事をしながら僕が幾度か声をかけてはじめて、かれはハーモニカを紙ケースからとり出したが、日頃はどのような楽器にも関心をあらわして、なんとか和音を組み合わせてみせるのに——しかもこれまで幾度かハーモニカにふれてきたのであるにもかかわらず——なにやらめずらしく、怯えさせもする相手にめぐりあった具合に、気の乗らぬ様子で、両側から演奏できる長いハーモニカを、異物のようにいじりまわすのみだ。そのうち音を出しはじめたが、ハーモニカを斜めにして一段のひとつの吹穴にだけ息を吹きこみ、風の音のような単音を響かせるのである。もしふたつ以上の吹穴に息を吹きこむと、和音のかわりに恐ろしい不協和音が鼻面に嚙みついてくるかと惧れているように……

免税売場で買ってきたウィスキーを飲んでいた僕は、とうとう食卓から立ちあがって、妻たちがビクリと緊張するなかを、息子がいまはナイフを斜めに刺しこんだふうに体を延ばしてよりかかっている、ソファーの前へ出かけて行った。息子はその恰好のまま、ハーモニカの片端に両手をかさねて握りしめ、笏《しゃく》のように顔の前に立てて、その両側から僕を見あげた。その眼が、僕を震撼させたのである。発熱しているのかと疑われるほど充血しているが、黄色っぽいヤニのような光沢をあらわして生なましい。発情した獣が、衝動のまま荒淫のかぎりをつくして、なおその余波のうちにいる。すぐにもその荒あらしい過度の活動期に、沈滞期がとってかわるはずのものだが、まだ体の奥には猛りたっているものがある。息子はいわばその情動の獣に内側から食いつくされて、自分としてはどうしようもないのだという眼つきで、しかも黒ぐろとした眉と立派に張った鼻、真っ赤な唇は、弛緩して無表情なままなのだ。

僕はその眼を見おろしたまま、胸をつかれて黙っていた。妻が立ってきて、息子に眠る時間だというと、かれは柔順にしたがって、この日のお襁褓《むつ》一式を持ち、二階へ上がって行った。その前に、ハーモニカは、自分にとってはいかなる意味もないものを、偶然に握っていたにすぎぬというふうに、バタッと脇に落として。僕の脇をすりぬける時、息子がチラッと僕を見た眼に、あらためて僕は、犬が人間のいない場所で笑いに笑い、そのあげく充血したような眼だとも感じたのだが……

――いまハーモニカを握っていたようにして、イーヨーは庖丁を持って、そのカーテンのところに頭を突きつけて、じっと裏庭を覗いていたのよ。私たちが食事をする間、声をかけるのも恐いほど、身じろぎもしないで、と息子を寝かせてきた妻が、さきに書いた庖丁についての挿話をあらためて話した。

あわせて妻はなんとも奇妙な息子の言葉のことを話した。現にいま僕が旅から戻って来れば、息子は妻に反抗しないし、これから父親を空港へ迎えに行くといっただけで、妹へ無干渉の関係をたもち、留守番をすることができた。そうである以上、息子が乱暴をはじめた際、自然ななりゆきとして、妻は父親が帰ってきたならそれをいいつけると、そういって制禦しようとした模様なのだ。ところが息子は、その時もFM放送で大ヴォリュームを響かせていた、ブルックナーの交響曲をものともせぬ大声で、

——いいえ、いいえ、パパは死んでしまいました！　と叫んだというのである。

妻は茫然としたものの、なんとか気をとりなおして息子の誤りをただそうとした。いや父親は死んでいない、これまでにも永い不在の時期があったが、それは外国に行って生きていたのであり、死んだのではなかった。これまでいつも旅を終えて帰ってきたように、今度も帰ってくる、とブルックナーに対抗して——僕はそれが交響曲第何番であったかを、気が滅入るままテーブルにあったFM番組の雑誌を開いて調べ、そしてそれが第八番ハ短調の交響曲だったことを確かめたが——実際必要だったろう大声をあげて説き伏せようとした。しかし息子は頑強な確信をあらわして抗弁しつづけたというのだ。

——いいえ、パパは死んでしまいました！　死んでしまいましたよ！

しかも妻との問答の過程で、息子の言葉は、奇態なものにちがいはないが、それなりの脈絡をそなえていた。

——死んだのとはちがうでしょう？　旅行しているのでしょう？　だから来週の日曜日には帰って来るでしょうが？

――そうですか、来週の日曜日に帰ってきますか？　そのときは帰ってきても、いまパパは死んでしまいました、パパは死んでしまいましたよ！

　ブルックナーの第八番はいつまでも続き、妻は大声で息子と叫びかわすうちに、砧ファミリー・パークで倒されて傷ついた後頭部に新しい血が滲んでくるような気もして、疲労困憊した。それも彼女をさらに根深い気力阻喪におとすようであったのは、実際自分の夫は死んでいるのだが、障害のある息子を自分の統制のもとに置くために、まだ父親は死んでいないといいくるめようとしているのだったら、と将来の時に起こりうべき事態にかさねて思ったからだった……

　それでも帰国の翌朝、僕は息子とのコミュニケーションの糸口を見出し、それを介して家族みなが、かれと仲直りすることになったのだ。夜明け近くまで眠れなかった僕は、子供らが起きだして朝食をとる間、おなじテーブルに坐ってはいたのだが（長男は家族の誰からも距離を開けて、テーブルに斜めに向かうかたちで坐り、腕に錘《おもり》がついているような箸使《はしづか》いでノロノロ食べた。「ヒダントール」錠という抗てんかん剤をのむようになってから、朝のうち動作が緩慢なのではあるが、その間かれは僕と妻が話しかけても、なにひとつ聞きとる様子はなかったのだ）、食後まだ春休みの子供らが自分らの部屋に引きこもったので、僕は昨日まで長男が占領していた居間のソファーであらためて眠ったのである。

　そのうち僕は、幼年時の思い出を喚起されるというより自分が幼かったある時、ある場所での出来事が復元されている、ものそのもののように濃密な懐かしさから、身ぶるいしつつ眼ざめた。涙があふれんばかりになっていた。息子がソファーの裾のあたりの床に坐りこみ、毛布から出していた僕の片足を、壊れやすく柔らかなつくりものでもなでるように、ゆるやかに曲げた右手の指五本でなでさすっているのだった。穏やかな声で低く、確かめるようにつぶやきもしながら。そしてその言葉は、僕が懐かしさの感情のかたまった、生きたゼリーのようにして震えている、夢のさめぎわにも聞きとっていたものだ。

――**足、大丈夫か？　善い足、善い足！　足、大丈夫か？　痛風、大丈夫か？　善い足、善い足！**

――……イーヨー、足、大丈夫だよ、痛風じゃないからね、大丈夫だよ、と僕は息子がつぶやいているほどの声音でいった。

すると息子は、まぶしそうではあるがすでに僕の出発前のかれの眼にもどってこちらを見あげ、

――**ああ、大丈夫ですか、善い足ですねえ！　本当に、立派な足です！**　といったのである。

しばらくすると息子は僕の足から離れ、昨夜ほうりだしたままだったハーモニカをとりあげて、幾つか和音を試しはじめた。そのうち和音はメロディーをともなうものになりもした。僕としてはバッハのシチリアーナのひとつとしかいうことのできぬ、平易な、美し

い一節を、いくつもの音程で吹き、調性のことなる両側の吹き口の意味も読みとったふうなのであった。昼食には僕がわれながらいそいそとスパゲッティ・カルボナーラをつくった。まず次男と娘が食卓についたところで、息子に声をかけると、妻がつい吹きだしてしまうほどの、穏和きわまる、澄んだきれいな声でかれは返事をしたのであった。

――足について僕がイーヨーに定義しておいた。それが僕らに、お互いへの通路を開く、今日の手がかりになった、と僕は妻に話した。僕はこの世界のなにもかもをイーヨーに定義してやるといってきたんだがな。ところがいまのところ、いちばん確かだったのは足の定義で、それも僕の発明というよりは、痛風のおかげで定義できたわけだ……

定義。この世界のなにもかもについての定義集。さきに書いた、自分がブレイクに向けて帰りつつある、または新しく向かいつつあるという予感が、すでに実現されていることをあわせ示すために、僕はまずいっておきたい。憲法をわかりやすく語りなおすことからはじめるはずの、この定義集を構想しはじめた段階で、つまりはもう十年ほども前に、『無垢の歌、経験の歌』と、ブレイクを引いてそれは名づけられていたのだった。

そしてこの定義集を、実際に絵本としてや童話のかたちで進めてゆこうとしながら、なかなか実現することができなかったのである。七、八年前、子供と想像力をめぐって公開の席でした話のなかで、現に僕は次のようにいってもいる。この段階ですでに、しばしば実際にはじめようと試みながら、当の計画が達成困難であることを思い知らされていたのだ。しかし人まえで話すことでそれへの強制装置を自分にかけておくことを望む、そのような内情があらわれているとも思えるけれど。

《この障害児学級の息子の同級生たちのために、そのような子供たちが将来この世界で生きてゆくためのハンドブックというものを書きたいと、私は考えるようになりました。そのような障害児学級の子供に理解できる言葉で、この世界、社会、人間とはどういうものかをつたえ、それでは元気をだしてこれらの点に気をつけて生きていってくれ、といいたいと考えたのです。たとえば生命とはどういうものかを、短くやさしく書く。私が全体を書く必要はない。様ざまな友人たちが、たとえば音楽についてならTさんが私の息子にむけて書いてくれるだろう。そのように思ってはじめた仕事でしたが、実際には気の遠くなるような困難だらけなのでした。単純明快なことについて、生きいきした想像力を喚起するような言葉で書こうとしても、書くべき現実がそれを許さないということが、あらゆることどもについてあるのに、すぐさま気がつかないわけにゆかなかったからです。》

僕はいま右のとおり書きうつして、この記録のまま人まえでしゃべった自分に、正直でなかったところがあるのに気づく。ここでの言葉づかいにしたがえば、僕が自分の息子や障害児学級の仲間らのための、この世界、社会、人間について定義集を書く。憲法について語ることを、主題の中心に置きもする。それについて、当の憲法下の現実そのものが、簡潔、正確かつ喚起的な言葉で書くことを不可能たらしめている。そのようにいうことがまったく事実にそくしていないとは、いまもいわない。しかし、正直なところは、外部より僕自身の内面にこそ、問題の核心があったのだ。

もっと整理して、つまりはもっと勇敢にいうならば、まず僕の怠惰ということに理由がある。その怠惰のよってきたるところには自分の能力の不足への、惧れのまじった無力感がひそんでいるが。僕はまだ息子が就学する前に、すでにこの構想をおこした。そして家から出たことのない幼児のためにとして始め、小学校、中学校の障害児学級にいる息子とその仲間たちへ、ということにして文体をしだいに変化させつつ、それぞれの時に草稿を書いた。そしていま養護学校の高等科二年に進もうとしている息子に対して、これまで確実に定義してやりえたのは、足、善い足についてであって、それもただ僕が、かつて痛風の発作を起こしたことに由来しているのだ……

僕が痛風を起こした時、息子はまだ中学校の障害児学級に進学したばかりだったが、体の大きさも体力もかれを圧倒していた父親が、きれいな赤色に腫れている左の拇指《おやゆび》のつけねに全的に支配され、シーツの重みにすらも痛みをかきたてられるため足を剝《む》き出しにして夜は眠り――アルコール飲料なしにいくらかは眠れるとして――昼間はおなじ恰好でソファーに横たわり、トイレットへは片足を宙に浮かせて這って行くという、まったく無力な人間であった日々が、かれの印象にきざまれたのである。

息子はなんとか力をつくして、無力な父親の役に立とうとした。廊下を這って行く際、いかに臑《すね》の骨が痛むものか、思い知らざるをえない父親の脇で、はぐれた羊を追いこむ牧羊犬のように小走りする息子が、肥満して不器用な体を、痛風の足の上に倒れこませることも起こった。僕はそれこそワーッと絶叫したが、しかし苦しむ僕を眼にしての息子の縮みあがりようには、僕が日頃かれを打擲《ちょうちゃく》する粗暴な父親であったかと錯覚させるほどのものがあった。そしてその思いは、こちらの胸に傷のようにきざまれたのである。痛風の発作が日々静まってゆくにつれて、なおふっくらして薔薇色《ばらいろ》の拇指のつけねを軽く曲げた五本の指でふれながら、――前のめりに力をかけぬよう、もう片方の手で体を支えているわけだ――息子はほかならぬ足自体に向けて、語りかけることをした、――善い足、大丈夫か？　本当に善い足ですねえ！

――イーヨーにとって、はじめて父親が死ぬということが、自分にもわかる問題になった、ということだったのじゃないか？　確かにイーヨーはきわめて悪かった、悪いふるまいをした、というのではあるんだけれども、と僕はしばらく考えた上で妻に話した。それでもわかりにくい部分はね、つまりイーヨーが、死んだ人間もまた帰ってくる、と考えているらしい点はね、これから注意して観察すれば、そういう考えがよってきたるところを納得できるだろうと思うよ。イーヨーは、単なる思いつきはいわないから。それに僕自身、子供の時分おなじように考えたことがあるように思うのさ。

……ともかく僕が旅に出ていて、なかなか帰ってこないから、そこで僕が死んだ後へと、イーヨーの思いが行ったとして、自然なことなのじゃないか？　父親がどこか遠い所へ行ってしまい、かれの感情の経験としては死んだと同然で、その上ゲームとはいえ、母親までが自分を残して逃げだそうとすれば、イーヨーとして逆上もするよ。子供にとってはとくに、ゲームは現実のモデルなんだから。かれの庖丁のかまえ方は、考えてみると防禦的なものだと思うけれども、そうやってカーテンの向こうを覗いていたのも、じつは父親の死後、かわりに家族を守ろうとして、外敵を見張っているつもりじゃなかったのか？　僕はどうもそう思うよ。

つづけて僕は妻に向けてでなく、したがって声には出さず、自分自身にこういった。僕の死後に起ることに対し、そのように息子がかれとしての切実さで考えをめぐらすのである以上、父親の僕が、遅かれ早かれ避けられぬ自分の死後の、息子と世界、社会、人間との関係について、怯えることなく、また怠惰におちいることなく、準備をすることはしなければならないはずではないか？

僕の死後、決して息子が生の道に踏み迷うことのない、完備した、世界、社会、人間への手引きを、それもかれがよく理解しうる言葉で、実際に書きうるものかどうか――むしろそれは不可能だと、すでに思い知らされているようであるが、それでもなんとか自分として、息子への定義集を書くべくつとめることはしよう。むしろ息子のためにというより、ほかならぬ僕自身を洗いなおし、かつ励ますための、世界、社会、人間についての定義集を書くつもりで。痛風の経験は、足について明確な定義を息子にあたえたが、僕もまたかれの受容を介して、「善い足」とはなにかを認識しえているのだ。

僕はいま旅の間に始まった勢いにしたがって、ここしばらくブレイクを集中的に読みつづけようとしている。具体的にそれにかさねて、世界、社会、人間についての定義集を書いてゆくことはできないだろうか？ それも今度は、息子やその仲間らに理解されうる文章でということは考えにいれず、まずいまの自分に切実な要素となっている定義が、どのような経験を介して自分のものとなったか——そしてそれを、無垢な魂を持つ者らにつたえたいといかに強くねがっているか、小説に書いてゆくことをつうじて……

僕はかつてひとつの夢想をいだいた。それを文章に書きもした。僕が死ぬ日、経験として僕のうちに蓄積されたところのすべてが、息子の無垢の心に向けて流れこむ。もしその夢想が実現することがあれば、息子はすでにひとつかみの骨と灰になった父親を地中に埋めた後、余裕たっぷりこれから僕の書く定義集を読んでゆくだろう。むしろそのような、もとより子供じみた夢想にすがりつくようにして、自分の死後の現世における息子の受難についての、様ざまな思いから救助されることをもとめて、僕はこの定義集を書きはじめるのかもしれないが……

「川」を定義する、その仕方で、僕と息子に共有される「善い足」の定義ほどにも確実に記憶にきざまれているものがある。それがいかに簡潔明瞭なものであったか──定義した年長の作家Hさんは、ほとんど言葉すら用いなかったのである。もう十年も前のことになるが、僕がHさんと飛行機に乗り、ニューデリーから東に向かっていた。そしてベンガル地方のいちめん粘土色の沃野《よくや》に、そこいったいを縫いかえした痕のように深く彎曲しつつ流れる川を、それまで眠っていたようであったHさんが──そうではなかったしるしにきっぱりした身ぶりで僕の注意をうながして、気密窓の下方を指でさされた。

一瞬があり、つづいて倒してある椅子の背に体をゆだねなおし、あらためて眼をつぶったHさんの、膝の前に乗り出すようにして、(飛行機に乗る前に、Hさんとの対立と僕に思われた事態があり、ついで和解も生じていたのだが、このHさんの言葉、あるいは態度は、さらに僕を励ましたのだ)僕は窓の下方を見渡した。おりから高度を下げるべく旋回をはじめた飛行機の動きもあって、まことにインドの川というほかにない、それも川のなかの真の川が──僕にとっては四国の森のなかの谷間を流れる澄んだ川が、原型としての川をなしていたのだが、この経験から、もうひとつ真の川のイメージが加わった──視野いっぱいにあらわれていた。やはり粘土色の海へ向かっているにはちがいないが、川自体からはどちらへ流れているともしれぬ、地面よりわずかに淡い粘土色の川。さきのHさんの、手くびと指のわずかな動きと、沈黙のつづきにおいてのようではあるが、唇は動いて、――川、と示していたようである、その動作の全体について、僕は「川」についての最良の定義として、それ以来、当の飛行機路線に乗る前の出来事ともども、記憶にとどめているのである。

インド大陸をジェット機で横切ったこの日、僕とHさんは、じつに十時間ほどもインドの人びとのうちにあって、日本人としてはただふたり、出発待ちをしたのだった。そしてその間に、Hさんが僕に対して発した言葉は、唇が動いたのみだったかもしれぬ、あの川という言葉と、『インターナショナル・ヘラルド・トリビューン』紙のひとつの記事についていて、空港についてすぐの、――これを読みませんか？という言葉、そしてそれにさきだちタクシーのなかで、眼鏡の汚れについての挿話をのべられた言葉との、まったくわずかな量であった。

カルカッタ行きのこの飛行機が出る直前まで、僕にはこれがHさんの僕への腹立ち、それも直接僕のインドの慣習になじまぬ性急さにまきこまれていることへの、腹立ちがもたらしている沈黙だと感じられていたのであった。その秋の日の、ガランとしてとらえどころのない倉庫のような空港での、十時間ほど、ホテルで休養もしえたその時間を、僕のせっかちさのせいでHさんは無益に過ごしたわけだったから。そのように憤りを発していると僕に思えたHさんは、実際とりつくしまがなかったのであった。

日本海側の大きい廻船問屋である旧家に生まれ（その旧家の人間的蓄積の精髄とでもいうものを、かえって実業界に進まなかったこの人が受けついでおり）、敗戦時にはわざわざ苦難をもとめるように、混乱している中国におもむき、辛酸をなめもした。そしていかにも戦後的な独自の作家・思想家として仕事をして来たHさん。かれにはまたそうした経歴とは別に、これはこの人がどのような家系に生まれ、どのような生涯をへてきたのであるにしても、やはりこのようであったろうと思える、いわば天与の人柄もあり、Hさんが腹立ち、憤りをいだくならば、それを容易に外側から、他人によって解消にみちびくことはできかねるふうであったのだ。かれに腹立ちをひきおこした当人においてはなおさらに。

まだ憤りの気配があからさまになる前、Hさんが紙ばさみからとり出して見せてくれた『インターナショナル・ヘラルド・トリビューン』紙の記事の内容は、明瞭に思い出すことができる。ソヴィエトにおける言論弾圧を批判する、チェリスト、ロストロポーヴィッチについてつたえる記事でそれはあった。当時なお国内にあって、盟友ソルジェニーツィンへの弁護活動に精力をそそいでいたこの音楽家の談話を、その日読んでいた本の扉に写しておいたものがあるから。

ロストロポーヴィッチは、このように語っていた。《あらゆる人間が、自立して考えること、また自分が知っていること、個人的に考えたこと、経験したことについて、恐怖せず意見をあらわしうる権利を持たねばなりません。自分に教えこまれた意見について、わ

ずかにことなるのみの変化をつけてそれを表現する、というのではなく……》

そしてしだいにあらわになったHさんの腹立ちの、直接僕の不手際と航空会社自体に向けられているもののほかには、ソヴィエトにおけるこの言論弾圧、人権抑圧が関係していると僕は受けとっていたのでもあった。眼鏡の汚れについての挿話といったのは、次のようなものであったから。僕とHさんとが、その時ニューデリーにいた理由は、アジアおよびアフリカの作家たちの会議が開かれていたからだが、そこにはまたソヴィエトの作家たち詩人らの参加も多く、Hさんの旧知の女流詩人もふくまれていた。そして前夜、遅くまでHさんは——仮にネフェドブナさんと呼ぶとすると、やはりHさん同様五十代なかばの、しかし小柄で知的な自由さを持った身ごなしと、ユダヤ系らしく都会性のある容貌とが十歳は若く見せている、女流詩人と口論をされた。

Hさんは政治的なふくみのある話を不用意にするには、国際的に百戦練磨の人であるから、僕も質問はさしひかえたのだが、口論はさきのロストロポーヴィッチ発言とつながりを持つ、今日のソヴィエトの人権問題に関してのものらしいと、僕は受けとっていたのだ。Hさんはソヴィエトの文化官僚たちとも関係は深いが、しかしロストロポーヴィッチが弁護する側の芸術家、科学者らに、はっきり親近の情をよせてきた人である。Hさんがアジア、アフリカの作家たちの会議で、ソヴィエトからの代表たちに、この人らしい穏やかな話しぶりの英語によって、忍耐強くかつ戦略、戦術はしたたかに、呈出しつづけた批判はその側に立っていた。しかしHさんはネフェドブナさんが、モスクワで実際に人権問題の運動に参加してやりすぎるということがあれば、それはよく考えた方がいい、いったんそれを見つけられてしまえば、このような外国への旅などはもとより、これまでのとおりの国内での活動も、ユダヤ人であるネフェドブナさんにありえぬのだからと、説得した模様なのだ。しかしおそらく十五、六年ごしの、こうした国際会議のたびに再会する友人として、遠慮のない間柄のネフェドブナさんは――Hさんのいう、あの頑固きわまりないロシアのインテリ女は――Hさんの勧告するところに同意しなかった。Hさんは少年時から眼鏡をかけているが、ネフェドブナさんの方は近ごろ用いはじめた読書用の眼鏡を（つまり老眼鏡を）、バッグに入れて携行している。そしてその眼鏡を、こまかな活字の大部の専門書を勤勉に読むネフェドブナさんが――彼女は詩人として名高いが、またインド古代語の研究家として業績のある人でもある――ふだん眼鏡をかけない人のつねとして、よく掃除しない。そこで神経質なところのあるHさんが、彼女の眼鏡を掃除してやる慣いなのだが、昨夜はその逆に、ポケットのゴミをつまみ出してはネフェドブナさんの眼鏡にまぶしてやった……

そのようにHさんは空港へのタクシーのなかで話していた。空港につくとHさんは店開きしたばかりのバーのカウンターに坐りこみ、ビールだったかもっと強い酒だったかを飲みはじめ、いったんそうなると僕をまったく無視する進みゆきであった。飛行機は午前七時に発つはずで、前日に日本の作家代表団の主力と別れ、Hさんとふたりだけの旅になることを気にかけていた僕は、確かに時間表への正確さをHさんに要求しすぎていた。小さな森のような中庭に面した、露天にさらされている廊下を行き来しては、幾度もHさんを起こしに行ったし——あまりに巨大で黒い樹幹も金色がかった茶色の落葉も、植物に属するというより鉱物質のような、なんとも荒廃した感じの樹木が茂っていたのを思い出すが、そしてあのじつにインドらしい樹木はなんという木であったかと気がかりに思うのだが——のちにはボーイに新しくチップをやって、なかなか起きてこないHさんを無理やり連れ出すようなこともしたのだ。それでいながら、定刻どおり飛行機が出発するかどうか、空港に電話で問いあわせもしなかったのである。タクシーを急がせてなんとか出発予定時前に空港につくと、理由はあきらかにされぬまま出発は延期に延期をかさね、午後になってもなお出発見込みのアナウンスはない始末であった。

インド滞在の経験に立っての著書もある、この国柄に通じたHさんには、定刻どおりの出発などありえぬと、前もってよくわかっていたのかもしれないのだから、僕としてはHさんを腹立ちにさそうだけのことをしていたわけだ。僕はそれを考えて、Hさんが空港バーでひとり飲みつづける間、出発予定を示す電光板の前で、アナウンスを聞きもらさぬよう気を働かせつつ、ホテルの売店で買った、インドの野生動物についての本を読んでいた。

E・P・ギーという農園主の、いかにも律義な性格と生涯が文体に反映している、生真面目な回想録だが、それでいて奇妙なおかしさの細部もある、まさに旅先で読むのに好適な本だった。その本の扉に僕はさきの、ロストロポーヴィッチの談話を書き写したのだ。この本自体いま手許にある。一九四七年のパキスタン分割にあたって、次のように奇態な現象がみられたと、カシミール地方の友人たちの証言をもとにギーは書いている。新しい国境を越えて、牛を神聖視するヒンズー教徒たちがパキスタンからインドへ移り、豚を食わぬ回教徒たちが逆にパキスタンへと移った際、野生の獣らもまた、本能的に生き残りの道をもとめた。パキスタン領内の大量の野牛《ニルガイ》がインドへ、おなじく数かずの野豚《ワイルド・ピッグ》がパキスタンへ、安全をもとめて移動したのだ！

もう午後も遅かった。それほど永く待っていたわけだが、僕はこの挿話を披露してＨさんを笑わせようと思いたった。そこでカウンターにひとり坐りつづけているＨさんの、すぐ脇のとまり木に僕も坐って、ビールを注文した。客に対して無愛想というより、暗くすすけたような不機嫌さが人生への基本態度のような顔つきの、これはこれでやはりインド的なバーテンが、やれやれ、もうひとり日本人のアルコール症患者か、という表情をあらわして、よく冷えていないビールをよこす。まずそれを飲んで僕が話した、動物たちの挿話について、Ｈさんは正面の貧弱な酒瓶の棚と大きいインド地図を見やったままわずかな興味を示すこともなかった。所在ないまま、僕はもう一本ビールを注文し、やはり酒瓶とインド地図を眺めるということをするほかはなかった。そのようにしてビールの注文を繰りかえすうち、決してなじみがないのではないある衝動が僕をとらえたのだ。

僕は——思えばいまの息子の年齢だが——十七、八の時分にはじめてその衝動を自覚した際の、若者らしい名づけ方のままに、いまもそれを跳《リープ》ぶと呼んでいるのだが——その跳《リープ》ぶがやってきそうになるたびに、僕としてなんとか遠ざけようとし、そいつに自分を乗っとられることを拒もうとしながら、しかし時には自分から、跳《リープ》ぶの気配をむかえにでるようにして、奇妙な行動をおこなってしまうことがある。酒に酔っての愚行をふくめ、跳《リープ》ぶは、程度の差こそあれ年に一度は僕を占拠して、もしかしたらその累積が、僕の生き方のコースを捩《ね》じ曲げてきたのかも知れぬほどだ。逆に、跳《リープ》ぶが自分をつくったのだともいえぬわけでないかもしれぬが……

ニューデリーの空港でやってきた跳《リープ》ぶの場合、それはむしろ、このようにいうと大仰にひびくかもしれぬほどの行為ではあったのだが——僕は永年敬愛してきたHさんをからかう、それも悲しい恋になやむ中年すぎの男として、Hさんをからかう、そのような詩を書いて、その間も腹立ちをあらわしつつ飲みつづけているHさんに示すという、無礼とも悪ふざけともなんともいいようのない、危険なことを思いついたのだ。

僕はコースターを裏がえして、まず眼の前のインド地図を写した。そしてそのいくつかの地点に星マークをつけた上で、それらの地名をおりこんだ英語の詩を書いたのである。タイトルは、「インド地名案内《インディアン・ガゼティーア》」。僕がいまその英詩(?)についてはっきり覚えているのは、恋になやむ中年過ぎの男が、やはり相当な年の愛人の去って行った地方都市、マイソールを思ってくよくよ酒を飲むというところだ。この地名に引っかけてのあてこすりこそが、僕のたくらみのかなめであったから。この日こちらは汽車で、Hさんが昨夜口論したネフェドブナさんは、マイソールでの言語学の学会へと発っていた。

　マイソール、MYSORE を分解して MY SORE とすると――それはいま机の上にある辞書から引きうつすなら、私の①触れると痛むところ、傷、ただれ、②苦しみ（悲しみ、腹立ち）の種、いやな思い出、というようなことになる……　正直にいうが、僕はHさんとネフェドブナさんとの、国際会議をつうじての永い友人関係を、恋愛に近いものだと思ったことはなかった。Hさんの世代の仕事、つまり戦後文学者の仕事に影響を受けて学生時代をすごした僕らには、Hさんらに対して悪童ぶるところがあり、たとえばおなじ代表団のメムバーであったO君など、しばしばネフェドブナさんをHさんの恋人あつかいしてはやしたてたものだ。しかしO君にしても、僕同様、Hさんに対してあるいはネフェドブナさんに対して、断乎として自立した年長の知識人への敬意をいだいていることがあり、かれらを並の恋人同士としてひとくくりするつもりはないのであった。

　ところが僕はそのいいがかりめいた戯詩を書きつけたコースターを、眼鏡をはずし頭をたれて――眼鏡をとってしまうと、中世の、いまや貴顕たらんとしている地方の豪族のようである、Hさんの頭のかたちが思い出されてくるが――カウンターを見まもっているH

さんの、その視線のとどまっているところへ押し出したのだ。朝早く起こされたくらいのことで、かつはまた飛行機の遅れくらいのことで、いつまでそのように腹を立てているのだ、さあ、もっと怒れ、こちらとしても遠慮せぬぞ、と手におえぬ跳《リーブ》ぶにそそのかされながら。

Hさんはその姿勢のまま、眼もとに力をこめるようにしてコースターの詩を読む様子だった。それから眼鏡をかけなおして、ゆっくり二度、三度、短い詩行をコースターに辿るのが、こめかみから眼のまわりへの緊張に読みとれた。僕はすぐさま胸のなかが真っ黒になるほどにも後悔しはじめていたのだが、……やがてHさんがゆっくり僕に向けた顔の、その眼に浮かんでいた表情が、僕を真実打ちのめしたのであった。

僕はヨーロッパ旅行から帰ってきて、はじめて息子の顔を正面から見た際の、留守の間荒れに荒れていたという息子の眼が、発情して荒淫のかぎりをつくした獣が、なおその余波のうちにいる、あるいは情動の獣に内側から食いつくされているというような、見るに耐えぬ眼だったと書いた。いまはそれにかさねて、あの黄色っぽいヤニのような光沢をあらわしている生なましい眼に、なにより大きく重い悲嘆が露出していたのでもあったことをいいたい。息子の荒ぶりかたについての報告、現に見るかれの、土産のハーモニカへの対応、それに加えて僕自身の旅の疲労ということもあり、苛立ちはじめていた僕には、あの瞬間、その悲嘆を見てとる心の余裕が欠落していたのだ。

それにしてもいま僕は、息子のじつに荒涼としていた眼に、なにより悲嘆のかたまりが露出していたことを、父親としてなぜ見おとしえたのかを不思議に思う。しかし結局その悲嘆の所在を、家族ぐるみ息子と和解して理解することができたのについて、ブレイクの詩がなかだちになったのであることを認める。

《流れる涙を見て　自分もまた悲しみをわけもたずにいられるか？　子供が泣くのを見て父親は　悲しみにみたされずにいることができるか？》という節をふくむ「他者の悲しみについて」という詩。それは『無垢の歌』のなかの、むすびとしては次の節がある詩だった。《おお、あの人はわれらの悲嘆《グリーフ》をうち壊さんとして　その喜びをあたえてくださる　われらの悲嘆が逃れ去る時まで　あの人はわれらの脇に坐って　呻き声をおあげになる。》

しかし僕がもっと端的に、経験に立って息子の眼の悲嘆を読みとりえたのには、ニューデリーの空港バーでの、Hさんの眼が一瞬示した定義、「悲嘆」についての定義があるのだ。

怒りの大気に冷たい嬰児が立ちあがって

（連作『新しい人よ眼ざめよ』の2）

《無垢《イノセンス》は、知恵とともに住んでいるが、無知とは決して共生することがない》と、ブレイクは書いている。この格言のような言葉は、僕にとって充分に意味が明確なのではない、しかも魅きつけられる次の言葉、《組織をそなえていない無垢《イノセンス》、それは不可能なことだ》という一句と組み合わせて、ひとつの長詩に書きそえられている。

当の長詩を、これまでの様ざまな時期に繰りかえし、しかし走り読むようにして読んできた。ブレイクの長詩の性格上、詳細に読みこむのでなければ、およそ読んだとはいえぬであろうが、それなりに僕は胸にきざまれる詩句を見出してきた。いわゆる『四つのゾア』、正式には、ゾアをギリシア語の黙示録の、「四つの活物《いきもの》」という語として、『四つのゾア、古人アルビオンの死と審判における愛と嫉《ねた》みの苦悩』と名づけられている長詩。たとえば最後の審判に際して、死者が生前の様子を疵《きず》あとぐるみあらわし告発に立つ眺めなど、忘れがたいものだ。

《かれらは傷口を示し、弾劾し、圧制者をつかまえる／黄金の宮殿に叫び声があがり、歌と歓びの声は砂漠に響く／冷たい嬰児が怒りの大気のなかに立つ、かれは叫ぶ、「六千年の間、幼くして死んだ子供らが怒り狂う。夥《おびただ》しい数の者らが怒り狂う、期待にみちた大気のなかで、裸で、蒼ざめて立ち、救われようとして」》

さきに僕が走り読むようにしてと書いたのは、自由にブレイクを読みこなす能力があってというのではなかった。まったくその逆に、ブレイクを読みはじめて幾年たっても、僕にその原文は難しかった。とくにこれら予言詩《プロフェシー》と呼ばれる中期からの長大な詩は、異邦人の理解を渋滞させる結節点にみちている。しかしその結節点がいかに多いにしても、註釈書を参照しながら時間をかけて読みとくようにするなら、僕にもかなりのところまで把握することができただろう。現にいくつもの研究、註釈書のたぐいを、洋書店に入るたび手に入れるようにしていたのでもある。いまにそれはつづいている。しかも一方で、いったんそのように読みとく仕方をはじめれば、自分にいかに多くの時間があるとしても、それで充分とはいえなくなるだろう、そうした進みゆきになるにきまっていると、まだ若かった時分から惧《おそ》れていたのだった。しかも僕は心のせくままに、たとえばこの八五五行にわたる『四つのゾア』の全体を見ておくだけのことはしたいと、そのような思いに立って、自分に理解できるところのみ跳び石づたいにたどるように読みとおすことをしてきたのだ。

つまりは作品全体の複雑な語り口と、ブレイク独自の宇宙観に立つ、神あるいは神に近い人の条件づけから離れて、僕を強くとらえてきた一節をもうひとつ引用するならば、それは次のようだ……

《人間は労役しなければならず、悲しまねばならず、そして習わねばならず、忘れねばならず、そして帰ってゆかなければならぬ／そこからやって来た暗い谷へと、労役をまた新しく始めるために。》

僕がこの一節を、それも全体から離れて読んだのは、大学の教養学部の、最初の学年のことだ。自分が頭を突き出すようにして読んでいる恰好と、その自分をとりまく背景まで、はっきり思い出される。それは大学に入って数週間のうちであったはずだ。躑躅《つつじ》を多様に集めていることで植物学的に意義のある場所なのらしい構内の、旧一高以来の図書館で、僕はたまたまその一節を読んだ。図書館に向かいながら、僕はなお咲いたままであった躑躅の、すべての茂みに向けていちいち、——おまえらは躑躅ではない、本当の躑躅は、僕が生まれ育った谷間の、そこから屹立する山の斜面に咲いており、そいつらの根が崖の赤土を保護してもいる、と反撥するようであったのだが。

僕がこの詩句を見出したのは固表紙の大判の本で、僕の坐った席のとなりに、それは置かれていた。当の本の脇に、さらに幾冊もの洋書をくるんでなかばほどけている風呂敷包みがあり、前の椅子には誰も坐っていないのであった。

いったん坐った椅子から腰を浮かすようにして、僕は開かれたページを覗きこみ、それもページの手前、つまり右の下半分を、各行のはじめにある“や”の、おそらくは作中人物の発する声であることを示す符号を、厄介に思いながら読み進んだ。そしてさきに訳出した詩句に出会い、いま新しく展開したばかりの自分の生について、決定的な予言をあたえられたように感じたのである……

実際、僕は茫然とするようであった。折しも当の隣席へ、開かれたままであった本の主が——いま考えてみれば現在の僕よりも若かったはずの、しかし教授あるいは助教授とおぼしい人物が——戻って来た。椅子に坐りながら僕をじっと注視する、妙にねばりつくような眼つきに、その一郭が教師たち占有の場所ではないのかという思いが、茫然としている、つまりは浮足立っている頭にひらめいて、入学早々の僕は逃げ出すように席を立ったのである。その間も僕をじっと見ている教授または助教授が、かれの所有にかかる洋書を僕が盗もうとしたのではないかと疑うのを惧れながら。（輸入される書物が、自由に学生の手に入る時代ではなかったのだ。）

いま自分が眼にした一節が、どのような詩人の——僕は劇詩のように感じていた——なんという作品の一節であるかを、本の持主に確かめさせてもらうことさえしなかったのだが、しかしこのように自分を揺さぶった詩句を忘れるはずはなく、それは自力であらためて探り出しうるはずのものだという思いはあった。そこにはあの時分の僕の、記憶力についてみずからたのむところもあり、かつはそのようにも、当の詩行が僕に根深く突き刺さっていたのでもあった。僕は最初に坐った場所から——そこは立ったままで引くことができるよう、高い台に斜めに載せられた大きいウェブスター辞典のあるコーナーに近かった。つまりその点でも学者・研究者のための特権的な一郭であるような気がして、僕は反射的に立ちあがっていたのだったが——ホールのように広大な閲覧室を斜めに横切って、反対側の隅に坐ると、なんとか辞書を引いては読みすすめることをしていたジードの小説をとり出すこともせず、頭の両脇を掌で支えて、もの思いにふけるようであったのだ。

そして帰ってゆかなければならぬ／そこからやって来た暗い谷へと & return／To the dark valley whence he came, 僕は自分が生まれて育った森のなかの谷間を、意識して暗い谷ととらえたことはなかった。そのようにまず感じたことを覚えている。森のなかの村の、とくに僕の生家もふくまれる街道ぞいは、ナル屋と呼ばれているのだが、そしてわれわれの地方で平たいことをナルイというのから、平坦な所として地名をとらえてもいたのだが、森林伐採の搬出に強制移住させられてきた朝鮮人労働者の子弟の友達は、——ナルは太陽のことじゃがなあ、といい、それ以来僕には陽のあたる場所という気持も谷間についてあった。

しかしいま谷間から離れてやってきた大都市の、なじみにくい大きい建物のなかで、さらになじみにくい、箱型の仕切りについたランプの前で頭をかかえていると、突然僕にも、自分の谷間は暗い谷でもあったのだ、その暗いということをかならずしも悪い方向づけのみの言葉とするのではないが……という思いが湧いた。

人間は労役しなければならず、悲しまねばならず、そして習わねばならず、忘れねばならず、That Man should Labour & sorrow, & learn & forget, 労役することと悲しむことを、対立項としてでなく、隣接する生の二側面と受けとめる仕方が、十代の終わりの僕の、父が死んだ後の母親の働きへの思いもあり、納得させるものがあった。それにかさねて次の句が、自分の将来へのおそろしく的確な予言と感じられるものであったのだ。

僕は東京の大学に入って、フランス語の勉強をはじめたところであった。それは高校を卒業してから、一年間考えた上選んだ分野であり、現にいまそれを続けてゆくことにためらいはなかった。それにもかかわらず、ある違和感が底流しているようでもあったのである。そしていまこの詩句をなかだちに、自分が谷間から出て来ている状態と結んで考えると、この感情は顕在化させることができると思ったのであった。あの懐かしい谷間から出て、自分にはその地形すらも把握できぬ大都市のすみで有るか無きかのように生きている。そしてフランス語を学ぶほかは、幾らかのアルバイトをしているのではあるが、労役と呼ぶべきものからはまぬがれている。つまりそれは悲しむことからも一時まぬがれて、すなわちLabour & sorrowとは別のレベルの、仮の生活をしていることにすぎぬだろう。このようにして僕はフランス語を学ぶが、やがては忘れることになる。それはまったく確実なことに思える。& learn & forget むしろ、よく忘れるためにのみ、習っているかのように……

せきたてられるように谷間から出たあげく孤立して大都市の生活をしている僕の、それが生活の全体なのだ。ついには自分は谷間へ帰ってゆくことだろう。そこでいま都会に住んで、仮にまぬがれているところの、労役することと悲しむことが真に始まる。それはいかにも新しく始めることであるだろう。& return／To the dark valley whence he came, to begin his labours anew.

僕はへたりこむ具合に、じっとそのまま頭をかかえて時をすごした。昼食の時間になると構内の寮入口の売店でパンとコロッケを買い、みながやるようにソースをかけてサンドウィッチにして——売り場には生協による張り紙があって、コロッケを買わぬ者がパンにソースだけかけるのは止《や》めてもらいたいと呼びかけていた。つまりはそのようにも貧しい時代だったのだが——水飲場の前にむらがる者らのなかに立って食べた。牛乳を買う金は持っていなかったので。そして僕は自分がいま生涯を全体にわたって見わたし、その陰鬱な眺めをそのまま許容したところだと——ただその主観的な理由のみで——周りの学生たちを子供っぽい者らに感じたのだ。

労役し悲しみ、という詩句がブレイクの一節であることを——その数行を隣りに開かれていたページに読んだ際、いつかは誰の作品であるか確かめるだろう、と思ったとおりに、僕は自力でつきとめることになった。もっともそれは、あの駒場の教養学部図書館での経験から十年近くたった、長男の出生の一年前ほどのことであったが。フランス文学科の学生であった間、また卒業してから四、五年の間、僕はそれが自分にとって結局のところは& learn & forget の過程にすぎないはずだと感じつづけながら、しかし外国語を読む際には、フランス語のみを、それも辞書を引き書きこみをするために机に向かって読む、という態度をたもっていた。そのうち自分がフランス文学の研究者になることはないと、見きわめがついたところで――早ばやと & learn & forget の先ゆきをひとつ確認したわけだが――フランス語にあわせて再び英語の書物を読むようになり、それもソファーに寝そべって、辞書はほどほどに引き、書きこみはせず、多様な種類を読みあさるようになったのである。結婚しての、生活のスタイルの変化ということも、そこにはあった。

そのようにして僕は、ある時、ブレイクをふくむ英詩のアンソロジーを読んでいた。そしてそれまで自分としては知らなかった、ブレイクの長詩の一節を読んで、このスタイルあるいは言葉のかたちと情念こそが、かつて少年時から青年時へのかわりめの一日、あのように激しく自分を撃った詩句と同じだと確信したのであった。確信は強く、その日のうちに僕は丸善に出かけて、一冊になっているブレイクの全詩集を買うことになった。そしてはじめの数語を見てはすぐ次の詩行に移る仕方で、記憶にある、しかし正確に覚えているというのではない、あれらの詩句の探索をはじめた。翌日には、すでにのべた『四つのゾア』という長詩のうちにそれを確認しえていたのである。

もう深夜であったが、僕は駒場で同級であり英文科の大学院に進んで、当時女子大の講師をしていたY君に電話をかけた。われわれが教養学部の学生であった頃、構内の図書館でブレイクをひろげている中年の教授あるいは助教授として、どんな学者の名が思いあたるかと、訊ねてみたわけなのだ。当の学者に、刊行されているブレイク研究があれば、『四つのゾア』のあの部分について、なんらかの記述がみられるかもしれないと……

――二十八、九年にいられた駒場の先生方で、また本郷から出講していられた先生方で、そうですね、ブレイクと関係がある人ならば、SさんかTさんだけれども。きみもあの人たちのことは知っているでしょう？　しかし年齢の点であわないなあ。あの時分、お二人とも、五十歳はこえていられたから……、Y君は、これが若い時分からのかれの性格だが、まず客観的な事実を提示したあと、はじめて次のような、かれとしての推察を示した。

もしかしたら、ということなんだけど、その人、「独学者」といわれていた人じゃないかな？　僕らの年代の英文関係ではね、有名な人物なんだけれども。旧制の一高の時代に、病気で中退した人なのね。あの頃、健康を回復して、学籍に戻ることを希望しているということで、大学側と話し合いをしてたんですよ。学制も変わっているし、実際は無理な注文なんだけれども、神経症のような前歴の人だし、学生課もね、図書館への出入りは大目に見ていたらしいです。その人のあだながね、「独学者」。たいていはダンの詩集を持っていてね、任意のページを学生に開けさせて、そこに出てるメタファーやシンボルから、学生の運命を診断する、ということでしたよ。僕自身は、直接かれに会ったことがないけれども。

確かに僕も隣りの机上に開かれていた、この場合ダンでなくブレイクから、まさに自分の運命がそこに語られているという、強力な合図を受けとり、それから十年近く当の印象をとどめていて、いま現にその詩句を探しあてることまでしたのだが……

——その人を「独学者」というのはね、きみが専門だったサルトルの、ほら『嘔吐』から来てるんですよ、とY君はいいにくそうにしながら、しかしいくらかは楽しんでもいるように話した。運命診断で知り合った学生にね、なんというか……同性愛行為の種類のことを誘う場合があったらしいから……

——こちらは美少年でなかったから、その災難には遭わなかったけれどもね。しかしどうも「独学者」という、その人物が、ブレイクを開いて席をはずしていた人のように思えるなあ……　そうだとすれば図書館の本というより、かれ自身の本だったはずで、つまりはいまから図書館に確かめに行ってもむだだろうねえ？　当の本を持って、かれが今でも出没しているのなら話が別だけれども。

——かれは死んだんです。いまいった行為が露骨になってね、サルトルの作中人物同様に、図書館を追われたあとで——『嘔吐』の場合、逮捕されたのだったかな——ともかく構内に入れてもらえなくなったものだから、気落ちしたふうでね。気にした学生課の古い人がアパートを訪ねて行ったというんですよ。そして死後二、三日たっている「独学者」を発見した、ということでしたよ。新聞にも出てたけれども……

問題の詩句は、ブレイクの長詩に独自のキャラクターである、神人の妻のひとりが、墓の洞穴のことを語る言葉としてある。もしあの最初の出会いの時、僕が都会なれした落ち着いた若者であって、戻ってきた「独学者」にそのページについて質問したとしたら、かれは答えつつ僕の運命についても語ってくれたのではないだろうか？　その言葉が、僕自身当の詩句に読みとった、先行きへの予感とかさなるものであったとするなら、それこそ胸にこたえたはずであって――「独学者」から運命を語る言葉を聞いた他の若者たちの反応はいざしらず――僕はかれの予言を信じて、「独学者」と師弟の関係を開いたのであったかも知れない。遅かれ早かれ、かれの同性愛的な働きかけによって、いったん始まったものが遮断される運命だったとしても……

そして帰ってゆかなければならぬ／そこからやって来た暗い谷へと。この詩句の dark valley は、暗いという否定的な形容詞がついているのではあるが、僕には強い懐かしさの力を及ぼした。長男が生まれた後、それは僕が大学を卒業しても自分の谷間へ――そこでフランス語が何の役に立とう？　――帰ってゆくわけにゆかぬなりゆきの、あらためての固定化ということであったが、すでに自分の谷間といいうるのも、想像力の領域にかぎるようなことになって、しかも僕は谷間に戻る自分と息子とを夢想することがあった。もっとも眠っていて夢に見たというのでなく、眼ざめている間に、意識の明るみにおいて奇妙な特性のある夢想をしたのであることを、まずいっておきたい。夢判断の手法で分析しようとかかる読み手には、それとはまたちがうところがあるはずだと、あらかじめ僕の考えを示すために……

夢想する時、dark valley という言葉どおりに、谷間は薄暗く母親はじめ僕の家族の者らは、みな翳《かげ》った黒っぽい肌色をして座敷にかたまっていた。僕が幼年時に死んだ父親も、紋つき袴《はかま》でそこにつつましく加わっていたことを思い出す。dark valley、暗い谷に、頭にあった瘤《こぶ》を切りとって繃帯をしたままの息子を連れて(夢想のなかでも妻は決して谷間にあらわれることがなかった)帰ってきたところだ。母親以下、僕の家族は、障害のある息子こそが、僕の大都市での生の、つまりは Labour & sorrow の、総体をとおしてかちとった、唯一の資産のように受けとめている。ことの性格上、家族は誰も華やいだ声はあげないが、――ともかく、よくやった、御苦労だった！ という表情をあらわしているのである……

その光景を、時をへだてて、僕はしばしば夢に見てきたのだ。息子の成長につれて、時どきの僕ら二人組は変化しているが、暗い谷の母親と家族は変わっているようでない、われわれみなの光景を。いま考えてみるとあきらかに、日中夢想するかたちで僕のつくりだしたイメージは、死についての思いと結んでいる。それゆえにこそ暗い谷間の母親の脇には、ほぼ現在の僕の年で死んだ父親が、ひとり古風な正装で坐っていたのであろう。

死の定義。それは僕にとって幾重にも層をなして、四国の森のなかの谷間での、幼・少年時の経験と、それを切りはなしては思い描きえない谷間の地形とに結びついている。谷間を出立してすでに三十年を越える年月の間にも、当然に死にまつわる経験はしてきたわけだが、すべて二次的なものであったと、ふりかえれるほどに。祖母と、彼女が強い影響力をおよぼしていた父親との、あい接しておとずれた死に出会ったのは、谷間においてであった。また首吊りをはじめて見たのも、この谷間においてであった。とくに後者においては、この谷間にということがその体験をしるしづける重要な指標である。それは首吊り死体を中心にした、あの日の情景を思い出すとはっきりする。

神社の森の脇につらなってはいるが、一段低く区切られた場所の、地蔵堂のうしろで首吊り人が出た。街道すじで行きあっても、子供心にとるにたらぬ人と思われた、中年の小男が縊死《いし》したのである。僕の弟は、死体にさわりに行って、——ひどく揺れていたよ、といったものだ。僕の方は、村の内外から集まった見物人の背後で眺めた。僕が人びととともに立っていたのは、村で一軒の、それも廃業している造り酒屋の、子供らには日頃侵入することが許されぬ、樽干し場であった。そこから地蔵堂、神社、そしてそれらの背後の、周囲より緑の色の濃い、人間の住む場所ではない森を、小さな首吊り死体を焦点において見わたすと、——ああ、人間はこのような位置で首を吊る！　という感嘆の思いが起こった。そして首吊り人を焦点に、谷間の地形のなりたちの意味がすっかりわかったように感じたのだ。その感じとり方に立って、どのように自分の村が出来あがっているかを、よ﹅そ﹅者の国民学校の先生に話そうとして、僕はおよそ言葉に脈絡をつけることができず、憫笑《びんしょう》されたのであったが……

死の定義。それを僕がこの谷間で経験した、もうひとつの出来事から、見ておくことにしたい。当の経験に由来して自分の肉体に現に残っている傷痕もある。つまりはそれをつうじて、いまも僕のうちに存在しつづけている出来事のように感じられる経験なのだが。すでに戦争末期で、僕は国民学校の四年であった。生家の裏へ向けて、隣家とのさかいの狭いセダワを走り降りて行けば、オダ川となる。家の前をとおっている街道に対して、この川が、もうひとつの道として僕に受けとめられていたのだが（筏《いかだ》が組まれてそこを流れくだる際、日頃かくれていた意味が顕在化する）、ある夏のはじめの朝、僕はなお大気も水も冷えていて遊び仲間らが降りてこぬ川に、ひとり魚を刺すゴム・ヤスを提げて入ったのだ。痩せて青ざめた子供である僕の頭に、はっきりした動機というのではないが、二、三日前、川をさかのぼったオダ深山《ミヤマ》近辺で起こった事故の話が、精神を肉体ぐるみ影響づけていたことは、いま思い出してあきらかだ。

事故の詳細は、街道ぞいに人が立ち話をする、それが川上からつたわってくるかたちでわれわれの村に到ったのだが、子供がひとりオダ川上流の淵で水死したという。少年は深く潜って、岩のはざまから向こうの空洞に群れる魚をゴム・ヤスで狙おうとした。はざまの入口で頭を横にすることで、まず狭い関門を通過する。そしていくらか横に移動すると、肩を入れることはできないが、頭をまっすぐにして空洞を見わたすことも、そちらへ腕を伸ばすこともできる。そこで魚をゴム・ヤスにとらえた後、もとの方向に移動して、頭を横にして関門をくぐれば、水面に浮かびあがることができる。少年は首尾よくその過程のあらかたをやりとげたが、最後の関門で頭を横にすることを忘れた。上下の岩盤に顎《あご》と頭頂を喰いこませて水死した少年を、引きあげるのは大仕事であったという。呼吸が苦しくなり、早く水面に出ようとする時、子供ならずとも人は頭を横にするというほどの小さなことを忘れてしまうと、いわば教訓をつけて事件は語られた。僕は大人たちの脇で謹聴したのだが……

そして翌朝、僕はヨモギの葉をまるめて水中眼鏡を拭い、じつはゴムが朽ちて用をなさぬゴム・ヤスを右手に、陽の光が散乱する水面を勇ましく蹴たてていたのである。ミョート岩と呼ばれる大小ふたつの岩の根方に、瀬をなす水流が深い淵をつくっているところへさかのぼって行ったのだ。われわれ子供らは、オダ川のありとある岩、ありとあらゆる淵と瀬の名を知っているかのようであった。つまりはそのようにしてわれわれは、谷間の地形の全体を言葉にかえて把握していたのだ。

この朝の僕は、年長の者らに聞くのみであった、ウグイどもの巣という所へ、それまでは必要な深さまで潜る肺の力がおぼつかないまま近づかなかったにもかかわらず、ただひとりで潜ろうとしていたのだ。深みに達すればやはり頭を横にして関門をくぐりぬけるのだという、岩の裂け目を覗こうとして。そして僕は潜ったのである。

すでにためしてみたことがあるとでもいうように――オダ川のおなじ水の流れる川上でつい二、三日前、一度ためした、というように――僕は潜った勢いで岩の関門へ横にした頭をいれ、体が浮かびかけるのを水平に持ちこたえつつ横に移動したのだ。つづいてまっすぐに起こした顔のすぐ前に、夜明けがたの微光のみちた清らかな空間があり、数十尾のウグイの群れがいた。静止しているウグイの群れ。もっともじっとしているのは、ウグイの群れの個体間の関係のみで、それらのいちいちは、淵の底にもある水の流れの川上に向かって、泳ぎつづけるようであったが。光をはらんだ萌黄色の魚体にこまかな銀の点がびっしりと並び、それらも光っている。そしてウグイの群れのすべての個体のそれぞれの、墨色の丸い小さな眼が僕を見かえした。

僕は右腕を突き出してヤスを放ったが、空洞の奥行きは思ったより深く、もともと朽ちているゴムに弾かれたヤスはウグイの群れの脇まで届くこともなかった。しかし僕は不満でなく、むしろウグイの群れを乱すことがなかったのを妥当にすら感じた。自分はもうこのまま、谷間の川の中心の、どこから見ても卵のなかのような、まんなかの空洞に入りこんで、エラ呼吸をしながら生きつづけるのだと、そのように感じて……

事実、僕はいかにも永く水の底にとどまっていたような気がする。現にいまも自分はそこにとどまりつづけているのであり、これまでの僕の生はすべて、ウグイの群れがわずかに位置を交換しつつ間断なくつくりだす文様を、読みとった内容にすぎなかったのだと、そのような気もするほどだ。……それでも、ある瞬間、僕は岩の間を入ったとは逆の方向に移動し、たちまち頭と顎を岩の隘路《あいろ》にがっきととらえられていた。つづいて記憶にあるのは、激しく恐怖してジタバタし、水を飲んでむせる自分である。またおよそ巨大な力をたくわえた腕に、自力で脱出しようとしていたのとは逆の、ウグイの巣のただなかに突きいれられ、両足を捩《ね》じられるまま引き出される自分である。後頭部を傷つけて、煙のように血がひろがる光景。つづいて岩からも、人力からも自由になった僕は、浮かびあがるというのでなく、水の勢いに運ばれるまま、急流の浅瀬へと押し流されて行ったのだが……

岩角で傷つけられた、後頭部の傷あとは、このように書きながら、左手の指の腹ですぐさまさぐりあてることができる。あのままウグイどもの巣に居残っていたならば、僕の頭にこの傷はなく、雲間の鬼のようにきれいな素裸で、労役も悲しみもあじわわず、学ぶこともなく忘れることもなく、谷間にずっと居つづける自分があったのだがと、そのような繰りかえし抱いて古なじみの感慨にとらえられては、指の腹に傷あとのすじをさわっている……

さて僕がいま思いうかぶままに引用した、雲間の鬼のように、という言葉は、やはりブレイクのものだ。あの経験において自分を動かしつづけた、勇ましい、世界のなにもかもに陽気にアカンベーしているような感情を、のちにブレイクを読みながら思いだしたことに、連想は直接根ざしている。詩は広く知られた「幼い者の悲しみ」と題されている作品で、声高く叫びながら、と僕の訳す、piping loud は、一般には、声をあげて泣きながら、と訳されていたはずだが……

《僕の母は呻いた！　父親は泣いた。／危険にみちた世界へと僕は跳んだ、／ひとりぼっちで、素裸で、声高く叫びながら、／雲間にひそむ鬼のように。》

子供の出生を歌った詩に喚起されて、あの朝の、破滅的なほど陽気な感情を思い出したことになる。僕はあの朝、生まれたばかりの赤んぼうが泣くのと正反対に（考えてみれば、その動きにマイナスの符号をつけた具合に）大喜びで水面の光を蹴ちらし、ミョート岩の淵に到ろうとしていた。象徴的にいうならば、出生と逆方向の道を辿り（やはりマイナスの符号をつけた方向へ進む続きで）母親の胎内へ戻ろうとしていたのだ。出産の痛みによる呻き声は、悲しみとも喜びとも関わらぬ、ニュートラルなものであろう。したがってマイナスの符号をつけて転換する必要はない。すでに死んでいる、つまりは向こう側にいる父親は、息子の回帰を喜ぶだろう。危険にみちた世界から、もとの安全なところに戻るのだ。ひとりぼっちで、素裸で、声高く叫びながら、雲間にひそむ鬼のように……

これがブレイクを介してあきらかにされた、僕の経験の意味であり、そこには死についての、僕には懐かしいもうひとつの定義がある。浅瀬の急流に、傷ついた大きい魚のように血を流して、斜めの体を水面に突き出す恰好でいた僕は、母親によって救われ、医院に運ばれた。母親は、あの朝の奇妙にたかぶっている息子の態度をあやしんで、セダワを降りるところからつけていたのであったらしい。そうであるとすれば、ミョート岩の淵の深みで、僕を罰するようにいったんはウグイどもの巣に押しこんでから、引きずり出してくれたのこそ母親ではなかったか？　血で煙る水の向こうに(羊水のような！)、濃く短いヘノヘノモヘジ式の眉と、こちらは線のような怒った眼を見開いている、三十代終わりの母親を見たようにも思うのだ。しかしあれほど巨大であった力が、水に潜っての女性の肉体の力でありうるだろうか？

もともとこの経験の総体には、子供ながらに、人に話しにくい要素があると自覚されていた。そこで僕は母親にも、この日の出来事を話すことはなく、当の母親も浅瀬に体を斜めにして浮き沈みしている僕を見つけたとしかいわぬまま、今日に到っているのだが。もし水の底で救助してくれた者が母親であるなら、僕の後頭部にのこる傷をつけたのも、また母親であるわけだ。頭の傷についての思い出としてあるのは、熱を出して身動きもできぬ僕の上体を膝にのせて、繃帯をとりかえてくれながら、――酷《むご》タラシヤノー、酷タラシヤノー、と母親がいいつづけていたことだ。それはやはり子供心にも、単に眼の前の傷そのものについてのみの詠嘆とは受けとれぬほどのものであったのであり、思いかえすたびに僕はますますあの日の経験について、母親に問いかけることがしにくかったのだ。

日がたつにつれて、水のなかの怒り顔の母親のイメージは、自分が頭を傷つけた後の発熱の間に見た夢を、再生産し続けているにすぎぬと確信するようになった。このようにして僕は母親離れの、一過程をへたのでもあっただろう。夢は繰りかえしてあらわれたのだが、むしろそれゆえに、眼ざめるたびさらにあきらかに、あれは夢だったと、つまり現実のことではなかったと思いさだめることをしたのだ。

ところが成人し結婚して、最初の子供が障害児として生まれた時、この夢のイメージに現実の新しい光が投げかけられたのだ。なかばは現実の母親の態度、それも意識して断片的なものいいをする彼女の語り口によって、またなかばは、それに喚起されて僕のうちに起こる連鎖的なもの思いをつうじて……

息子が生まれ、もうひとつの頭のような真っ赤な瘤が後頭部についており、ということがあって、はじめのうちN大学病院の特児室に子供をあずけたまま、僕としては妻にも母親にも実情を打ちあけることができず、むなしく右往左往していた。それでも息子本来の頭はもとより、瘤もまた栄養のまわりがよく育ってゆく、とくに瘤から放たれる精気が特児室のガラス仕切りごしに覗く眼にもあきらかに見てとられることになった。そこで生後二箇月半、息子と、かれの誕生にショックを受けてまともな立ち向かいかたもできなかった僕自身、世話をしていただいたM先生に手術をおねがいすることになった。

瘤を切除する手術の日の前夜、手伝うつもりで上京したが、自分の役廻りはないままに、かえって妻に世話をかけると判断した母親が、翌朝、僕らを手術のおこなわれる板橋の病院に送り出して、そのまま四国の森の谷間へ帰る準備をしている。まだ二十代であった妻が、出産の衰弱から回復していないままに、風に吹かれる雛鳥《ひなどり》のようなふうであったのを思い出すが、彼女とおなじ怯えを分け持つ母親を励ますように話していた。僕は居間兼食堂で籐《とう》を編んだ揺り椅子の背をゴツゴツ食器棚にぶつけながら、自分の居場所がない思いのまま、その妻たちを眺めていた。彼女らは、合成樹脂の敷物をしいた板の間に坐り込んで、小型トランクをはさみ頭をつきあわせる恰好で話し合っていた。奇妙によく似た二人の様子は、年齢をへだてかつ血のつながらぬ間柄として、不思議なものであったのだが……

妻がなかば放心しているようなかぼそい声で話している。イーヨーは、正常な赤んぼうとちがって、親側の呼びかけになにひとつ反応しない。手術の過程で生死のわかれめというところがあるとして、生の側へとはっきり引き戻す、その呼びかけができぬのが、心配でならない……　一、二週間前からおなじことを妻はいい、僕はそれならば正常な子供と大差があるというのではないだろう、M先生におまかせするほかにない、という対応をしてきたのだが。

母親は、不安な妻の、その不安に共振して増幅させるような動揺を示していた。深ぶかとうなずくというよりも、痩せた小さな頸《くび》を乱暴に振りたてて、——そうですが、そのおりですが！　わが身内の声を聞いて、死んだはずの命が、生きて戻ったことは、私らの村にもたびたびありましたが！　といって、ハッ！　と息をのみ唇を噛みしめるふうである。

息子の出生にまつわる異常を、思えば身勝手な衝動のまま、訴えかける相手をもとめて、大学で学んだW先生が新しくフランス文学科をつくって移られた私大に話しに行った時、先生の顔から首筋までみるみる真っ赤に染まったことは別に書いたが、そのような先生が悲傷をたたえた冗談とでもいう口調でいわれたことを、僕は思い出していた。この時代には、生まれてこなかったより生まれてきたことが、必ずしも良かったとばかりはいえぬのだから、と先生は新設らしい生きいきした気風の研究室の、誰からも眼をそらしてつぶやかれたのだ。

——肉体そのものに、生命への方向づけと、死への方向づけに動くものがあるとして、そのさかいめに赤んぼうがいるとしたら、本人の、というか肉体そのもののというか、そいつの自由にまかせようや。生まれてこなかったより生まれてきたことが、必ずしも良かったとばかりはいえない時代なんだから……

妻も、母親も、僕が狭い場所で籐椅子をゴツゴツやりながら、および腰でいった台詞《せりふ》をそろって無視した。僕としては吸音壁に囲まれた部屋でひとりしゃべった気分だった。しかも母親の、自分の膝と、妻の膝を注視しているような、うつむいた横顔が白っぽくこわばるのを僕は見た。そして、ああ、このヘノヘノモヘジのような顔は、緊張してというよりも、端的に腹を立てての表情なのかと、若い年齢ながら自分の軽薄なもののいいを後悔したのだが。

——ああした人間ですから、私どもは頼りにすることはできません、あなたのチカラ(で)、イーヨーさんに助かってもらわねばなりません。

母親は低声でささやくようにいい、妻は、髪をピン・カールして、さらに小さく見える頭を、頼りなげにうなずいていた……

この夜、ひとり自分の書斎のベッドに横たわってからだが、母親の言葉について、しだいに僕はあれは自分の聞きちがいだっただろう、と考えるようになった。僕のチカラも、妻のチカラも、明日の手術に無力であることははじめからわかっているのだ。M先生にすがるほかはない。それを認めた上で妻と母が、赤んぼうの肉体それ自体の生命への意志ということを、たしかめがたい不安な対象として話題にしていたのである。赤んぼうの肉体をつくりだした、二種の血。僕の側の血と、妻の側の血。死と生への肉体の方向づけについて、母親は自分の息子に由来するものがあてにならぬと考えており、そこで低声ながら悲惨なほど希求のあからさまな声音で、妻に向けて、――あなたの血から、……生命への励ましをえて、それでというつもりではなかっただろうか？

いったんこう考えてみると、僕には母親がやはりミョート岩の淵の深みまで潜りこんでヘノヘノモヘジの顔を示したはずであり、あの出来事の際に、自分の息子は生の方向づけからわざわざ逸脱するところのある者だと、怒りをこめて断念する意思をいだいてしまったのだと思われた。そう気づいてみれば、当の出来事から、息子の最初の手術まで、母親のその判断は、いくたびも示されることがあったように思われたのだ。

M先生と弟子の方がたによる、長時間にわたった手術は成功して、息子はもうひとつの頭のようであったテラテラ光る瘤から自由になり、妻と彼女の母と僕の母親とが、もっとも喜びをあらわした。手術前夜の会話への思いもあり、若い父親である僕は、喜びつつも、それを表現するのに悪びれたりもしたのだが……

死の定義。僕がいま自分の障害のある息子に、死について、正確で簡潔で、かつかれを励ますものである定義をあたえているということはできない。しかも僕と妻は、息子に向けて不用意に死という言葉を使ってきたのだ。それをわれわれに自覚させた、ひとつの契機を手がかりにふりかえれば、二年以上も前から、繰りかえして。二年とはっきり年月をきざむのは、息子を核心に置くわれわれの日常生活に、明瞭な区切りをつけた出来事として、二年前の春の終わりに起こった――僕は季節のめぐりの、つまり宇宙的な循環の、人間の肉体の奥底での動きとのひそやかな結びつきを、経験的に信じるものだが――息子の癲癇発作ということがあるからだ。

もっともこの癲癇について、発作が起こっているさなかに専門医の診断をあおいだ、というのではなかった。発作の後で、M先生にこういう事態だったと報告した際、M先生が、僕としての思いこみに立つ、癲癇の発作という言葉に反対されなかったのみなのである。

息子の癲癇について、僕と妻とははじめから考え方が異なっていた。かならずしも対立するというのではないが、というのは、僕と妻とはおなじひとつの方向にむいて異なった見解をいだくというところが、息子についてあるからだ。息子が短い時間ではあるが、眼が見えなくなって、街路上で立往生してしまうことがある。踏切や横断歩道でそうなれば、端的に危険な話なのだ。五、六年つづいている、その間歇的《かんけつてき》な発作をおさえるために、M先生から、もっとも副作用の少ないものとして、抗てんかん剤「ヒダントール」錠を服用するよう処方してもらっている。それが僕にとっての、息子の新しい発作を解釈する論拠である。息子の歯茎は全体に薔薇色《ばらいろ》にふくらみ、赤い米粒のようなものが歯の間にとび出しているが、それはこの抗てんかん剤のわずかな副作用ということなのらしい。

妻は、息子が通ってきた特殊学級や養護学校でのＰＴＡ仲間から、癲癇というのはもっと別のものだと、もしこれが癲癇なら、いかにも軽症のものだと、そのように聞かされている。また養護学校に進んだ際の診断書に「脳分離症」と書かれており――これも言葉自体としてわれわれ素人には充分恐ろしくグロテスクに響くと思ったものだが――癲癇とは書いてなかったと、妻は主張するのである。実際僕はいくつかの百科事典で、癲癇という項目のうちに「脳分離症」という小項目を見つけようとしてむなしかった……

はじめて息子が当の大きい発作を起こした際、妻はたまたま留守にしていたのでもあった。発作は叫喚とか痙攣《けいれん》とかいうのではなく、むしろそのような突出した症状の、逆の窪みとでもいえば正当に表現できるかと感じられる、特別な気配ではじまった。われわれは居間にいて、僕はふだんのとおりソファーで本を読み、息子は再生装置を低くかけてモーツァルトを聴きながら、床の絨緞《じゆうたん》の上に寝そべっていた。そのうち息子が新しいレコードをかけぬのみか、食欲がない幼児が食物を弱よわしく押しやるように、自分で選び出して置いたレコードのひとやまを、両肱《りょうひじ》で遠ざけたのだ。

それがまず小さなトゲのように、僕の意識に刺さっていた。僕はなお本を読みつづけていたわけだが。そのうち、ある停滞、杜絶の印象が息子の体のある場所から起こってきた。眼をあげると、両肱で上体を支えて横になっている息子の顔から、いっさい表情がなくなって、見開かれている眼は石のようなのだ。うっすら開いている唇の間からは涎《よだれ》が流れている。

――イーヨー、イーヨー、どうしたの？　と僕は息子に呼びかけた。しかし息子は自分の内部の厄介にかかりきりで、たとえ父親からの呼びかけなりと、外部にかまっていられないというふうに、無表情のまま重おもしく頭をたもってじっとしている……

息子に声をかけ続けながら、僕は起きあがったが、つづいてかれの脇に歩みよるわずかな時間に、息子は左の掌と肱で、荒あらしくではないが、はっきりした強さをあらわして床を叩きはじめていた。バタ、バタと床を叩いている息子の眼は、いまや白眼を剝《む》いて引き攣《つ》っている。

——イーヨー、イーヨー、大丈夫か? 苦しいか? と無意味な声をかけながら、僕はズボンのポケットからとりだしたハンカチを左の拇指《おやゆび》に巻き、そのまま息子の歯の間にはさんでいた。すぐさま息子はギリ、ギリと関節を嚙み、僕は黙って苦しんでいる息子のかわりにムームー呻《うめ》いたのであったが。一、二分後息子は床を叩くことをやめ、嚙みしめていた歯の力を弛緩させた。そのままあおむけに転がろうとするかれをソファーに抱きあげて横たわらせると、息子は威嚇的なほどのいびきをかいて昏睡したのであった。

僕が癲癇の症状とみなしているのは、息子の肉体に起ったこのようなあらわれである。春休みだったこともあり、息子は数日間「ヒダントール」錠をのみ忘れていたというのだが、一体これを癲癇と呼ぶことは正しいか? 癲癇の定義、それをめぐって百科事典を引くことはたびたびしたものの、僕と妻はM先生にあらためて詳しく説明をもとめるということはしなかった。息子の病気に関するかぎり、われわれが知って有効なことは、すべて先生が進んで話してくださるのであり、それより他は、無力な素人であるわれわれが聞き出してどうにもなることではないと、十数年にわたって了解してきたのであるからだ。もっともわれわれの心理的慣習の底には、根深い恐怖の実質が横たわっているのであるかもしれぬのではあるが……

　癲癇の定義として、僕になじみやすい仕方で眼にふれた、最近の情報として次の事例がある。つまりはそうしたものに敏感に心が動くということが、あれ以来ずっと自分にあるわけなのだ。文化人類学者のYさんが、ギリシアの監督テオ・アンゲロプロスの映画『アレクサンダー大王』を分析する文章を書いた。それを見ると、ギリシアの農民的なゲリラの首領は癲癇持ちとして描かれているのらしい。移動の際、水を補給するために川辺に降りたゲリラ隊の首領アレクサンダーは、水面を見まもるうちに発作を起こす。すかさず副官が、部下たちに、――うしろを向け、と怒鳴り、首領の痙攣を人目にふれぬものとする。

　首領は移動の間に出会う少年たちを洗礼して、みなアレクサンダーと名付けるのだが、その一名が、政府軍による攻撃によって頭に怪我をする。首領を殺され潰滅《かいめつ》するゲリラ軍のなかで、少年はひとり馬に乗せられて脱出する。のちに少年がアテネの町に入るシーンに、――かくてアレクサンダーは町へ入って行った、という声がかぶさる。それはかつて首領アレクサンダーが、少年の身で村にあらわれた時頭に怪我をしていたという、もうひとつの挿話に、あからさますぎるほどの意味をあたえる……

僕はYさんの分析から、いかにも個人に偏した読みとりであるが、右の癲癇をめぐる部分についてもっとも注目したのである。いまアテネに入る、頭に怪我をした少年と、首領アレクサンダーの過去とをかさねて、ゲリラ指導者が癲癇であったのは、少年時の頭部の負傷のためであり、新しく頭に怪我をした少年も、すなわち次のアレクサンダーとして抵抗軍を指導することになるはずの少年も、また癲癇の発作をあらわすことになるだろうと、頭の傷、癲癇、指導者という、神話的脈絡を心にきざんだのであった。

それというのも、百科事典の癲癇の項目を引くかぎり、たいてい幼・少年時の頭部の負傷による症状という説明が、癲癇の原因のひとつにあげられていたからだ。つまり僕は自分の息子の癲癇についても、かれが生後二箇月半で、頭部を手術したことを原因とみなしているのだった。頭蓋骨に小さな欠損《ディフェクト》があり、そこから脳の内容物が外に出てしまわぬよう、もうひとつの頭のような瘤が造られて、内側からの圧力を押しかえした。瘤を切りとってみると、ピンポン玉のようなものが瘤のなかにあった。摘出したものを見るかと、妻ともども手術の結果を聞きに行った研究室で僕はM先生に誘われ、一瞬、辞退してしまったのであったけれども……

僕は手術の際に、息子の脳が傷つけられたとは、つゆ思わないのである。しかしあれだけ大きい瘤を除去して、頭蓋骨の欠損《ディフェクト》をとじる手術に、どうして幼児の脳が影響を受けぬことがあろう？　むしろよく手術に耐えて生き延びた、生命力の勲章のようにして、いまの癲癇のあらわれがあるのだと、僕は敬意をいだくように息子の症状に対してきたのだ。

　そしてこれはすでに神秘趣味の夢想というほかにないが、息子は僕の少年時の、ウグイどもの巣での危機に際して、頭に受けた傷がもたらしたかもしれぬ、僕自身の癲癇を引きうけてくれてもいるのだと、考えることがあったのである。息子の頭蓋骨の欠損《ディフェクト》と同じ場所にある、自分の頭の傷痕に指でふれてみつつ、そのように考えると、あのウグイどもの巣での巨大な力の顕現と、息子の畸型の誕生をもたらしたものとは、まっすぐつながるように思われた……

　はじめての癲癇の発作後の数日、肉体の内側のひずみがなお恢復せぬかのように、沈みこみ、もの憂げで、じっと黙りこんでいた息子が、ソファーに横たわってテレビのニュースを眺めているうち、わが国の音楽界の老大家の死を報せるアナウンサーの声に、思いがけない機敏さで上体を起こすと、

　——**あーっ、死んでしまいました、あの人は死んでしまった！**　と強い感情をこめた大声を出した。

　息子のあげた、重く深い痛恨の詠嘆に、僕がショックのようにして感じとったもの。そこには始め思いがけないところを不意うちされたようなおかしさもあった。

　——どうしたの、イーヨー？　どうしたんだ？　あの人は死んでしまったかい？　きみは、あの人がそんなに好きだったの？　と問いかけながら、僕は笑いだしかねぬ気分であ

ったのだ。すでに僕は微笑していただろう。

しかし息子は、僕の言葉に反応することはせず、ソファーにあらためて体を沈めると、両手でしっかり顔をおさえこみ全身をこわばらせるのである。僕は引っこみがつかぬまま、微笑こそ失いはしたけれども、——どうしたんだい、イーヨー、あの人が死んでしまっても、そんなに驚くことないじゃないか？　と続けていいながら立って行った。脇にしゃがみこんで息子の肩を揺さぶってみもしたのだが、息子はさらに体をかたくするのみである。理由もなく、僕は息子の顔から両手を引き剝がそうとした。ところが息子の手は固定された鉄の蓋《ふた》の堅固さで顔を覆っているのである。

……考えてみれば、この時分から親としても容易にあつかいかねる、息子の肉体の抵抗力の増大が、露《あら》わになってきていたのだが、僕はそこだけ知的な繊細さをあらわして、体の他の部分にそぐわぬ感じの、息子の十本の指を見つめながら、そのましゃがみこんでいるほかなかった。

息子への接近の、この徹底的な不可能性。それは癲癇の発作の直後にも僕のあじわったところのことだ。息子が全身を使った非常な運動の後のように消耗している。その息子がいびきをかいて眠る直前、また眼ざめた直後、

——イーヨー、苦しかったか？　息がつまるようだったの？　嘔《は》きそうだった？　苦しかったかい？　と僕は繰りかえし訊ねたが、息子は不機嫌な、かつ衰弱した様子で、自分

のうちにかたく閉じこもり、僕の問いには一切反応しなかったのである。あれとこれと、息子の癲癇の発作以来二度にわたって、僕として探索不可能なかれの内部が示されたわけなのだった。

これまで僕は、息子の外と内において起こっていることどもにつき、なにもかも知っているつもりでやってきた。ところが息子が発作を起こし、白眼を剝いて床をバタバタ叩いていた間、かれの内面にひろがっていたはずの光景について――息子は実際、大仕事をした、というように疲れ切っていびきをかいて眠ったのであり、その大仕事には、なにか重大な幻《ヴィジョン》を見るということがふくまれていたのではないかとも感じられた――僕はなにひとつ聞き出すことができない。僕は息子が、かつて見たウグイどもの巣のような、一瞬そこに永遠が顕現する光景を見たのかもしれぬと夢想したりもするのだが……

そしていまはまた、息子が死についてどのような考えを持つゆえに、あのようにも胸につき刺さるほどの哀傷の声をあげたのか、推し量る手がかりもつかめないのである。いったい息子は、どのようにして、死についての感情を自分の内部にかもしたのだったか？

もっとも最後の疑問には、すぐにも答があたえられることになった。やはりおなじ春休みのうちのことだったが、息子が発作のなごりの鬱屈のなかで、ＦＭ放送を高い音で聴いている。それが数時間つづいて、家族の誰もがまいってくる。そこで妹が兄に、

――イーヨー、すこしだけ音を小さくしてね、と頼んだのだった。息子は荒あらしく威

嚇の身ぶりを示して、かれの体の半分ほどの妹をすくみこませた。

――イーヨー、だめでしょう、そういうことをしては！ と妻がいう。私たちが死んでしまった後は、妹と弟の世話にならなければならないのよ。いまみたいなことをしていたら、みんなから嫌われてしまうわ。そうなったらどうするの？ 私たちが死んでしまった後、どうやって暮らすの？

僕は、ある悔いの思いにおいて納得した。そうだ、このようにしてわれわれは、息子に死の課題を提出しつづけていたのだ、それも幾度となく繰りかえして、と…… ところがこの日、息子はわれわれの定まり文句に対して、まったく新しい応答を示したのだった。

――大丈夫ですよ！ 僕は死ぬから！ 僕はすぐに死にますから、大丈夫ですよ！

一瞬、息をのむような間があって――というのは、僕がこの思いがけない、しかし確信にみちた、沈みこんだ声音の言明に茫然としたのと同じだけ、妻もたじろいでいたのを示しているが――それまでのなじる響きとはことなった、むしろなだめるような調子で妻がこう続けていた。

――そんなことないよ、イーヨー。イーヨーは死なないよ。どうしたの？ どうしてすぐに死ぬと思うの？ 誰かがそういったの？

――僕はすぐ死にますよ！ 発作がおこりましたからね！ 大丈夫ですよ。僕は死にますから！

僕はソファーの脇に立っている妻の傍に行き、両掌で顔をしっかり覆って、黒ぐろした眉と、俳優をしているかれの伯父に似た、強く盛りあがっている鼻梁を、指の間からのぞかせている息子を見おろした。妻も、僕も、あらためて息子にかけるべき言葉を、いかにも無益なものと感じて、喉もとにのみこむ具合だ。いまあれほどはっきりした声を発しながら、息子はもうかすかな身じろぎさえしないのである。

三十分ほどたって、僕と妻とがなんとなく向かいあって黙って掛けている食堂のテーブル脇を、息子がのろのろとすりぬけ、トイレットに行った。なお両掌で顔を覆ったままなので、そのような歩き方になるわけなのだ。さきの状況について責任を感じている妹が、脇にまつわりつくようにして、

――イーヨー、イーヨー、危ないよ、掌《てのひら》で顔をかくして歩くと、ぶつかるよ。転んで頭を打つかもしれないよ、と話しかけていた。それは母親の叱り方への批判をこめてのことだったろう。弟もかれらにつきしたがうようにして、一緒にトイレットまで出かけていた。閉じられていない扉の間から、ながながと大量に放尿する音が聞こえてきた。そしてそのまま息子は、トイレットの前の母親の寝室に入ってしまう模様だった。

――あのようにいうことは、良くないと思う。イーヨーは将来のことを考えて、寂しいよ、と戻ってきた娘は、寒イボのたっているような、小さく縮んでいる顔つきをしていった。

妹と並んで立っている弟も、われわれ両親から独立した意見をいだいている様子をあらわして、次のようにいったのである。

——イーヨーは、人指ゆびで、まっすぐ横に、眼を切るように涙をふいていたよ。……イーヨーの涙のふき方は、正しい。誰もあのようにはしないけど……

妻ならびに僕は、実際自分自身を恥じてしょげこみ、これまで幾たびとなく繰りかえした言葉、われわれが死んだ後、イーヨー、きみはどうなるか、あなたはどうするの、という言葉のことを思ったのである。僕としてはとくに、そのように重大な言葉が息子の心の深部にどう響いているか、よく考えもしなかった以上、死について——かれにとっての死についてはもとより、自分にとっての死についてすらも、よく定義しえてはいないということだと自覚しつつ……

癲癇の発作が、強震のようにしてもたらした、肉体と情動の底揺れ。そのなごりから回復するにつれて、春休みが終わり、また中学の特殊学級にかよいはじめる時分には、息子は精神的にも上向きの状態にかえるようであった。発作からしばらくは、音楽の聴き方にも、正常ではないかたよりがしのびこむようだったが、いまは音楽を熱心に聴くその仕方が、陽気に楽しむ明るい印象に戻ってもいたのである。

しかし、死の想念が、たとえどのような質のものであるにしても、息子のうちに住みついたことに疑いのいれようはないのであった。毎朝、通学の服装をととのえた上で、居間の絨緞に息子が坐りこむ。肥った両膝を開いて、尻をベタッと床につける坐り方で、息子は朝刊を開くのだ。それもただ物故者の欄のみを見るために。新しい病名に出くわすたび、僕や妻に訊ねて覚えた漢字を、息をつめて読みとっては、感情をこめて朗唱するのである。

——ああ！　今朝もまた、こんなに死んでしまいました！　急性肺炎、八十九歳、心臓発作、六十九歳、気管支肺炎、八十三歳、ああ！　この方はフグ中毒研究の元祖でございました！　動脈血栓、七十四歳、肺癌、八十六歳、ああ！　またこんなに死んでしまいました！

——イーヨー、沢山の人が死んでいって、それよりもっと沢山の、新しい人が生まれてくるのよ。さあ、心配しないで、学校に行きなさい、踏切で気をつけてね、そうしないと……

そうしないと自分が死んでしまうことになるよ、という言葉の後半を、妻はハッとして飲み込んだわけなのだ。息子はまたテレビ・ニュースの、食中毒の報道に敏感になった。梅雨から夏にかけて、幾件も食中毒のニュースがある。そのたびにかれはテレビに駈《か》けよるようにして、たとえば、

——ああ！　日暮里商店街御一行の皆さんが、弁当で中毒されました！　お茶屋弁当でした！　と大声で復唱した。そして一、二週間後、夏休みになって群馬県の山小屋に行こうとする電車で、例年ならもっとも楽しみにした駅弁に手をつけようとはしなかったので

ある。

われわれが食べるように幾度もいう。そのうち息子は、極端な内斜視の眼つきになり、片手で口許をおさえ、もう片方の手は防衛的に前へ突き出すのだ。その拒絶ぶりは、周りの他人たちに、われわれが酷《むご》たらしいことを子供に強制する親でもあるかのように、こちらをうかがわせる緊迫感にみちていたものだ。その夏から、息子はこれまで好物であった寿司に手をつけなくなった。それは生魚をいっさい口にしなくなったということである。豚足《トンソク》なども好んでいた食物なのだが、一度食べすぎて下痢をすると、もう決して息子の受けつけない料理となった。そこで息子はほぼ一年のうちに十キロも痩せたほどだ。肥満していては障害が起こると、校医の先生からいわれたことも作用している様子なのであったが……

抗てんかん剤を丹念にのむようになったため、最初僕が驚かされたような大きい発作は起こらなかったのだが、この二年間、いくたびか発作の前駆症状にあたるものがあった。そこで学校を休み、ソファーに横たわって昼の間をすごさねばならぬ時、息子はそのたびごとに新しい身体器官の異常について、詠嘆するような言葉を発するのであった。

――ああ！　心臓の音がすこしも聞こえません！　僕は死ぬと思います！　心臓が音をたてていませんから！

僕と妻が、ゴム管を工夫して作った聴診器を息子の胸と耳にあてがう。あるいは心臓発作についての素人談義を、それも息子の受けつけうる言葉を探しておこない、なんとか死の懸念をとりはらうべく苦労する……　のみならず僕は、そうした際に、現在息子が感じている苦痛、あるいは不安を介して、最初の癲癇の発作の時、それらがどういうものとして自覚されたかを探り出そうともしていた。そのたびに結局はなにひとつ、確実な情報をえられなかったのであるけれども……

しかし、その過程で間接的に、息子がかつて行なった不可解な行為についての、かれ自身による評価をひとつ引き出しえたことがあったのだ。僕と息子との間の、当の会話を復元してみると――じつはもっと数をかさねた問いかけがあったのだが、要約して復元すると――それは次のような問答であった。息子の答は、意味の不透明なものでありながら、それでいて僕と妻になにやら思いあたる、奇怪な響きをひそめるものであった。

――イーヨー、癲癇の発作のしばらく前に、頭の髪の毛を抜いていたね？　頭の穴のところにしたプラスチックの蓋の、ほら、その蓋の上の毛をすこしずつ抜いて、丸い禿ができただろう？　何日も、何日もかかって、髪の毛を抜いてしまったんだけれども、あれはカユかったからかい？　それとも蓋の上の皮膚が引き攣《つ》るかしたの？　痛かったの？　頭のなかがなんだか苦しくて、毛を抜かないとがまんできないふうだったの？　覚えてるだろう？　どうして抜いたの？　どうだったの？

――あの頃は、面白かったですよ！　昔は面白かった！と息子ははるかなところに思いをはせるような微笑を示していったのだ。

この梅雨の晴れ間に、われわれは息子を連れてN大学板橋病院に向かった。僕がヨーロッパを旅行していた間、息子が荒れに荒れたことについて、肉体の側面からの理由があるのならば、専門医の診断をあおがねばならなかったから。脳外科の受付へ、いつものとおりM先生への診療申込みカードを出しに行った妻が、待合室の隅で長椅子を確保して待つ僕と息子のところへ、気落ちした様子で戻ってきた。

――M先生は、停年で大学をおやめになったわ。まだ週に何度かお出になってはいて、とくに先生にご相談したい患者には、会ってくださるようだけれども……

久しぶりにM先生とお会いするということで、息子は勇み立っていたのだ。自分に関わりある話柄《わへい》には敏捷なほどに示す理解力から、すぐさまかれはなにやら理由があって、先生はカーテンの向こうの診療室にいられぬのらしいと納得し、生彩を失ってくる。僕と妻もまた、いわば永遠に、病院に来さえすれば、M先生が息子について的確な指示をあたえてくださる、ということを疑わなかったのに気づいて、途方にくれるふうだった。

しかし考えてみれば、この十九年間、その時どきに、おなじ診療室を背景にしてではあるが、謹直なはっきりした意志、そしてその底にある育ちの良い、澄んだユーモアもあきらかな、白衣のM先生の風貌姿勢は、やはり年々、老年にむかわれていたのだ。そのいくつものイメージが、黙って坐っているわれわれの胸のうちにフラッシュバックされる具合なのだ。もっともいちばん気落ちしたのは僕で、スピーカーから息子の名が呼ばれた時、妻と本人はそれでも元気を出して、新しい先生の診療室へ入って行ったのに、僕は荷物の番をすることを口実にしてそこに残った。

十分後、診療室から戻ってきた息子が、あらためて陽性の気分を回復している。妻も、なにやら気負い立つようにして——しかしその昂揚には、激しく思いめぐらす内心の気配がからむようでもあり、むしろ僕に次に起こる事態への心準備をさそったが——これから幾種類もの検査を受けるという。まず最初に、血液と尿をとり、そしてレントゲン室へと廻るのだ……

すぐさま移動をはじめながら、妻は新しい先生が、十九年前の息子の最初の手術から、M先生の執刀に参加してこられた方だ、と話した。そしてこの先生は息子の年来の症状が、癲癇ではないのではないかと思う、といわれたという。先生の記憶されるところでは、息子の頭蓋の欠損《ディフェクト》をはさんで二つの脳があった。外側の脳が活動していないことを見きわめて切除したのだが、その手術部位に近い、生きている脳の部分は視神経と関係する部位であった。その影響で、短い時間、眼が見えなくなる症状があらわれるのではないか、ひいては癲癇の発作とされたこの前の症状も、同根のものではなかったか……

——なんだって？　二つの脳？　と僕は話をさえぎった。活動していない外側の脳を切除した？

——御主人は知っていられたはずだ、といっていられたわよ。それで私にも、脳分離症という記入の意味がわかったけれど。

二つの脳、そうであれば、もうひとつの頭かと思われるほどであったテラテラ光る肉色の瘤をつけて生まれてきた息子の、その小さな肉体が端的にあらわしていた畸型の意味が、誤解しようもなく納得されるのだが……　しかし手術当時、僕がM先生からそれを聞き、妻に隠していたことなどありえぬのである。

——書斎の仕事机の前に、ペンで描いた脳のデッサンがかざってあるでしょう？　まんなかにひとつ眼があって、眼の大きさからいうと、脳全体がすこし小ぶりであるような、……あれはもうひとつの脳のデッサンじゃないの？

そういわれれば、確かに僕はその脳のデッサンを大切にしている。それはW先生の『狂気についてなど』という戦後すぐのエッセイ集に、扉図版として印刷されていたものだ。しかし僕は、意識するかぎり、この本におさめられている次の一節に深く影響づけられているからこそ、扉絵を木枠に入れてかざってきたのだ。《「狂気」なしでは偉大な事業はなしとげられない、と申す人々も居られます。それはうそであります。「狂気」によつてなされる事業は、必ず荒廃と犠牲を伴ひます。真に偉大な事業は、「狂気」に捕へられやすい人間であることを人一倍自覚した人間的な人間によつて、誠実に執拗に地道になされる

ものです。》

手術の後でM先生がいわれたピンポン玉のようなものを、頭蓋の欠損《ディフェクト》ということとの相関で、なんとなく骨に類するものと感じてきたが、それを内蔵するのみだった瘤、と僕が妻にいってきたこと自体に、意図に立つ隠蔽があったかと、妻は疑っている模様である。彼女の疑いに影響されるようにして、僕の内部の奥深いところから湧きおこってくる思いもあるのだ。M先生は、はじめからふたつの脳について話されたのに、自己防衛の心理機制が働くまま、僕の意識はそれを素通りさせたのではないか？　かわりに無意識が受けとめたものは、W先生の、確かに正常な脳に比して、眼との関係で小ぶりだとわかる、脳のペン画に僕を執着させたのではなかったか……

レントゲン室のなかから、FM放送のアナウンスの口調のお礼の言葉を残して、息子が廊下に出て来た。医師の指示どおり体を動かそうと衷心つとめるが、骨組みに異常があるかと疑われるほど不器用なかれには、検査を受けること自体、大事業なのだ。レントゲン室を最後に検査をおえて、タクシーに乗りこんだ時、息子はしみじみとした口調で、それも昂揚感をあらわしてこういった。

――大変苦しかったが、がんばりました！

僕としては気がかりなことがある。

――さきの症状のこと、イーヨーにもわかるように、先生はおっしゃったの？

——それはわかったでしょう。とても関心を示していたもの。ホーッ、ふたつも、僕の脳が！　というようなことをいっていたわ。

——そうなんですよ！　僕には脳がふたつもありました！　しかし、いまはひとつです。ママ、僕のもうひとつの脳、どこへ行ったんでしょうね？

聞き耳をたてていた運転手がプッと噴き出し、頰から耳のあたりを紅潮させて、自分の失態に腹を立てるふうだった。病院を根拠地にするタクシー運転手には、患者やその家族に親身な態度をあらわすことに、いわば使命感をいだいている人がいるものだ。この運転手の場合、心づかいが裏目に出てしまったことを、自責する具合なのである。しかし息子は機嫌のいい時には洒落《しゃれ》や地口を好んでいうことがあり、いまもテレビのコマーシャルをもじったわけなのだったから、むしろ運転手の笑いは息子を得意にさせたはずなのだ。その勢いに乗じるようにして、僕は、

——イーヨー、きみのもうひとつの脳は、死んだ。しかし生きてがんばっている立派な脳が、きみの頭のなかにあるよ。ふたつも脳があって、すごかったね、といった。

——そうですね、すごかったものだなあ！

ふたつ脳があったこと、その新情報をどう受けとめるか？　どっちつかずの茫然たる状態にいた僕に、事実を知って陽性の驚きを感じている息子の昂揚が、態度決定のヒントをなした。どうして僕が息子同様、この新しい認知によって励まされえぬ理由があろう？

ふたつの脳の重荷をになって誕生しながら、息子は手術とその後遺症状によく耐えて――大変苦しかったが、がんばって――成長してきたではないか。

――もうひとつの脳が死んでくれたから、イーヨー、きみはいま生きているんだよ。きみはいまの脳を大切にしてがんばって、長生きしなければならないね。

――**そうです！　がんばって長生きいたしましょう！　シベリウスは九十二歳、スカルラッティは九十九歳、エドゥアルド・ディ・カプアは、百十二歳まで生きたのでしたよ！**

ああ！　すごいものだなあ！

――坊ちゃんは、音楽がお好きですか？　と失地回復をはかる心づもりの運転手が、前を向いたまま声をかけてきた。エドゥアルドという人は、どんな音楽家？

――**「オー・ソレ・ミオ」を作曲いたしました！**

――坊ちゃんは、たいしたもんだなあ。……がんばってくださいね。

――**ありがとうございました、がんばらせていただきます！**

僕は砂漠の景観を思い描いていたのだ。冷たい嬰児が――それも小ぶりの脳髄に眼がひとつの嬰児が、怒りの大気のなかに立つ。かれは叫ぶ、ただ脳髄のみの嬰児が発しうる叫び声で。《六千年の間、幼くして死んだ子供らが怒り狂う。夥しい数の者らが怒り狂う、期待にみちた大気のなかで、裸で、蒼ざめて立ち、救われようとして。》

落ちる、落ちる、叫びながら……

（連作『新しい人よ眼ざめよ』の3）

二年前になるが、まだ中学校の特殊学級に在籍していた息子に、泳ぎを教えようとして、クラブに連れて行っていた時期があった。秋から冬にかけての数箇月、毎週、週によっては三度ほども。そのきっかけは、夏の終わりの保護者の会で、体育の先生から、息子が水泳実習において、いかにあつかいにくいかを、妻が聞いてきたことにあった。

先生は、息子に水に浮こうとする意志が欠けている、本能的に水に浮こうとする肉体の意志すらもない様子だといわれたらしい。——こういう子供に水泳を教えるのは、コップに訓練をおこなうようなものじゃないですか……、という話の進みゆきに、妻として心おだやかでないところもあったようだが、彼女の報告を聞いただけで、僕にはよく納得できたのである。実際に息子をプールに連れて行ってみて、僕はつい笑いだしてしまったほど、体育の先生の当惑ぶりは了解された。まったくコップに泳ぎを教える以上に難しい、ともいうべき事態なのであった。

それというのも、コップを水面に横たえれば、それはすぐさま沈んでゆく。コップに耳があるとして、――なんとか、沈まぬようやってみようじゃないか、とはいえるだろう。僕の息子の場合、浮かばぬことは確かに明瞭だが、沈んでしまうともはっきりはいいがたいのである。しかもプールのなかで僕が息子に指令を発する、それに柔順に応えて、息子が努力しているようであり、かつはまったく父親のことなど意に介さないで、というようでもある。特殊学級の専任でない、体育の先生の苛立ちというものが、僕にもしだいに身につまされる以上に実感されたのであった。

――もう一度、イーヨー、頭を水につけて、腕を前に伸ばして、足をばたばたやってみよう！

息子が水を恐怖することはない。いっさいためらいも示さない。僕の言葉が指示したとおりの動作をする。ただ、僕が漠然と期待しているスピードの規準とはかけはなれた、おそろしくゆっくりしたペースで動作をすすめるのだ。ジワッと浸透する濃い液体のような具合に、砂に足をもぐらせる貝のような具合に。

頭をやすらかに水にゆだね、両腕を前に伸ばし、プールの床から足をあげる。そのようにしてイーヨーは水に浮かぶのみならず、クロールを思い描いているのらしい腕の動かし方もするのだが、その徹底してゆるやかに動く両腕は、いささかも水の抵抗を受けているようではない。その間も体全体はしだいに深みへ下降する。ところがその過程でのある瞬間、じつに自然にイーヨーは床に足を立てているのである。沈みながらもがいて水を飲み、苦しんだりあわてたりするという事態はおこらぬわけだ。しかもこの一連の動作のうちに一メートルは前に進んでいるから、それを繰りかえしてゆけば、ゆっくりゆっくりとではあるが、プールの端から端にいたることにはなる。じつのところかれはそれが自分としてプールで泳ぐことであると、内心みなしているようなのでもある。

——イーヨー、腕を強く掻《か》いてみよう！　とか、足は歩くように動かして、進んでゆこう！　などと僕はつねに声をかけるのだが、そして息子はそのたびに、次のような愛想のいい返事をかえすのだが……

——はい、そういたしましょう！

しかしいったん水に頭をつけてしまうと、夢のなかの遊泳者、あるいは超スローモーションのフィルム画像めいた動きをおこなって、それを改良するふうはないのであった。水のなかに先廻りして指令をあたえつづけようと、ゴーグルをつけて脇に潜りもするのだが、水のなかの息子は切れの深い卵型の眼を大きく見開いて、静かな感嘆をあらわし、鼻や口許から気泡が光りながらひとつずつ立ちのぼるのが見えるほど、穏やかに穏やかに身動きしている。それはもしかしたらこのような態度こそが、水のなかで人間のとるべき自然なかたちではないかと反省されたりもするほどだった……

さきにいったように僕は毎週二度、あるいはそれ以上もプールに息子を伴ったけれども、かれの泳ぎぶりは変わってゆく気配がなかった。もっともそれなりに本人はプール行きを楽しんでいる様子であったから、不都合はなかったのだが、プールが混んでいる日には困ることがあった。クラブのプールは、競泳用の二面と跳び込みやスキューバ・ダイヴィングの訓練のための深いプールの三面でなりたっているが、中心をなす二十五メートル・プールは「遊泳コース」が設けられている時でないかぎり、息子のためには使えない。したがって二十五メートル・プールを水泳スクールと「トレーニング・コース」で練習する者らが占めている際、イーヨーを泳がせることのできる唯一の場所は二十メートルの正会員専用プールのみである。

ところが秋なかばから、時どきその正会員専用プールへのガラス戸の仕切りにすべて鍵がかけられたのである。つまりはひとつの集団の借切りということだった。もっともそれは二時間を越えなかったから、二十五メートル・プールの「トレーニング・コース」が空いている暇を見ては息子を泳がせ、それができぬ時には、借切りの時間が過ぎるのを待ちうけることにしていたのだが。それというのも、いったんイーヨーに水着をつけさせ、プールに降りて行ってから、今日は泳ぐことができぬと納得させることは不可能であったから。その反面、プール・サイドのベンチに坐って待つとなると、息子は黙ったままいくらでも待ちつづけることができるのだった。

正会員専用プールを借り切って独占する集団と僕がいった、その連中はクラブで他に例を見ない、およそ独特なパターンの行動者たちであった。集団は二十代後半の十五名の青年たちでなりたっていた。いま十五名の者たちとはっきりいうことができるのは、水泳訓練の前後、かれらが閉じたガラス戸の仕切りの向こうで点呼をとるのが、いつもこちらまで聞こえてきたものだからだ。それも、これについてはのちに説明するが、uno, dos, tres, cuatro, . . . とスペイン語によって。そしていつも quince で打ちどめ、ということになるのであった。

もとよりかれらは日本人で、体つき、顔つきから、身ぶりの端ばしにいたるまで、日本の旧軍隊式の訓練を課されているように見える者たちであった。現にそのスペイン語の点呼自体が、あからさまに日本の軍隊式なのである。僕は一時期メキシコ・シティーで数箇月をすごしたことがあり、日曜日など朝まだ早いうちアパートの外で叫びかわす子供らのスペイン語が、自分の四国の村での幼年時を一挙によみがえらせるほど懐かしい、母音中心の響きであるのに、起きがけの夢をかきみだされた思い出がある。ところがこの点呼のスペイン語は、懐かしさの根をスペイン語と日本語が通底させるというような話ではなく、あくまでも粗暴な日本の旧軍隊式の発声、発音なのであった。

これらの青年らについて軍隊式の、と僕が感じとったさらに端的な理由としては、揃って短い角刈りにしたかれらが、半ズボンめいたカーキ色の水着でプールに降りてきたことにもよるが――護送車のような印象の中型バスをクラブ脇につけて降りて来るかれらに出くわしたこともあるが、その際かれらは濃い草色と萌黄の縞《しま》の迷彩戦闘服を着ていた——その体のでき具合がおよそ均質に見えることにもあった。

プールで、またクラブ三階のトレーニング室で、器具を使って掻く力や蹴る力を強化する大学の水泳部員たちは、皮膚にしても筋肉にしても過剰な栄養を制禦しての、じつに伸びのびとしてぜいたくななりたちをしている。それはほとんどみだりがわしいほどの、しなやかで豊かな、一種特権的な肉体である。そしてかれらの顔つきは、年齢より稚《おさな》い甘やかさだ。練習をしていない間は、弛緩して愚かしい表情を示すようでもあるが……

それに対して軍隊式の青年らは、かれらがそろって水泳選手らより十歳は年長であるということもあるが、およそ右にあげた水泳選手らの特性とは似ても似つかぬ肉体を持っているのだった。かれらの肉体も鍛えあげてはあるのだが、それはたとえば土木作業のような苛酷な仕事の結果、そのようなかたちになったのではないかと疑わせる、ある貧しさ、なりふりかまわぬ印象のものだった。プールでの訓練の際も、実際にかれらは腕っぷしが強いだけの、素人じみた、腕と足で水を乱暴に叩く泳ぎぶりを示したし、かれらの統率者はそれを矯正するためにプールに降りてくるというふうなこともしないのであった。

もっともこの朱牟田さんという統率者は、わが国のスポーツ界で聞こえたトレーニングの専門家ということなのである。青年らは、窓を木枠でせばめてある、全体が閉じた感じの中型バスでやって来ると、列をつくって従業員入口からクラブに入り、水泳スクールの生徒らの更衣室の一劃を、この時間ばかりはかれらのみが独占して着がえをする。その上でガラス戸の仕切りを厳重に閉ざしたプールで泳ぎ、シャワーをあびるだけで、乾燥室やサウナにはあらわれず、そのままバスで戻って行く。つまりかれらの行動範囲は、クラブに来る一般のメムバーたちから完全に遮断されていたのであって、常連の女性の会員が露骨に反感を示して、――刑務所から泳ぎに来ているみたいね、お互いに話をすることもしないで、なんとも陰気な顔つきをして、というのを聞いたこともあった。あれは私たちと同じ時代に生きている人間の集団じゃないわ……

じつは僕も同じ印象をいだいていたことがあって、この言葉をよく覚えているのだが、僕としては、とくに水泳選手たちと集団の青年らとの間に、戦後の高度成長の最盛期がすっぽりはいりこむほどの、時間の差が開いているように感じとっていた。ところがかれらの統率者の朱牟田さんは、じつに陽気な精気にみちた、まさに今風の人物で、青年らがプールにいる間、ひとりサウナ室と風呂場に腰をすえて、誰かれになく愛想よく話しかけてくる人物だった。むしろその対比が、朱牟田さんとその統率する青年らとの、なにやらグロテスクな関係を照らしだすようですらあったほどだ。

僕として詳しく聞いたのではないが――というのもこの五十がらみの統率者の前歴は、クラブの常連たちには常識に類するほどで、あえて聞きだそうとすること自体、わざとらしいような雰囲気があったからだが――ともかくかれが陸上のオリンピック選手クラスの人間であったのは確実である。ところがまだ現役のさなかに、事故で足指を幾本か切断してしまった。ピンク色が現に生なましい、その切り口は、朱牟田さんが冷水槽につかりながら硬ぶとりしている大きい脚を、無遠慮に突き出している際など、眼にとめぬわけにゆかなかった。

そこで競技は断念したが、朱牟田さんは選手たちの基礎体力の強化訓練のコーチに転身して成功し、オリンピックのたびに選手団本部の人間として外征してきたのであるという。しばらく前まではK大学の体育の講師もしていた。当の体育クラブの理事長が、大学でとくに眼をかけられた教え子という関係で、もともと朱牟田さんはこのクラブの、創立以来の相談役でもあるのらしい。そのつながりで、現在おおいに無理をとおしてのことにちがいない、会員専用プールの、臨時とはいえ独占的な使用ということが、認められている模様なのだった。

朱牟田さんは、高く丸く禿げあがった額と、両頬とが、対応しあう三つの赤い小山のようで、薄い眉の下の深い筋のような眼がいつも笑っている、巨大な赤んぼうの顔で、サウナ室や風呂場に巨体をすえ、ひっきりなしに大笑いを響かせていたが、実際に言葉をかわしてみると、およそ幼い無邪気さなどというところのある人物でないのはすぐにわかった。その細い眼自体、幸福な大赤んぼうのテラテラ輝く顔のなかで、かつて一度も笑いにゆるんだことはないのではないかと疑われたほどだ。

——先生、と朱牟田さんはある日、低温の湯に永ながと入る息子をそのままに僕がサウナ室へ入って行った際、待ちかまえていたように声をかけてきたのだが、その先生は大学の同僚のお互いへの呼び方、というふうなアクセントではなく、腹に一物《いちもつ》ある肉体労働者が書斎で仕事をするたぐいの者らに、軽んじる気持をもあらわにして用いる、その種類のいい方だった。先生のことは、メキシコ・シティーの友達から聞いております。私はメキシコ・オリンピック以来、あすこの人たちとつきあいを重ねたものだから。その友達とは別の、これは日系人だが、園芸植物の広い農園を持っておる成功者がいましてな、私は若い者らを連れてそこへ乗り込みます。メキシコへの労働力の輸入ということで、厄介な問題はありますが、農園で一応の訓練を受ければ、荒地の真《ま》っ直中《ただなか》へ入って行きますからね、それで問題は立ち消えになるはずなんですよ。それで先生にね、メキシコの話を、若い者らにしてやってもらいたいんだけれども。それもスペイン語で話していただきたいんですよ。

——それはだめだなあ、僕はスペイン語など、ほんのすこしかじっただけで……

——いや、いや、いや！　先生のような人が現地に半年もおられれば、そこの国語はペラペラでしょうが？

——メキシコ・シティーには居ましたよ、しかし集中してスペイン語を習うということはしなかったんです。

――いや、いや、いや！　先生らは現地に行けば言葉はすぐだが、うちの若い者らはそう行かないのでね。しばらく前から、スペイン語の特訓をやっております。合宿ではスペイン語しか使わせない。一年間びっしりの、自由外出なしの合宿で、日本語の本は宿舎から全部追放。新聞もテレビも見せない。ラジオも聞かせない。いまではもう寝言までスペイン語のやつが出てきましたよ。しかし眼がさめると、そうはいかない。あっはっは。日本語の活字に餓《う》えてきたのでしょうな、この間、水泳スクールの子供らが持ちこんだ漫画週刊誌が、連中の手に入ったわけです。たちまち全員が奪いあって、ページをバラバラにして、プール脇に立ったまま読んでおりました。私はそれを見つけたもので、全員更衣室へあげて、相互に往復ビンタをやらせました。子供らが覗かぬように、厳重に注意をはらってやりましたがね、いや、ここの理事長は教育にうるさいから、あっはっは。わしはむしろ往復ビンタは教育にいいという側ですが、あっはっは！

そういうわけで、先生にスペイン語で話してやってもらいたいんですよ。うちの若い者らは、半分はもと左翼、半分はもと右翼の過激派です。その連中がね、どういうわけか、そのどちらもが、先生と議論をやりたがっております。なかでもM先生の（と朱牟田さんは、先年自殺した高名な作家の名をあげた）薫陶を受けておった者らが熱心で……

――本当に僕はスペイン語ができないし、英語でも、相当に準備しなければ、長い話など難しいので……

――いや、いや、いや！　なにもそのように警戒しなくても！　うちの連中は、あくまでももと過激派なのであってね、いまは更生して、メキシコへ新天地をもとめようとしているのだから、暴力をふるうというようなことはないですよ。議論だけ、ただ議論だけ、あっはっは。考えてみておいてくださいよ、先生、M先生の自決十周年前後にでもいかがですか、あっはっは！　おねがいしますよ。

話の途中で、耐熱ガラスの向こうから朱牟田さんの大笑いに不安をあらわして覗くイーヨーの眼を見出し、僕はそのまま立ってサウナ室を出たのだが、汗だらけの背なかにまつわりつくような朱牟田さんの、笑いをはらんだ、それも挑発的な響きもある大声に、奇妙なうしろめたさをひきおこされたのだ。実際は自分がスペイン語をできるにもかかわらず、臆病な慎重さから、僕に興味を持っているという、それぞれ三十代はじめの年齢らしいもと右翼、もと左翼たちを避けようとしているのではないか、というような……

そういうわけで朱牟田さんとの会話の後、僕はかれの統率する青年らに、自分の内面とも直接むすんでいる関心を持たずにはいられなくなった。朱牟田さんのいった、作家のMさんの自決十周年を記念して、命日に集会を開くという主旨の、それも数種ことなる主催団体のポスターが街角に目につく時期でもあったのである。

あわせてクラブには朱牟田さんの言明とはちがった性格づけをかれの統率する青年らに

あたえて、あれこれ批評する会員もいた。かれによると、M自決から十年ということに、とくに意味があるふうなのであった。この批評は——ある集団が正会員専用のプールを一定時間独占して、他をしめ出してしまうことに、当然ながら反撥があり、相当にきびしく批評的な噂話にもなったのだが——朱牟田さんがかつて体育科の講師であったK大学で、肉体プロパーのレベルから心理学に属するレベルまで、統一してのスポーツ医学を研究している、助教授の南さんのものだった。

つまりは信憑性のあるものとして受けとめる根拠はあったのだが、しかし体育クラブの常連同士には、学生気分の陽気な残滓《ざんし》もわけもたれるところがあり、悪意がひそむにしても軽微なものである、そうしたからかい方もお互いにする。南さんはやはり風呂場で——たまたま朱牟田さんの居なかった時——当の話柄《わへい》のそなえているドス黒いところとは裏腹に、柔和な女の子のような眼のまわりの微笑はたやさずしゃべったのだが……

南さんによれば、青年たちのうち幾人かMさんの薫陶を受けた者らがいる、と朱牟田さんがいったのは事実そのままとはいえない。むしろ青年らの全員が、たしかに極左、極右と思想的にわけられうるにしても、両者を結ぶものは、M思想、M行動なのだ。Mさんの死によってかれらは——といってもかれらがすべてMさんのつくっていた私兵組織に属していた、というのではない。

多くはMさんの書くものに孤独に関心を持っていたのが、Mさんの自決によって、自分らは取りのこされた、と感じたのである。むしろかれらはMさんの死後はじめて集まって、M思想、M行動を研究してゆく集団をつくった。そのうち朱牟田さんのもとで体育部に居た学生が仲介役になり、当の集団と朱牟田さんを結びつけたのである。朱牟田さんは、ボディ・ビルをやっていたMさんと親交があった。

そして十年、青年らは朱牟田さんを顧問として集団を維持してきた。もっとも人員を縮小して完全な合宿のシステムに入ったのは一昨年暮れからのこと。Mさんの自決十周年に向けて、はっきり区切りをつけたいという声が多数派をしめ、脱落する者を払いおとした上で、朱牟田さんが、これも親交のある右翼系の大物から資金をみちびき出して、小田急沿線の林のなかに訓練農場をつくったのだという。メキシコにも確かに土地は保有しており、そこへ入植するための準備段階として、現在の訓練とくにスペイン語学習がある。現に南さんの若い同僚がスペイン語を教えに通っているのでもある。合宿でスペイン語しか使われぬというのも本当らしいが、青年らは登山用ナイフを改造したもの他で、武闘訓練にもっとも熱心だというのだ。

——朱牟田先生のもくろみはそれとして、青年たちの方ではね、十年たって、このままではだめになる、新規まきなおしメキシコに出かけるなどというのではなくて、いまこそ十年みがきつづけた兇刃をふるおう、そういうつもりじゃないの？　あなたは生前のMから、あいつの政治思想は大嫌いだといわれていたでしょう？　Mの死後は、その死に方を批判しもしたでしょう？　のんびりと講演に行ったりしたら、蹶起《けっき》の前哨戦の、血祭りにあげられるのじゃないか？　スペイン語にしてもね、十年たっての弔い合戦に、市ヶ谷へ連中が闖入《ちんにゅう》するとして、大声で叫びたてうる暗号指令かも知れないのでね。

　Mさんの十周忌をいうポスターは、街頭に日増しに多かった。その一日、体育クラブで――僕は居合わせなかったが、朱牟田さん門下の青年らの幾人かが脱走する事件が起こった。それはかれらの集団について、新しいことを考えさせる喚起力を持っていた。たまたま南さんと朱牟田さんの対話を脇で聞いて、僕はこの脱走についての詳細を教えられたのだが。

　十一月に入ってすぐのある午後、イーヨーとクラブに行ってプールに降りると、正会員専用プールには誰も泳いでいない。シャワーを浴びてそちらへ向かおうとする僕と息子に、アルバイトに来ている水泳部員の学生が駈《か》けよって、いまむこうは使用禁止だという。

　午前中に事故があって、表の鋪道《ほどう》側のガラス壁が破壊された。こちら側のガラス戸を透かしてみると、広いガラス壁の向こう隅が、トンネルでもうがった具合に壊れている。取換えの見積りをする建築会社の人間らしい連中が、作業服で三人、ガラス壁の穴の脇に立っている。また朱牟田さんが、タイヤのように硬いゴムの人形みたいなふうにふくらんだ体をはずませ、そこいらを盛んに動き廻りながら上機嫌にしゃべっていた。

なにが起こったかはわからぬままそうしたことを見とどけ、水泳スクールの交替時を見はからって、イーヨーに浮かぶとも沈むともいえぬ練習をさせ、つづいてプール脇のベンチにかれを坐らせると、僕は時間を節約するために強く蹴って幾往復かを泳いだ。サウナ室へ上がって行くと、風呂場のカランの前で朱牟田さんと南さんとが愉快そうに話している。僕はかれらから離れて坐り、かつかれらに挨拶もせぬ理由づけに、息子の体をことさらシャボンだらけにして、洗いはじめたのだったが……

――板ガラスの値段は安くなりましたなあ。百万ほどかかると思ったが、何分の一かで、工事費はとらぬというから、むしろ気が差しましたよ、あっはっは！と朱牟田さんは、湯か水かというよりあきらかに汗に濡れた、太い猪首《いくび》を振りたててしゃべっている。

――それよりかれらに怪我がなくてよかったですね、と南さんは、朱牟田さんとの間に距離を置こうとしている言い方で相槌をうっていた。

――鍛練してあるからね。あの程度のことで怪我をしたりはしません！　怪我をせざるをえなくても、最小、最軽の怪我ですませる。そのように鍛練した肉体ですから！　先生、私の場合もね、並の人間ならば、脚一本だめにしたほどの事故ですわ。

――かれらの二人がベンチを持ち上げて、三人目がうしろから方向修正して、ガラスにダーンとぶっつけて、脱出口を開いたというんだから。そしてガラスの破片の落ちているところへ、ベンチを橋のように突き出して、その上を通って行ったというんだから、やる事にソツがないね、プロだなあ。

——逃げ出すプロなどといっても、ものの役には立たんわ。

——それでどうされるんですか？　警察には届けられたんですか？

——警察などと、なんの関係もありませんよ、先生。逃げ出したい者は逃げ出せばいいですよ。そういう者らを連れ戻しても、ものの役には立ちませんわ。もともと私のところはね、生活の規律はやかましくいいますよ、しかし逃亡しないよう監視するというようなどは、なにもやっておらんかったですよ。

——それじゃどうして、わざわざプールから逃亡したんですか、朱牟田先生？　大きいガラス壁をベンチで割って、水着一枚で逃げるというのは、まかりまちがえば大怪我の、危ない綱渡りじゃないですか？

——鍛練しておるから、まかりまちがうということはないですよ、あっはっは！　連中には衣服をつけて逃げ出すほどの才覚も働かなかったわけなんだが、私がこの二階にひかえて居るということが、それほど恐かったわけですか？　それともプールに降りておるうちに、連中を突発的に誘惑したものが、それほどさしせまった気持にするものであったのか？

——その両方でしょう、と妙にきっぱりと、つまりいつも少女のような恥じらいを目もとにうかべてしゃべるのとはちがった口調で南さんはいった。

――しかし、現に私の居らぬ所で、ガラス壁には穴があいておるのに、残った者らは逃げないで居るのだから……、と朱牟田さんがいうのへ、南さんはもう答えないでロッカー・ルームへ出て行ってしまった。

朱牟田さんは、よく表情のわからぬ眼が深く皺《しわ》のような――しかし赤く盛りあがった額と両頬ぐるみ、つねに無意味に笑っている感じの顔をこちらに向けたが、僕は聴き手の役割を南さんから継承する気持のないことを示すべく、なおも息子の髪の毛を念入りに洗っていたのである。

――だめだ、だめだ、先生、そういう過保護は、精薄児のためによくないよ。まだ夜尿症もなおってはおらんのじゃないですか？　自立する精神をあたえないとね、それにはまず鍛練しないと、だめだ！

朱牟田さんが薄い眉をしかめて――それでも陽気な赤んぼうの巨人という印象が消滅してしまうのでないのが、酷《むご》たらしいようなグロテスクの印象をかもした――僕にそう語りかけてきた。たまたまそこへ、洗い場の台に忘れていたゴーグルと水着を取りにきた南さんが声をかけて、それをしおに僕は、朱牟田さんにいくらかの気の毒さの思いはあじわいつつ、息子をうながしてロッカー・ルームに出たのであった。

――朱牟田先生、そんなことより、早く自分の御弟子の所へ帰らなければならないのじゃないの？　逃亡した連中が、残った者らをかっさらいに、工夫をこらしてやってくるかも知れませんよ？　Mの最後の際の「生首」写真をポスターにして集会を開いてね、市ヶ谷蹶起十周年の記念に、なにか企てている連中がいるとも、大学では噂してますよ。あなたの所で、外の情報を遮断されている連中のね、目の前にそのポスターが突きつけられでもしたら、じっとしておれないのは全員じゃないですか？

この日から一週あとの十一月二十五日が、つまり陰暦では吉田松陰の命日が、Mさんの自決から十年目にあたっていた。朝から当の事件を回顧するテレビやラジオの番組を見たり聞いたりした。事件当時、日本に居なかった僕に、一種、臨場感をあじわわせるフィルムや録音があった。もっともテレビはもとより新聞紙面からも、Mさんの「生首」の映像はしめ出されているようであり、南さんのいった学生たちの運動としての、Mさんの「生首」の写真を使った集会ポスターについてのコメントもあらわれなかったのだが。

午後早く、特殊学級から戻って来たイーヨーが復唱するようにして話すところでは、体操の時間に、水泳の練習はどうなっているかと聞かれたのへ、——いやあ、わかりません、忘れてしまいました！　と答えたのらしい。そこでもういちど家庭で真剣に検討してくれるようにと、連絡簿に書かれていた。それでは今日もプールに行こうかというと、息子は乗り気である。

そこで僕らがクラブに出かけてみると、これもそちらはそちらとして、この日に街なかのプールへ連れてくることで、なにものかの挑戦に朱牟田さんが応じたというわけではないかと思ったものだが――あの青年の一団が(以前より三名減少している、点呼もdoceで打ちどめになったはずのかれらが)正会員専用プールを独占して、さかんに水しぶきをあげていた。しかも水泳スクールが繁盛していて、僕とイーヨーの泳ぐことのできるコースはいまのところ見つからない。すでに真冬で外套《がいとう》を着た連中が街路を歩いているのに、こちらは裸で、それも水に入らずにいるのは妙に場ちがいな感じだったが、僕と息子は、シャワーの関門をくぐりぬけたところにあるベンチにひとまずかけて、水泳スクールの交替時を待つほかなかったのである。

ベンチの置かれている場所はプールの平面から数段高くなっているので、左前方にひろがる二十五メートル・プールも、右前方の、鍵がかけられたガラス戸によって仕切られた正会員専用プールも見わたすことができる。そしてベンチの正面には狭い辺をこちらに向けた、跳び込み及びスキューバ・ダイヴィング訓練用の深いプールがある。

その向こう端に、丸ハンドルで跳び込み板を調節する跳び込み台がつくりつけてあって、そこではやはり水泳界で名のある大学教員が――僕はその人の書いた本で、自分のクロールの腕の搔《か》き方を修正したのだが――このクラブで選手として養成している小学生の女の子に、練習をさせていた。大学教員は、プールの長い方の辺の側で、つまり正会員専用プールのガラス戸を背にして立ち、女の子に指示をあたえて、跳び込みを繰りかえさせているのだが——跳び込み板と水面の距離はいかにも短く、コーチが頭を振ったりうなずいたりする判定の根拠が、素人の目には見てとれない。しかもその小学生の、乾燥した植物のような体の、一瞬の緊張、収縮と爆発、ついで弛緩する過程には、引きつけて離さぬというところがある……

そのうち大学教員のコーチの脇に朱牟田さんが現れていた。トレーナーを着こんだ丸っこく大きい体を、コーチと同様、自分の統率する青年らには背を向け、跳び込み練習を注視しているのである。朱牟田さんとしても、問題の日にクラブまで青年らを連れ出して来る、腹の大きさは見せたわけだが、いつものように練習の間サウナ室や風呂場でゆっくりしている、という気持にはなれなかったのだろう。しかしかれとしての面子《めんつ》はあり、青年らと——かれらのうちの三人が壊して逃げたガラス壁を修理したあとの、正会員専用プールに降りることまではできず、ガラス仕切りのこちら側で、青年らには背を向けて、跳び込み練習を見ている、という成り行きであったのだろう。

突然、正会員専用プールのガラス仕切りのすぐ向こうで、無音の大騒ぎが持ちあがっていた。カーキ色のパンツの青年らが、ひしめきつつガラス戸脇へ殺到して、緊迫した身ぶりを、こちらへ向けて示す。僕はベンチから立ちあがり、同時に朱牟田さんが、やはり激しい勢いで振りかえって、ガラスをへだてた向こうの騒ぎに面と向かうのを見た。なにが起こったのか？　僕はその時の、自分をとらえたもっとも緊迫した思いを、前後の脈絡なしに色濃く覚えているのだが――あのMの「生首」の力が青年らをかりたてているのならば、おれとしても逆に「生首」の力の前でたじろぐわけにはゆかないぞ、避けはせず、逃げ出しはせず、「生首」の力に対抗して立っていなければならぬぞ、この屈強な私兵どもによく対抗しうるのでないにしても、イーヨーの前で打ちのめされることになるのだとしても――という思いにとらえられていた。

次の一瞬、ガラス仕切りの向こうでひしめく者らのひとりが、決然とした具合に、拳でガラス戸の枠をひとつ叩き割った。そこから突き出されるはずみに肱《ひじ》まで赤く血で染まった腕が、こちらを指さす。同じく破れたガラスの隙間から、青年らのダミ声が、腹の底に響くほどの声で唱和していた。

――El niño, el muchacho, la piscina, difícil, enfermo . . . peligroso, anegarse!

つまりは、子供、少年、プール、困難な、病気の、そして、危険な、溺れるなどと、習っているかぎりのスペイン語の単語を叫んでいるのだ。僕は自分でも卑しく感じるほどのノロノロした動作でふりかえり、イーヨーがベンチに坐っていないのに気づいた。その自分の脇を――はじめて僕は、ああ、ミシュランのタイヤ人間に似ているのだ、と懸案を解いたようにしていたのだが、全身筋肉でふくらませた朱牟田さんが、異様な敏捷さで走り抜けた。

シャワーの向こう、柱のかげに幅二メートルずつの、しかし深さは十五メートルある、潜水訓練のための水槽がある。日頃はネットで覆われているのだが、今日は開放されているのをチラッと見たような気もする――僕は朱牟田さんの後につづき、その訓練槽の前に仁王立ちになったかれが下方を注視しながら、トレーナーを二動作で脱ぎとばすのを見た。朱牟田さんがまず足からジワリと水に入る。まだ波立ちが水面に拡がらぬうちに、大口を開けたイーヨーが宇宙遊泳でもする恰好で沈んで行くのを僕は見た。訓練槽のふちに両腕をついて、脈絡もなく、“Down, down thro’ the immense, with outcry, fury & despair” という詩句を思いうかべている僕の鼻先に、朱牟田さんの、片方指の欠けた赤い大足が突き出されて、そのままかれは垂直に攀《よ》じ昇る具合に、水のなかを下降して行った……

この日、二人の溺れそこないの子供のように塞ぎこんで電車のシートに腰かけ、僕とイーヨーは家に戻った。僕としては朱牟田さんが息子に手ぎわよく水を吐かせてくれたあと、このまえの、精薄児への過保護という種類の高姿勢のものいいでなく、

――おたがいに子供の面倒を見るのは、厄介で、苦労ですなあ、あっはっは！　しかし始めたものをやめるわけにはゆかないからなあ！　といった言葉が、とどめの一撃のように作用しているのでもあった。あの緊急な際に、僕がやりえたことといえば、ブレイクの《落ちる、落ちる、無限空間を、叫び声をあげ、怒り、絶望しながら》という一句を思い出していただけなのだから。

しかしこのような気分の時、唯一の効果的な励まし手として、つねに僕の脇にあったのはイーヨーなのだ。かれは自分から声をかけていいものか、かれなりに状況をおしはかるようにしてチラチラ父親を見あげていたのだが、それを感じていた僕がなんとか気をとりなおして、自分の耳にも滅入りこみすぎている嗄《しゃが》れ声ながら、

——イーヨー、どうしたのかい？　まだ苦しいの？　と問いかけると、

——いいえ、すっかりなおりましたよ！　と力をこめて答えたのだった。僕は沈みました。これからは泳ぐことにしよう。僕はもう泳ごうと思います！

新しい人よ眼ざめよ

（連作『新しい人よ眼ざめよ』の7）

障害を持つ長男との共生と、ブレイクの詩を読むことで喚起される思いをないあわせて、僕は一連の短篇を書いてきた。この六月の誕生日で二十歳になる息子に向けて、われわれの、妻と弟妹とを加えてわれわれの、これまでの日々と明日への、総体を展望することに動機はあった。この世界、社会、人間についての、自分の生とかさねての定義集ともしたいのであった。その短篇群をしめくくるにあたって、さきにやはり一連の短篇の主題とした「雨の木《レイン・ツリー》」がよみがえり、息子とブレイクとをむすぶ輪に加わるのを見出す。僕がまだ「雨の木《レイン・ツリー》」小説の構想も持っていなかった頃に、ジャワ島で書いた「『雨の木《レイン・ツリー》』の彼方へ」という詩のようなものを媒介にして。

「雨の木《レイン・ツリー》」小説を一冊の本にまとめて出版した際、ここにはひとつの宇宙論的なメタファーが提示されているにしても、当のメタファーが深まってゆく、第三者に納得のゆく仕方で構造づけられてゆく、ということはない、という批評があった。自分は「雨の木《レイン・ツリー》」を宙空にかかげた、ときみがいう。それは認めよう、音楽家のTさんにメタファーは伝達されて、豊かなこだまが返ってきたともきみは書くのだから。しかし肝心の「雨の木《レイン・ツリー》」が地上から失われた後も、当のイメージに対峙《たいじ》しているきみはいつまでもおなじだ。つまりはきみのヴィジョンの「雨の木《レイン・ツリー》」は進化せず展開もしない。ついに死の時をむかえるまで、しだいに古びてゆく「雨の木《レイン・ツリー》」のメタファーを、きみは護符のように持ちつづけるつもりなのか？

すでに連作としての「雨の木《レイン・ツリー》」小説は終了していたから、僕はこの批判について沈黙しているほかなかった。そのうち僕は小説に書かなかった、もうひとつの「雨の木《レイン・ツリー》」に思いがゆくのを感じることがあった。実在する「雨の木《レイン・ツリー》」。僕はその大きい木立の下で案内係が説明する声に「雨の木《レイン・ツリー》」という言葉を聞きとり、チラリとふりかえるようにした。つづいて直接イーヨーとむすんで、当の場面での僕の行動が決定された。そこに、先にいった詩のようなものの成立もあったのだ。

僕がそのような仕方で「雨の木《レイン・ツリー》」を遠望したのは、ボゴール植物園においてであった。もしイーヨーを連れてインドネシアを再訪することがあれば、僕はすぐさま植物園を訪れて、当の樹木を、ほぼ確実にサマン属サマンの木だと認めるだろう。アメリカガックワン、アメリカネムノキ、降雨木ほかの通名が日本でもおこなわれているこの木の、アメリカでの通名が、モンキーポッドにあわせて rain tree なのである。

そのことを確認するのに用いた、上原敬二著『樹木大図説』の記述をうつしておきたい。

サマンがギリシア語の小腸に由来し、モンキーポッドという通名とおなじく莢《ポッド》の特色あるかたちによることは、属の説明の段階ですでにのべられている。

《落葉喬木、高二十m、枝の開生著しく、一株で六百坪を被うものあり、葉は二回羽状複葉、大羽片は二～六双、小羽片は二～七双、小葉は卵形、倒卵状長楕円形、下面有毛、長二～五cm。花は頭状花序につき黄色、弁端紅色、花冠は稍《やや》漏斗状。莢《さや》は通直、広闊、時に拳状に曲る、長百～百五十mm、幅二十mm、果肉は甘味、飼料とする。生のまま輸出する、南米産、西印度に生じ重要な林木、庭樹、庇陰《ひいん》樹、飼料植物である。家畜の体外に排泄されるものから実生で各地に分布する。セイロンには一八五三年、フィリピンには一八六〇年に入る。》

問題の木はやはりrain treeという通名を持つアメリカネム属アメリカネムかもしれないが、この属自体、サマネアというのであるから――もっともこちらは同書でスペイン語サマンの転訛としてあるが――きわめて似かよった樹木であるだろう。日本にも渡来しているアメリカネムより、僕がサマンをとりたいのは、アメリカネムが降雨の前、葉を合着させるという記述に頭をかしげるからだ。僕のイメージの「雨の木《レイン・ツリー》」は小説に書いた言葉を引けば、次のような特性をもつが、葉を合着させてしまうのでは水滴をふくみこみえぬのではないかと疑うのである。

《「雨の木《レイン・ツリー》」というのは、夜なかに驟雨《しゅうう》があると、翌日は昼すぎまでその茂りの全体から滴《しずく》をしたたらせて、雨を降らせるようだから。他の木はすぐ乾いてしまうのに、指の腹くらいの小さな葉をびっしりとつけているので、その葉に水滴をためこんでいられるのよ。頭がいい木でしょう。》

ボゴール植物園で僕がひとり三時間をすごしたのは、友人たちとバリ島を旅行しての帰り道においてであった。バリ島の風土、地形、神話的な民俗芸能という、それぞれめざましいものにふれて、また現地に生きる人びとに血脈としてあきらかな宇宙論感覚に、通り過ぎる者としてながらふれえたことに喚起されて、僕の精神と情動は新しい乗り越え運動とでもいうものをあらわしていた。久しぶりに十日間別れて暮らしてきたイーヨーへと、深いところでつながって行く思いなのでもあった。

とくにバリ島へ向かう道筋のボロブドゥールの仏教遺跡でと、到着してからの「死の寺院」プーラ・ダレムで、魂を一撃されるようであった事柄にそくして。そのように旅の出来事のかさなりのうちに醸成されていたものが、仲間と別行動していたボゴール植物園で燃えあがるように顕在化し、僕にひとつの選択をおこなわしめたのである。永い間見ることを望んできた「雨の木《レイン・ツリー》」が、すぐそばに立っているのを知った瞬間、逆の方向の、多様な樹木が整然とつくりだす迷路へ向けて歩き出すという選択を、僕はしたのだ。

ボゴール植物園で、案内図のリーフレットもないまま、植物園の全体を見わたし、かつは想像するようにし、この方角に自分の見たい樹木があるだろうと、かんを働かせる具合に小道を辿っていた。熱帯の島の自然な茂りとは異質な、英国の庭園めいた明るさと広さのある一劃で、僕はバオバブの樹の前に立っていた。左斜め前に、アメリカ人の観光客らしい麻のスーツの男たちと、女性は白い夏服の、品の良い一団がたたずんでいる。訛《なまり》のある英語の、しかしこの仕事に誇りをもっているらしい昂然とした語り口の案内人が、

――有名な「雨の木《レイン・ツリー》」です、とそこだけくっきり告知するようだったのだ。

ジャワの陽光のなかで、僕は悪寒におののいた。太陽を直視する具合に一瞬だけ眼をあげて、こまかな枝の大きいひろがりが落葉して風通しのよい喬木をあおぐと、うつむいて逆の方向に遠ざかった。「雨の木《レイン・ツリー》」はイーヨーと見るのでなければならない、イーヨーを置きざりにして自分ひとりで見ることはできない、と僕は考えたのだ。それはやがてイーヨーを後に遺し、自分ひとり安息の世界へと立ち去るという思いにかさなっていたが。あわせてイーヨーが傍にいて支援してくれるのでなければ、「雨の木《レイン・ツリー》」をよく見ることに耐えられぬという思い、病気になってジャカルタで待つ旅の仲間に迷惑をかけるだろう、という思いもからみ、僕の足どりを蹌踉《そうろう》とさせるようであったのである。

僕のうちに当の感情を準備し、思いがけぬ「雨の木《レイン・ツリー》」という言葉に顕在化された旅の経験。さきにそういったものを、記述しておくことにもしたい。ボロブドゥール仏教遺跡の、石の山を埋める数知れぬ石像と山自体が修復中で、遺跡に建築現場が並存する勇ましさの印象を受けた僕は、長い石段を降りた。そこで一息ついていると、もっとも良い場所

に露店をひらいて、小柄な老人が——あるいは僕と同年齢ほどの、しかし熱帯の陽と雨風にさらされての戸外生活が、皮膚はもとより軀つきまで疲弊させていたかとも思うのだが――濃い茶と紫じみた銀色の、紙と土でつくった蛙を売っていた。蛇腹《じゃばら》になった蛙の頭を粘土の底から引きあげれば、旅の間しばしば聞いた、まさにインドネシアの蛙の声がする玩具。

洗いざらしのジャワ更紗の長袖シャツの左袖口から、蹴爪《けづめ》のように凶々《まがまが》しい六本目の指が見えかくれしている。その指を持つことによって、とくに見ばえもせぬ男が、ジャワ島一、二の遺跡において、最高の露店の場所を確保しているのであろう。僕は六本指の手から紙と土の蛙を一箇と釣銭を受けとって、タマリンドの木のわずかな日陰に入り、イーヨーがジャワ島に生まれて育ったとしたならば、蹴爪のような指のかわりに、頭蓋にくっついていたもうひとつの頭の力によって、やはり遺跡最高の露店の場所をかちとったのではないかと夢想した。インドネシアの民衆の、そのような社会共同体を懐かしいものに感じながら。

バリ島の出来事の舞台となった、「死の寺院」プーラ・ダレムの、島民の民俗における宇宙論的な意味づけを、われわれの旅の仲間の中心に位置していた哲学者Nさんが、わが国に紹介された文章がある。その大筋を要約すれば、僕がいったいどのような場所の内庭に立っていたのかが、共有の認識となろう。バリ島のすべての村に、三つの寺院が一組をなしている。バリ島での場所《トポス》のとらえ方では、負の価値をおびた海側が、正の価値をもつ山側に対立する。プーラ・ダレムは海側にあって、死者の魂が浄《きよ》められる前、つまり葬式の前に属する寺院である。ついで浄められた死者の魂は、もうひとつ別の寺に祀《まつ》られる。

さらには村の共同生活をリードする第三の寺院がある。プーラ・ダレムの守護霊、魔女ランダは様ざまなものにとり憑《つ》く。また魔術を使って病気をなおしもする。バリ島の民俗に発して、しかし独自にNさんの展開する思考がもっともよくあらわれている一節を引用する。《……このような魔女ランダの性格づけのうちには、邪悪なものや人間の弱さをただ切り捨てたり抑圧したり無視したりせずに、むしろそれらを顕在化させ、解き放ちつつ祭り上げることによって〈パトス〉(受苦、情念、受動)から自己をまもるとともに、文化に活力を与えるバリの文化の絶妙な仕組みが隠されていそうである。》

ひとつの村のプーラ・ダレムに、われわれは入って行った。たまたま小さな祭りの日にあたっていたのだろう、通り雨に濡れた地面をはだしで踏み、花かざりをした娘たちが、バナナの葉にのせた供えものを、高い石の門の奥に運ぶ。中庭の草ぶき高床式の納屋のような建物から、胸に赤い布を巻いた童女たちが見守っているのでもある。われわれが寺院の地所内のそこここに立って、空間配置をはかるようにしている間に、夕暮方であったこともあり、娘らも童女たちもしだいに姿を消して行った。

しかし最後に残ったひとりの娘とその家族らしいふたりの子供らは、いつまでも立ち去ろうとしない。彼女らはわれわれをふくめすべての他人らが立ち去ったあと、プーラ・ダレムの奥へ入りこんで特別な祈りをささげようというのらしい。ある瞬間、われわれはみなそれに気づいた。われわれはあきらかに寺院の空間に影響づけられているしめやかな気分で、低声に話し合いながら山側へ向けて歩いて行った。ところが僕はさきほどの草ぶきの家の堅固な床に、ノートを置き忘れていたのである。ひとり取りに戻ると、花嫁のように化粧した娘と弟妹らが中庭に降りて、翳《かげ》って塔のような石の門にむかうところだった。

そして僕が眼にしたのは、娘のこちらに見せていた美しく愛らしい顔だちの、鼻梁から向こう側が、生まれついての畸型らしく恐ろしいほどにも歪《ゆが》んでいることなのだった。しかもその畸型をふくめて、娘はやはり優雅な身のこなしと、弟妹らの敬虔かつ親しげなつきそいぶりもあいまって、しっとりした自然さをかもしだしている。子供の時分、神社の境内をひとりで通りぬけねばならぬ時そうしたように、僕は寺院の建物はないこの囲いのなかの、空間そのものに、恭《うやうや》しいお辞儀をして引きさがった。僕の胸うちには、イーヨーがバリ島で生まれていたならば、われわれは夕暮ごとにプーラ・ダレムへ詣《まい》って、魔女ランダに祈願することをしめやかな生活の慣習にしたはずだと、深いところで信じる思いがあり、励まされ、そそられるようでもあったのだ。

ボゴール植物園からジャカルタのホテルに戻り、旅仲間との夕食の席に出るまで、バリ島への旅でただ一度だけあじわった、身の始末に困惑するほどの寂寥感のなかで——食前酒を早めに飲んでやりすごすことができるようなたぐいではなかった——僕は一篇の詩のようなものを書いて「『雨の木《レイン・ツリー》』の彼方へ」と名づけたのである。

「雨の木《レイン・ツリー》」のなかへ、「雨の木《レイン・ツリー》」をとおりぬけて、「雨の木《レイン・ツリー》」の彼方へ。すでにひとつに合体したものでありながら、個としてもっとも自由であるわれわれが、帰還する……

　この短い一節が、永年の友人であり師匠《パトロン》でもある音楽家Tさんの影響をこうむっていることには、後になって気づいた。「『雨の木《レイン・ツリー》』の彼方へ」というタイトル自体、その頃Tさんが作曲中で、構想について話を聞いていたのでもある、ヴァイオリンとオーケストラのための曲『遠い呼び声の彼方へ！』に直接もとづいている。

　また僕はこの詩のようなものを遠い出発点にして、「雨の木《レイン・ツリー》」連作と呼んでいる短篇をつづけて書くことになったが、長い時間のかかる改稿の過程においてなど、自分を励ます具合に、Somewhere over the raintree way up high／there's a land that I heard of once in a lullaby と歌ったり、また Somewhere over the raintree blue birds fly／birds fly over the raintree, why then, oh why can't I? と歌ってみることもあった。メロディーも歌詞も、Tさんがギターのために編曲した"Over the rainbow"によって。

　バリ島への旅にTさんは同行しなかったが、われわれに先がけてバリ島を訪れ、ガムラン音楽の深く澄明な美しさについて語ることで、むしろ旅の下地をつくってくれたのはTさんだった。したがって僕はバリ島での夜、幾本もの石柱に空へ向かう構造が強調されて、樹木もみなおなじ構造づけを押したてるような寺院の庭の、暗い空の高みの星のもと、ガムラン音楽を聴き王室の舞踊に眼をうばわれながら、ふと脇にしゃがんでいるTさんの静かな声の響きにふれているようでもあったのだ。

僕が「雨の木《レイン・ツリー》」のメタファーを提示する短篇を書き、はじめに引いたその一節を媒介にTさんが作曲した室内楽「雨の樹《レイン・ツリー》」を、めずらしく妻と一緒に聴きに行って、それが「雨の木《レイン・ツリー》」連作を書きつぐ契機になったしだいについては、当の小説のうちに書いている。

さて「雨の木《レイン・ツリー》」小説のためのノートとしてもっとも古い日付のものが、いまの『雨の木《レイン・ツリー》』の彼方へ」であるが、僕はついにそれを連作に使うことはなかった。つづけて短篇を書いてゆく勢いのなかで、僕の「雨の木《レイン・ツリー》」はすぐさま炎上してしまったから。それでもなお「雨の木《レイン・ツリー》」の再生を達成しうるものとして、僕は「雨の木《レイン・ツリー》」のもっと長いものの草稿を書きついでもいた。しかしそれは廃棄することにし、「雨の木《レイン・ツリー》」が失われたままの状態で、連作を終えることにしたについて、最後の短篇に次のように書いている。

《僕はいまも毎日のようにプールに通って、やすみなくクロールで泳ぎつづけながら、暗喩《メタファー》としてであれ、失われた「雨の木《レイン・ツリー》」を再び見出す日がいつくるものか、見当もつかない。それでいてどうしてこの草稿を書きつづけてゆけば、「雨の木《レイン・ツリー》」の再生を書く終章にいたることができると、思いこんでいたのだろう？　なぜ僕はそのように、アクチュアルなものでなくフィクショナルなものによって、現実の自分を励ます力が保障されるはずだと、憐れな空頼みをしたのだろう？　ことの勢いとして小説は終章にいたるにはちがいないが、そこにはにせの「雨の木《レイン・ツリー》」が現出するのみのはず。そのようでは、現実の僕自身、精根つくして泳いだにしても、それをつうじて、病んでいる自分を越える、真の経験をかちとることはありえないだろう……》

ところがいま息子との生の過程とブレイクをかさねての短篇群を書きつづけて、そのしめくくりの作品を、息子の二十歳の誕生日に向けて完成しようとして、僕は四年前にジャワ島で書いた詩のようなものの――ブレイクにならって、ボゴール植物園の樹木の魂に口承されるまま紙に書きつけたのだといいたい気もする――内奥に横たわっている意味を、はっきり自覚したと感じるのである。なんとかブレイクの神話世界をひとめぐりした今、このようにして入門《イニシエイション》をはたしたブレイクを、今後は小説の表層に書きしるすことはないにしても、自分の死の時のいたるまで読みつづけるにちがいないことを思いながら。

いうまでもないが、当の自覚はブレイクを媒介にしている。ネオ・プラトニスムをふくむブレイクの秘教的な側面について学ぶ必要を、僕はしだいに強く見出していたが、そのような折、バリ島へも同行して民俗芸能にあらわれている神話的な宇宙論をレクチュアしてくれた文化人類学者Yさんから、キャスリン・レインの“Blake and Tradition”を借りることができた。この大著はまさに、ブレイクについて僕が詳細に知りたいと考えていた側面についての論考であった。さらにそれは、バリ島へ行く前日に完成したことを思い出す『同時代ゲーム』最終章の、僕が森のなかの谷間で夢想し、実際に夢に見た光景からのシーンを、意識化してとらえなおすことを扶《たす》けた。しかも僕が「『雨の木《レイン・ツリー》』の彼方へ」のヴィジョンの意味を納得することをもあわせて。むしろブレイクの秘教的な思想を「雨の木《レイン・ツリー》」のメタファーによって表現しなおしたのが、あの一節だったと思いなされるほどに。

したがって僕がいま書いているこの短篇は、ブレイクと息子についての小説であるとともに、「雨の木《レイン・ツリー》」小説のしめくくりをなすものとなりうるかもしれない。「雨の木《レイン・ツリー》」のなかへ、「雨の木《レイン・ツリー》」をとおりぬけて、「雨の木《レイン・ツリー》」の彼方へ。これらの言葉を書きつけながら、僕はほかならぬ自分とイーヨーとの死について考えていたのだ。すでにひとつに合体したものでありながら、個としてもっとも自由であるわれわれが、帰還する……　僕とイーヨーがそのようにして死の領域に歩みいり、時を越えてそこにとどまる。このヴィジョン自体からの返照がおよんでくるように、いま現在の僕とイーヨーの共生の意味が明るみに浮かびあがる。

門の木扉が、他の家族の誰の開き方でもない、ガクッという音をたてて開く。大きい靴底を地面にひきずりながら歩いてきて、玄関のドアをやはりガクッと開ける。三和土《たたき》に仁王立ちしたまま、片足ずつ振りまわして運動靴を脱ぐ時間があって、居間への入口をいっぱいに埋めつつ、学生服と鞄で嵩《かさ》ばっているイーヨーが、舞台に登場するように機嫌よくあらわれる。それが月曜から土曜まで午後遅く僕が心待ちしては、日々期待をみたされてきた、ほとんど儀式とでもいうものであった。

今年はじめのある日、ソファーに横たわり脇の木箱——それはイーヨーが中学の特殊学級で、一年をかけてオレンジ色に塗りあげたものだ——の上に辞書と鉛筆、赤鉛筆を置いてキャスリン・レインの新しい論集『ブレイクと新時代』を読んでいた僕を、いつもの仕方で居間入口に顔を出したイーヨーが、困ったような、かつはしみじみとしたような眼で見おろすと、——お帰り、イーヨー、よく帰ってきたね、という僕の挨拶にはうなずいただけで、食堂を急いで横切り台所へ入って行ったのである。そして妻に次の報告をした。

——寄宿舎に入る順番になりました！　準備はできておりますか？　来週の水曜日に入ることになっております！　つづいてかれは、こういいもしたのであった。しかし僕がいない間、パパは大丈夫でしょうか？　パパはこのピンチを、よく切りぬけるでしょうか？

洗いものをしていた妻がつい笑い声をだしながら答える。その取りなしに、僕は思いがけない一撃をうけており、半分ベソをかく式の笑い顔になっていたはずだが……

——相撲のアナウンサーが、そういう言葉づかいをするねえ。若乃花が連敗した時とか……それよりイーヨーがしっかりしなければ。このところ遅くまで起きているから、朝、発作がおこるでしょう？　寄宿舎では、毎朝眼がさめたらすぐにお薬をのむのよ。

イーヨーの養護学校では、一学期ずつすべての生徒が校内にある寄宿舎に入る規則だ。今学期にイーヨーの寄宿舎入りがあることは以前からきまっていた。イーヨー自身、それを気にかけて緊張しているということもあった。正月休みに、家族そろって遅い朝食をとっていると、食事についてはたいてい機敏なイーヨーが、しだいしだいに緩慢な動作となる。食事を終えるには終えたが、立って行ってソファーに横たわった顔つきは、面がわりしたほどのこわばりを示している。一挙に中年すぎの、しかも古風な顔だちの男となったようだ。（僕はW先生が死の床につかれた際、原日本人のといいたいような荘重さの面だちになられたのを思い出していた。）

そのうち眼の周りの皮膚は充血し、眼は琥珀色《こはくいろ》の光をやどして、かれ自身にも理解しえず、したがって言葉にして訴えることもできぬ苦しみをあらわすのだ。大きくしっかり張った額に手をのせると、じんわり発熱している。抗てんかん剤をのみ忘れたための発作なのである。イーヨーが癲癇でないといいはる妻に対して、僕としてはこの種の発作もまた、広く癲癇のうちにふくめられるらしいという、あらためて書物で仕入れた知識を言いだしもしなかったのだが……

寄宿舎の入舎日がきまったこの日、セーターとコーデュロイのズボンに着がえて脇にやって来たイーヨーが、新聞はさみこみのFM放送の週間プログラムを検討しているのへ、かれが母親にいった言葉の背景にあるものを、僕はたずねてみようとした。

――イーヨー、きみは僕がピンチをよく切りぬけるか、といったでしょう？　この前のピンチは、いつだったと思うかね？

なかば僕としては、――いやあ、忘れてしまいました！　というかれの定まり文句を予想していたのだ。しかしイーヨーは紙面から顔をあげて、宙をにらむような内斜視の眼をすると、明確な返答をかえしたのであった。

――それはHさんが、白血病で亡くなった時でした！　サクちゃんは、小児癌だったし！　ああ、恐ろしかったものだなあ！　パパはよく切りぬけました！　ご苦労さまでした！　三年前の、一月二十五日前後の、一週間のピンチでございました！

サクちゃん、イーヨーの弟は結局のところ小児癌ではなかった。子供ながら自分で気づくほどの血尿が出て、かかりつけの医院の検査では、なお数日にわたって尿に血液反応が見られたために、東大病院に通っていたのである。各種の検査がつづけられて、担当の医師の言葉を用いるなら、なかなか「無罪放免」とならなかった。膀胱鏡《ぼうこうきょう》による、大きい苦痛をともなう診察もあったが、イーヨーの弟は耐えた。むしろ病院に付きそって行く僕の方が、しだいにまいってきていたのだった。

お茶の水で国電をおり、橋の上のバス乗り場から東大構内行きのバスに乗る。バスを待つ間に見あげる向こう岸正面の病院に、二十年ほど前、おなじ場所で一緒にバスに乗りこむのがつねだった同級生のH君が、白血病で入院している。それもいったん回復のきざしを見せながら、年末に脳内出血の発作をおこして、意識不明のまま横たわっているのであった。検査のかえりに、イーヨーの弟をこちらの病院の外来待合室に残して、友人を見舞うこともあった。看病やつれして殺気立っている夫人と立ち話をするのみで、頭をたれて待合室に降りてくるほどのことであったが。

ついにH君が死んで、葬儀の責任者の役割を僕は引き受けた。通夜の客に挨拶する、寒風吹きさらしの縁側に坐っている僕の頭には、なお検査のつづいている息子のことが片方にあり、通夜に来てくれた先輩の作家が、――あいつの子供たちの兄の方がでなくて、今度は弟が病気だというのが気の毒だ、といっていたという、その言葉も気にかかっていた。それは正直にいうほかないが、意識の底の方にあった、弟のかわりにイーヨーがという、一瞬の酷《むご》たらしいひらめきのような思いを、鋭敏にとらえて串刺しにし、僕につきつけてくるものであったから……

――きみの腎臓に病気があるのかもしれなくて、検査をした時だけれども、と僕はこの夜の夕食の際、イーヨーの弟にたずねた。もし腎臓を摘出しなければならないなら、僕かママかイーヨーの腎臓を、ひとつきみに移植する相談もしていたけれど、きみ自身はどう思っていた？　誰の腎臓をもらうつもりだった？

——そうだねえ、と一拍置くようにしてものをいうイーヨーの弟は、さらに考えつづけながら答えた。イーヨーは「ヒダントール」をのんでいるからね。

僕はムッとしたのだ。そういうことをいうのか、それはエゴイスチックな選択というものじゃないか？　先方の臓器の性能で判断するのか、確かにやむをえぬ考え方であるにしても？　と僕は胸のなかに湧いてくる言葉をなんとか捨象して、次のように尋ねたのである。

——イーヨーの腎臓は、悪くなっていると思うかね？

イーヨーの弟は、また一拍置くように考えこみ、みるみる真っ赤になった。かれは父親の誤解における自分の像を恥じたのだ。

——イーヨーは「ヒダントール」をのんでいるから、とかれは正確をめざして繰りかえした。抗てんかん剤というようなものは、有害な成分もふくんでいると思う。それを処理するためには、腎臓がふたつなければ無理じゃないの？

僕はあやまった。そしてイーヨーの弟の配慮の適切を認めたのである。食事の後、寄宿舎へはカセットを持ってゆくことが許可されているので、まだカセットに入っていないレコードを早めに録音しおえるよう、選んでおけという僕の発案に、こたえるつもりのイーヨーがとまどっている。レコードの山の前に正座したまま、一時間たってもなにひとつ選び出せないのだ。イーヨーに妻が、——能率よくしなければ、寄宿舎でみんなに迷惑をかけるよ、と注意している。そのうち、イーヨーの妹がこういった。

——イーヨーには全体が音楽だから、なにかそこから選ぶということはできないのじゃない？

——そうです、そのとおりですよ！　ありがとうございました！　とイーヨーはいった。

僕もイーヨーの妹に、きみの観察は正しい、といったのである。眠る前に、子供部屋で妹と弟が話している。妹は自分が賞《ほ》められたことを、弟に向けて確認したいのらしい。例の一拍の間があって、イーヨーの弟の答が聞こえた。

——よかったね。今夜は僕も賞められたよ。

寄宿舎入りがまぢかということもあり、両親の関心がイーヨーに集中している。イーヨーの弟と妹は、とくに父親から無視されていると感じるところがあったのらしい。僕の忸《じく》怩《じ》たる思いを代弁する具合に、なおレコードの前で正座しているイーヨーが、ひとりごとをいっていた。

——いやあ、まいりました！　本当にまいりました！

H君が白血病で入院し、はじめの危険な状態から、わずかに快方へ持ちなおした際、僕は幾たびか見舞って話をかわした。夫人をふくめ周囲はかれに病名を告げていなかったが、僕としてはかれが承知しており、また自分が知っていることをさりげなく信号のようにして、こちらにつたえたように思う。入院してすぐの逞しいH君は、体をおおいつくしている出血斑《はん》を僕に見せた。またしばらくすると放射能治療のせいであろう、頭髪がすっかり脱け落ちて、剝《む》き出しの立派な頭蓋に、金色の光沢を持った剛《かた》い白毛が生えているのみとなった。そしておそろしく透きとおっている眼を、妙にキョロキョロさせるようにして(付添いの夫人が席をはずした短い間に)こういうことをいったのである。

——人間が生きる過程で、他人を傷つける、あるいは他人に傷つけられる、ということがあるね。それをやはり生涯のうちに、貸借なしとする。他人につぐなう、他人にはそれなりのつぐないをさせる。そうやって清算を終えて、そして……ということを、学生の時分から将来に向けて考えるようだったんだがな。しかし、生きてるうちに清算がつくという問題じゃないね。

結局のところ、自分が傷つけた他人には許してもらうしかないし、こちらはもとより他人を許す。そのほかにないのじゃないかと思ってね。イエスが罪を許すだろう？　あの考え方は、ギリシア以来のヨーロッパ思想があるなかで、キリスト教がはじめて発明したものだというけれど、きみ、こんなことについて考えたことあるかい？

——キリスト教を知らないからなあ、と僕は自分の腑甲斐なさを思いながら答えたものだった。ブレイクを読むかぎり、もっと徹底していて、この世の罪はすべて人間の総体がそこに墜ちている、理性の専横の反映だから、そいつを糾弾したり報復したりするのは無意味だと、イエスによる「罪のゆるし《フォーギヴネス・オブ・シン》」がなにより大切だとそういっているね。

——「罪のゆるし《フォーギヴネス・オブ・シン》」かい？　そういうふうに考えられれば、楽かもしれないな。他人におかした罪も、他人から罪をおかされたと、いつまでもいだいている遺恨もさ、苦しいからね。

H君は病気に倒れた直後、夫人に向けて、——僕はきみの人生をメチャメチャにしてしまったね、といったとかれの死後に聞いた。その際、僕はこの日の対話を思い出したのである。やはりかれの死後、逆に当の夫人がH君の生涯を歪ませたと思い込んでいる、H君のよく通った酒場の女主人が、飲みにきた未亡人にそのことをいい、取っくみあいの喧嘩になったという噂を聞いた時も、やはりこの日のH君との対話を辛い気分で思い出した。

もうひとつの対話の記憶は、H君がはっきり回復にむかうようで、頭髪ももとに戻っていた、発病の年の秋の終わりのことだ。僕が永く書いてきた『同時代ゲーム』を出版したのを知って、H君はすぐ読もうといってくれた。しかし担当医から読書をひかえるようにいわれていたし、重い本をあおむけに寝ながら読むことでの、体力の消耗を思いもし、僕は年が明けたら装本をほぐした軽い分冊を作って届ける、と約束していた。ところがある日、見舞いに行くと、H君は夫人に本を買いにやらせて、読み終わっているのだった。H君はもうキョロキョロしなくなったが、あまりに澄明すぎるためにやはり異様な眼に微笑をうかべて、親切な感想をのべた。その最後に、僕にその場ではそんなことあったかと腑におちなかった学生時分の出来事を、思い出として話したのである。

──きみがさ、砂川闘争の支援に行くバスのなかで、自分は警棒で頭を殴られて死んでも平気なんだと、子供の頃にした「魂の離陸」の練習という話をしたね。バスじゅう、誰もが笑ってさ、僕はきみのことを、ただ滑稽なだけのやつかも知れないと思ったくらいだよ。……どうしてきみはあの挿話を小説からはぶいたの？　この年になって考えてみると、滑稽なというより懐かしいような、切実な話なのにね。

僕がH君の話した内容にはっきり思いあたったのは、かれが回復のみこみのない重体になって、その日もイーヨーの弟を東大病院に連れて行って家に戻ったあと、お茶の水にトンボがえりして病室につめているさなかであった。H君は激しい頭痛を訴えて意識を溷濁《こんだく》させ、その状態が数日つづいたのち、いまは腎臓の機能がとまってしまったのに──そう説明されると、思いはまたイーヨーの弟に行ったが──リンゲル液は注入されつづけているので、全身が水ぶくれの状態にあった。かつは解剖して判明したことだが、頭のなかも肺のなかも血管が破れ、行きどころのない血液がたまって、そこいらはグチャグチャの血の袋のようであったのだ。しかし日比谷高校のラグビー部で鍛えた心臓は、高く盛りあがった胸のなかで動きやめず、素人の手仕事でこしらえたふうな、硬いゴム弁と柔らかいゴム蛇腹の人工呼吸器が、鞴《ふいご》のような呼吸音をたてさせている。

そのH君を見守っているうち、つい二週間ほど前にかれが話した言葉の意味が、つながりをあきらかにしたのだ。僕は確かに砂川へ行くバスの友人たちに、「魂の離陸」の練習の話をした。しかしそれは子供の時分に一連の定型をなしていた夢のつづきで見た、ひとつの夢の思い出であったのである。森のなかの谷間の子供らが集められて、そこここの坂道でグライダー滑空のように地面を走っては、空中に飛びあがる練習をする。死の時がいたった際に、魂が首尾よく肉体から脱け出してゆけるように、その「魂の離陸」の練習なのだ。魂は肉体を離脱すると谷間の宙空に飛びあがって、脱けがらとしての遺骸が家族や知人らによって始末される様子を眺めながら、グライダー滑空をつづけている。それからさらに大きい輪を描いてのぼり、谷間をかこむ森の高みへ着地するのだ。魂は森の樹木のなかで永い時をすごす。あらためて新しい肉体に入るために、グライダー滑空して谷間へ下降する日まで……　この死と再生の手つづきを円滑ならしめるための、谷間の子供らが坂道で、両腕を脇に伸ばしブーンと声に出しながら駈《か》ける、「魂の離陸」の練習。

この夢のことを『同時代ゲーム』に書かなかったのは、白血病の病床にあるH君ほどに、あの長篇を書いていたさなかの僕が、死と再生について切実に考えていなかったからではないか？　H君は生涯最後の僕への批評として、それを指摘したのだ。

『同時代ゲーム』には、神話学や民俗学、文化人類学から借りたイメージ、シンボリズムが頻出する、そういう批判をしばしば受けた。むしろ実際にその著作から教えられることがもっとも多かった文化人類学者のYさんから、小説の核心のイメージ、シンボリズムは、なによりきみの個のうちに自発するものだと指摘されたが。そして僕自身も小説を書きすすめながら、谷間での幼少年時の暗い夢の倉庫から、手がかりを引き出しつづけたと自覚するのである。その上で個人の夢が、様ざまな国の様ざまな地方の神話的なものへ根をつなげているらしいことに、文学表現の面白さを見出す。

『同時代ゲーム』で描いた神話世界の、究極の核心をなすイメージ、シンボリズムは、夜の森をさまよっている発熱した僕＝少年の夢想として、同時に現実の森に見てとるのでもあるヴィジョンとしてあらわれる。戦時の村に疎開してきている天体力学の専門家ふたりに、僕＝少年はこういう発想を語ったことがあった。銀河系宇宙に加えて、ありとある宇宙すべてを一望のもとに見わたすなら、空間×時間のユニットとして世界はほとんど無限にあり、いま自分らが唯一無二と信じているこの世界の進みゆきは、それと似てわずかにことなるヴァリエーションともども、じつは空間×時間のユニットの総体のなかに、いくらでも見出せるのではないか？　つまりは任意なかたちの歴史の進みゆきを、ゲームのようにして神のごときものが選びとり、それをわれわれのこの世界に提示しているにすぎず、われわれはゲームの仕組みの一要素にすぎないのかも知れぬと、僕＝少年は道化めかして話したのだ。

この発想は、天文学ファンであった僕の、幼少年時からの固定観念である。また次の一節に、僕＝少年のなかば眠りなかば眼ざめている、熱に浮かされた頭で見たシーンとして、

「妹」に語りかけられるものも、僕が森のなかの谷間で見た夢の、またそれを時をへだててわずかなヴァリエーションを繰りかえして見た夢の、統合された記述に他ならない。

《そして妹よ、道化て天体力学の専門家たちに話したことが、あの六日間に経験した森のなかに、現実としてあるのを僕は自分で見たのだ。バラバラに解体された**壊す人**のすべての破片を覆うために歩いていた僕の眼の前に、分子模型のガラス玉のように明るい空間がひらき、樹木と蔓《つる》に囲われたそのなかに「犬曳き屋」の犬や、シリメがいるのが見えた。そのようにして僕は次つぎにあらわれて来るガラス玉のように明るい空間に、ありとあらゆるわれわれの土地の伝承の人物たちを見たのだった。それも未来の出来事に関わる者らまで、誰もかれもが同時に共存しているのを。僕はそれらを見ながら幾日も歩きつづけているうち、銀河系宇宙の外にまで探しに行くことはない、アポ爺、ペリ爺の二人組のいったとおり、実地調査できるこの森のなかにすべてがあると納得した。ここにいま現にあるものこそ、自分が口に出した、ほとんど無限に近い空間×時間のユニットの、一望のもとにある眺めだと。それもこのような言葉によってでなく、次つぎに眼の前にあらわれるヴィジョンの総体が、自然な仕方でそれを教えてくれたのだが。しかもそのようにして森のなかにすべてが共存している、村＝国家＝小宇宙の神話と歴史こそは、それら自体が巨人化した**壊す人**をあらわしているのだ。僕が森のなかをくまなく歩きまわってヴィジョンを見てゆくのが、バラバラに解体された**壊す人**を復原する行為であるのは、そのためなのだ

……》

H君の感想を頭におくことで、いまあらためて気づくのだが、ここに僕は誕生と死をめぐってなにも書いていない。壊す人の、バラバラになっているが汚れもせず腐りもしない、死体についてのべているのみだ。しかしこのイメージの原型をなす幼少年時の夢にさかのぼると、それはつねに誕生と死に直接結んでいたのだった。森の奥の暗い樹木のかさなりに浮かぶ、内側を微光が明るませている分子模型のようなガラス玉、そのなかにわれわれの村＝国家＝小宇宙の、過去から現在、未来にかけて、かつて生き、いま生き、やがて生きるすべての人間がふくまれている。

僕自身も、サナギのような有機体の静止状態で繭《まゆ》のなかにいる。村＝国家＝小宇宙の谷間の、現実世界へと生まれ出てくる人間は、ただ繭のなかから谷間へ降りるだけでよいのだ、グライダー滑空の仕方を用いながら。死に際しては、やはりグライダー滑空して森の繭のなかに戻るのである。永い時がたってまた繭から出て谷間へと、再生は幾たびも行なわれる。しかもわれわれの村＝国家＝小宇宙の、すべての歴史に属する人びとを、つまり森のガラス玉の繭の総体をあわせると、壊す人になる。熱にうかされつつ森全体を歩きつくそうとした僕＝少年は、その行為によって壊す人をよみがえらせようとした。

そしていったん壊す人がよみがえれば、かれひとりのうちにふくまれている村＝国家＝小宇宙の過去、現在、未来のすべての人間は、そろって新段階に入るはずであった。その大いなる成就の予感は、僕が見ることを繰りかえした夢のうちに、強い惧《おそ》れをともなう渇望としてつねにあった。『同時代ゲーム』において、僕＝少年は、あたうかぎり成就に近づきつつ、ついに達成しえなかった試みについて次のように語る。それが小説の事実上のむすびともなっている。

《妹よ、僕が救助隊の消防団員たちにとり押さえられた後、いつまでも泣き叫んでいたのは、その**壊す人**の肉体を復原する仕事、僕に試練としてあたえられたその事業を、そこまでで放棄せざるをえなかったからだ。森のなかにある村＝国家＝小宇宙の神話と歴史の、空間×時間のユニットすべてを歩きとおし、その働きをつうじて、僕は**壊す人**の、バラバラになったすべての肉、骨、筋、皮膚、そして眼や歯に体毛のすべてまでも復原しなければならなかったのに。しかもあらかたそれをなしとげようとさえしていたのに。試練の成就を断念せざるをえなくなった悲痛の思いに、僕は泣き叫びながら谷間に運びおろされ、それからは「天狗のカゲマ」として嘲弄《ちょうろう》されつつ、森の外で生きることになったのだ……》

さて僕の幼少年時の夢に起源を持つこのヴィジョンは、ブレイクの言葉と、ペットワース・コレクションで名高い水彩による『最後の審判』の絵とをあわせて、キャスリン・レインが分析するところにかさなってゆく。僕が自分の生の無意識に近い領域をふくめ、感じたり考えたりしたことはすべて、ブレイクのうちに予言されていたのかもしれないと思う、当の根拠はここにもある。

（バラバラにされた壊す人の、死体の破片というイメージは、僕の家を訪ねてきたアメリカの女子学生が問いかけてきたオシリス神話をはじめ、ディオニュソス神話、オルフェウス神話を介して、やはりレインの分析するブレイクの多用したシンボリズムにむすびつけることができる。生死の境界を越えて夜の森をさまよう僕＝少年自体、ブレイクの「失われた子供、見出された子供」のシンボリズムに属するともいいうるのだ。）

『最後の審判』で、王座についている輝くキリストに向けて昇り、かつは地獄に向けてくだる、流れるような人のかたちについて、レインは個人の描出というより《宇宙的な生命の生の流れのなかを循環する細胞群のようだ》とする。この絵はスウェーデンボルグの「大いなる人」をあらわし、かれの影響を受けたブレイクにおいては「神なる人間性」、あるいは「イエス＝想像力」を、つまりすべてのうちの唯一なる神、ひとつの神のなかにあるすべてをあらわしている、ともレインはいう。ほとんど無数の人間を微細に描きこんだ『最後の審判』が、総体として、想像力であるイエスただひとりをあらわしているとみなすのである。

ブレイクの次の言葉を想起せよ、とレインはいう。《想像力《イマジネーション》のこの世界は、永遠《エターニティー》の世界である。それは、われわれが植物のように生じた肉体の死のあとすべて行く、神なるふところである。想像力の世界は無限であり、永遠である。けれども生殖される、あるいは繁殖する世界は有限の一時的なものだ。われわれが自然の植物の鏡のなかに反映しているのを見る、あらゆる事物の恒久のリアリティーは、かの永遠の世界にある。すべての事物は、救い主の神なる肉体のうちにある、それらの永遠の形式《エターナル・フォームズ》によって理解される。救い主、真の永遠の葡萄《ぶどう》の樹、人間の想像力、それは私に永遠なるものが確立されるように、聖人たちのなかで審判に加わること、一時的なものを投げ棄てることとしてあらわれた。そしてかれの廻りには私の想像力の眼にふさわしい、ある秩序にそくして、存在のイメージが見られたのだが……》

レインは「神なる人間性《ディヴァイン・ヒューマニティー》」の集団的な存在という概念が、『四つのゾア』にもあらわれているとして、《世界家族のすべてをひとりの人間として》あらわすイエス、という詩句をあげ、『最後の審判』はまさにそのブレイクの霊的な宇宙を――つまりひとりの人間によってなりたつ宇宙としてのイエスを――描きだしたものだとしている。森のなかの分子模型のガラス玉の――それを細胞といいかえてもよいのであるが――無数のむらがりと、同時にその総体としての**壊す人**をめぐって、僕が感じ考えてきたことを、レインの分析につきあわせれば、まことに多くの意味が明白になる。

僕のヴィジョンに欠けていたところがあるとすれば、**壊す人**つまり救い主、イエスの肉体がもとどおりになる日こそが、「最後の審判」の日だという思想のみであっただろう。

キャスリン・レインの分析を介して、幼少年時の夢をさらにブレイクとつきあわせれば、微光をはなつ分子模型のガラス玉にひそむ人間というイメージに、ブレイクの神話世界において根幹をなす、もうひとつの特質との連関を見出すこともできる。

ブレイクのもっとも美しい絵のひとつ、仮に『時と空間の海』と名づけられているテンペラ絵画を媒介にして、レインが精霊《ニムフ》たちの洞窟と呼ぶ、秘教的なシンボリズムを見る。ネオ・プラトニスムのカテゴリーとみなしうる考え方だが、永遠の生命から墜落して、生殖《ジェネレイト》され、生育《ヴェジテイト》する地上の肉体のうちに入りこみ、つまりは死すべき者となる過程が、ブレイクにおける現実世界への誕生である。

『セルの書』の天上の魂は、永遠の生命から死んで一時的な世界の住人になった者らが、地上からあげる苦しみの声を聴き、どうして地上にくだらねばならなかったかと疑う。天と地をつなぐ洞窟のなかで、死すべき者となるための肉体を機織《はたお》り機で織りだされる、人間というシンボリズムは、ブレイクの詩行のいたるところに見出された。イーヨーの畸型の頭をつけていた苦しげな新生児期を思いあわせて、僕はブレイクの次の一節が妻の眼にふれるのを惧れることがあったものだ。《私の死すべき体の母なるおまえは／酷たらしくも私の心臓を型づくり／いつわりの自己欺瞞の涙をもって／私の鼻孔、眼と耳を縛った。》

大学に入ってすぐの僕が、まだブレイクのものとも知らないまま衝撃を受けた一節、《人間は労役しなければならず、悲しまねばならず、そして習わねばならず、忘れねばならず、そして帰ってゆかねばならぬ／そこからやって来た暗い谷へと、労役をまた新しく始めるために》という詩句は、人間の肉体が織りだされる洞窟で、繰りかえし地上に墜ちねばならぬ魂を悲嘆する歌だったのだ。

若かった僕は、この詩からすぐに生まれ育った森のなかの谷間を思い、自分の生の進みゆきをうらなうようであったが、その森のなかで森を舞台に、幼少年時の僕がいくたびも見た夢こそ、永遠の魂を精霊《ニムフ》たちが死すべき肉体に織りこむ洞窟と、おなじ根のものだったのである。ついに決定的な救いの時がくるまで――ブレイクのシンボリズムでは「最後の審判」のいたるまで、僕の夢と小説のシンボリズムでは壊す人の復活がなしとげられるまで――すべての人びとの魂は、森の樹々の間の微光をはなつガラス玉のなかにあり、繰りかえし肉体をまとって谷間に墜ちなければならない……

イーヨーの寄宿舎に入る日が、二日後にせまった。昼の間は日常の雑事におわれている妻は、深夜までイーヨーが寄宿舎に持参するものの名ふだ付けに勤《いそし》んでいた。抗てんかん剤を一日の分量ずつ紙袋に分けて日付けを書きいれるのにはじまって、名ふだを付ける品物がじつに多様なのである。しかも名ふだは縫い付けなければならない。蒲団上下、各一、毛布一、敷布一、パジャマ一組、枕、パジャマを包む風呂敷。シャツ三、パンツ四、普段着としてのシャツ二、ズボン二、制服とそのためのシャツ二、トレパン、トレシャツ、短パン、各一、ハンカチ五、靴下五、ハンガー三、傘一、室内ばき、上ばき、ふだんばきのズック、各一。歯ブラシ、歯みがき粉、コップ、石鹸、石鹸箱、櫛《くし》、ポリ容器、洗面器大、小、シャンプー、これら各一にも、名前を書きこんでおかねばならない。そして、洗面タオル二、バスタオル一。

妻は老眼鏡をかけた頭をそらせるようにして、針を運んでいる。はじめてその恰好の妻を見るのではないが、思いがけない気持が新しくするのでもある。僕はしばしば年齢より子供じみているといわれてきた。そうしたありようが、いつまでも幼児の魂でいるイーヨーとの関係に由来するとすれば、同じことは妻についてもあっただろう。イーヨーの言動の細部に愉快なあらわれを見出しては、声をあげて笑っている妻には、かれの誕生以前から本質において変化をこうむっていない、ある若さを、僕は受けとめてきたのだが。イーヨーが寄宿舎に入ってしまうと、妻はあまり笑わず静かにしている、つまりは娘らしさをすべて年月の層の向こうにへだてた人間という様子になるのではないか？　それは僕自身についてもということだがと、僕は考えた。ところが妻もおなじように考えていたのらしく、針を動かす指の速さはそのまま、こういうことを話した。

――サクちゃんが、今日クラブを終えて帰ってきてすぐね、イーヨーが寄宿舎に入ったら、自分たちはあまり笑わなくなるだろう、といった。イーヨーが滑稽なことをするからみんなが笑ってきた、というのじゃなくて、なんでもないことでもイーヨーが、みんなが笑うように元気をつけたんだと、サクちゃんはそういってた。

――確かにね、と僕もイーヨーの弟の説明づけに同意したのだ。われわれの家庭につねづね祝祭の雰囲気があるのは、祝祭の道化であり、かつ祭司でもあるイーヨーがいてのことだから。

――あなたのヨーロッパ旅行の際は、イーヨーの前では笑い声をたてるのもはばかられるようで、みんな息をひそめて生活していたけれど……

――今日ドイツから新年の挨拶の手紙が来て、ハンブルクで会った作家が、イーヨーを心配しているということだった。手紙をくれたのは日本人の留学生で、かれがイーヨーについての短篇を翻訳して読ませた、というんだね。作家は、僕に対してより、きみに対してより、もっとも大きい同情をイーヨーによせる、といったそうだ。この人は暴力の発現について特別な感じ方をする作家だから、それも経験に立ってそうしている人だから、通りいっぺんのことをいっているのじゃなくてね。エッペンドルファーという作家だ……

僕はこの、禿げ上がっているが眼もとや口もとに若い美しさを残す巨漢と、ハンブルク中央駅前および歓楽街レーパーバーンの、公共用核シェルターに降りて行った。かれを座長としてハンブルクの知識人たちとシンポジウムをおこないもした。ヨーロッパの反核、平和運動を見て歩いての旅を報告するパンフレットを僕は出版したが、そこから当の作家について紹介している部分を引用する。

《このエッペンドルファーという今年四十歳の作家について、とくに説明しておきたいことがある。それは核という世界規模の暴力と、ひとりの個人にやどる暴力とをつないで考える、その仕方について、くっきりしたイメージをつくることだから。エッペンドルファー氏はハンブルクで活動している作家だが、かれの代表作といっていい自伝的な『皮の男』によれば、青年時に、女友達があまりに自分の母親に似ているので、ついには彼女を殺害してしまった。そして十年間の独房生活をおくる。現在、同性愛の人びとの雑誌を編集しながら、作家の仕事をしている。『皮の男』が直接示すのは、全身に皮の衣服をまとったフェティシズムの人間である。

かれ自身のつくった演劇版『皮の男』のカタログに、しめくくりとして書きつけてある言葉を、仏文テキストから訳出する。――自然なこととして、すべての人間はその様ざまな感情を生きる権利を持っている。しかしかれは、自分のやることを知り、それらの感情をコントロールのもとにおくことを意図し、かつそれができなければならない。それというのは、人間であることを利用するには、いくつもの制限があるからだ。ここにあなた方へ向けて提出されているのは、感情のインフレ的な展開の時代における、攻撃の地震計記録としてのドキュメント、暴力の家宅侵入の時代における、それを制禦する試みである。

個としての暴力、情念のゆきつくところを身にしみて知る人間が、世界規模の暴力、情念の暴発に対して抗議しようとしている。そのようなかれの核状況への態度に、僕は共感を持つ。さきにのべた繁華街レーパーバーンに生きる娼婦、大道芸人のような、下積みの人びとの聞き書きをかさね、この場所全体の伝記を書くというのが、エッペンドルファー氏の現在の仕事である。かれの仕事のしぶりと、核兵器反対の市民運動のすすめ方とが、たとえばさきの市のシェルター関係の係員との問答を、テープレコーダーにとってゆくというかたちで、緊密にむすびついているのを僕は面白く思いもする。》

――エッペンドルファーは暴力的なものを人間がどう制禦するかをいってるんだが、その前にね、暴力的なものにとりつかれざるをえない人間、自分のなかの暴力的なものの所在を否定しえぬ人間には、深い共感を持つ人なんだよ。かれはいまのイーヨーとおなじ年頃で、性的なものにつき動かされて、人を殺した人間でね、そのような自分を、イーヨーに潜在する暴力的なものとかさねてみたのじゃないか？

妻が名ふだを付ける作業を中止して、老眼鏡をかけたまま僕をふりかえった。その問いつめてくる気配に僕はあらかじめたじろぐようだったのだが、妻はこういったのである。

――あなたの小説が、そうしたイーヨーを読みとらせる方向づけで書かれているからでしょう、それは。あなたがわざわざ捩《ね》じ曲げて書いているとは思わないけれど。ヨーロッパから戻ってイーヨーを見て、あなたがショックを受けた、そのとおりなのだろうと思いながら読んだけれど。……あなたが留守の間、イーヨーが悪くて困った時、イーヨーにあなたが見てとったものを、私やイーヨーの妹と弟が感じとっていたのではない、とは思ったわ。

妻が指摘しているのは、帰国した夜イーヨーの眼に僕が見てとったと書いた、次の部分だったにちがいない。《その眼が、僕を震撼させたのである。発熱しているのかと疑われるほど充血しているが、黄色っぽいヤニのような光沢をあらわして生なましい。発情した獣が、衝動のまま荒淫のかぎりをつくして、なおその余波のうちにいる。すぐにもその荒あらしい過度の活動期に、沈滞期がとってかわるはずのものだが、まだ体の奥には猛りたっているものがある。息子はいわばその情動の獣に内側から食いつくされて、自分としてはどうしようもないのだという眼つきで、しかも黒ぐろとした眉と立派に張った鼻、真っ赤な唇は、弛緩して無表情なままなのだ。》

——むしろ私は、あの日のあなたのショックの受け方から、もう取りかえしのつかないことが起こっているのかと、恐ろしい気持を持ったのだから。……あなたとイーヨーが和解して、そして私たちみんながイーヨーと良い関係に戻ったけれど、思い出してみると、あなたがヨーロッパへ発って、イーヨーが悪くなってという十日間のうち、あなたが帰って来た日がいちばん恐ろしかった……

——きみの感じとり方として、それはそうだったかもしれないなあ、と僕はほぼ一年間猶予されていた反撃に脅《おびや》かされる心でいったのだ。いや、そうだったにちがいないね。考えてみれば、エッペンドルファーが若かった自分にかさねてイーヨーを見ているといったが、ヨーロッパから戻ってすぐの僕は当のエッペンドルファーの犯罪にかさねてイーヨーを見ていた。

ヨーロッパで経験してきたことで、もうひとつ僕の見方をつくりだす背後の力をなしていたものはあったのである。しかもそれは、直接妻に向けて話すのがはばかられる出来事であった。妻が自分の考えに沈むようにし、老眼鏡ごしに眉根のあたりを険しくもして、名ふだの作業に戻るのを僕は黙って見まもっていた。それからなんとなく頭をふり、眠るための酒をみたしたコップを持って仕事場兼寝室へと引き上げたのである。

息子の部屋の、いつも半びらきになっているドアの前で立ちどまり、僕は二日後にはもうそこで寝ていないイーヨーを薄暗がりに覗き込んだ。廊下からの薄明りに、まっすぐ上を向いて横たわっているイーヨーの、鼻筋が弓なりの大きい頭が浮かびあがっている。それは姿勢の良さと体の嵩高《かさだか》さということで、死にいたる床についていたH君を思い出させた。大きい償いがたさ、喪失の思いがあり、僕は底深い無力感のうちに落ち込む具合で、じっと立っていた。その僕に、頭はまっすぐ天井に向けていささかの身動きもしないイーヨーが、穏やかな声をかけてきたのだ。

――パパ、よく眠れませんか？　僕がいなくなっても、眠れるかな？　元気をだして眠っていただきます！

ヨーロッパで一年前に経験した、もうひとつの出来事。ウィーンに到着する、空港でわれわれテレビ・チームは、反核、平和運動をつづけている日本人留学生とオーストリア人のグループに接触した。かれらの運動にゲストとして参加するのが、テレビとしての取材ともなった。次いでハンブルクに移って、さきのエッペンドルファーらとの共同作業があり、そこから夜行列車でスイス国境近いフライブルクまで南下し、「新しい選択《アルテルナティーフ》」の若い政治家、運動家らと会った。バーゼルにもたちよってスイスの運動家らと話し、フランクフルトをへてベルリンに入る、というのが全体の旅程であった。まだ生成途上にあるテレビ報道のメディアに働く人びとの、かれらの仕事固有の論理と、それに立っての骨おしみせぬ動き方が、異なるメディアの僕には刺戟的で、快いのでもあった。しかしこれだけの旅程を一週間でこなしたのであったから、毎日が早朝に活動をはじめて真夜中前後に夕食をとる、という日々であった。

もっとも、多忙であるゆえに気持が支えられているということもあったのだ。「黒い森」のへりの、シュヴァルツヴァルト山地斜面からライン川を見おろす、古い大学の町フライブルクで、冬らしからぬ陽光のなか、郊外のスキー客用ホテルへ昼食をとりに行った。落葉しているブナ、カシ、モミの樹林を見わたすうち、広大な森が核の大火に炎上する幻を見た。そういう心理状態で、日夜、核兵器の現状を見てまわる旅であったのだから。深夜に眼ざめると、旅の途中で買ったケインズ編のブレイクを読んでは、それに縋《すが》りつく思いをあじわっていたのだ。

ついにベルリンに入った夜も、ヨーロッパに非核地域をつくりだそうという運動を進めているベルリン自由大学のグループの会合に加わった。東ベルリンの運動ともつながりのある人びとの会合だが、大都市の住人特有のソフィスティケートされた沈着な討論が、フライブルクの熱情的な集会と対比して面白かった。この日も深夜に、ドイツへの朝鮮人出稼《でかせぎ》労働者のための純正な朝鮮料理ということだろう、スープなしでただ唐辛子をまぶした冷麺を食べ、共同作業の一日の必要な一過程である、テレビ・チーム全員の夕食の機能をあらためて納得して、ホテルへ戻るというふうであった。

——深夜すでに午前二時を過ぎていたが、枕もとの電話が鳴った。外国語によって暮らしてきた日本人が母国語で話そうとしての、妙に流暢なところとギクシャクするところが、はじめの発語から感じとれる息づかいで、中年の女性が名乗ろうとする。

その瞬間、僕は最後に会ってから二十年もたつ相手の、それもはじめて会った頃の、ハイ・ティーンの彼女の全体が一挙によみがえるのを感じた。朝鮮人であるが、当時併合されていた国の人間として改姓して東京帝大を卒業し、日本人の女性と結婚した彼女の父親が、敗戦を機に李という姓を回復したのを、その木と子を分離してキーコという渾名《あだな》で呼びならわした、当のキーコが、とくに懐かしげでもない、しかしともかくも外地でおなじ都市に居合わせれば一度会わぬわけにはゆかぬ、そのような間柄を態度に示して、電話をしてきたのであった。彼女のことを意識下で考えるゆえにこそ、僕はベルリンに到着してすぐ、朝鮮料理の店に行ったのかと納得してもいたのだが。

——突然の電話で気持よくないかも知れないけれども、私はね、キーコです。現在のラスト・ネームはこの前と変わっているけれど、どちらにしてもあなたに情報はつたえないドイツ名だから、と彼女は続けたのだった。あなたがベルリンに来ることと、Hさんが白血病で死んだことと、同時に聞いたわ、悲しいね。ともかく今夜、会いましょう。

——今夜というのはなあ、と僕は(彼女が現に電話をかけている場所を知っていたとすればすぐ承知したはずなのだったが、漠然とベルリン市内からの電話とのみ感じとって)女友達の昔にかわらぬ反市民性と受けとめ、賛成はしなかったのである。明日の午前中はテレビ・チームと会議をして、午後から夜にかけては東ベルリンに行くのでね。明後日、オットー・ブラウン講堂で「ベルリン反核ティーチ・イン」というものをやって、その夜ベルリン駐在の公使からの招待を受ければ、それでプログラムは終わるけれども……

——冷たいね。しかし積極的に会いたくない理由もないでしょう？　明後日のティーチ・インには私も行って見ます。昔のキーコの面影を残した中年女が居るかどうか、演壇からキョロキョロしてはだめよ。そしてあなたが公使とやらと食事を終わって帰った時分、連絡します。テレビとの団体旅行では、陽気な御婦人方を探しにも行けなかったでしょう？　キーコと会えるのは便利なんじゃないの？

中間で一度再会したが、三十年ちかく前の印象がもっともあきらかな彼女に、現に話しかけてくる言葉がぴったりするように思い、また過ぎさった時間のズレをとび越えるためにわざわざ演出の声を発している彼女の、あきらかな成熟というものもかぎとるふうでいたのだが……

――明日、東ベルリンに入るというのは、反核、平和運動の非公然グループと連絡をとるということ？ と訊ね、一瞬黙りこんだ僕に、キーコはそれまでの話しぶりとは変化のある言い方をした後、自分の方から電話を切った(その言葉の中身には、すぐにも思いあたることになったのだが)。これだけ内外に宣伝して公開ティーチ・インをやる前日でしょう？ 明日の東ベルリン行きは、取りやめになるのじゃない？ スタッフのなかには熱情家もいるだろうけど、慎重派もついているはずでしょう。あなたのようなタイプの人間の面倒見るんだから。それじゃね、明後日を楽しみにしていますよ。

本郷の大学近辺の戦前からの下宿屋で、建て増しに建て増しをかさね、暗い廊下が斜めに上がったり下がったりして船の通路のようでもある建物の一室に、キーコは暮らしていた。この下宿はほとんど無限の収容能力があるかのように、そこだけ無闇に広大な玄関と、正面階段のあたりで、いつも新しい顔と出会ったものだ。キーコも死を悲しむといったH君と僕の、仲介役のような友人であった、現在バルザック学者であるI君が、当の下宿の五角形をした部屋に住み、そこはわれわれの溜り場であったのである。

H君の恋人は同級の美しい人だったが、やはり同じ下宿に女子学生仲間と同室していた。H君と恋人との間に単純な行きちがいのようなことがあり——思ってみるとH君の生涯には、時どきそれが起こって大きい分岐点をつくった——彼女は、すでに詩人として秀れた仕事をしていた大学院生のもとにはしった。こういう古風な言い方がいま僕の頭に浮かぶのは、H君の葬儀の後、かつてH君の恋人と同室であった女子学生が、彼女もいまフランス文学科の先輩の夫人であるけれども、——Hさんとの仲たがいは、あの人の早とちりだったと思う。しかしその夜から彼女は、同じ階の大学院生の部屋から帰ってこなくなったのよ、といったのにもとづく。

もっとも当時の僕はいきさつにまったく気が働かず、友人の恋愛としては、I君が高校生の恋人を教育して東京芸大に入学させたのへ好感を持っていたのみだ。僕ひとり下宿が別だったということもあるが、H君との三角関係当事者みなとつきあいがありながら、僕は子供あつかいされて、そうした局面からは疎外されていた、というふうなことであっただろう。

さて、当の下宿の、歩哨がこもっている塔のように孤立した部屋に、ひとりの娘が移ってきた。朝鮮人と日本人の両親の勤務先である、ドイツの建設会社の関係でベルリンに育った娘で、日本の大学教育を受けるために東京へ戻ったのだが、外国語は寄宿制の私立学院を出て英・独ともに充分であるものの、日本語の複雑な文章については読みとり能力に欠陥がある。彼女と一緒に本を読んでやる家庭教師とならないかと、話が僕に持ち込まれてきたのだ。

ベルリンの会社は、じつは日本の大手建設会社と資本の提携関係があり、こちら側の重役である父親から、H君は彼女の世話をまかせられていた。会社の提供した外国人用アパートから、そういうところでは日本人の生活についてまともな経験がえられぬと、学生下宿に連れてきたのもH君なのである。しかしかれ自身としては、当時三角関係に奔命するさなかで、家庭教師の余裕まではなかったということであろう。

僕は二十歳でキーコは二歳年下だったが、キーコに会っての印象は、容貌から体つき、生まれてはじめての畳に蒲団の生活なのだという、六畳間での坐り方、それらみなのまったく釣合いがほころびている奇態さと、陽気な滑稽さだった。（十年たって彼女がドイツ人の夫と家庭を持つまま、ひとり東京に滞在した際は、ハイ・ティーンの時分にすべて外れていた関節が、これまたすべてカッチリはまって、威風堂々といいたいほどの容姿、身ぶりに転換していたのだが。）

異様に多量な髪を屏風《びょうぶ》のように張りめぐらした頭、時代劇のお姫様役のような三日月型の眉、パッチリした眼、丸い鼻、それに肉の厚いおちょぼ口が、素頓狂《すっとんきょう》な間隔をあけて、顴骨《かんこつ》の張った大きい顔にひろがっている。彼女自身その目鼻立ちにあきれて、つねに苦笑を浮かべているふうなのだ。やはり不器用に間がぬけて見える大柄な体つき。しかも腰から下はおよそ東洋人のものでない発達ぶりの、その下肢を踝《くるぶし》までかくす厚手のスカートにくるみこみ、長い両腕で膝をかかえこんでいる。授業を受けるのもその恰好のままだ、そうでなければひっくりかえってしまうから。声はといえば、ベルリンのホテルへの電話でもすぐ思い出した、鼻にかかる甘ったるい幼児の声音であるのに、話柄《わへい》と論理は徹底して即物的である……

もっとも僕が彼女に滑稽を感じたとして、お互い様だっただろう。後年、H君があかしたところでは、友達のうちいちばん滑稽な人間を世話してほしいというのが、家庭教師選択についてのキーコの条件だったのだから。そして彼女はまず、僕がつけた滑稽な渾名《あだな》が気に入ったのでもあった。育ちのよいH君のふるまいゆえに、いま不思議なこととして思い出すのだが、かれは彼女が性的に自由な土地で育ったから、わが国の常識では考えられぬほど自由だと、挑発するような、また嘲弄しもするような文句をつけくわえた。もとよりその当時も現在も、H君に責任を転嫁したことはなく、今その意図もないが、僕がのちにとった行動は、やはり無経験な若者らしく、H君の言葉に暗示をこうむっていたのだ。四月の新学期に家庭教師をはじめ、一年後には外国人留学生も多い国際基督教大学にキーコを入学させると、僕は家庭教師を辞めたが、われわれは彼女の生理期間より他は毎日ただ性交するためだけに会うという関係に入っていたから。

そして夏休みに僕が四国の森のなかに帰郷し、キーコは母が朝鮮人と結婚したことで永く義絶の状態だったという、北海道の親戚の家に行くことになった。この四十日ほどの間、別れて暮らして、お互いの先行きをそれぞれに考えようと、僕が提案したわけだった。秋のはじめに上京した僕が、森のなかの谷間で読んだガリマール版のサルトルをリュックに担いで本郷の下宿に立ちよると、彼女の部屋には、キーコのセーターを着た東南アジア系の美しい青年が、やはり坐りにくそうに、まるめた蒲団に背をよせかけて留守番していた。僕は心底あわてふためいてI君の部屋に出向き、リュックから本を一冊ずつ取り出しては講釈し、かつ批評を受けた。その上でやっと落着きを取り戻して、自分の下宿にむかったのだ。この秋から冬にかけて、若い僕は思いがけない手ひどさで苦しんだが……

個人的にはキーコとどういう関係にあったのか、結局は不明であるH君の――かれには癖のある女性への徹底した奉仕的な態度と、それに矛盾しない、掌をかえしたような無頓着との混交があり、かれの死後、やはり究極のところどのような関係であったのかわからぬ、しかし独特な懐かしみの感情をかれによせる、幾人もの女性と出会うことになったのだが――キーコと開いたままだったパイプをつうじて、僕が知りえたこと。それによるとシンガポールからの留学生とは別れ、そのうちドイツから技術研修のために企業留学して、キーコを通訳に傭った情報工学の技師と結婚して、大学は中退しヨーロッパに渡ったというのだった。

イーヨーが畸型の頭を持って生まれての直後、僕が混乱した低迷状態のうちにあったさなかに、やはりH君を介して突然キーコから連絡があり、国際文化会館に宿泊している彼女に会った。妻はまだ入院していた。その際キーコが思いがけず、しかし変化の筋道はすぐに辿れる、あきらかな見事さの容姿となっていたことはさきに書いた。その際キーコから受けた、性的な療法とでもいうあつかいに、僕は慰藉された。しかもその間、実の姉と性交しているのに似た、生なましい罪障感をいだきつづけて、かつはグロテスクな――泡鳴の言葉をかりれば――「絶望的な蛮勇気」とでもいうものをそそりたてられる思いもあった。それを媒介にして僕が了解したのは、二十一歳の自分が一夏離れてお互いを考えてみることを思いたったのは、まだ自分より稚《おさな》く感じられたキーコとの関係に、実の妹と性交しているような罪障感があったからだということである。

ほぼ十年をへだてたキーコとの性関係の回復は、『個人的な体験』の、ブレイクを卒論にした同級生との性的なシーンに反映している。僕がいかにキーコの無私の献身に援護されたかはあきらかなのだが、二十代はじめただ自己本位にしか彼女との間柄を見ることのなかった僕は、二十代の終わりにもエゴサントリックな性格をつくりかえることができず、キーコの右腕頸《うでくび》内側に――彼女が左ききであることも、十八、九の娘の、大柄な雛鳥《ひなどり》めく不恰好な身動きの印象を強めたのだった――剃刀《かみそり》傷があるのを見ながら、それについて彼女に聞く、つまりはヨーロッパでの十年近い歳月について訊ねる、ということはなかったのである。

二週間たって、彼女が帰独した後で、あらためて二十一歳の秋から冬にかけての辛さが、不意をつくように再現したのも事実だが、……僕はここに走り書きするようにして回想しながら、自分の若かった時分の、甘ったれた酷たらしさになおよく直面しえてはいないという思いをいだくのでもある。

ティーチ・インが現に進行していた。会場から東京へ電波を送る衛星中継の時間調整の中休みに、ベルリンに着いてすぐ会った反核地帯の運動家数人が壇上の僕に近づいてきた。かれらの話しぶりはいかにもひかえめな批判を示すのみではあったが、――あなたが東ベルリンの活動家の集りにあらわれなかったのはじつに残念だった、というのだった。教会関係の重要な人物との会談を予定し、先方には『ヒロシマ・ノート』の英訳をわたしてもおいたのだからとかれらはいい、日本の市民たちにも署名をつのってもらいたいと、東ドイツの反核、平和運動のアッピールを支持した文書を渡しながら、かれらは僕が会うはずだった人物が、障害児の息子さんの健康を祈るといっていたと、胸にこたえる伝言をつたえてくれもしたのである。

キーコが型やぶりの生活感覚とあわせもっている、世間智のアンテナを働かせて予測したとおりに、テレビ・チームの予定変更があり、僕の東ベルリン行きは中止されていたのだった。キーコ本人は、音楽会でであるならば最上の席であろう、正面中央の位置に、例の威風あたりをはらう様子で腰をおろしていた。会場を六分どおり埋めている聴衆は、日本大使館の広報紙によって集まった少数の在留邦人の他は、西ドイツ各地の反核、平和運動の活動家たちである。かれらは生活を簡素化して資源浪費をふせごうとする運動をふくめての、いわゆる「新しい選択《アルテルナティーフ》」の人びとでもある。

したがってミンクのコートを羽おって坐っているキーコは、観客席であくまでも目立ち、ティーチ・インのパネラーのうちの、西ドイツ大統領としてただひとり広島を訪れたハイネマン氏の娘である神学者が、やはりミンクのコートを着ているのと対をなしていた。金髪碧眼のもと大統領の娘と、あいかわらず嵩高に結いあげた漆黒の髪のキーコが、壇の上下で対峙《たいじ》しあっている、という眺めなのだ。しかも僕には確実に中年女となったキーコが大きい造作のはっきりまとまった風貌ながら、あらためて十八、九の彼女の、自分自身についての驚きをかくしきれぬ滑稽さの印象も、あわせ示しているように感じられた。眼があうと彼女は、およそわれわれの世代のものでない古風な会釈をかえした。その眼ざしには暗いといってもいいところがあり、前にかたむける額から鼻にかけて、なにやら大きい鬱屈が影をなすようにも思われた。もっともティーチ・インが後半に向けて高まると僕には彼女に気を配ってみる余裕などなかったのである。

ティーチ・インの終了につづいてパネラー同士の別れの挨拶やら、在留邦人の聴衆の、通訳の不適当を指摘しに来た人たちとの応対があった。僕は港に入る軍艦とでもいう具合にゆったり近づいてくるキーコの気配を感じとっていたが、一応の段どりが終わって見わのである。

たすと、彼女の姿は会場になかった。在ベルリンの公使との会食を終えて、ホテルの自室に戻ったのは十二時近かったが、すぐにキーコから電話があった。これから会おうという。じつは彼女は、三日前からおなじホテルの最上階に部屋をとって滞在していたのだという

今夜は待機して十分ごとに電話をしていたといいながら、それから小一時間たってキーコは悠揚せまらざる様子で、あけておいたドアからノックもせず入って来た。朝鮮の輝く淡緑の絹の、見おぼえのある丸い踝まであるドレスに、大きく開いた衿もとには蘭の花まででつけて。僕はこのヨーロッパ旅行の間、連翹《れんぎょう》とクロッカスのほかいささかの花も見なかったことに、あらためて気がついた。

靴をはいたまま横たわって本を読んでいたベッドから僕が起きあがるのへ、キーコは使っていないもうひとつのベッドに腰をおろしたので、われわれはしばらく黙ったままお互い眼ではかりあう具合だった。それからすでに酒の匂いをたてているキーコと自分のために、冷蔵庫から酒瓶やらグラスやらを取り出している間、キーコはティーチ・インについて、まず自分にはティーチ・インといういい方が納得ゆかないといってから、やはりドイツ語通訳をめぐり彼女としての感想をのべた。

通訳は、僕の発言に関しては、いまある核攻撃の現実性を幾分ぼやかす方向づけで、かつ自民党の国会議員でもある作家のI氏の発言については、そのソヴィエト脅威説を婉曲

にするように配慮して訳した、とキーコはいった。——そこであなた方が日本語で対立しているほどには緊迫していないものとして、ドイツ人の聴衆は討論を受けとめたと思う。それが職業的な通訳たちのバランス感覚なのだろうけれど……

そのように話しながら、キーコは若い頃僕の下宿におとずれてよくやったように、ベッドの枕もとの本を手にとっては入念に調べていた。ブレイク、そしてペンギン・ブックスの『ロシア演劇の黄金時代』、おなじ版のオーウェルのエッセイ選集など。僕が飲みもののグラスをわたす時、キーコはオーウェルのページを拡げて拾い読みしていたが、左手にグラスと本とを一緒に握ったキーコはあらためてベッドに腰をおろしながら、権高《けんだか》な女教師の口調でこういったのである。

——ジャーナリストになってるHさんが西ドイツの過激派を調べに来た時、あなたの息子さんの話をしたけど、もうそろそろ成人だわね？　“must”の場合、困るでしょう、対策は考えているの？

僕は血相を変えただろう。舌が痺れた具合で僕がなにもしゃべれぬうちに、キーコの大きい顔は、やはり大きい造作のいちいちにひっぱたかれでもしたような怯えと悲しみをあらわし、愚かしくひずむようであったから。厚化粧の下から雀斑《そばかす》が濃く浮かびあがる皮膚の暗さも、僕はその時はじめてキーコに見たのだが。

——“must”というのか、きみは？　僕の息子が象か駱駝《らくだ》のように発情するが、撃つわけにもゆかないだろう、というのか？『象を撃つ』からの引用だとはわかっているよ。しかしオーウェルの用語をこちらもひくならば、きみはもっと“decent”な人間だと思ってきたがね。

われわれはお互いに、自分のグラスを見おろして黙りこんだ。つづいてキーコは、少女めいた不器用な左手の動きでグラスを床に置き、立ちあがり唸るように痰《たん》を切ってから、不機嫌にこういって部屋を出て行った。僕は自分がすぐおちいるはずの暗然とした思いを目の前に見ながら、あらためて舌が痺れたふうで、顔をあげることもしなかったのである。

——今夜は、これだけにしましょう、キーコらしくもない失敗をしたようだから。明日はベルリンを案内してさしあげるわ。

翌日キーコと僕は、意気あがらぬ奇態なベルリン見物をした。テレビ・チームの予定変更がつづき、この日午後三時にはフランクフルトへ向けて発つことになったからでもあるが、われわれはそれぞれ興味を持つ場所をひとつずつ訪ねるほか時間を持たなかった。僕は黄色い電気鰻の写真を大学の頃見たことのあるブダペスト通りの水族館を希望した。しかし名高い鰻をふくめ魚類自体は期待したほどのものでなく、むしろ魚の住むそれぞれの環境を再現するために、演劇的なほどの設定で植えこまれている各種の植物が立派に見えた。キーコはそのどちらにも関心を示さず、階段を昇るのを嫌がって、一階の老守衛とずっと話していたのだが。

キーコの希望は、いま復活祭《イースター》の休暇で南の海岸に先行しているドイツ人の夫が連れて行ってくれず、そこで好奇心だけ強まっているハード・ポルノ映画というものを一度見たいというのである。水族館から歩ける距離の、繁華街クーダム通りの、各種の商店が混在している建物の地階に、われわれはその種の映画館を見つけ出した。チケットを買うと、ロビーで酒のミニチュア瓶をくれる。キーコは階級差を誇示しての朗々たるドイツ語で係りの青年と交渉し、二人分ジンの小瓶とビールとを一本ずつ受けとって、席につくなりビールをひと口飲み、できた隙間にジンを注ぎいれた。僕もそれにならったが、われわれはそれを飲みほすまで長く坐っていたのではなかった。再び地上に戻り、ついでに朝鮮料理の材料の買物をするというキーコを、ベルリンでもっとも食品売場が充実している百貨店の前まで送ろうと、クーダム通りを東へ歩く途中、われわれがかわした会話はわずかな、しかし僕には辛いものだった。

——主役の娘さんは無惨なくらい性交したね、氷嚢《ひょうのう》で性器を冷やすシーンにはユーモアがあって良かったが、と僕が映画の感想をのべたのに対して、

——私たちも、まだ子供の頃、繰りかえし性交したよ、あなたにならっていえば無惨なくらいに、無惨な以上に、……とキーコは応じた。

キーコは、僕がティーチ・インで話したことについて、こう批評もした。

——核戦争による世界の破滅について、あなたはまだ一度も地上にそれが起こったこと

がないから、人びとは近い将来にそれが起こらぬと信じているのみだ、しかしその根拠はない、といったよね。残念だけど私はそう思わないわ。むしろ世界はいくたびも破滅してきたのじゃないかしら？　しかもわずかな数が辛うじて生き延びて、このろくでもない世界を再建したのじゃないかしら？　それでいて教訓を生かすことはなかったのだと、それがヨーロッパに永年暮らしてみての結論だわ。第二次大戦でのドイツの破壊は、廃墟のままのカイザー・ウィルヘルム記念教会が、ほらあすこに見えるけれども、やはり世界破滅の規模だったと思う。連中は核兵器を使って世界を破滅させて、また再建するのじゃないかしら。核シェルターにはリアリティーがある。私の家にもつくったよ。

——もし可能ならば、ということだね、と僕はいった。再建することが……

——いや、再建することができなくても、それはそれでいいとも連中は主張するのじゃない？「最後の審判」を信じてきたかれらなんだから。

しかしブレイクは「最後の審判」をそのようには考えなかった、と僕は言葉にしかけたが、それ以上キーコと論争する気はなかったのだ。

別れの握手のために、昔やったとおり左腕をさしのべたキーコの、この日はじめて正面から僕に向けられた顔は、曇り空の乾いたドイツの外気のなかで、パンソリの広く知られた名歌手を直接思い出させる、威厳と花やぎを失わぬが、しかしあきらかに中年も終わりかたの朝鮮人の顔だった。僕がひとりホテルに戻った際、玄関の扉外までテレビ器材の山を運び出していたテレビ・チームの若い人びとは、体じゅうに悲嘆《グリーフ》の気分をあらわしている、これも中年の終わりかたの日本人を見たのではなかっただろうか？　僕はブレイクの予言詩《プロフェシー》と障害のある息子との共生をからめて書く一連の短篇を、かつて年長の作家があらわした悲嘆と、息子の獣じみた不発の衝動とをむすんで描くことではじめたが、むしろ悲嘆も獣じみた不発の衝動も、僕がヨーロッパの旅で自分のうちにこそやどしていたものではなかったか？　それゆえに帰国してすぐイーヨーに同じものを発見して、深く自己の核心を揺さぶられる思いであったのではないか？

当日、僕が眼をさました時には、イーヨーは寄宿舎に向けて発っていた。その月曜日、かれの居ない家に僕が発見したのは、なじみにくく感じられる広い空間と、こちらはさらに思いがけぬことであったのだが、余分の時間がありあまっている、という印象なのであった。一日が三十時間ほどに引き延ばされている所在なさの思いから、僕は妻にその気分のことを話したいと考えて家のなかを歩き廻ったが、空間も広くなってしまったようで、なかなか妻を探し出せない。そういう心もとなさをあじわいもした。妻はまた妻の方で、自分の時間をもてあまして、冬枯れた庭の灌木の茂みから、実をつけたサンキライの蔓《つる》を、枯花にしようと取りはずしていたのであったが……

そこで僕はブレイクを、さらにこまごまとした細部に立ちどまり、かつはそこに立ち迷うようにして読み進んだ。そのようにして最後の予言詩《プロフェシー》『ジェルサレム』を、アードマンによる註釈つきテキストに加えて、ブレイク自身による彩飾版画《イルミネイション》のファクシミリを見て行くうちに、はじめに引用した詩のようなものとブレイクとを直接むすびうる発見もしたのである。

もっともそれは僕ひとりが自力で発見したというのではなかった。友達というより友人にして師匠《パトロン》だとすでに書いた、音楽家Tさんの仕事に直接みちびかれて。イーヨーが寄宿舎に入った最初の週のうちに、わが国でいま最上の演奏家たちというにたる若い人びとのグループが、すべてTさんの曲のみ演奏する音楽会があった。会場は横浜だが、イーヨーが誕生してから二人きりで東京を離れたことはない僕と妻は、新しい心で電車に乗ったのである。その気持のあらわれとして、妻は電車のなかでも、日頃になくよくしゃべった。イーヨーの入舎式のあとで、都の障害児の親の会の役員である老婦人から声をかけられたが、――私にとって子供が舎に入っていた一学期間が、はじめての休暇で、最後の休暇であったように思います、とその方は話されたというのだ。

――休暇ねえ……、と僕は応じた。

――イーヨーと生活していることは、ちょうど二人分生きているということだから、と妻は自分のこととして、それも明るく解放されている休暇中の人間の声で答えた。

しかし電車が多摩川を渡る際、雪曇りの反映の異様な色合いをしたひろがりを眼にすると、われわれは黙りこんでしまったのだ。心の深い暗部を攪拌《かくはん》する力が、川面から立ちあがってくる思いが僕にはした。音楽会のはじめに、自作を解説するために舞台袖にあらわれたTさんが、『海へ』と題されたギターとアルト・フルートの三部作の、「鱈岬《ケープ・コッド》」という章を説明しながら、ナンタケット島周辺の海辺の光景の暗さということをいわれた時、隣りの妻の体がわずかながらビクリとおののくようだった。曲が演奏されるさなかでもまたビクリとしたのを思うと、あの暗い多摩川の川面から、妻も喚起されるものがあったのだろう。

独特の科学的な鋭さに、このところ豊かな柔らかさを加えている女流ピアニストのAさんが、『「雨の樹《レイン・ツリー》」素描』という新曲を弾いた。Tさんがさきに書いた室内楽曲『雨の樹《レイン・ツリー》』の主題を、明確かつ強靭に再提示したピアノ曲。短い作品だが単なる再提示以上のものがあり、Tさんの音楽的なメタファーとしての「雨の木《レイン・ツリー》」はさらに大きく茂って、こまかな葉のついた枝を拡げ続けている。自分としては小説のメタファー「雨の木《レイン・ツリー》」をすでに消滅させたという思いのうちにあるが、と僕は羞恥心および励まされる思いをともにいだいて考えたのである。

休憩の間もこの感慨はつづいていた。第二部のはじまりは『ムナーリ・バイ・ムナーリ』というパーカッション独奏の曲で、ムナーリというイタリアのデザイナーの紙作品に、Tさんがアフォリズムや記号やらを書きつけたものが楽譜である。いかにも思弁的なパーカッション奏者Y氏が、Tさんの音楽のイディオムで即興演奏する。演奏会場にそれまで鳴っていた、Tさんの音楽が残響しているようでもあるが、しかしそれはすでに演奏されたものの回復というより、現にいまつくられてゆく音楽である。未来に向けて現在を生きているTさんの精神と肉体を、パーカッション奏者が演奏しているというように……

続いている音楽に触発されて、僕はひとつの発見をしたのだ。それもじつに懐かしい対象に再び会ったように、こう自分にいうようであったのである。——ああ、ブレイクの「生命の樹」は、僕がハワイの暗い庭に見たと書いた、「雨の木《レイン・ツリー》」そのものじゃないか！「雨の木《レイン・ツリー》」同様ブレイクの樹幹は黒ぐろと壁のように前方をとざしているし、板根《ばんこん》のようなかたちもはっきり描かれている……

僕は「雨の木《レイン・ツリー》」小説の、最初のものの冒頭に、暗闇のなかでの「雨の木《レイン・ツリー》」との出会いを次のように書いていた。パーティーのざわめきを背にして、水の匂いがする暗闇を見つめている自分。

《その暗闇の大半が、巨《おお》きい樹木ひとつで埋められていること、それは暗闇の裾に、これはわずかながら光を反映するかたちとして、幾重にもかさなった放射状の板根がこちらへ拡がっていることで了解される。その黒い板囲いのようなものが、灰青色の艶《つや》をかすかにあらわしてくるのをも、しだいに僕は見てとった。

板根のよく発達した樹齢幾百年もの樹木が、その暗闇に、空と斜面のはるか下方の海を

とざして立っているのだ。》

音楽会から帰ってすぐひろげて見た、ファクシミリ版『ジェルサレム』装画七六は、これまでそれを連想しなかったのが不思議なほど、ここに書いた「雨の木《レイン・ツリー》」そのものであった。「生命の樹」に磔刑《たっけい》になったイエス。大樹の根方に両手をひろげて立ったアルビオン、すなわちすべての人類が救われて、かれひとりのうちにある巨人が、崇める視線をイエスにおくっている図柄。アルビオンはいかにも若わかしく、イエスは初老に近い年齢に見える。

この装画は『ジェルサレム』終わり近くの、イエスとアルビオンの、確信にみちた美しい会話の光景を描き出しているはずのものだ。《イエスは答えられた、惧《おそ》れるな、アルビオンよ、私が死ななければお前は生きることができない。／しかし私が死ねば、私が再生する時はお前とともにある。／これが友情であり同胞愛である。それなしでは人間はない。／そのようにイエスが話された時、／暗闇のなかを守護天使がちかづいて／かれらに影を投げかけた、そしてイエスはいった。このように永遠のなかでも人はふるまうのだ／ひとりは他のひとりがすべての罪から解きはなたれるように、許しによって。》

このようにして僕は、ブレイクを読むことを続けてゆくうち自分のイメージの「雨の木《レイン・ツリー》」に似た「生命の樹」の装画にめぐりあった。その大きい樹木に磔刑にされているイエスと、若わかしいアルビオンとの長い対話を、『ジェルサレム』本文に読み、右の詩句に辿りつきもした。そして僕は、おおげさにひびくかもしれぬが——また僕自身かつて死の床のH君に向けていったとおりキリスト教を信仰せず、かつはよくそれを知らぬのでもある以上、奇態ないいぶりにちがいないのだが——やはり恩寵のようなものを感じるのである。それをTさんの音楽によるみちびきをつうじてはじめて可能であった恩寵とみなすことで、僕はこの言葉へのためらいを乗り越えもするのだが。恩寵は、さきの詩行でイエスの思想の核心をなす「罪のゆるし《フォーギヴネス・オブ・シン》」に向けて、励ますように押し出してくれた。

僕はファクシミリ版の装画七六を眺めながら、ブレイクの詩行を繰りかえし口誦してみた。そのうち僕は「『雨の木《レイン・ツリー》』の彼方へ」が、当の詩行とあいつうじる響きを発するのにも気がついたのだ。「雨の木《レイン・ツリー》」のなかへ、「雨の木《レイン・ツリー》」をとおりぬけて、「雨の木《レイン・ツリー》」の彼方へ。すでにひとつに合体したものでありながら、個としてもっとも自由であるわれわれが、帰還する……

イーヨーは地上の世界に生まれ出て、理性の力による多くを獲得したとはいえず、なにごとか現実世界の建設に力をつくしているともいえない。しかしブレイクによれば、理性の力はむしろ人間を錯誤にみちびくのであり、この世界はそれ自体錯誤の産物である。その世界に生きながら、イーヨーは魂の力を経験によってむしばまれていない。イーヨーは無垢の力を持ちこたえている。そのイーヨーと僕とが、やがて「雨の木《レイン・ツリー》」のなかへ、「雨の木《レイン・ツリー》」をとおりぬけて、「雨の木《レイン・ツリー》」の彼方へ、すでにひとつに合体したものでありながら、個としてもっとも自由である者として、帰還するのだ。それがイーヨーにとり、かつ僕にとって、意味のない生と死の過程であると、誰がいいえよう？

僕はあらためてH君が白血病と闘っていた病室での、「罪のゆるし《フォーギヴネス・オブ・シン》」についての対話を思い出した。僕はなおブレイクについて知ること貧しいまま、それでもなにものかにみちびかれるようにしてブレイクの名を口にした。あの際すでによくブレイクを読んでいたとすれば、「罪のゆるし《フォーギヴネス・オブ・シン》」の思想を思うと楽になるといったH君のために、バラバラにほぐして一枚ごと胸の上にかかげて読めるようにしたファクシミリ版を届けえただろう……

いまになっては無益な発想を、大きい悔いのようにして僕がいだく。それは自分の死に向けてのベッドで、ほぐした一ページだけでも二、三時間は充実した時をすごせる詩行にみちた、ファクシミリ版『ジェルサレム』を読みつづけるだろうと、そう奥深くで予感していることの、別の表現でもあるはずだが……

土曜の午後遅く、弟と妹がさきに戻って待ちうけるところへ、イーヨーが最初の帰省をした。早くも一週間の寄宿舎生活による成長はあきらかで、門の扉をガタンと開き靴をひきずる音のあと、また大きい音をたてて玄関に入る仕方とはすっかりちがう帰り方をイーヨーは示した。居間のソファーに横たわり、あいかわらずブレイクを読んでいた僕が眼をあげると、洗濯物の入った大きい鞄を肩にかけたイーヨーが居間に入ってくるところなの

だ。イーヨーは、起きあがろうとして宙に浮かした僕の左足を素早く摑み、握手をするかわりに揺さぶって、

――善い足、善い足、大丈夫だったか？　お元気でしたか？　と挨拶した。

あおむけのまま動きのとれぬ僕はもとより、自分の部屋から駈け出してきた弟妹も、台所の妻も、声をあげて笑っていた。確かにイーヨーはとくに意を用いてというのではなく、自然なふるまいのまま、わが家の祝祭的な気分の祭司なのだ。もっともイーヨーはいまありありと全身に疲労をあらわして、寄宿舎生活についての妻の質問に応答する気配は見せなかった。再生装置の前に、尻をじかに床につける仕方で坐りこんだが、はじめにどのレコードからかけたものか雲をつかむ思いでいるのらしい。その横顔がすっきりして、二重瞼になった目もとに静かな怜悧さの感覚すらあるのは、つまり面やつれしているということだろう。やがてイーヨーは、自力でのレコード選びをあきらめて、ＮＨＫ・ＦＭのクラシック・リクエスト番組にスイッチをいれた。そのまま夕食の支度がととのうまで、乾いていた全身全霊に音楽の水を吸いこむ具合に、黙って放送を聴きつづけるのである。寄宿舎に持って行ったカセットを、ひとり操作する工夫も働かしえなかった模様なのだ。

それでも一度だけ立ちあがり台所へ入って行ったイーヨーに、冷蔵庫からジュースかなにか取り出して飲むようにと妻がいっていた。しかしかれはこれまでになかったことだがその申し出をことわり、次の情報をつたえたのみで、リクエスト番組しまいの「小曲コー

ナー」を一曲も聴きもらさぬよう、再生装置の前へ戻った。

――寄宿舎では、お茶がでないと申しましたが、お茶はありました！　はとむぎ茶でございました！

徹底してイーヨーの好物をとりそろえた夕食――スパゲッティとポテト・サラダ、それに焼いた仔牛のクリーム・ソースという夕食のテーブルに、FM番組が終わるのを見はからって、僕と妻、イーヨーの弟妹は揃ってついていた。ラジオは消したものの、坐り込んだままレコードのジャケットの列を出し入れしているイーヨーに僕が声をかけた。

――イーヨー、夕御飯だよ、さあ、こちらにいらっしゃい。

ところがイーヨーはレコード・スタンドにまっすぐ顔を向け、広くたくましい背をぐっとそびやかして力をこめると、考えつづけた上での決意表明の具合に、こういったのだ。

――イーヨーは、そちらへまいりません！　イーヨーは、もう居ないのですから、ぜんぜん、イーヨーはみんなの所へ行くことはできません！

僕が食卓に眼を伏せるのを、妻が見まもっている。その視線の手前なお取りつくろいかねるほどの、端的な喪失感に僕はおそわれていた。いったいどういうことが起こってしまったのか？　現に起こり、さらに起こりつづけてゆくものなのか？　しだいに足掻《あが》きたてるほどの思いがこうじて、涙ぐみこそしなかったが、カッと頬から耳が紅潮するのを、僕はとどめることもできなかったのだ。

——イーヨー、そんなことないよ、いまはもう帰ってきたから、イーヨーはうちにいるよ、と妹がなだめる声をかけたがイーヨーは黙っているままだ。

性格として一拍ないし二拍置くように自分の考えを検討してから、それだけ姉に遅れてイーヨーの弟が次のようにいった。

——今年の六月で二十歳になるから、もうイーヨーとは呼ばれたくないのじゃないか？自分の本当の名前で呼ばれたいのだと思うよ。寄宿舎では、みんなそうしているのでしょう？

いったん論理に立つかぎり、臆面ないほど悪びれぬ行動家である弟は、すぐさま立って行ってイーヨーの脇にしゃがみこむと、

——光さん、夕御飯を食べよう。いろいろママが作ったからね、と話しかけた。

——はい、**そういたしましょう！　ありがとうございました！**　とイーヨーは声がわりをはじめている弟とはまったく対極の、澄みわたった童子の声でいい、妻とイーヨーの妹は、緊張をほぐされた安堵と、それをこえた脱臼したようなおかしさにあらためて笑い声をあげていた。

背にも体の嵩にも、大きい差のある兄弟ふたりが、なんとか肩をくんで食卓へやって来る。そしてそれぞれ勢いよく食事をはじめるのを見ながら、僕は直前の喪失感がなお尾をひいているなかで、そうか、イーヨーという呼び名はなくなってしまうのか、と考えた。

それはしかし、自然な時の勢いなのだろう。息子よ、確かにわれわれはいまきみを、イーヨーという幼児の呼び名でなく、光と呼びはじめねばならぬ。そのような年齢にきみは達したのだ。きみ、光と、そしてすぐにもきみの弟、桜麻《さくらお》とが、ふたりの若者としてわれわれの前に立つことになるだろう。

胸うちにブレイクの『ミルトン』序の、つねづね口誦する詩句が湧きおこってくるようだった。《Rouse up, O, Young Men of the New Age! set your foreheads against the ignorant Hirelings! 眼ざめよ、おお、新時代《ニュー・エイジ》の若者らよ！　無知なる傭兵どもらに対して、きみらの額をつきあわせよ！　なぜならわれわれは兵営に、法廷に、また大学に、傭兵どもをかかえているから。かれらこそは、もしできるものならば、永久に知の戦いを抑圧して、肉の戦いを永びかしめる者らなのだ。》ブレイクにみちびかれて僕の幻視する、新時代《ニュー・エイジ》の若者としての息子らの――それが凶々《まがまが》しい核の新時代《ニュー・エイジ》であればなおさらに、傭兵どもへはっきり額をつきつけねばならぬだろうかれらの――その脇に、もうひとりの若者として、再生した僕自身が立っているようにも感じたのだ。

「生命の樹」からの声が人類みなへの励ましとして告げる言葉を、やがて老年をむかえ死の苦難を耐えねばならぬ、自分の身の上にことよせるようにして。《惧れるな、アルビオンよ、私が死なければお前は生きることができない。／しかし私が死ねば、私が再生する時はお前とともにある。》

静かな生活

（連作『静かな生活』の1）

父がカリフォルニアの大学に居住作家《ライター・イン・レジデンス》として招かれ、事情があって母も同行することになった年のこと。出発が近づいて、家の食卓を囲んでではあるが、いつもよりあらたまった雰囲気の夕食をした。こういう時にも、家族に関するかぎり大切なことは冗談と綯《な》いあわせてしか話せない父は、さきごろ成人となった私の結婚計画について、陽気な話題のようにあつかおうとした。私の方は、自分のことが話し合いの中心でも、子供の時からの性格があり、このところの習慣もあって、周りの発言に耳をかたむけているだけだ。それでもビールで一杯機嫌の父はメゲないで、

——ともかくも、最低の条件は提示してみてくれ、といった。

もっとも、はじめから愛想のない返事を予期して、父はなかば閉口したような笑顔で見つめてくるのだ。つい私は時どき頭に浮かぶことをいってみる気になった。自分の声が妙なふうにキッパリ響くのを気にかけはしたけれど……

——私がお嫁に行くならね、イーヨーといっしょだから、すくなくとも2DKのアパー

トを手に入れられる人のところね。そこで静かな生活がしたい。

　口をつぐんですぐ、父と母とがそれぞれショックを受けたのがわかった。まずはふたりとも私のいったことを、子供じみた滑稽な思い込みだとして、笑いにまぎらわせるふうだった。そうした展開が、家族の会話の進み行きとして父の得意な方向でもあるわけなのだ。イーヨーと呼ばれている兄は私より四歳年長だが、知能に障害のある人たちの通う福祉作業所の工員として働いている。新妻と一緒にそういう人物が越して来るとすれば、若い夫はどのように迎えることだろう？　結婚式までにあらかじめそうしたことを話しておいても、なにか要領をえぬ不思議なこととして聞き流すのではないか？　そのあげくの新生活の第一日目、やっと手に入れた２ＤＫに大男の義兄があらわれては、未経験な若者はどんなにびっくりすることだろう？

　しかし私は両親の冗談めかした話しぶりの底に、なにか真面目な意図があるのを感じ緊張して、顔をじっと伏せていた。常識はずれのようでも、いったんいってしまえば私には大切なことなのだし。そのうちただ黙ったままでいることもできなくなって、

　――ユーモアがわからない人だとずっといわれているし、そのとおりだから、とつづけたのだ。パパたちが隠れた意味をつたえてくれているのかも知れないけれど……　ともかく私としては、こう考えていったのね。私がお嫁に行くならといっても、もちろん具体的なアテがあってじゃないのよ。仮定のこととしていろんなケースを考えてゆくと、どんな

仕方で始めてもデッド・エンドにぶつかってしまうから、そのうちこんなふうに考えることになったのね。

いまの話も、私の思い込みが滑稽だとは教えてくれるけれども、……私自身、イーヨーとふたり受け入れてくれる人はいないと思うわ。……しかしデッド・エンドの実際的な乗り越え方を、パパとママが教えてはくれないでしょう?

私が話したのは、これだけのことだった。しかも、それでは不十分だとよくわかっていたのだ。母が寝室で化粧をしている間、小さい時からの習慣で、私はつきそうように脇に立っていくらか話をすることがある。その仕方で翌朝、話の続きをした。弟のオーちゃんの口癖をかりれば、一応、準備してもおいたのだった。むしろ無意識も加わって私にそれを準備させたというほうが正確だけれど……

昨日の私の話には、自分自身失望した。なにもいわないよりもっとよくなかったと思う。それで寝室に引き揚げてからも眠りにつけないままいろいろ考えているうちに、一方では神経が疲れているのでもあり、寂しくガランドウの場所に、ひとりで立っているという恐ろしい夢がはじまりそうになった。それというのも、まだ眼ざめている現実の意識が残って、そこにいりまじっている感じ。その悲しいような、はるかなような気分のなかで私は立ちすくんでいたのだ――自分の体がベッドに横たわっているのもよくわかっていたが。

そのうち、夢の方へ入り込んでいる自分の斜めうしろに、もうひとり私と同じ気分の人が立っているのがわかった。ふりかえって見ないでも、それが「未来のイーヨー」なのだと私は知っていた。すぐにも斜めうしろから踏み出して来るはずの「未来のイーヨー」は花嫁の介添え人で、それならば自分は花嫁なのだ。しっかり花嫁衣裳を着た私が、花婿の心あたりはないまま「未来のイーヨー」を介添え人に寂しくガランドウの場所に立っている。そこはもう日暮れ方の、広大な野原。そのような夢を見た……

夜が更けてから眼をさまし思い出すうち、私はなによりも色濃く、夢の寂しい気持をブリかえらせてしまい、暗いなかのベッドに横になっていることができなくなった。私は階段を上がって行き、兄がトイレに通う際つまずかぬよう常夜灯をつけて狭く開けてあるドアから、寝室に入って行ったのだ。子供の頃いつもそうしていたように、なんとなく抱えていた使い古しの毛布で膝を覆うと、イーヨーのベッドの裾の床に坐り込み、人間の肺の規模を越しているような音の寝息を聞いていた。小一時間もしてから兄は薄暗がりのなかでベッドから降りると、さっさとすぐ向かいのトイレに出て行った。兄にまったく無視されたことで、私はあらためてもっと孤《ひと》りぼっちの気持になっていた。

ところが大きい音をたてていつまでも排尿するようだったイーヨーは、そのうち戻って来ると、大きい犬が頭や鼻さきで飼主を小突いて確かめるように、体をかがめてこちらの肩のあたりを額で押しつけ、私の脇にやはり膝を立てて坐り、そのまま眠るつもりのようだった。私は一度に幸福な気持になっていた。しばらくたつと、兄は分別ざかりの大人が

おかしさを耐えているようなしゃべり方で、しかし声だけは澄んだ柔らかさの子供の声で、

——マーちゃんは、どうしたのでしょう？　といった。私はすっかり元気をとり戻して、イーヨーをベッドに寝かせつけると自分の部屋に帰ったのだ。

秋学期から向こうでの日程が始まるため、もう明日が父と母の出発という夏の終わりの日だった。いっぱいに詰めた重そうなトランクを脇にして、長椅子で新聞を読んでいた父が、台所で働いていた母にとも私にともなく、むしろ考えあぐねての独りごとのようにこういった。

——イーヨーに、スポーツを再開させなければな！　水泳がいいかも知れないな！

父の脇で床の敷物にじかに腹ばいになって、いつもの作曲をしているというようであれば、兄は一拍置くように考えて、

——スポーツですか、水泳ならば得意ですけど！　と家族みなの笑いを誘う種類の受けこたえをしたはず。

そして父の言葉が棒かなにかのように私のなかにゴロンと居残る、ということはなかったと思う。兄は家族の間でのそうした緩衝材の役割を——かならずしも無自覚にではなく——ユーモラスに果たしているのだ。

ところが、父がスポーツということを唐突に口に出した時、イーヨーは傍にいなかった。朝のうちに私が兄を福祉作業所に送って行って、朝食の後かたづけを手つだっているとこ

ろへ、遅く起きて来た父が朝刊を読んで、ということだったと思う。私はさきに書いたように、ゴロンと異物をとどこおらせたままでいた。そして父が書斎へ上がって行ってすぐ居間を掃除しようとして、開かれたままの朝刊に、知恵遅れの青年が林間学校の女生徒を襲った、性的な動機の——とみなされている——傷害事件の記事を見たのだった。

　そこで私のなかに湧いた、なにくそ、なにくそ！という攻撃的な気持は、即席にかもし出されたものというよりも、ずっと準備されていたように感じる。現に私はこのところたびたび、なにくそ、なにくそ！とイーヨーが乱暴なセリフとたしなめる言葉を使って来たのだから。この日の朝刊の記事にもあったものだが、精神障害者の性的な「暴発」という言葉がよく眼につくようになり、新聞社が意図を隠したキャンペーンでも行なっているのかと、私は母に家の新聞をとりかえてみないかと相談したことさえあったのだ。ところが、いま父が当の新聞の知恵遅れ青年の性的「暴発」キャンペーンに——それが実際やられているものとして——素直に反応し、兄のスポーツの必要というようなことを、もともとの記事にはふれずいいだしたことに私は反撥し、なによりもうっとうしく感じたのだ。

　イーヨーは確かに性的に成熟した年齢にあるにはちがいない。イーヨーと同じく二十代はじめの健常な男たちを、通学の行きかえりに、また大学のキャンパスで私自身いくらでも見てきた。そしてかれらのすべてからとはいわないが、とくにヴォランティア活動の仲間にはそういう感じをまったく持たないけれど、性的なものと奥深くで結んでいる感じのギラギラしたものが放射されて来ることはある。その種の週刊誌記事は電車の中吊り広告にあふれている。

しかしこうした一般的な先入見から、父が新聞記者と同じ感じ方でイーヨーの「暴発」を心配し、その対策として(!?)スポーツの必要をいうとすれば、父には事実をよく見ていないことから来る「通俗的」なところがあるのではないか？　そこに私は反撥を感じたのだと思う。

福祉作業所でも、実際に幾度か「暴発」に近い事例が話に出ることはあった。しかしそれらはお迎えのお母さんたちのかたまりに加わって私が傍聴したかぎり、健常な若者たちのギラギラにくらべればずいぶんひかえめな、むしろ憐れなような「暴発」なのだ。席の隅の方でおとなしく聞いている私の胸のうちで、こんな言葉が湧いているとは誰も思わないはずの、なにくそ、なにくそ！という声が高鳴るほどの……　もとより警察ざたになりそうなことが起こっているのではなかった。

イーヨーが通いはじめた頃、私はただ送り迎えの母について行くだけだったが、記憶にあるかぎり福祉作業所の周りは空地だった。ところがいまやニョキニョキときれいなファサードの木造アパートが建ち並んで、曲り角の見通しがきかず、危険なほどだ。もし事件にでもなれば、新しい住民の福祉作業所反対の運動すら始まっているだろう。

この春のはじめの風の強い日、兄を送った帰り交通量が異様に激しい甲州街道から中古自動車売場のフェンスぞいに入る脇道へさしかかった。福祉作業所では当日の欠席届けと出席者の顔ぶれが照合されたところで、その子は兄の作業所仲間ではないはずだが、やはり知恵遅れらしい男の子が、真っ白できれいなお尻から膝のうしろまで剝《む》き出しにして、フェンスの向こうの汚れた自動車を見つめながら性器にさわっている。連れ立っていたお母さんたちのリーダー格で、いつも決断力のある言動をされるAさんが、──アレ、アレ！　と声をあげてから、マーちゃんはここにいなさい、Mさんと私が先行するから！　と不思議な言葉の使い方で私を制して、その子のところに近寄って行かれた。

たまたま車道をはさんだ反対側を三人連れの女の人たちが通りかかって、男の子のふるまいを見咎《みとが》める動きをおこしかけたところでもあった。Aさんは男の子にズボンをあげさせ、脇の地面にじかに置いてあった肩かけ鞄をかけなおさせるなどされた。そしてその子の通っている学校の方向を確かめてから、送り出す手順をテキパキ進められたので、立ちどまっていた三人連れも文句をいいだす余裕はなく、ただ示威的にこちらを振りかえりながら立ち去って行ったのだった。

あらためて追いついた私と駅に向かいながら、Aさんがいわれたこと。──見物する近所の奥様方がいられなかったならば、そして私たちの作業所の子供とまちがえられる心配がなかったならば、あのまま心いくまでさせてやったのにねえ！

今度はMさんが、やはり私への配慮から、──アレ、アレ！　といわれたが、むしろ私はAさんに賛成で、その意味でのなにくそ、なにくそ！を胸のなかでいっていたのだ。自分が赤面し涙ぐみそうにさえなることが、なにか品の悪いことに思えて、癪《しゃく》で……

　つまり私にはあの男の子のことを批判する気持はないけれど、イーヨーが同じ種類のふるまいに出ることは、すくなくとも家族が見ているところではなかった。また私たちの知らないところでも、そうしたことはこれまでなかったし、今後ともないのではないか、というのが私の感じている正直なところ。それをかならずしも私が安堵する、喜びすらする、というのではないと、複雑なことをいわねばならないのでもあるけれど……

　イーヨーの性格には、根本的に生真面目なところがあって、性的な悪ふざけに類することには拒否反応を示すのだ。父がそうしたことを陽気な冗談として好んであつかう態度を持っているのに対して――母によると学生の頃はまったくそうではなく、父はそれを第二の天性として自力で開発したものだということだが――、兄はこまごまと厳格なほどだ。それを思うと、家でよく使われる「キン」という言葉にしても、兄は嫌だけれど意志的に我慢しているのではないだろうか？

「キン」。陽気な冗談にすぐ転化できるタイプの性的な表現として、父はこの言い方を発明した。それが辞書には出ていない用法であることは私にもわかっていた。しかも父は、それをまさに万能の用語として使った。父の側に立っていえば、それはイーヨーに自分でももてあつかいかねる性的な不都合が生じた場合、逆に愉快な冗談めいた出来事として処理するための必要からだったと思う。

まだイーヨーが養護学校の高等部に行っていた頃の思い出だが、例のごとく床の敷物に寝そべって作曲したりFM放送を聴いたりしていた兄が、体の向きをかえようとしながら、腰をうしろにひくような、モジモジして不器用な、英語の単語でいうならawkwardな恰好をすることがあった。それを見つけると、父はことさら大声に――と私には聞こえる言い方で――呼びかけるのだ。――イーヨー、「キン」が伸びたぜ、よし、トイレに行っておいで！

そこでイーヨーは、病院で見かけることのある下腹部に異常のある女の人のような歩きぶりで、トイレに向かう。伸びた「キン」が下着にふれて痛むのじゃないかと、なにか手だすけをしようかと思ったこともあるが、こういう時兄はきわめて防禦的で、私たちの手すらはねつけるのでどうすることもできないのだった。この点については、母も要領をえないままだったといっていた。

もっとも同じ頃、私たちがイーヨーの伸びた「キン」と面と向かうこともあったのだ。兄は幼児の時以来、ずっとおむつをしてベッドに入っていた。そのうちおむつに敷くビニール袋が一般に売っているサイズのものでは間にあわなくなり、家族で都心に出かけたりする折、父も母もデパートの雑貨売場の棚に眼をくばったりしていた。ところが養護学校の先生から夜尿症を治すようにしたいという提案があり、午後十一時から十二時の間に兄を起こしてトイレに連れて行くことになったのである。たいていは母が、あるいは父がその役割を果たしたけれど、たまたま父が地方に旅行しており母は疲れすぎて起きられないというようなことがあると、ちょうど高校に入るための受験勉強をしていた私が兄をトイレに連れて行く役を引き受けた。

　寝室の電灯をつけると、イーヨーは敏感に眼をさますけれど、それで自発的に動きを起こすことはない。熊が一頭横になっているのかと思うほど小高く毛布を盛り上がらせているままだ。まず毛布を剝《は》いで、堂どうと全身を伸ばしている兄のパジャマのズボンを脱がせるわけだが、その段になると、ドーンと横たわっているだけのようでいて、兄はズボンを脱がせやすいよう微妙に協力してもくれるのだ。

　まだおむつが濡れていない場合、トイレに行った後でまたそのまま使うから、折りたたんだ全体のかたちを崩さぬよう注意して吸着テープを外してゆく。もうおしっこが出てしまっている場合は湿った温気ですぐわかるけれど、間にあった時は、狩猟をして獲物をつかまえればこんなだろうかと感じるほど嬉しかったものだ。

　もっともこの場合にこそひとつ問題があるのだった。吸着テープを外してしまったとたん、内側からおむつをドカシてしまう勢いで「キン」が跳ねあがって来たから。もっともそのようにして下半身を剝き出すと、イーヨーは上体を自分で起こし床に降り立つから、もう手間はかからないけれど、どうかすると、大きい獣のようでもあれば金属の化合する際の泡のようでもある、幾度嗅《か》いでも慣れることのできない口の臭いがした。それは昼間の兄の息の匂いとはまったくちがっていたし、発作の時の口の臭いともちがうのだった……

イーヨーの夜尿症は、その克服が提案されて半年後、養護学校の寄宿舎での宿泊訓練で情熱家の男の先生が一度で治してくださった。それからはもう家族の誰も、兄の「キン」がメデューサの頭の蛇の勢いで立ちあがる光景を眼にしていないと思う。それに加えてあらためて気がついたことだが、もう幾年も「キン」が伸びたことで兄がawkwardな様子をしているのを見たこともないと感じるのだ。そして、イーヨーが生真面目な性格でこそあれ、家族の眼を意識してそうしたことを隠しだてするという人ではない以上、もう「キン」が伸びることはなくなったのではないだろうか？

私が母にこの話をすると、――そういう時期はもう過ぎ去ったのかも知れないわ、短い青春だったねえ、という沈んだ声音の返事だった。私たちの台所での会話を居間で聞いていた父が、――ともかくも悪いことじゃないよ、安心できるさ、結局は、といったので私は反撥した。

――それがイーヨーにとって良いことか、悪いことかわからない、と私は胸のうちで言いかえしたのだった。確かにそうなればあの男の子のようなふるまいをすることこそないと思う。しかしこれもよくわからないまま、感じだけでいうけれど、私はそれで安心だとはいいたくない気がする。むしろ、なにくそ、なにくそ！　と思う……

　両親が成田から出発して行っての一週間は、前もって心準備をいろいろにしていたにもかかわらず、思いがけなく感じる出来事がめまぐるしいほどに起こった。夜は四、五時間しか眠れないので、昼間、用事の間をぬって幾度もベッドに入ってウトウトし、出発前に母と約束した「家としての日記」を一日に二度つけてしまっていることもあった。実際、書くだけの内容はあったのだ。

　むしろこまごました忙しさにとりまぎれて、寂しく思ったり不安に感じたりすることがなかったのではないか？　ただふたつのことが、あるいはふたりの人のことが漠然とながら気にかかっていた。いかにも肉体的なものが、胃のすぐ上まんなかのところにブラさがっている感じ。それは以前に、苛いらした私が「狂信者」と呼んだことのあるふたりの人のことだ。父は私のその呼び方に当惑していながら黙っている様子、母だけが他の人たちの前でそういう言い方をしないように、と注意してくれたのだが。

　昨年の暮れ頃から毎週一度は家の門のところまで届け物をしに来る、こちらには正体のわからない人がふたりいたのだ。当のふるまいからそのふたりの人たちを、私は「狂信者」と呼ぶようになったのである。片方の人は花屋で作って売っているありふれた種類じゃない、小さな花を独特にまとめた花束を――いつも伏し目でいながら、どうかするとこちらの内側へまで入りこんで来る陰気なクラスメートという感じの花束！　――届けてくる。もうひとりは清酒の二合瓶に水を詰めコルクの栓をして届けてくる。この人は門の煉瓦塀の上に瓶を置くだけで帰って行くのだが、お歳暮の宅急便を受け取りに出た私とバッタリ顔をあわせたことがあった。大柄で筋肉質の、荒行《あらぎょう》をするお坊さんの感じで、広い額の下に開きすぎた間をおいて薄い茶色の点のような眼がついていた。

先の方の人はベルを押して、家族の誰かに花束を渡して行く。銀行員か教師のような風采の、小柄な人で、花束には小さな封筒に入れた手紙がそえられている。その内容を読んだのではないが、勤め先の封筒には住所もしるされていたから、比較的まともな人じゃないかと私は感じていた。しかし父も母もはっきりとはいわぬ、そしてそういえばいくらか私にも記憶のある大騒ぎが、この人のことで数年前にあった様子。深夜の出来事だし、当時ノンキ坊主だった私はよく眠っていたから気配を漠然と覚えているのみだが、念のためにイーヨーに聞いてみると、――ああ！　本当に困りました！　パトカーは全然音をたてないで来ました！　と例のとおり少しズレているけれど、確実な記憶があるのらしい答えをした。そこで、いったいどんな出来事だったの？　と訊ねると、――困りました、困りました！　と生真面目にうつむき私の追及を避けようとしたから、黙っているよう父にいわれていたのかとも思うのだ。

私の知るかぎり、こうした訪問者の出現を頂点として、他にも同じ性質のものに思える手紙や電話が増えたのは、父がある女子大でした「信仰のない者の祈り」という講演がテレビ放映されてからのことだ。いくらかは直接の迷惑をこうむった側としていえば、自分のことを信仰のない者だとわざわざ言いだす必要はないし、しかもそういっておいて祈りのことに言及しもするのは、誰に対してというのでもないけれど、確かに失礼なのじゃないか、と私は思う。そういうことをしてしまった以上、父にはいくらかの軽い罰があたえられても仕方がないはずだ。しかし、家族は迷惑！と私は母にいったことがあり、父にもそれはつたわった様子。「狂信者」という言い方も、その時はじめて私は口にしたのだ。

実際のところ、父も自分への軽い罰ということなら忍耐する様子だったけれども、さて一家の責任者の居なくなったあとへの訪問ということを考えると、私に負い目を感じたらしく、花束の人には手紙を書いて、訪問をやめてもらうようおねがいした。そして小さい花束が家に届くことはなくなったのである。ところが水の瓶の人には、こちらから連絡しようがない。出発の前の週、居間で仕事をしながら父はいつも門のあたりに気を配るようで、相手がやって来れば渡せるように手紙も準備していたが、気がついてみると、土曜の夕暮ただ水の瓶だけが門に置かれていた。

そこで両親がカリフォルニアに発った後、私には水の瓶の人とまた門のところで出くわした場合どうするか、という気がかりが残ったのである。出くわさなくても、水の瓶を発見するだけで結構気が重くなるのであった。

父の書いた手紙は、そのまま玄関の名刺受の上にのっていた。私には誰による・誰に対してのものであれ、他の人の手紙を開いて読む趣味はないから、気がついたがそのままにしていた。大学のファカリティー宿舎に落ち着いた両親の最初の電話で、父が気にかけていると母がつたえたのは、その手紙を水の瓶の人に渡すのは考えものだ、ということだった。手紙には、子供たちを置いて父と母とがしばらく海外に滞在すると書いてあるから、かえって水の瓶の人に、イーヨーを自分の信仰の力で守護しようとする使命感をかりたてるかも知れない……　だからといって、マーちゃんがあまり神経質にはならないように、と電話をかわった父がなだめるようにいったのには、一種の無責任を私は感じたのだ。

このようにして持って来られた水の瓶は、返してくれといわれるかも知れないと母が気にかけて、順番に納戸の隅に並べてある。おなじ型の瓶にきつくコルクをしめた整然たる出来ばえだが、やはり素人の手仕事である以上、高温殺菌などしてある様子もないのに、古いものを手にとって揺さぶってみても水が腐敗している様子はなく、それがあらためて胃のすぐ上まんなかにとどこおるものを感じさせる……

父と母が出発して十日目の夕方、パトカーが、兄の記憶している場合とはちがい、おおいに叫び立てて、私たちの家からわずか離れた一郭に押しよせる騒ぎがあった。私はもう出来事の内容を承知しているわけだけれど、いちいちの時点で自分が感じたり考えたりしたままに、思い出しながら書いてゆく。水の瓶の人のことについても、もうすでにそうして来たわけである。

パトカーのサイレンが四方からワッと押しよせるようであった時、私は頭がすっかり空になるほどのショックを受けた。ただ闇雲に立ちあがり、貧血して、それまでレポートを書いていた食卓に腰を落としてしまったほど。そんなあわて方をしたのは、ちょうどその時、兄が散髪に出かけていたからだ。

そんな場合、駅前の通りと交差するバス通りの角の理髪店に連れて行き、あらかじめお金を払っておくのは私の仕事だが、もう永い間そこで散髪をしてもらってきたので、イーヨー自身手つづきに慣れている。散髪の終わりがたに、――良いですかね、良いですかね？と幾度も聞いてくれる若い御主人のことを兄は面白がってもいる。そして帰りは散髪したての新しい気分でということだろうとも思うが、ゆっくり散歩するようにして歩いて来るのが好きなのだ。若い娘が理髪店の待合室に坐って待つのも妙な感じだし、兄がひとりで帰って来るのは私にも都合が良かったのである。

パトカーの警報が様ざまにかさなる仕方で鳴り響いている間、イーヨーがまだ家に戻っていないのを無益に確かめたりもしながら――オーちゃんは予備校に行っていた――、私は散髪が終わるまでつきそわなくなっていた習慣にとりかえしのつかない後悔をいだいていた……

それでも私は自分をふるい立たせるようにして、ジョギング・シューズで駈《か》け出したのだ。兄が帰って来るはずのコースの三つめの曲り角で、家と理髪店とを結ぶラインから外側にはずれる方向の、敷地も建物も生垣も昔のまま残っているお屋敷の並ぶ一郭に、パトカーが四台停まっていた。まだ夏のなごりのある夕暮の、人の顔や首の皮膚が汗ばんでいるように見える光のなかで、近所の人たちが涼みがてら曲り角にたたずんで、立ち働く警官たちを眺めていた。

私の体はその方向へもう重心を移していたけれど、駈け出そうとする力を矯《た》めて、いちばん近くに立っていられたステテコのお年寄に、――交通事故でしょうか？　と胸をドキドキさせて訊ねた。振り向いた古風な顔だちの老人の、その表情に、波瀾万丈のテレビの続きものでも見ていたような気配がある。そこでなんとなく私は、いま向こうで警官の働いている出来事が、交通事故よりもこみ入った人間関係に属するもののように感じたのだ。お年寄は血の色が浮かびあがっている艶《つや》つやした顔の皮膚を、感情からさらに赤くするようにして、

――交通事故じゃありません、と憤ろしげにいわれた。痴漢のようです。あなたはあちらを通って行かれない方がいいでしょう。

私はお辞儀をして、グイと肩から方向転換すると、兄の戻るはずのコースのまま、あらためて駈け出していた。なんだ、痴漢か、ホモの痴漢というのはこの国で聞いたことがないし、イーヨーは安全、安全！　と胸をひたすドッというほどの安堵を味わいながら。し

かし理髪店に着いてみると、待合室にも散髪室にも客はもうひとりもいず、店仕舞の掃除が始められていた。良いですかねの小父さんは、箒《ほうき》を持った上体を起こすと、怪訝そうに、

——弟さんはずいぶん前に帰られましたよ、と私にはめずらしくもない間違え方をしていわれるのだ。

帰り道、私は新しい恐ろしさの着想にとらえられていた。ホモの痴漢は知らないなどとのんびりしたことを考えたけれど、逆にイーヨーが誰かを襲ったということもありうるのではないか？　はじめ兄にはそのつもりがなかったとしても、可愛い小さな女の子に親切にふるまおうとして、逆に怯えさせて……　イーヨーは叫び声や泣き声が本当に嫌いだから……

兄は無事家に帰りついて、居間のソファーで夕刊の週間FM欄を調べていた。私は兄の傍に腰をおろして、まだドキドキしている胸を静めた。その私を不思議そうにチラリと見てから、また黙ってクラシックの曲名を赤鉛筆でチェックしている兄の、短く刈りこまれた頭からは整髪剤の、カッター・シャツの肩からはよく茂った植物の青くさい匂い！　その場では私はすっかり安堵したのだが、じつは翌日からの私の懊悩の直接の物的証拠として、この青葉の匂いが生なましく思い出されることになったのである。またこの日、門を閉ざしに出てみると煉瓦塀の上に久しぶりの——懐かしいという意味ではまったくなく——水の瓶が置かれていて、私はグッタリしてしまったのだった。

翌日の朝刊の地域版に、私たちの町の痴漢の記事が出ていた。小学生の女の子が襲われた。私はこれまで知らなかったけれど、同じ手口の痴漢が昨年暮れから出没しているのだという。昨日も結局は捕まらなかった。二、三日たって玄関と門の間を掃除していると、お向かいの奥さんが、駅前へいつも一緒に買物に行かれる同じ年配の奥さんと話をしていられた。私は短い庭箒で体をかがめて掃いていたから、閉じた門の向こうの、一段低くなった鋪道《ほどう》で立ち話をしていられたふたりには、私のいることがわからなかったはず。

痴漢がお屋敷の角で待ちうけていて、女の子を捕まえると生垣の窪みに押しつけ、両手《て》頸《くび》を強い片手で握り、動きをとれなくしたこと、もう片方の手をズボンのあわせめで動かして女の子の顔になにかかけたこと。「顔面放射」というような言葉も使われた。もしエイズだったとしたらどんなに恐ろしいことか、女の子の顔は涙もあわせてグショグショになっていたそうだ。女の子がどうして声をあげなかったものか？　はじめに強く殴られて怯えてしまったらしい。そういえばこの前、生垣のところに立ちどまってじっとしている人の、後ろ姿を見たことがある……

私が門の外側を掃かなければならなくなって出て行きながら会釈すると、奥さんたちはニコニコされる一方すぐさま話題をかえられた。そして私が掃除を終える前に、片方は家のなかへ、片方は自転車に乗って、そそくさと消えてしまわれたのだった。

痴漢の出た翌日からずっと懊悩にとりつかれて足掻《あが》きたてるようだった私の心の動きに、

奥さんたちの話はなおさら不吉な勢いをあたえた。それも私が門の上に小さな丸い頭を出すと、すぐ途切れてしまった話の、生垣のところに立ちどまってじっとしている人を見たことがある、というくだりがドスンと来ていたのだ。じつは懊悩のまま、私は兄に申し訳ないとは思いながら、ひとつ実験をしたところだったから。

その前の日、私はイーヨーと駅前の通りのコーヒー店に行き、前もってレジにお金を払うと、自分はスーパーで買物をしてゆくから、飲み終わればひとりで先に帰っていてほしいと頼んだ。そして私は通りの向こう側の、すでにこまかな葉が黄ばんで縮れている槐《えんじゅ》の木陰で見張っていた。静かな緊張のすぐ内側に、いまにも微笑にかわりそうな柔らかい表情をひそめて、つまり機嫌の良い兄があらわれる。私から特別な提案を受けて、ひとりで実行しているのが愉快なのだ。交通量の多いバス通りはじつに注意深く車の切れ目を待ちうけて渡り、ゆっくりと、一昔前の遊覧旅行とでもいう感じで兄は歩いて行く。

私たちがいつも駅前へ往復する道筋を守ってイーヨーが歩いてくれるなら、私の懊悩は取越し苦労なのだ。現に兄は、コースのとおりに角を曲がって歩いて行く。私はもうホッとしていたように思う。ところが痴漢騒ぎのあったところへ出る四つ角で、反対の南へ向いてではあるが、兄は迂回路を辿るのだ。それも確信をこめてのように、故障のある足をいつになくしっかり運んで進んで行く。そしてやはり古いお屋敷の、ツツジ中心の吹寄せの生垣で、夏の茂りのままデコボコになっているところに、兄は右肩をぐっと突き入れると姿を隠すようにして立ちどまったのだ。

私はものの一分間も見張っていることはできなかったと思う。近くに人通りはなかった。遠方に尾長か烏の番《つがい》かといった感じの、制服の女学生ふたりづれがこちらにやって来るのが見えるだけ。それでも私はすっかり懊悩に押しひしがれ、必死に駈け出すと、イーヨーの脇に立ちどまって、――どうしたの、どうしたの？　道が違うよ、お家に帰ろうよ！　とオロオロする声をかけていた……


さらに十日たっていたことが、「家としての日記」を読みかえすとわかる。その十日間も、私は懊悩の大きなかたまりの下敷きになっていたはずなのに、それも本当に深刻な重さのものであったわけなのに、過ぎ去ってしまうと、懊悩のしるしはなにひとつ残っていないのが不思議なほどだ。それでも私は懊悩のつづいた十日間を生きぬくことで、いくらかなりと自分を作りかえていたのではないだろうか？　ひっこみ思案で臆病者の日頃の私としては思ってもみなかったふるまいを、やりとげてしまうことになったのだから。

問題の日も、いつまでも涼しくならず、風のない滞ったような大気に西空のわずかな夕焼けだけがきれいだった。夕刊を取りに出て、私は門の煉瓦塀の上に例の水の瓶が置かれているのを見た。暮れ方の外気を静かに反映し、コルク栓をつめたすぐ下の狭い水面が夕焼けの色をレンズで集めたふうに赤らんでいる――したり顔に赤く、と私は感じた――。

いま置かれたばかりならば、追いついて行って返すことができると思いつき、カッと頭に血がのぼるふうに私はその思いつきに夢中になったのだ。

玄関脇まで引きかえし、レースのカーテンごしにイーヨーが床に腹ばい作曲を続けているのを確かめると、静かにドアを閉じて自転車を門まで押して行った。そして私は生あたたかい水の瓶をハンドルにつけた金網籠に横にして安定させ——走り出すとすぐゴロゴロ転がり始めたが——、駅前へ向かうコースをスピードを出して辿って行った。

バス通りまでまっすぐ走り、その歩道を南に折れて走ったが、交通信号のある十字路まで来てしまって、左へ曲がれば駅前の通りというところになると、この時間ながら交通量も多く、水の瓶の人に追いつきえたとしても、一度見たきりのその顔をよく覚えているものかおぼつかない。むしろ私の家とバス通りまでの、日暮れにはほとんど人の通らぬ、南北に並んでいる通りを一条ずつ走って見る方が、水の瓶の人に出くわした場合、はっきりそれと見わけることができるだろう……

私がまだ屈託のなかった頃、群馬の山小屋の夏の暮らしで、父に仔馬のように走るといわれたことがある、久しぶりの自転車を、実際馬のように肩を揺りたててこぎ、まずバス通りからひとつめの通りを北に走りながら、十字路ごとにしっかり両側を見とおすようにした。北のはずれまで走り、冂型に廻って、次の通りを南に走りくだり始めた時だ。私はこれも古いお屋敷の、コンモリと刈り込んだヒイラギ木犀《もくせい》の生垣が続いているはずれの、こちらは手入れの悪い隣のお屋敷の檜葉の生垣との境い目に、もつれあっている大小ふたつの人影を見た。

私はなお五、六メートル進んでしまってから、ブレーキをきつく握りしめた。もつれあい争うようにしているふたりの、片方はこの陽気に濃い草色のレインコートの男で、その人は淡いピンクのワンピースを着た、小学校上級か中学生かの女の子を、片腕で押しひしぐようにして、踏んばった脚の間にしゃがみ込ませているのだ。そしてもう片腕はレインコートの腹のところに突っこみ、前後にさかんに動かしている……

とっさに私がとった行動は、のちに警察で話した時も自分ながらおかしく感じたほどのものだ。私は子供だった頃の遊びの斥候のように、サドルから腰をあげ頭をさげてペダルをじかに踏みしめ、リンリンとベルを鳴らしながら、もつれあっているふたりの脇を走りぬけたのだ。一瞬私は、レインコートの男が茶色の点の眼でじっと見つめるのを横目にうかがいもした。

そのまま十五、六メートル進むと、自転車から跳びおりて方向転換し、またサドルにまたがってから地面に片足をついて男の方をまっすぐに見た。その間も、自転車のベルはリンリン鳴らしつづけて。男はレインコートのあわせめの腕を動かすことこそやめていたが、女の子を引きすえている腕には強そうな力をこめたままで、なにかしきりに考え急ぐように、両眼の間隔の開きすぎた顔をこちらに向けていた。そのうち男はレインコートの間から抜いた腕をかかげると、私に犬でも追い払うような仕草をした。

ワッと涙が出そうな口惜《くや》しさに、私も顔を振りたてるようにしたが、その時、手入れの悪い生垣の向こうのお屋敷の、地所を区切って建てられた箱のような建物の二階から、三十四、五の女の人が見おろしているのに気がついたのだ。

——おおい、おおい！　助けてください、助けてください！　と私は叫んでいた。女の人は大きい音をたててガラス窓を開き、いったん乗り出して通りを見わたしてから、勢いよく頭を引っ込めて自分の肩のうしろに呼びかけていた。

新しい気配に振りかえると、レインコートの男は女の子を放していた。妙に急角度に肩を斜めにして、向こうへ足早に歩き去るところ。女の子ははじめてウーウー泣き声をあげ、膝で歩いてこちらに逃れて来た。私はなおもベルを鳴らしながら、女の子の脇を通り抜けて、男を追跡した。しかし私にできることといえば、気がついた男が立ちどまって点の眼でジッと見つめて来ると、距離を置いたまま自転車を停めて睨みかえしているだけだ。そのうち男は「バットマン」のようにレインコートをひるがえすと、横の通りへもの凄い勢いで走り込んだ……

男が捕まったのは、二階の女の人の弟さんが素早くオートバイを引き出して、それも私のように単純に追いかけるのじゃなく、バス通りへ先廻りしていられたからだ。しかし青ざめて汗まみれになり息を切らしながら知らないふりをする男の人を、さきの痴漢だと示すことができたのは、ずいぶん遅れながらベルだけ勢いよく鳴らす自転車で追いついた私で、つまりそれなりの役割は果たすことができたと思う。

パトカーが来るまで、屈強なオートバイの青年とその一家の御主人とが——女の人は小さな被害者を慰めるために残っていられた——、男を両側から確保していた。その間も私は、いまは熱病の鯰《なまず》のような感じの茶色の点の眼の男が、自分をジッと見ているのを気にかけていたが、警察で聞いたところでは、男の人はむしろ私に顔を覚えられているとわかったから、なにがなんでも逃げるということはしなかった、といったそうだ。

男の人はまた私の家に水の瓶をずっと届けていた、とも話したのらしい。それを聞くまで、私は自分のスカートの前がいちめん濡れてしまっているのに気味の悪い思いをしていたが、ハンドルの籠に入れた瓶のコルクが外れたためということにはじめて思いあたったのだった。

翌日から私は発熱して起きられぬことになり、イーヨーは福祉作業所を休み、オーちゃんが食事の世話をしてくれた。——一応、栄養のバランスを考えたからね、といって食卓をととのえたりしていたが、すべてスーパー特売の即席食品で、しかもよく選んである様子なのがおかしかった。もっとも熱を出して寝ている間、私の気持が軽くなったのはこの時くらいで、重苦しい恐ろしさのもの思いに、昼も夜もとりつかれていたのだ。

どうして水の瓶の人が痴漢だったのか？　お巡りさんは、この住宅街を歩いていて不審尋問された場合、お宅に水の瓶を運んでいるといいぬけするために、新聞に出ることのある名前の家を任意に選んでいたのだろう、といわれた。しかし私はあの男の人が、女の子を押しひしいでいた間も、逃げる時も捕まってからすらも、ジッとこちらを見ていた様子に、なにか普通ではないものがあったように思う。それこそ父の祈りに関心を持っている「狂信者」の心の内側が、あの茶色の点の眼から、父の娘である私に示されていた、という気がするのだ。

夜が更けてくると、眠れないまま、例の半分は夢の感じで、さらに恐ろしいことを考えた。痴漢などといっても、それほど永く捕えられたままではないはず。男の人は刑務所を出ればすぐにも私の家の近くにやって来て、生垣に隠れて待ち伏せ、それこそジッと見つめて覚え込んだ私を捕まえて、強い力で跪《ひざまず》かせるのではないか？　あの殴られて泣き声も出せなくなっていた女の子同様、私もわずかな抵抗すらできず、小さな瓶に詰めたいつまでも腐らない水が目に鼻に注ぎかけられる……

やっと熱がさがった秋めいた日、私はイーヨーと駅前のスーパーへ買物に出かけた。すっかり力が弱くなったようで、ふたつの買物袋は腕の力の強いイーヨーに持ってもらい、ゆっくり歩いて帰る途中、この前兄がひとり佇《たたず》んでいるのを見た、吹寄せの生垣のお屋敷への四つ角で、私をみちびく役廻りを自認している兄がさっさとそちらへ曲がって行く。

――どうしたの、イーヨー？　遠廻りになるよ、と私は小さな声でさからいながらついて行ったのだが、やはりツツジの生垣の窪みに肩を入れて立ちどまった兄は、生真面目な顔で耳を澄ましている。いかにも控えめな音でのピアノの練習が聞こえていた。しばらく聞いてから、イーヨーは穏やかな満足の表情をあらわして振りかえった。――ケッヘル三一一のピアノ・ソナタですけど、大丈夫です。あと難しいところはありませんからね、もう全然！

　そして私は自分をとらえていた懊悩もまた乗り越えられていることに気がついたのだ。新しい心配事はあるにしても、あの懊悩にくらべれば、それがなにほどのことであるだろう……

案内人《ストーカー》

（連作『静かな生活』の3）

深夜テレビ映画から弟が録画してくれた、タルコフスキーの『ストーカー』を見た。めずらしくイーヨーが一緒に最後まで見たのは、かれにとってこの映画の音楽が面白かったからだ。私にはインドの音楽かと思われる、耳なれないものだったけれど。映画が終わりに近づき、不思議な子供が眼の力で三種類のコップを動かすシーンがあった。汽車の音と震動がかぶさり、子供の顔はずっとうつっているところで、それまで例のとおり私の足もとの敷物にじかに寝そべっていた兄が、——ホーッ!? と嘆声をあげて体を起こした。むしろそれはこのシーンの前半の、子供の眼の力の発揮に——ひとまずそういうことにしておくけれど——異様なものを感じた犬が、怯えて吠える声に応じてだったかも知れない。兄は、吠える犬がなにより嫌いだから。ともかく確かなことは、つづいてベートーヴェンの第九の「歓喜の歌」が響いてくると、イーヨーが背すじをシャンとさせて激しく熱心に指揮をしたことだ。

映画は三時間もあったので、私は疲れてしまい、夕食の準備はあらかじめ計画したより簡略化することになった。その、食事自体はすぐ終わってしまう夕食のテーブルで、私はオーちゃんと映画の話をした。もっとも、私はおもに聴く役廻り。昨夜、弟は受験勉強があるのに、映画がうまく録画されているか気にかけて、放送の終了まで時どきチェックしに降りて来てくれたらしい。そのたびにいくらかの時間、見ることがあったのだろう。また映画のなかのコマーシャルは仕方がないとして、私が好きじゃないだろうと、いつか週刊誌のグラビアでアメリカの警官の服装をしているところを見たことのある、よく肥って元気の良い映画批評家の「五分間もある」解説を消しておいてくれた。私は『ストーカー』の全体としての気分とはつながりがないように思える、あのようなタイプの人のコメントも聞いてみたかった気がしたけれど。

さて夕食の後、オーちゃんが話したことをまとめてみると、こういう内容だったと思う。話された言葉どおり復元できてないところがあるのは、オーちゃんの話を聞きながら、私が幾度もほかのことを考えてボンヤリしたからだ。弟は、――僕はほとんど映画を見ていないし、『ストーカー』自体あまりよく見たのじゃないがね、ちょっと考えたことがあるんだ。……マーちゃんはどう思った？　と切り出したのだった。

――私には全体についてなにかいう力はないけれど……たとえば野原のようなところのシーンね。人物がかたまっていて、その周りのいろんなものが余裕を持って画面にとりいれられてたでしょう？　しかも、その場面がずっと続くのね。ああいう時、舞台を見ているように、人物のそれぞれが好きな仕方で眺められて、私のように、頭の回転の遅いものには良かったわ。

オーちゃんは、かれのよく使う言葉でいえば、一応、私のいうことを聞いてくれた。その上で、こう話したのだ。――タルコフスキー監督は、大きい隕石《いんせき》かなにかが落ちて一瞬に消滅した村を描いているようだけれど、それはチェルノブイリの原発事故のあとの村、としてもいいわけだ。もちろん、そんなところにいますぐ連れて行かれたら、放射能で大変なことになるけれど。僕としては、リボンを結わえたナットを前に投げながら、ジグザグに進んで行く、あの案内の仕方が好きだね。また子供の時の、真剣な約束として信じ込むように自分らの作ったルールを守った、北軽井沢での探険ゲームを思い出して懐かしかった。思えば、自分も年をとったものだ……

案内人《ストーカー》が「ゾーン」に連れて行く教授や作家より、かれ自身で強い肉体と精神力を持っていながら、たびたび誰より疲れ切って地面に横たわり、苦しそうにハーハー息をつくシーンも好きだった。高校の時、オリエンテーリングの試合で走り廻って草に足が滑って転ぶと、良い幸いというわけで、地面にしがみつくようにして疲れを誇張したものだ。誰も見物が居ない以上、自分自身に対してやっているんだけど。そうすると、この地球と僕との関係や、体そのもののことまでしっかり把握できる気がしたよ。

タルコフスキー監督は全体としてこんなことをいってるんじゃないか、というかたちでは、僕にはなにもいえない。ただ一応、こんなことを考えた。「世界の終わり」は来る。しかしそれは、すぐには来ない。僕らが生きている間、来ないかも知れない。それはイジイジした速さで近づいて来る。こちらもイジイジした仕方で生きながら、ただ待っているほかはない。もっともそうであるならば、当然に、イジイジとやって来る「世界の終わり」を、あらかじめサッと見わたしたいという気持も起こるはずだね？　芸術家の仕事は、一応そのためのものではないだろうか？

　弟はやはり自分より頭がいいな、と思いながら、私は時どきボンヤリして聞いていた。それは始めの方のシーンで案内人《ストーカー》の奥さんの苦しんでいた様子が気になっていたからだ。映画館の予告編でつい見てしまう「成人向け映画」の、欲望に苦しむ妻というタイプのシーンで驚いたけれど、案内人《ストーカー》の奥さんはあきらかに魂のことで苦しんでいたのだった。誇り高いオーちゃんが、オリエンテーリングで草に足を滑らせて倒れ、地面にしがみついてみせるというのも、単に肉体的な疲れだけではないわけだし。

　案内人《ストーカー》の奥さんは暗い情熱をひそめている美しい人で、発作を起こしたように床に倒れて苦しむ際も、静かに苦しんでいる姿体の全体が美しい。つい「成人向け映画」を連想してしまったのも、ハッとするほど官能的な美しさがあったからだと、オーちゃんなら分析するのじゃないだろうか？　実際、私は、自分がこんなに美しい体になることはあるまいと、羨望より尊敬の心で思っていた。しかもその案内人《ストーカー》の奥さんが、どうしても危険な

「ゾーン」に客ともども出かけずにはいられない夫に絶望して、――結婚したのがまちがっていた、だから「呪われた子供」が生まれた、というその言葉に私は心を奪われてしまったのだった。

なんとか無事に「ゾーン」から帰った、疲れきっている案内人《ストーカー》も、客たちが「ゾーン」の中心の「部屋」で人間にあたえられるはずの魂の喜びを本当にはもとめていなかったとさとって、絶望している。案内人《ストーカー》は、「ゾーン」が堕落した人間を立ちなおらせると信じている、可哀想なほど真面目な人だから。

その案内人《ストーカー》をベッドに寝かせてやった後で、奥さんは突然私たちの方へまっすぐふりかえる。それからインタヴューのカメラに答えるように、心のなかで思っていることを話し始める。劇映画の手法にこんなやり方がよくあるのかどうか知らないけれど――私の母方の祖父は映画監督だったし、伯父も現役の監督だけれど、私は弟同様映画をわずかしか見ていないから――、そのシーンは本当に好きだった。奥さんは、夫がノロマでみんなからバカにされていた青年であること、自分が結婚する際に母親から、案内人《ストーカー》は呪われているから、変な子供しか生まれないはず、と反対されたことを思い出す。それでも自分がこの人と結婚したのは、ずっと単調な生活より、苦しいけれどたまには幸せもある生活の方がいいと、後からコジつけたのかも知れないけれど、ともかくそう思ったからだと話す。このところで私は、――いいえ、あなたは後からコジつけたのじゃなく、そのように始めから考えていられたのだし、その考え方は正しいと思う、と呼びかけたい気持だったのだ。

このことと関連して、もうひとつ大切なシーンだと思えるのに私にはよくわからなかったところについて、翌朝、オーちゃんに尋ねてみた。弟が、私といったん映画の話をしてみると、それが気になるという性格で、私とイーヨーが寝室に引き揚げてから、受験勉強の時間をさいて長い映画を通して見た様子だったから。

――オーちゃん、あの金色の衿巻、プラトークというのかな、パパもモスクワでお土産に買って来たね、あれで頭を巻いていた女の子のことを聞きたいわ。映画のなかで二度も母親が、「呪われた子供」といったけれど、案内人《ストーカー》を酒場に迎えに来たシーンでは母親が松葉杖を持っていたから、足が悪いのはわかるけれど、他に障害はなさそうな子供でしょう？　とてもきれいな……

――自分の意識だけの力で、念力というのかな、物体を動かすことのできる子供だ、と僕は思うよ。その点で、案内人《ストーカー》よりももっと新しい、不思議な能力を持った子供ということじゃないか？　眼の力で三種類のコップを動かす長いシーンね、ビデオを巻き戻しながら見ると、逆にコップを引きよせる感じで面白かったよ。「呪われた子供」というのは、まだ本人も周りもよくわかっていない、超現実的な能力を持った子供ということじゃないの？

――コップが動くシーンは二箇所あったでしょう。始めと終わりと。始めのところでは、子供は眠っているんだわ。そのうち汽車の音が大きくなって、ずっと以前から聞こえていたはずだと思うけど、アパートの近くにやってきた汽車の震動で、テーブルの上のものが滑るのかと、納得できるように撮ってあったわ。タルコフスキー監督は、こういうやり方が好きなんじゃないの？　初めはわけがわからなくて、そのうち大切な意味がつたわって来るように展開するのが……　ナットにリボンを結ぶように案内人《ストーカー》が教授と作家にいうところもそうだったわ。そこから考えるとね、やはりあれは、汽車の震動で動くのじゃない？

——僕は理科系の人間だからね、汽車の震動と受けとる方が自分に向いているけれど、やはり念力じゃないのかな？　見ていて、僕は、あ、これは「技師」向けの予防策だと思ったね。パパから聞いたことだけれども、ソヴィエトではね、地方都市の知識人大衆というような層を代表して、文学や映画に批判的な投書をするのが「技師」なんだよ。「技師」は科学的な実践をつうじて社会主義建設に励んでいるから、作家や映画監督より実際的に偉いわけなんだ。その「技師」から、これはわけがわからないと投書が来ると困るのね。そこでコップが動いたのは汽車の震動のせいだと説明するみちを作っておいて、しかしタルコフスキー監督は、精神の力を物体につたえうる子供、ということを示したんだと思うね。

——私も半分そう思っていたわ。考える上でオーちゃんのように「技師」という手続きはふまなかったけれど。……そしていったんその方を取るとすると、あの金色の衿巻で頭を巻いた女の子は、「再臨」するイエス・キリストのイメージじゃないかと思う。あの子を肩車して、案内人《ストーカー》が長い距離を歩くでしょう？　やはりタルコフスキー監督がよくやる仕方だと思うけど、鉤《かぎ》の手に曲がって、ずっと画面に肩車して歩くシーンが続くでしょう？　あれは、キリストを背負う人というのがあるでしょう、クリストフォロスだったかな？　それを暗示しているのじゃないかと思うわ。

――キリストの「再臨」となると大変だね。まずアンチ・キリストが出て来て、世の中が大いにみだれるはずだから。

――隕石が落ちて「ゾーン」ができたこと自体、世の中が根本的にみだれているし、いじゃないの？　私がロシアの農村の娘だったら、そのような大災厄はやはりイエスの「再臨」の前ぶれだと思うのじゃないかな。

――確かに、案内人《ストーカー》との結婚に反対した母親は、子供を不吉な前兆と感じて、それで「呪われた子供」といっているようだしねえ。結局、僕にはよくわからぬ映画ですよ。しかも、わからないのは、こちらが悪いと思うね。

――オーちゃん、つきあってくれて、ありがとう。私には初めよりよくわかってきた気がするわ。続きはひとりで考えてみるね。

私にはもひとつ別に、『ストーカー』の母親につないで考えることがあったのだ。両親がアメリカへ出発してから、とくに母のことを、こまごまとした出来事に関わらせて思うことがあったけれど、それだけに、一点についてじっくり深入りすることはなかった。私はまずそれを思った。

　それから私が母をめぐって考えた——というより散漫な私として、夢想した——のはこういうことだ。いま、「家としての日記」から写そうとすると、単純かつ短い内容にすぎないけれども、ある時間じっとこの考えを頭のなかにあたためつづけていたのだ。それも私は実際にはありえぬと知っていながら、母がイーヨーのことを「呪われた子供」と考えることがあったとして、というように考えていた。または、これはいくらかありうることとして、父が母にきみは「呪われた子供」を生んだと——例の父特有の危険な冗談を、つまり相手の気持を傷つけることは思わないで言いだしておきながら、誤解されてしまうと自分が傷ついて、ひたすら相手に腹を立てる——いったことがあったとして、と考えたのだった。その際の、母の苦しみや悲しみのことを私は思って沈んでいた。

　もちろん仮定にたってだけれども、もしそうしたことが過去にあったとしたならば、結婚して永い時がたち、イーヨーが生まれてからでも二十五年たっている夫婦として、いま初めてふたりで外国生活をするということは、かつて傷をつけたり破壊したりしたものを癒《いや》したり、再建したりしようと努めるためなのだろうか？　……そうしたことを考えるうち、私は仮定しての話、という意識の安全弁にもかかわらずぐったりして、ヨロヨロとべッドにもぐり込むほかないほど——この場合、いつものようにイーヨーの傍に行って無言の救援をもとめることはできないと感じた——、いわば悲痛な気持におちこんでしまったのだった。

そういうこともあり、次の作曲の授業にイーヨーを重藤さんの所へ連れて行った際も、それまでずっと考えつづけていた『ストーカー』の話をするようになった。両親がイーヨーのことを「呪われた子供」と考えたことがあるかというような、夜の間だけ暗闇の恐ろしさ同様くっきりと浮かび上がってくるが、昼間は愚かしく感じられる着想のことは話さなかったけれど、金色の衿巻で頭をくるんだ子供に関しては、しっかり話したのだった。

——『ストーカー』ねえ……　おれは映画を見ていないから。そういうロシア語も聞いたことがないなあ。映画のタイトルだから、英語かなんかから来た新しい言葉を使ってるのじゃない？　日本でもよくやるでしょう、stalkerならば、獲物を追いかける人ね。stoker、火夫じゃないだろうから。……その金色のプラトークで寒気から守られている子供は、大事に肩車してもらって家へ帰って行くんだというし、日頃両親は「呪われた子供」と思っていないと思うね。奥さんが気が弱くなって、怨み言のようにいうより他は……　親父さんも、危険な「ゾーン」へ妻子を連れて行く気はないというのならば、あきらかに家族を愛しているわけでね。一方、親父さんはそこへ行く理由のある人間を連れて行く使命感をいだいていて、つまり「ゾーン」に夢中でさ、定職にもつかない。しかしそのことで、奥さんは怨み言をいいながらも、実は親父さんの身の上を気にかけているんだから、美しい一家だね。

重藤さんはそう話すうち、脇に坐っている奥さんがニコニコしていられるのに気がつくと、急いで謹直なといいたいほどの顔つきをされた。

――タルコフスキー監督の意図は、画面にちゃんと表現されているのに、私の受けとめ能力の不足のために、あれかこれか決められないだけという気もするんですが、視線でコップを動かす子供は、「再臨」したキリストなんでしょうか？　またはアンチ・キリストなんでしょうか？

――自分で映画を見てからでなくては、なんともいえないなあ。……それでもマーちゃんの話を聞いたかぎりで考えてみるとするか。隕石が落下して村ひとつなくなる。それほどの大災厄があったわけね。こうした後には「千年王国」を待望する気分があらわれて、しばしばメシアとみなされるような人物も出現して来たんだね。案内人《ストーカー》は、はたしてそういう存在だろうかというと、そうじゃないようだね。むしろかれが人びとをみちびいて行こうとする「ゾーン」の「部屋」そのものが、それにあたるのかも知れない。そこを訪れた者の心のうちにひそめた願いを達成させるし、またそれがきっかけで首を縊《くく》るほど絶望させてしまったりもするというんだから。しかし場所は人間ではないよね。

そうして見れば、やはりその子供だな。彼女はまだ正式に力を使い始めてはいないけれど、おおいに潜在能力は持つようだから。ひかえめに想像しても、彼女が二代目の案内人《ストーカー》になることはおおいにありうるよ。使命感はあるが善良でノロマな親父さんに代わって、凄腕の案内人《ストーカー》たりえると思うね。つまりはその上で、彼女がキリストか、アンチ・キリストか、という問題が出てくるわけだ。人びとをみちびいて水のなかを通りぬけるということでは洗礼のイメージもあるし、ついには「ゾーン」の「部屋」で救いをあたえる役廻りはそのままキリストのものだしね。しかし「ゾーン」へ大挙して人びとがやって来て死んでしまったり、うまくいっても果たされる現世的なねがいは欲望だけだとするならば、結局は、混乱を巻き起こすアンチ・キリストということになるのじゃないか？　そのあとにイエスが「再臨」するにしても……　おれには隕石による大災厄の後の「千年王国」を、子供がメシアとなって指導するという話が魅力的に感じられるがな。

――子供が眼の力に意識を集中して、テーブルのコップを動かす間、犬が不安そうに鳴いていました。まだ遠方の汽車の気配に、犬だから人間の耳より早く反応したのかもしれませんけど。とくに犬はまだこのアパートに来たばかりですから。ともかく汽車の響きが高くなると、テーブルの端に来ていたコップは床に落ちてくだけます。それまでコップのかげになっていた子供の顔がよく見えるようになって、その表情は破壊的な音の感じを気持よいものに受けとめているようで、……つづいて音楽が聞こえて来るんです。ベートーヴェンだったよね、イーヨー。

——はい、「歓喜の歌」でした。すっかりやると二十分以上かかりますけど、映画ではすこしの時間でした！

重藤さんも奥さんも、それまではおとなしくじっとしているものの話がわかっているかどうかはっきりしなかった兄が、音楽についてしっかり応対するのが嬉しい様子。

——マーちゃんはイーヨーと一緒にいるかぎり、かれといつも話題を共有しているんだね。自然なようでいて、マーちゃんは相当な人物だねえ、イーヨー。

——それは、良い意味でしょうか？　と兄は注意深く念を押していた。

——いちばん良い意味ですよ、と奥さんが答えられて、重藤さんはあらためて謹直な表情になられた。

——私も、マーちゃんは相当な人物だと思います、と兄はいってくれたのだ。

次の木曜日は作曲のレッスンのない週だったが、遊びに来ないかと重藤さんの奥さんから電話がかかって来た。重藤さんはイーヨーにレッスンすることを楽しんでやってくださっていると思うけれど、この日は一緒に出かけて行った私と兄を、なんだかあらたまったふうな、日頃にまして楽しそうな様子で、迎えてくださったのだった。それは兄がこちらも作曲のレッスンは好きなはずなのに、いつもよりずっと伸びのびとして私の脇で顔をまっすぐ前へ出すようにして、重藤さんの話を聞こうとする様子なのでもわかった。そして重藤さんはすぐにも私たちを招いてくださった理由をあきらかにされたのだ。

——おれも『ストーカー』を見ました。ビデオにして売っている版をさ、友達のロシア文学者の家で、マーちゃんが録画して見たのと大体同じ編集じゃないかと友達はいっていたよ。まずは、案内人《ストーカー》という言葉ね。この前、見当をつけたとおり英語の stalker をロシア語にして、CTAJIKEP と字幕に出て来るんだけれども、と重藤さんはいってから、それを紙に書いてくださった。イーヨーはめずらしいかたちの活字体に、——ホーッ！と感に堪えない様子。

友達の持っている現代ロシア辞書を調べてみたけれど、どれにも出ていないのね。アカデミーの四巻ものとか、ウシャコフの四巻ものとか、オージェゴフとかにもあたってみたけれども。七〇年代新語辞典などというのにもなかった。つまりロシア語というより外国語で、外来語で、かつは新しいものなんだろう。友達は原作の小説を読んだそうだがね、本文に CTAJIKEP は出て来るけれども、タイトルはすっかり別だったそうだよ。ストルガツキー兄弟の『道傍のピクニック』、映画の題としてもこの方がいきだと思うがねえ。

——……すみませんでした、詳しく調べていただいて、と私が恐縮していうと、ソファーに並んで坐っているイーヨーも体をこわばらせる様子。学者の方に、あのような不用意な質問をしてはいけなかったと思います。

——いやいや、最近は出不精で、とくに映画館へは行かないからね。この映画のこともマーちゃんに教わらなければ知らぬままだったと思うよ。案内人《ストーカー》が良い俳優だったねえ、苦しんでいる自分をじつにしっかりと表現してさ。奥さんがいうとおり、ノロマで馬鹿にされていたというのがまさにそのとおりだろうと思えてね。しかもあれだけ暗く苦しんでいて、それでいて美しい娘さんが、自分はこの男を愛しているんだから仕方がないといって結婚する、それもありえることだろうと、自然に受けとめられたよ。

——奥さんがとくに良かったわ。煙草の吸い方が不良じみているほどイキで、ロシア人なのに肥っていないし、とくに根拠はないけれど、ユダヤ系の人かと思ったわ、と重藤さんの奥さんは、私とイーヨーにご馳走してくれる仔羊の肋肉《あばらにく》のかたまりの、骨の先の脂肉を切りとった短い櫛《くし》のかたちのものに、擂《す》りおろしたニンニクを入念にこすりつけながら話された。

——あれだけヴァルネラブルで、心のなかのなにもかもが表面に剝《む》き出されているような男だからね、これまでずいぶん奥さんに保護されてきただろうね。あの子供もいることだし、奥さんは大変だよ。

お子さんこそいられないけれど、重藤さんを支えて、気持にかなった仕事だけをされるよう励ましつづけられるのも大変なことだったろうと、私は傍で働いていられる奥さんのことを思った。そしてなにげないふりで奥さんの方を見ると、わずかに紅潮した照れたような顔つきで、可愛らしく曲げた指先のニンニクをしきりにこすりつけていられるのだった。

やはり奥さんを見やった重藤さんは、例の謹直さに加えて、⁉という表情で続けられた。

——犯罪者タイプの暗く危険なところも、案内人《ストーカー》にはよく出ていたね。カナテコを投げつけられそうになって、無意味に草の蔓《つる》をたぐり取ろうとしていた客が、危ないじゃないかと憤慨する、あの反応には実感があったよ。ヴァルネラブルで傷つきやすくて、暗くて激情にみちていて、トドのつまり犯罪者的なやつは、実際怖いからなあ……

さて、マーちゃんね、おれはあの子供が「再臨」するイエスではない、と思うよ。彼女の父親の犯罪者めいた危険な個性は、ちょっとイエスにはつながりえないからね。いやあの子供は処女の母親が懐胎してということだとも、反論はありうるけどさ。おれは当の子供の眼にも、なにか邪悪な力を感じたんだ。そうなれば、あの子供はこの世のありとあらゆるものを破壊してしまう、そういう役割の人間に、つまりはアンチ・キリストに成長してゆくはずの子供じゃないか、というのが結論だね、さしずめのところの……

——それでは、あの汽車の響きのなかに「歓喜の歌」が聞こえてくるのはどういうことでしょう？　イーヨーは昂奮して指揮していましたけど。

——そのとおりです！　とイーヨーもいっていた。

——破壊する歓喜、ということもあるわけじゃないの？　そのように徹底した破壊の成就の後に、はじめてイエス・キリストは「再臨」するのじゃないだろうか？「千年王国」的な歓喜とともに破壊に邁進《まいしん》して、ついにメシアを見出せなかった不幸な事例も、歴史にはみちみちているけれども……

――話の筋みちがわかりにくくなったよ、重藤さん、と奥さんが確かに話をフォローできなくなっている私に助け舟を出してくださった。あなた自身よく考えてからでなくては、マーちゃんにリアリティーのある話はできないわ。……ここいらでマーちゃんは、料理の方に関心を切りかえて、ハーブとお塩に胡椒《こしょう》を調合する割合を覚えてちょうだい。最近ではスーパーマーケットでも冷凍のラムを上手にもどして売るから、手に入りやすいわよ。日本でお安くもとめられる、唯一の上等な肉だと外国人はいってるわ。今夜、気にいれば、イーヨーに時どき作ってあげるといいからね。

それから、狭いけれど見事に管理されている台所で私が奥さんと立ち働く間、重藤さんは古いLPレコードや、エア・チェックしたテープをテーブルに山積みして、幾種もの「歓喜の歌」を、イーヨーとふたり専門家の態度で聴きくらべられる様子。

夕食が始まった時、イーヨーは重藤さんに「歓喜の歌」の演奏のどれについても――これまでまだ聴いたことがなかったレコードに関してすらも――、所要時間を正確に記憶して、後からみないうことができた、と誉めてもらった。重藤さんが奥さんに、これは指揮者のスタイルの把握ということなんだと、説明的につけ加えていられるのを聞いて、私にも重藤さんが大人同士の問題のように本気で感心していられることがわかったのだ。

――初めにすぐこれは速そうだなと感じて、終わりまで聴いた上で、あれは確かに速かった記憶している演奏があるわけだね、あるいは逆に、ゆっくりした演奏だったなと。それもとくにフルトヴェングラーとか、トスカニーニとか、幾度も聴いてきたレベルで。ところがね、そうした記憶というものが、思い込みによってしばしば歪《ゆが》んでいるんだなあ。おれの場合、歪みに気がつかないで、死ぬまでそのままだったと思うよ、イーヨーに教えられなければ。

それというのはね、いまいくつか「歓喜の歌」の最初の部分だけ聴きあわせて、演奏の速さを話していると、どうもイーヨーとおれとで演奏をとらえている仕方がちがうんだね。イーヨーがなんだか静かな確信をこめてさ、これとあれ、またあれとは大体同じ時間でしたというので、自分では印象のちがうものを選んでね、ストップ・ウォッチで計ってみると、かれのいうとおり。二十秒とちがわないんだなあ。

重藤さんの奥さんは、銀縁の眼鏡の奥で考え深そうに見張っていられた眼をそのままグルリとイーヨーに向けると、子供のような感嘆をこめて、

――二十秒差だと、まったく同じといっていいほどだものねえ、といわれた。

――大体同じだと思います、とイーヨーは慎重に答えていた。

――イーヨーの音楽を聴きとる能力は凄いのね。重藤さんもしっかり教えなければ。

――教師より生徒が優秀、というのがね、理想的な教育関係だから、と澄ましこんで重藤さんは応じられた。

食事の間にイーヨーは、良くできた冗談のようにも聞こえることをいって私たちを笑わせた。あいかわらず重藤さんを中心に『ストーカー』の話が続き、例の女の子を案内人《ストーカー》が肩車してアパートに帰るシーンにたちかえっていた時、今度は重藤さんが犬の演技のすばらしさをいったために、奥さんとの間にひとしきりやりとりがあったのだ。奥さんはテレビ映画の、名犬ラッシーやリン・チン・チンのような例をのぞいて――それらも役柄が固定されている以上、本来の演技とはまた別だと注意を喚起してから――、犬の名演というようなことは偶然の所産ではないか、といわれた。思いがけず映画についてアナーキーなほど豊かな知識を持っていられる奥さんが、次つぎに犬の出て来る名場面を例に出されるうち、時には重藤さんの意見を傍証してしまうことがあるのも面白かった。

やがて重藤さんの話は、ひとまず結論づけようとされてのことだと思うが、こういう方向へ進んだのだった。

――こうして話してみると、やはり徹底して意識的な動物の演技は、ディズニーの漫画映画くらいのものかも知れないねえ。そういえば、初期のベティ・ブープは牝犬だったんだよ。コレクターの個人上映会で見たことがあるけれど。

――本当にそうでしょう？　……ただベティさんが話に闖入《ちんにゅう》するところだけ、その理由がわからなかったけれども、と奥さんは部分的な異議申し立てをされたが、全体としては満足そうなふうだった。

奥さんはニコニコしながら兄におかわりのラムをすすめられもした。しかし福祉作業所で体重増加のことを注意されて以来、最初に取り分けてもらったより他は決して食べない兄のために、その拒否的な態度の説明をすると、奥さんは、すっきり話題をかえて、

——イーヨーも、あの大きい犬が出て来るところは見たのでしょう？　と尋ねられた。

——ほら、イーヨーも、私の脇で作曲しながら見てたよね、子供が肩車してもらって帰るところ、画面を曲がって進むものだから面白がっていたでしょう。犬もいたね？

——残念ですが、僕にはよく見えませんでした。犬はとても動きまわりましたからね。

——そうだなあ、あの際の犬の演技の焦点はひたすら動きまわることにあったものね。イーヨー、きみはあの画面の意味をしっかりとらえているよ。

それから、——僕は昔、よく肩車をしました！　と心のなかにあたためてきたことのようにして、兄がいったのだ。パパをよく肩車しましたからね。

——パパが肩車したのでしょう？　イーヨー。以前のパパは肥っていて、重かったしね。

——昔、僕は元気でした。発作も始まってはいませんでしたからね。僕はよく肩車をしました。

そして兄自身もふくめて私たちは楽しく笑ったのだった。こうしてイーヨーはずっと元気で上機嫌だった。そこでこの夜の私は、これこそ昔のような兄の様子に楽観的で、しだいに不注意にすらなっていたと思う。帰り道に、重藤さんのお宅の前の急な坂を急ぎ足で

歩く兄に続きながら、実際私はかれがいかにも身軽に動くことができた頃のことを思い出していた。毎夏の北軽で日課にしていたジョギングでも、私はその気になれば追いぬけたと思うけれど、オーちゃんはとても兄の速度と持久力にかなわなかった。昔、兄は本当に元気だった、と……

　しかし駅に着いて改札口への階段を昇る際、もうイーヨーは日頃にない疲労をあらわしていたように、後から考えてのこととして思う。いったん新宿へ向かう電車がすいていて、伸びのび並んで掛けることができ、体を休めることができたのは幸いだった。このところ外出先の他人のいるところでは家族に話しかけることをしなくなった兄は、重藤さんのとはまた少しちがった謹直さで黙って坐っていた。それでもなお私は、新宿で郊外へ向かう混雑した小田急に兄を乗り換えさせることに心配をしてはいなかったのである。

　新宿駅の急行のホームで、いくぶん酔っぱらった男たちもまじっている混雑のなかに行列するうち、はじめて私は脇に立っている兄の体の内側に異変が起こっているのを感じとった。兄の体の外側は、大きい張りボテ人形を、見えない壁に立てかけたような無防備さ・不安定さで、その上に載っている赤らんだ顔がやはり充血した眼を薄《う》っすらあけているものの、もうなにも見てはいないのだ。カッとあせりながらなにもできない無力感のなかで、ともかくも私は兄の体に組みつく――すがりつく――ようにすると、ムオッとする高い体温の、あきらかに発作を起こしている体を支えようとした。どちらに向けて兄の重みがのしかかって来るのか、不安定な重心の上体には手ごたえがなく、それでいて肩の骨がミシリとめりこむほどの力が、一瞬かかって来る……

そして折り返しの電車から反対側のホームへ乗客が降りて行った後、こちら側のドアが開かれる音を、私は全身が冷えるような思いで背後に聞いたのだ。ただちに行列は動き始め、私はズシンと重くなったイーヨーをなんとか支えつつ、抵抗しがたい勢いで、一、二、三歩、背後に突きやられた。いま兄の体に起こっていることを、押したてて来る人たちになんとか説明するどころか、悲鳴をあげることすらもできない。行列の進行を妨げるかたちで、それもおおっぴらに人前で抱き合う若いカップルのような自分たちにあからさまに腹を立てた人たちと、私は面と向かっていたのだ。いまにも私と兄は押し倒され、この疲れてムッとしている、酔ってさえいる人たちが私たちを踏み越えて電車に急ぐだろう。かれらは革靴の硬い尖端でイーヨーのプラスチック板を埋め込んだ後頭部を蹴りさえするかも知れない。私は声をたてることのできぬまま、恐ろしさと絶望感にただ口をあけて涙を流した。その間も背後に押したてられ、倒れこまずに立っているだけがやっとのありさまで……

ところがすぐにも気のついたことだが、私の支えているつもりだった兄の体が、じつは私を行列の進行にさからって保護しており、しかも動きのなかでジリジリ私の体と位置をいれかえているのだ。いまはあからさまな罵声さえ私たちの耳の脇に吐き捨てられていたけれど、兄は体が斜めになって押しつぶされそうになったところを押しかえし、ついに私を両腕の間に防護しつつ、進んで来る人たちに顔をまっすぐ向けていた。それを境に、私の脇腹や背を小突いてはすりぬけていた人びとの圧力が消滅して、私たちを避けて行く人たちの動きが自然な流れすらなすふうなのだ。その頃にはもう座席をとることを断念した人たちの、扉口へ向かう動きがゆるやかになっていたのではあるけれど、私は涙眼でふりあおいだイーヨーの顔が、他人への反射的な敵意というより、威圧する落ち着いた強い表情をたたえて、私の頭の後方へまっすぐ向けられているのを見た……

そのうち兄が歩けるようになったので、私たちは新しく行列を作る人たちを避けて、上のホームへの階段の裏側へ移動し、壁に背をもたせて休んだ。その間も兄は、壁と私の肩の間に腕を差し入れて私を囲い込んでいてくれた。イーヨーの口から発作の時の金属的な強い臭いがしていたが、表情は和んでもうふだんの兄なのだ。知らない人たちが続けざまに通りかかることがなければ、まず自分自身がおかしがって微笑するたぐいの冗談をいいだしそうなほどで、私も大きい危機を乗り切った安堵のなかにいた。

そのうち、私の胸のなかに、――もしかしたらイーヨーはアンチ・キリストのように邪悪な力をひそめているかも知れない。たとえそうだったとしても、私はイーヨーについてどこまでも行こう、という不思議な決心が湧いてきたのだ。なぜアンチ・キリストと兄が結びついたのか、それには『ストーカー』の金色のプラトークで頭を巻いた女の子が媒介をなしているということしかわからなかったけれど。兄の子供の時の写真もたいてい頭が繃帯か布で巻いてあるか、毛糸の帽子をスッポリかぶっている姿かたちのものだった……

それでも私の体をつらぬいて光が放射されるように、続けて起こって来るのはあきらかに邪悪な強い歓喜で——私はこの世界の人間のうちもう兄と自分自身のことしか考えなかったから——ひとつ向こうのホームから出て行く特急のレールの音にまじって、ベートーヴェンの第九とはくらべることもできないが、やはり一種の「歓喜の歌」が聞こえるのを、自分の頭のすぐ上にあるイーヨーのふっくらした耳と一緒に、私は勇気にあふれて受けとめるようであったのだ。

河馬に嚙まれる

（連作『河馬に嚙まれる』の1）

ダケカンバの林にさえぎられて浅間は見えないが、噴火があると屋根に灰が降りつもる位置の、山小屋に来た。

ソバにウドン、豚肉のショーガ焼き定食という種のものを出す、昔からの街道筋にある食堂で、近辺の狭い範囲にかぎられた地域に購読者を持つのらしい新聞を読み、僕はある記事に引きつけられ、それに発する想像をした。想像は、およそ蓋然性《がいぜんせい》の薄い、奇態な思いつきともいうたぐいである。しかし僕として当の想像には、内部の深いところで情緒的な強いものが呼応する。そこでどのようにして想像が、記事から触発されたか、奇態だが切実な思いつきの、なりたちについて書きたい。

新聞で見つけたのは、ウガンダのマーチソン・フォールズ国立公園船着場で、日本人の青年が、若い牡《おす》の河馬《かば》に嚙まれた、右肩から脇腹にかけて相当の怪我をした、という記事である。土地の新聞社の社長兼主筆が、日航の招待でヨーロッパ旅行をした。自弁でアフリカまで足を伸ばしもした。その旅行記が一面トップに連載されているのである。河馬に嚙まれたとはめずらしいし、わけても日本人の事故だからと、すでに負傷はなおり、リハビリテイションかたがたとでもいうか、観光客用のロッジで雑用をしている青年に会いに行った。ワーッ、ワーッと叫んだ、というほか災難の話はしたがらなかったが、浅間の麓で新聞を出しているというと、妙に懐かしがって、地形についてや気候のことをあれこれ聞いた。しかし言葉から、このあたりの人間でないことも確かな青年に、浅間周辺との因縁をたずねてみると、これは一切話さない。新聞に紀行を書くことをいうと、自分の名をあきらかにしてはならぬというので、現地の言葉で河馬と闘う勇士と綽名《あだな》されている、その「河馬の勇士」と呼ぶと、当の物語の記事はしめくくられていた。

そして僕の想像したところは、やはり同じ匿名を用いることにするが、ウガンダで河馬に嚙まれた「河馬の勇士」が、かつて僕とわずかながら関わりのあった青年で、かれのアフリカ行きには――つづまるところ国立公園の河馬に嚙まれることになったいきさつにも――僕が責任の一半を問われねばならぬのではないか、ということである。

「河馬の勇士」とは直接に会ったのではなく、数度にわたって手紙の往復をし、ある動物学者の著作を送って、その本にことよせた提言を書き送った。それも十年ほど前にそういうことがあった、というのが僕とかれとの関係である。しかし「河馬の勇士」の母親とは――これも匿名にあわせ、かつは学生の頃の僕らが、彼女のことを呼びならわしたマダムを用いれば――マダム「河馬の勇士」とは、大学の教養学部の友人たちとともに、ある期間馴《な》れ親しむようであったのである。ところがつきあいがとぎれたまま、マダム「河馬の勇士」の世話になった友人たちがみな職につき、あるいは研究生活をつづけて、という状態の僕らのところに、それもとくに僕を名ざして、マダム「河馬の勇士」が連絡してきた。当時あきらかに全日本的な事件であった大きい出来事に、マダム「河馬の勇士」の、末の息子が巻きこまれていたこと、いまある施設に収容されている息子に、文通して励ましてもらえる相手は、あの頃親しんだあなた方のほか適当な人が思いあたらぬ、あなたの住所は新聞社でわかったので、という話なのだった。

僕はその日のうちに、マダム「河馬の勇士」の手紙にあった連絡先へ電話をかけた。警察に追いつめられた指導者グループが起こした「浅間山荘」の銃撃戦と、その背景をなす、「左派赤軍」の強化訓練の山岳ベースでのリンチ殺人、その全体についての救援組織とはちがう場所、思想性などみじんも匂わせぬ応対の、小規模な会で、電話は個人の家にあった。そして「河馬の勇士」との文通の仕方を教えられたのである。この事件を起こした「左派赤軍」のみならず武闘派の若者らの立場からは、当時僕など戦後民主主義者として、批判されるというより、むしろ嘲弄《ちょうろう》されるところにいた。

しかもなお僕が、一種かりたてられるような勢いで、そのふるまいに出たのには、おもに感情的な理由があった。現に教養学部の友人たちと時たま会う折、マダム「河馬の勇士」の話になることがあり、彼女に向けてのうしろめたさが、われわれに分け持たれているのを見出していた。青春を生きているという、ただそれだけの根拠で酷《むご》たらしくふるまった自分ら、という思いが、マダム「河馬の勇士」に対して、年をとるにつれて深まるようであった。その感情のいざなうまま、まだ十七歳の、したがって未成年者として、それでも大事件の関係者相応のあつかいを受けて、監禁されている「河馬の勇士」に、手紙を書いたのである。

それは次のような内容の手紙であった。あるいははじめの二、三通に書いたことにまたがって――その間、返答はなかったから――最初の手紙として記憶されているのかもしれないのだが。自分はあなたのお母さんに、教養学部の生活の後半、仲間たちと親切なもてなしを受けた。敗戦後十年、まだ外食券を持って食堂へ行く仕組みが残っている頃で、つまりは僕らのかよう簡易食堂で、外食券を出せば主食の値段がいくらか安くなる、そういう食生活をしていた時分。地方出身者の寮のすぐ脇に、あなたのお母さんがひとり暮らしている家があり、土曜日ごとに五人のわれわれのグループが――第二外国語にフランス語をとっているということだけ共通した、進学する学部もちがっている者らだったが――常連として招かれるようになり、食事をあたえられ、わずかながら酒の類も飲ませてもらうということがあった。

われわれは月曜から金曜まで交替で、あなたのお母さんに、フランス語の初歩を教えるという義務を背負って。土曜日の、みんなで食事をする際は、あなたのお母さんを啓蒙するために、つねに「文化問題」を話し合うという約束でもあった。むしろ若い不遜さのまま、文学や政治について勝手な気炎をはき、あなたのお母さんは黙って耳をかたむけるということだったが。それは一年間つづき、休暇の際と試験期をのぞけば、毎土曜日、あなたのお母さんの庇護によって、時期として豊かな食事をしたわけだ。もし自分があなたの現在のありようにつき、文通によってなんらかの力となることができるなら、喜んでそれをしたい。そのようにして、あなたのお母さんがあたえてくれた好意のふるまいにお礼の心をあらわせたならありがたいと思う……

手紙に書かなかったこともあった。それはマダム「河馬の勇士」へのわれわれの漠然たるうしろめたさ、自分の青春のそなえていた酷たらしさの思いと結んでいる。われわれはマダム「河馬の勇士」が、出発の遅い孤独な勉強を始めた動機を、本気で理解しようとはしていなかったし、彼女が自己改造する成果の見とおしも危ういものだと思っていた。第一、われわれにフランス語を教える力はなかった。そのくせ彼女の提案にわれわれは乗り、毎土曜日の夕食をせしめ、料理に注文をつける者までいたのだ。

マダム「河馬の勇士」は、戦争の間に青春を過ごした世代、つまりわれわれより十五、六歳年上で、戦後すぐ結婚してもいた。しかし七年間に及んだ結婚生活の間、自分の生涯はこのままでは無意味だと考えつづけ、子供が二人あったのに、離婚して夫の側に渡し、北海道から上京してきたのである。彼女の曽祖父は有名なクラーク博士の弟子で、酪農や林檎《りんご》園経営に成功し、資産はよく受けつがれて、とくに戦後すぐは、彼女の父親が東京にも事務所を出すほどに事業を発展させた。いまは開店休業に近いのらしいその事務所が、マダム「河馬の勇士」の住居で、彼女は事務所の電話番として給料を仕送りされる身分であった。仕送りは、われわれへ土曜日ごとの夕食をふるまわせることを可能にする額だったわけだ。

マダム「河馬の勇士」は、まさに北海道開拓者の血を受けついだ、骨太の大柄な女で、クラーク博士高弟の曽祖父がモーニング姿でとった写真が、奥の居間、鏡台脇にかざってあるのを見たことがあるが、張り出した額と大きい眉に眼、しっかりした鼻という、男にしてもやや古風な、実務家として立派な容貌が、曽祖父と彼女に共通していた。しかし彼女は女であり、かつ彼女の髪の毛は——マダム「河馬の勇士」自身、父親の正式の妻でない、女中であった母親からそれを受けついだのだといっており、そのいきさつを小説に書きたいともいっていたのだが——、およそめずらしいほどの縮れ毛なのだった。そうしたこともあり、僕らの仲間がマダム「河馬の勇士」を女性として、それも性的な存在たる女性として受けとめるということはなかった。男性に並べているのではないが、ともかく性を超越した種類の人物と感じとる、その感情は、僕の仲間みなに分け持たれていたと思う。それでもマダム「河馬の勇士」は、醜いというのでは決してなかった。ただひとつ彼女のはっきりした輪郭の唇から、熱いものが顎へ、そして喉へとしたたたったような、淡い褐色の傷あとが目立つことがあり、僕はいまでも皿に盛られたシチューが、ひとしずく滴《したた》りおちているのを見ると、うしろめたさに先導される思い出の、一挙の回復を経験する……

われわれが交替で、自分らも習いはじめたばかりのフランス語初歩をマダム「河馬の勇士」に教えたこと、そして土曜日の夕食と食後にかけて「文化問題」を話したのはのべたとおりだが、この「文化問題」という言葉は、マダム「河馬の勇士」が自分からいいだしたものであるだけに、離婚したのち北海道で構想を立て、東京に出て来た、彼女の目的意識をよくあらわしている。彼女は現代のあらゆる「文化問題」に、精通することをめざしたのだ。そして東京大学の教養学部の学生のグループを、フランス語と「文化問題」の媒介役に採用し、そのかわり土曜の夜の夕食つきの団欒《だんらん》をあたえてくれたというわけだった。ありとある「文化問題」を多面的に取り込んでゆくことこそが、不毛な過ごし方をした戦時の娘時代の、エッセンスとしての青春を取り戻す道なのだった……

——私はスロオ・スターターだから、としばしば彼女はいったものだ。つまりはこのように、すこしはしゃれた言葉をまじえて、芸術や社会事象について雑談するのが、彼女のいう「文化問題」を話すことだったのである。

「文化問題」という言葉にまつわる思い出が、ひとつ個人的なものとしてある。仲間たちにもそのように誘われた者はいくらもいたが、ある僕の授業の日、土曜の食事とは別に、夕食を一緒にせぬかといわれ、かつは彼女の生家の事業である林檎酒もあたえられ、泊まってゆくようにすすめられた。それは僕が教科書にあわせ、はじめて原語のまま読みとおしたジードの『窄《せま》き門』を持って行った日だった。土曜日と同じように、しかしマダム「河馬の勇士」と二人きりで食事をし、食後にはところどころ原文を訳出したりしながら、僕はジードについて話した。

床につく段になると、小さな二階屋で、一階には事務所と林檎酒用の紙箱を積んだ倉庫のような部屋があり、二階にわれわれが「文化問題」を話し合う部屋と、マダム「河馬の勇士」の居間兼寝室があったが、彼女は押入れから蒲団を二組とり出すと、表側の部屋に並べて敷いた。電灯を消しても街路からの灯りがさしこんで、マダム「河馬の勇士」の唇から顎、喉への傷あとを盛りあがらせる影をつけるのが見えた。それを思い出すのは、つまり蒲団に入ってからも向きあうようにして、なお「文化問題」を話しつづけていたわけだが、聴き役に廻るのがつねのマダム「河馬の勇士」が、話の継ぎ穂もなにもなしに、筋のついた喉をビクリと動かしてなにか嚥《の》み込むようにした後、

――性欲の問題はどうしているの？　あなたは淡泊な方なの？　といったのである。

僕は実際、「淡泊な方」じゃなかった！　性欲の問題は果てしなく大きかった。高校の友人の妹に恋着しており、彼女への思いに性欲的な要素が入りこむことへ、苦しみを抱いていた。われわれのグループには遊郭に行ったことを公言する者もいたが、右にのべた心理的いきさつから、マスターベイションについてすらも、かつては稀薄だった罪悪感なし

にはすまぬことになり、苦しみは深かったわけなのだ。その苦しみを思い、僕はつい声を荒げる具合に、

――それは「文化問題」じゃないでしょう！　と突き放した。

いかつく大きな体を、恐縮をあらわしてこわばらせ、かすかにかすかに嘆息するマダム「河馬の勇士」の脇で、僕はたちまち頭を占めてしまった、日頃の性欲についての堂々めぐりの思考および、性欲そのものと格闘する具合に考えつづけながら、それでもなんとか眠ろうとしたのである。自分の脇一メートルのところに、当の性欲の問題を解決してくれる確たる可能性――つまりは三十代なかばの、女性の肉体が横たわっている事実には、一切思いが行くことなしに……

年が明け、本郷の学部への進学が内定して、新学年度の寮の再編成が行なわれた際、望めば残ることも出来たのに、われわれのグループは申しあわせたように、みんな下宿へ移ることに定めていた。学部の学生となってわずかながらアルバイトの条件が良くなり、奨学金の順番も廻ってき、下宿代を払える見とおしがついたのと、本郷に進学する以上、思想と感受性を深めるための個室が、ともあれ必要だと、われわれみなが思い込んでいたわけだ。われわれのグループの退寮は、マダム「河馬の勇士」に土曜日の夕食を提供してもらい、「文化問題」を語り合う会の解散も意味する。もっとも寮に新しく入って来る連中に向けて、受けつぎの交渉はしたのである。しかし後継グループの確かな誕生を見ること

ができぬまま、四月が来た。一年ごとに食生活の事情がよくなってゆく、そういう時期でもあったことが、学生の生活レベルでもあきらかに反映していたのだった。

そこでマダム「河馬の勇士」は、大学の教養学部の学生たちを誘うことはやめ、今度は会社員もふくむ新規のグループをまとめて、今回からはフランス語の授業はなしで、土曜日の夕食のみの会をつづけているということだった。さらに一年たち、かつての大方のメムバーが意表をつかれる感じを持ったのだが、マダム「河馬の勇士」と、グループの男二人との間に性関係が発生し、こじれたあげく本人は北海道の実家へ帰った。そういう情報がつたわって来た。会社員と芸大の建築科学生とが相手の男であったが、両者とも妊娠したマダム「河馬の勇士」に責任をとろうとはせず、彼女もとくに固執することはしなかった模様なのだ。僕はその点について、彼女のことを「男らしい」と感じもしたが。そのようにして北海道に帰り、子供を生んだマダム「河馬の勇士」から、僕は当の子供にほかならぬ「河馬の勇士」の身の上について、つまりは正確に満十七年たった後、連絡を受けたわけなのであった。

自分はあなたが小説の材料を見つけるつもりで、知らない者に手紙をよこすと見、教官先生には失礼だといわれても返事を書きませんでした、というほどの書き出しの手紙が、「河馬の勇士」から届いた最初のものだ。

しかし母親がおねがいしたとわかり、母親のことはつくづく気の毒に思っているので、文通させてもらいます。母親は三週間もあなたの手紙に遅れて、事情を説明してきました。あの人は自身のことをスロオ・スターターだといっていますけど。母親が残念がっているのは、あなたもお友達もみなデモに出かけていたのに、いまはそれぞれの分野で出世された、自分のようにちょっと運動に近づいただけで穴ぼこへ入りこんで、出られないようになるのとはちがっていた、それはなぜかということです。自分にはもう遅すぎると思いますが、母親は穴ぼこへ落ちずに生きる仕方を教えてもらえといっています。遅すぎるだけでなく、もう穴ぼこへ落ちたし、出てゆけそうでもないから、これ以上は穴ぼこへ落ちぬように自分には思われますが、よろしく御教導ください。

僕は「河馬の勇士」の手紙をすべて保存しているが、書いた当人の承諾を得ているのではないから、いまもあらためて読みかえすことはせず、もとより直接の引用はせず、記憶に残っている内容を、記憶に残っている文体のまま再現することにする。こうしたやり方で作った文章は、おおむね原文とは似ても似つかぬものとなる。僕は「河馬の勇士」の手紙の、版権を侵害することにならぬだろう。最初か二度目の手紙に、P.S.として、別行での書き加えがあり、文通はするが、「事件」について根掘り葉掘り聞きただされるようなら、「昔の仲間」のこともあり、こちらからの返答はそれかぎりにする、ともあった。

つまりはあまり気のない、そればかりか年齢にしては注意深い警戒心すらあらわして

「河馬の勇士」の加わった文通が、あるきっかけから活気をおびることになったのだ。それも糞便の問題が契機をなしたのである。

はじめ僕が、「河馬の勇士」に訊ねていた。穴ぼこに落ちてそこから出られぬというが、当の穴ぼこを、いま収容されている場所ととるなら、むしろきみは早晩そこを出なければならぬ。そこを出て新たに現実世界で生きてゆくということがはじまり、大人になるのでもある。きみが「昔の仲間」らと厳寒の山中にこもり、理論武装やら武闘訓練やらをしたことが、またそこに到る子供の時分からのきみの生の進み行きが、現実世界を生きることでなかったとはいわない。

しかし山から降り、指導者グループの銃撃事件にリンチ殺人がらみで捕えられるまで、山中できみたちがしていたことは、現実世界での生きようがしだいに抽象化されて、その極点に到っていたということではないか？　その抽象化が——きみには直接にも間接にも、責任はなかったはずだが——「昔の仲間」の男女の死をもたらし、しかもそれを等身大の具体的な人間の死と感じとらせぬ、集団心理の仕組みにまで追いつめていたのではないか？

僕は手紙にそのまま書きはしなかったが、このように考えてはいた。それに立って、これから現実世界で実際に生きなおす準備のために、いったいそこから出たらなにをやりたいか、なにをやり始めるか、よく考えるのがいい。高校に戻り、やがては大学に進むにしても、いまの生活で、もし個人的に勉強の対象を選択することを許されるなら、自分で定めた分野に的をしぼるのがよかろう。勉強のための資料、参考書の類は集めて送るから、どういうことをいまから準備しておくか、考えて教えてもらいたい、と僕は書いたのだった。マダム「河馬の勇士」は息子が動物学に興味を持っている、といってきていたのだが。

それに対して、十七、八の若者の手紙として、なんとも無気力そのものの、茫然としているような返事がとどいた。自分は生まれてからこれまでに、なにかを実際にやった、とは思わない。これからなにごとかをやる、とはさらに思わない。なにもやらず、やれないでウロウロしているうち、穴ぼこに落ちてしまった。穴ぼこは、いま居る所がそうだし、この世界全体がそうだともいえる。これから後、なにか始めることは思いつかない。この中に居る間と、出てからの月日を足してみると、あまりにも永いものに思えて想像がつかない。

そのように「河馬の勇士」は書いていたのであった。この中に居る間は、自分でなにをやるか考えなくて良いから、生きてゆきやすい。事件に自分が巻きこまれた経過のなかで、ただひとつ、それが良かったことのような気がするほどだ、と。

つづけて「河馬の勇士」が、自分から事件のことを、やはり年齢にふさわしいとは思われぬ自己嘲弄の響きをこめて語っているくだりに、僕は注意をひかれた。その思いを書きおくった手紙に、はじめて「河馬の勇士」が積極的な反応を示したのである。手紙の終わりに、「河馬の勇士」はこう書いていた。党派に入ったのも、中学からの友達とつきあっているうち、なんとなくそういうことになった。実際に山奥に着くまで、山岳ベースへこもる友達につきそって行ってやるほどの――山行きは一度やってみたいと思っていた――、そういう考えでいた。理論武装にはついてゆけず、武闘訓練の体力はなく、しかし自己批判させられるのは恐いから、自分は山岳ベースの便所掃除を引き受けた。それでやっと生き延びた。殺された人たちのなかでも、女子をふくめ自分くらい役立たずとして軽く見られていた者はなかった……

僕は手紙を書いた。事件について、僕もまたあの数日のテレビ中継に釘づけになるようであった。あれ以後考えつづけてきたこともある。そのうち自分として事件からもっとも鋭く印象づけられたと思うのは、テレビのあるシーンに由来している。

破局が事件として顕在化するまでを追う、「左派赤軍」の若者らがこもった山岳ベースの実写にはじまる報道特集のフィルムを見るうち、深い印象を受けるシーンがあったのだ。山岳ベースの建物裏の、沢へと降《くだ》る斜面に糞便の池ができている。それをカメラが一瞬だけとらえるのへ、報道記者が、――この汚物の量には、ある浅ましさを感じました、と眉をひそめる具合にコメントしていた。

逆に僕は、湧き水を利用して糞便を沢へ誘導し、たくみに大量の糞便をためた仕方に、感心するようであったのだ。若い男女ら多数が、山中で集団生活するとして、これだけの量の糞便が、処理せねばならぬものとして出てくる。それは自然なことだ。かれらの思想と行動を批判する理由があるにせよ、糞便自体が、倫理的に問題にされるのは正しくないのではないか？　むしろあれだけの糞便を、なんとか建物から離して、沢に流れこませる通路をつくった、その工夫と実際の仕方には、ある人間らしさといってしかるべきものがあったのではないか？

僕はそう感じて、報道記者のいったことに腑におちぬ思いをした。いまも記憶にそれがきざまれていると、「河馬の勇士」に書いたのだった。きみがあの仕組みを考え、実現し、かつは管理していたのだったならば、きみは役立たずだったどころか、「昔の仲間」らにとって尊重すべき働き手であっただろう。つまりきみには、自分で手紙に書くように自己を卑小化するいわれがないように思うと、僕は昂揚するほどの思いで手紙をしめくくったのであった。

それまでの例では、僕の手紙が着いてから二、三週間して、やっと返事を書く気になるというふうで、最初の手紙のやりとりからすでに半年ほどもたっていたが、今度の場合は打てば響くというように、昂揚感のうかがわれる内容豊かな返事がきた。もっとも手紙の文章そのものは、これまでとかわらぬ長さで、別紙に山岳ベースの便所の改造設計及び、かれがゆくゆくは実現したいと考えていた、糞便処理装置の全体の完成図を、周りに樹木や草なども描きこんで示している絵が、各一枚そえられていたのである。

「河馬の勇士」は書いていた。山岳ベースの便所が五日ほどであふれてしまった時——水洗式だが、便所の真下に大きい便槽を掘り、粗い火山礫《かざんれき》に火山灰の地質から、すみやかに地中へ吸収されることが期待されて、下水管などの設備はそなわっていない、そういう方式なのだろう。というのは、僕自身の山荘の場合からおしはかるのだが、この方式の水洗便所を、数十人ものメムバーが使用すれば、当然にたちまち充満してしまうだろう——、「河馬の勇士」は糞便にまみれながら、便所裏側に通路を掘りあけ、そこから大きい勾配で沢につながる斜面を、充満した糞便が流れおちるようにした。あわせて豊かな湧き水から水路をみちびいて、つねに便槽へ向けて流水がおちこむ仕掛けにし、新しく排泄されたものが堆積しないで、スムーズに沢へ流れおちる仕組みとした。

沢が糞便でみちあふれてしまえば、隣接している渓流へと再び通路を開くほかないが、渓流を大量の糞便が流れくだれば、下流の人びとは疑いをいだくだろう。そこで、これからが「河馬の勇士」の、二枚目の絵による糞便処理装置の構想となる。沢から渓流への通路を階段式の運河のようにつくり、段をなす層の間に、はじめは間隔の広い竹の柵をわたし、少しずつ間隔を縮めながら細竹や柴を植えこむ仕方である。それらの柵の間を、時間をかけて糞便が流れ落ちる過程で、こまかに砕かれて原形をとどめなくなる、という構想なのだった。

そのように詳細に絵として仕組みを表現しながら、文章による説明は簡単なもので、自分は第一図のような改造を行なったし、将来は第二図を実現するプランも持っていた、というのみだった。わずかにそれに加えて、冬場のことだし寒さのきびしい山中だから、湧き水の水路が凍りついてしまえば装置は働かなくなる。それが毎朝、眼がさめるたびのいちばん大きい心配だった、と補足していたが。

「浅間山荘」の事件の際、およそ凄絶なリンチにほかならぬ「総括」強制のありさまを、劇画のタッチで描いた当事者らの絵が、それは尋問に言葉では状況をつたえることができず、手だてとして絵が採用された、というなりゆきであっただろうが、雑誌グラビアに発表されたことがあった。苛酷な体験のなかでまったく言葉を喪った、若者らの内面の荒涼をあらわして、根本的な嫌悪感をそそられたものだが、じつは文章によってよりは、劇画式の絵でよく自己表現しうる世代の、ということであったのかもしれぬのだ。「河馬の勇士」もその世代に属するが、かれの場合、経験したことの無意味な陋劣《ろうれつ》さにもかかわらず、当の絵による構想には、ある明るさの萌芽《ほうが》がはらまれているように感じとられたのである。

その頃、僕はひとつの市民集会で、高度な下水施設の設計家であり、その専門に立って反・公害の運動をつづけている学者と同席した。僕は最小限、背景となる事情を説明して「河馬の勇士」の二枚の絵における、実際に行なわれた改造設計と将来の糞便処置構想について批評をもとめた。

――寒い地方ならば、やはり水が凍るという点が問題だなあ、と学者は、集中を示して話を聞いてから、考えつづけつつ答えてくれた。第二の構想についてはね、骨おしみせず働く男が、始終、よく掻《か》きまわして、面倒を見なければ機能しないね。しかし糞便の有機物を、このようなかたちで川にかえして、水の滋養にするという考えは建設的ですよ。川の場所と性格にもよるけれど。

そして学者は実際家らしい磊落《らいらく》さと、その表層のもとにひそむ複雑なひだもあるのらしい教養をあらわして、次のようにいい、かつは高笑いをされたのであった。

——いまどきの過激派も、マルクス・レーニン主義者にはちがいないんだから、プロレタリア文学以来の人間観を受けついでいて、不思議はないわけかねえ。葉山嘉樹《カジュ》の（という呼び方を学者はした）『海に生くる人々』に、まさにそういう黄金伝説的な英雄が出て来たじゃないですか？　神があるなら、糞壺にこそあるべきだと主張して、船の便所掃除にせいをだす男が。ストライキの際は、シーナイフで船長をひるませたりもする……

「河馬の勇士」が道内の畜産高校を自分から選んで入学し、その上でフラリと東京に出てゆき、運動に参加したこと、もともと動物が好きで、大学もその方向に進むつもりで畜産高校に入ったのだということを、僕はマダム「河馬の勇士」の手紙で知っていた。またこの頃、ナチス時代のコンラート・ローレンツの生き方と、評価高い現在の仕事の底に見えるものとの、あるつながりの印象について、僕は疑いを——というより専門の動物学者への質問を——、文章に書いた。それに対して、ローレンツの啓蒙書の紹介者である小原秀雄氏から、私信と数冊の著作とをいただいていた。僕はその一冊『境界線の動物誌』の、河馬の生態における水中の有機物との関係、つまり水中の動植物のエネルギー源としての河馬の糞、それをふくむ生物の食物連鎖ということについて、アフリカ旅行の経験を踏まえながら説いてある章に、赤い紙をはさみ「河馬の勇士」へ送ったのである。

動物学は、僕自身にまったくの異分野であるから、確信があってのことではない。しかし「河馬の勇士」が動物に関心を持っていること、そこで畜産高校で学ぼうとした方向と、かれが山岳ベースの生活において、ひとり「昔の仲間」の糞便の処理について考え、川を汚染させるのではなく、逆に豊かにするものとする装置まで考えようとしたことと、そのふたつを結んで、「河馬の勇士」が穴ぼこから脱け出すヒントを発見しうるのではないか？　僕はそのようにも漠然とした、しかし切実に実現がねがわれもする希求をいだいたのだ。『海に生くる人々』の便所掃除人は、工夫をこらし奮闘し、糞まみれになって便所の詰まりを解決すると、《これで俺も気持がいゝし、誰もが又気持がいゝわい》と痛快に思うのだが、「河馬の勇士」も、ただ穴ぼこに落ちた経験としてのみでなく、冬の山岳ベースで、「昔の仲間」の糞便を処理しようと努力をかさねた日々のことを、ある愉快さとともに思い出し、現実世界を穴ぼこではないものとして、再び受けとめる気力を恢復しうるのではないか？　そのように僕は、あらためていうが、希求したのであった。

それに小原氏の河馬の生態を語る声音には、心屈している人間をして、あの河馬のように鈍重そうな存在すらが、これだけ活発な生きものかと、陽性の励ましを受けとめさせるところがあった。現に僕は、やはり鬱屈をいだいて暮らしながら――「河馬の勇士」の、これまでのところ憐れな運命について考え、かつはその母親で息子からも気の毒に思われているマダム「河馬の勇士」の、若いわれわれからなんとか「文化問題」を吸収しようとした日々のあれこれを思い出し、鬱屈にさらに鬱屈を重ねるふうだった――、小原氏の文章に直接励まされるところがあったのだ。

さて、通信の結果「河馬の勇士」と僕との関係に、心弾む新しい展開が見られたか？　そういう進み行きにはならなかった。「河馬の勇士」が糞便の処理についての詳細を、つまりは山岳ベースでの「昔の仲間」らとの生活の実際を、第三者の僕にあかす手紙を書いたことに、直接起因すると感じられたのだったが、「事件」関係者のうち「河馬の勇士」をふくめた小グループを支援する会の方から、「河馬の勇士」との文通を遠慮してもらいたいという、今度は政治的な物言いをかくそうとせぬ連絡がきた。北海道のマダム「河馬の勇士」の所へも、同じ趣旨の連絡があった模様で、彼女からは息子について頼んだことを忘れてほしいといってきたのである。文通はそれきりとなり、「河馬の勇士」が収容されていた所から、いつどのようにして出て来たか――当然のことに出所したにちがいないわけだが――、情報はなにひとつ僕にもたらされぬことにもなった。マダム「河馬の勇士」のことを思い出さぬというのではなかったが、はじめにのべたとおり、それは陰湿な傷に似た思いにおいてであって、積極的に彼女と連絡をとり、末の息子の消息を聞くべくいざなう性格のものではなかった……

その僕がこの夏、山小屋に着いてすぐ、ウガンダで河馬に噛まれた日本人の記事を発見したのである。小原氏の著書は、まさにマーチソン・フォールズ国立公園船着場での、精気のある河馬の生態を語っていた。河のなかに緑の植生のかたまりができると、河は氾濫する。水中で盛んに活動する河馬は、植生のかたまりに通路を開き、水の流れを回復させる働きをする。河馬にはまた、ラベオという魚がまつわりついており、河馬が陸上からおとしこむ植物や、河馬自体の糞を食べる。そのようにして河馬は、アフリカの自然の生物の、食物連鎖に機能をはたしている。小原氏の記述に僕は誘われる。ラベオと呼ぶ魚の群れをまつわりつかせつつ、水流をとざす緑の植生のかたまりに通路をあけるべく、猛然と泳ぐ河馬の暮らしぶりが、有用なものとして排泄されるそいつの糞便ともども、人を励ます眺めではないか？　おそらくは気の荒い牡の若い河馬に噛みつかれるほどまぢかから、活動を見まもっていた者にとって、河馬の働きはいかにも勇ましく奮いたたしめるていのものではなかっただろうか？

スロオ・スターターだとみずから認めていた、母親の性格を受けついでいる者として、いまやっとナイル川の岸辺に辿りついた青年が、河馬の奮闘ぶりを仔細に眺める行為から、穴ぼこを出る算段を始めたのならば、と僕は——いかにも蓋然性の薄いものではあるが——、情動の熱をそそられるようにして想像する。河馬に嚙まれた傷も癒えて、青年はすでに仕事を始めていたともいうのだ。

「河馬の勇士」と愛らしいラベオ

（連作『河馬に噛まれる』の2）

ウガンダのマーチソン・フォールズ国立公園船着場で、日本人の青年が河馬に噛まれた。寡黙な被害者の様子をつたえる地方紙の記事をもとに、僕はひとつ短篇を書いた。めずらしい経験だが、この短篇をふくらませてテレビ・ドラマをつくりたいという、若い製作者たちの連絡が届いていた。僕は期待をいだいたのである。これまでおなじような申し出に応じたことはなかったのに。

テレビ化の企画に引きつけられた理由を、いまふりかえり、自分を観察してみると、ふたつのことが見えてくるようだ。ひとつは数年前、ヨーロッパの反核運動を現場報告するために、テレビ班とともに旅行した経験である。僕は新世代のテレビ班員らの、仕事の論理に立つ勤勉さに好意をいだいた。ビデオ・カメラを肩に、骨おしみせぬ働きぶりのカメラマンと、棟梁と弟子の関係として録音を担当する、少年のような助手の二人組に、とくに親愛の情を持った。アフリカ・ロケもする予定なのらしいテレビ製作が具体化するのであれば、かれらを名指して、その写し出す河馬の群棲のビデオ・フィルムを見たいものだと、楽しみにしたのだった。

もうひとつの理由は、僕にとって切実なものだ。年を加えて、すでに中年も下降期にある自分の作品世界が、若い才能によって引っくりかえされる眺め。それを見ることができるなら、なにより恰好な自己批評の契機であろう。自然の勢いとして、やがて初老ということになるのもいたしかたはない。しかしみずから批評をかさねて自分を整備し、かつは年を加えることで見てゆく領域が確かになる、そのような読書はこれまでにない想像力的な冒険をさせてくれるはずではないか？

しかしテレビ会社から企画案という文書がとどいてみると、こちらがその種のシノプシスに慣れていないということでもあるが、僕は茫然としたのである。短篇は河馬に嚙まれた青年の記事を動機づけに、十年さかのぼる政治セクトの武闘訓練アジトに参加した少年メムバーを思い出し、さらにはまだはたち前で教養学部の友人たちともども世話をしてもらった、一女性を回想するものだった。ところがテレビ製作者たちは、回想する男が年上の女性と性関係をもったのであり、アジトの少年＝河馬に嚙まれた現在の青年を、自分の血につながる息子ではないかと懊悩《おうのう》する、そういう物語に作りあげていた！

実生活において、ストイックな倫理家だというつもりはないが、やはりこの筋立ては、想像力的な美意識に觝触《ていしょく》する。企画が正式に動きはじめぬうちにと、僕はいそいでテレビ化辞退の手紙を書いた。

あわせてもうひとつ出来事があった。短篇を載せた雑誌が出てさらにたって、僕はカリフォルニア大学のバークレイ校に滞在していたが、妻が宿舎にかけて来る電話で、未知の女性読者からの問い合わせをつたえた。小説にはマーチソン・フォールズ国立公園の観光客用ロッジ、としか書かれていないから、河馬に嚙まれた青年が現に働いているホテルの名とアドレスを詳しく教えてもらいたい、といっているという。小説に書いてある、青年にアフリカで会ったという、浅間近辺の新聞の社長兼主筆ならすでに訪ねた。しかしかれは小説が出て以来、アフリカで会った当人からの固い口どめがあるので、どんな問い合わせにも応じていない。

——僕自身、子供と出かけた山小屋であの新聞記事を見て、そこから小説へ向けて想像したんだから、と僕は一拍遅れる感じで手ごたえあいまいな国際電話に答えたのである。

——ともかく事件に関わった少年が成長して、河馬に嚙まれても生きつづけているのだ、それがわかっただけでも勇気が湧く、といっていたわ。いくらかでも手がかりがあるようなら、教えてもらいたいって……

妻は問い合わせてきた女性に、親身な肩入れをしているようだった。こちらに答えるべき情報がないこともあり、幾分僕は苛立たせられもした。加えて妻が国際電話をかけて来たのは、養護学校の最終の学級となる高校三年クラスにいる息子が、父親の不在ということもあり、情動不安定の状態にあるとつたえるためでもあった。妻との話が一段落すれば、僕が直接息子と話して、状況打開の道をさぐらねばならない。それが心にかかっている上に、為替レートの条件が悪かった時期の外国滞在に刻印づけられて、僕は国際電話での時間のたちかたに過敏なのである。

——小説で河馬に嚙まれた青年につないだ人物の、お母さんはもう癌で亡くなられたから、つまり彼女でないことは、はっきりしているけれど……

——まだ若い真面目な人、それも思い込みの強いタイプじゃなく。本当に必要があって、アフリカの国立公園で働いている青年のことが知りたい様子だった。手がかりになるヒントが本当にないかどうか、も一度考えてみてあげたら？　……それではヒカリさんにかわります。

つづいて僕はいかにも鬱屈している息子に、弟妹や母親に乱暴なふるまいをしてはならず、学校への行きかえりのバスの、交通渋滞に感情を荒だててもならぬと、やはり一拍遅れる手ごたえのなさに気勢をそがれながら話をした。

その間も、息子の心理状態を相談する電話に、未知の女性読者からの問い合わせをかさねてつたえる妻の、心の持ちようが頭のすみにあった。彼女はつねづね、作家の側に立つよりは、読み手の側に立つ態度をとっている。切実な動機のあきらかな読者の問いかけがあると、あれは小説のことだから、とは反応せず、僕に対して具体的な応答をうながす……

結局、はかばかしい効果のある説得が息子にできないという思いのまま真夜中のベッドに戻り、かつはその未知の女性からの問いかけによく答えられぬ自分の、文章を生業としている現在のありようについても、漠然とした不満をいだいて眠りについた。つまりは電話をつうじての妻の話しぶりの、根柢《こんてい》にあるものに影響されていたわけだ。それから二週間たって、なんとか心理的な窮境を脱した息子から、しかしそれが肉体的な発作に移行したということであるのかもしれぬ、現状を報告する手紙がきた。それとともに、ウガンダで河馬に噛まれた青年のことを別途の情報としてつたえてくる、ある報道写真家の手紙も届いていた。

息子の手紙は、後半になると文脈が混乱して意味をとらえ難くなるものの、前半は、はじめの一行が国際電話で繰りかえした僕の言葉を叱責と受けとめた釈明であるのをふくめ、いまかれの内部に起こっているところをよく表現していた。帰国すればすぐにもなんとかいい方向へ向けて力をつくす必要のある、問題のありかを示してもいた。《誠におそれいりました。口がいたくなったあと、かいだんをおりるとちゅう、発作が出て、うなっていました。「ぼくは、もう、だめだ、20年も生きちゃ困る」》

報道写真家の手紙の方は、かれら独自の行動力あるいは臆面のなさのスタイルのもの。十年後の「左派赤軍」というテーマのルポルタージュを計画して、アラブ圏に潜伏する指導者S女史の暮らしむきをつたえる写真はじめ、ハイジャック事件を契機に、いわゆる超法規措置で海外脱出し、反イスラエルのコマンドとなったM氏との独占会見も企画にある。もっともこれまでにかれらと関係があったわけではなく――十年前は中学生で、ノンポリもいいところでした、と書かれていた――、先行きどうなるか、見とおしがたっているのではない。かつは同じような取材意図で競合しているジャーナリストも多数いて、実際見とおしは容易でない……

　ところがヨーロッパへの飛行機で、隣席の学生に借りた雑誌を読み、あなたの短篇を見出した。そしていったんパリに着くと、そのままウガンダへの便に乗りつぐことにしたのだ。そこいらの行動力は、十年前はまだ中学生だった世代の日本人と、僕のようにわずかな期間の外国滞在にも、およそ生の全体とあいはかるようなためらいを感じる世代との、截然《せつぜん》おもむきをことにするところであるにちがいない。

　いったんマーチソン・フォールズ国立公園に向かい、そこで情報を得て、小説に書かれていたのとは異なる地域の、観光客ロッジで働いている、河馬に噛まれながら生き延びた青年を発見した。ところが報道写真家は、はじめに相手をドヤシつける取材技術を使って、失敗をしてしまった。

　そういうやり方でなく、自分の読んだ小説の、河馬に噛まれた青年が、「左派赤軍」に関わった少年ではないかと、具体的にあたって調べてみたかったと、正直にのべていたとすれば、青年の反応はちがったのかも知れぬのだが。しかし写真家は、自分は「左派赤軍」のメンバーの動向を、世界じゅう駆けめぐって取材している、きみが事件に関わった人間であることはつきとめている、その上できみの現在の生活と思想を取材しに来た、といったのだ。

「河馬の勇士」と現地で呼ばれている青年は、河馬に肩から脇腹を嚙まれる難局に際しても、ワーッ、ワーッと叫びつつ、なんとか乗り超えた男であった。自分が事件に関わった人間だということを否定はしなかった。そしてはじめに話しかける間すでにカメラを取り出していた報道写真家に、悠揚せまらず次のように答えた。

——おたくが今朝早くから自分を望遠で撮ってね、ナイル川の岸辺で永久革命を夢想する「左派赤軍」……というようなキャプションを構想していることは知ってたよ。しかしウガンダで撮ったフィルムは、感光させてしまうのが利巧だと思うなあ。そうしなければ、自分はこの土地の日本とフランスの領事館に、事件十周年のヨーロッパ蜂起に向けて各地の「左派赤軍」との連絡網を再建している、上級のコマンドがおたくだと通報するよ。

パリには二度と入れないね。ロンドン、フランクフルト、コペンハーゲン、どこでも空港から外へは出にくくなるよ。自分の情報の証拠ならば、おたくのカメラに入っているわけでね。おたくは壮大な企画を持って日本を出たが、強制送還されたあげく、自分の写真を一枚『フォーカス』に売れるだけで、二、三年は公安の尾行つきという身分になりますよ。

写真家は、わずかに年長の青年の意のままに操作される具合でパリに戻った。それでも残念で仕方がない。なんとかあなたの口ききで、河馬と闘った青年があらためて平和的に取材に協力してくれるよう、取りはからってはもらえないか？

報道写真家は、ザラ紙の原稿用紙の柔らかい鉛筆の手紙に、こう書いてもいた。あなたが小説で想像したことを実証したのは、わざわざウガンダまで飛んだ私です。それならば、青年へ取りなす手紙を書いてくれてもよいのではないか？　また私が写真とルポルタージュを出版する際は、例の小説を引用したいから、よろしく。あらためてウガンダ入りすると多忙をきわめて、あなたに連絡をとれぬと思うから、この手紙で用件はすべて片づけておきたい……

僕はパリのホテルに宛てて返事を書いた。《御手紙拝見しました。私はあなたの文章に、二様の論理の欠落があるように思います。「河馬の勇士」は、「左派赤軍」のもとメムバーではないのじゃないでしょうか？　うるさくつきまとうジャーナリストを、その思い込みを逆用して追いかえしたのではないか？　そうだとすれば、私の取りなしは無効です。またあなたの信じているとおりに、かつは私が小説で想像したとおりに、「河馬の勇士」が私と文通したことのある人物ならば、いま新生活をはじめたばかりのかれが、「左派赤軍」がらみで、プライヴァシーを侵犯されることを、私も望みません。》

僕はこのように書いた。折りかえし、あらためてアフリカへ発たぬ以上、時間のある報道写真家から、自分の書いた小説に責任をとらぬ進歩的文化人を非難する、しかし再考するチャンスはあたえよう、という自作の写真を使っての絵葉書を受けとった。

報道写真家の考え方に論理の欠落があると書いたのではあるが、それは自分の生来の論理癖のしからしめるところにすぎず、情動の側面では、僕も河馬に嚙まれた青年が、かつて文通したことのある「左派赤軍」の少年兵士だと、つまりはじめに小説で想像したとおりだと信じていたのである。僕との文通の段階では、なんとも引っこみ思案の言葉少ない少年であったかれが、十年の間に端倪《たんげい》すべからざる論争家に成長したことを愉快にも思ったのだ。そういえば少年時の寡黙な手紙にも、一筋縄ではゆかぬ自分自身の守り方がうかがわれたように思うのだが……

そう考えた根拠には、僕の知るかぎり近来の若者らに広くある、わずかに時をへだてるのみでの、政治的あるいは社会的情況との絶縁現象ということがある。現在アフリカの動物観察公園で働いている日本人青年が、「左派赤軍」について具体的な知識を持っているとすれば、かれはかつてその関係者であったにちがいない。逆の側から考えて、青年がなお活動をつづけている党派の兵士であるならば、アフリカまで来ている以上、ベイルートかその周辺のコマンド基地で戦闘訓練を受けていこそすれ、ナイル川の船着場で、河馬に嚙みつかれるほど熱心に生態観察している暇はないであろう。

報道写真家がもたらしたのは新しい情報だったが、さきに問い合わせてきた女性へつたえるよう、次の国際電話で妻に話すことはしなかった。ウガンダで河馬に嚙まれた青年が、僕の想像した当の人物であるとなると、さらに別の問題が立ちあらわれてくるはずであったから。いったい彼女はいかなる意図に立って、「河馬の勇士」の居場所を確かめたいのか？　さきの報道写真家とおなじく、「河馬の勇士」を素材にして、ルポルタージュを一篇ものすことをたくらんでいる？　それならば論外であろう。

青年はこうした魂胆の赤の他人にまつわりつかれるつもりで、河馬に嚙まれる危険までおかしアフリカに住みついているのではあるまい。僕はかれが母親ゆずりのスロオ・スタータ―なりに、しかし周到に準備したのちの決然たる態度で、ウガンダを新しい生の建設場所としていると考えたい。とくに若向きの週刊誌などに、青年の写真やインタヴュー記事が載ることを、僕は望まぬ。人間を嚙む楽しみを覚えた若い牡の河馬に、当の女性のサファリ・ルックでかためた尻なりと、ひと嚙みさせてやりたいくらいだ！

それとはまた別に、娘が「左派赤軍」の山岳ベースで殺された被害者の関係者で、生存者になんらかの報復をもくろんでいるとすれば？　さらには「左派赤軍」の再編成の計画が現実にあり、オルグしている活動家が彼女だとすればどうなるか？　これらのケースのどれもが、僕にはありうるものに感じられた……

帰国してすぐ僕は、アメリカへ発つ前から約束していた、区の市民講座で話をした。核状況に照射されながらの、今日の社会の進み行きと、あらためての福祉の意味という主題で、それも障害児の父親として話すことがもとめられていた。はじめに僕は、バークレイの宿舎へ息子からの手紙が届いた週、ジュネーヴの核軍縮国際会議からソヴィエトが退場していたこともあり、おおいに鬱屈してこの主題を考えた、とのべた。つづいて当の時期読んでいたミルチァ・エリアーデの日記の記述へと話を進めたのだが、「河馬の勇士」の消息をもとめてきた娘とのいきさつに直接関係してくるので、自分の訳のままに、エリアーデの核時代観を示す記述をふたつ、書き写しておく。ひとつは一九五九年の暮れ、つづいては翌年の春、ともにシカゴで書かれた日記。

《キリスト教徒は、この爆弾をあまりに恐れるべきではないだろう。世界の終わりには意味があるであろうから。それは「最後の審判」なのであろうから。ヒンズー教徒についても同様であろう。「カーリー・ユーガ」界は混沌への退行のうちに終わり、その後、新しい世界があらわれよう。ただマルクス主義者たちのみが、窮極の結果たるべき、核による終末によって恐怖させられる正当な理由がある。(中略)パラダイスはかつて地上に存在したことがない。それに対応する、もっとも近似的なものは、明日の、階級なき社会である。マルクス主義者は、ただ未来がパラダイスのごとくであろうということのみで、数知れぬ殺戮《さつりく》を——自分の身の上にすら——、受け入れるのである。もし世界が共産主義の終末世界を知りうる前に消滅してしまうならば、歴史と人類のすべての苦難は、まったくい

かなる意味も持たぬであろう。》
《マルクス主義者と唯物論者の歴史の解釈が、人間の「最後の審判」にあったことはそのとおりだ。審判、すなわち、滅亡の危険。正確に、先史期において人類がほとんど滅亡しかけたように。あるいは今日、熱核兵器によって、人類が滅亡を賭けているように。
唯物論者のように、あるいはマルクス主義者のように考えることは、人間の、原初の神にあたえられた役割について断念することを意味する。その結果、人間として消滅してしまうことを。しかしこの誘惑とその危険とが存在することは、むだではあるまい。火急に迫った消滅の自覚とともに生きることは、人間にとって良いことですらある。怖れ＝イニシエイション的な苦しみ。》
大雪が降った後、数日たっていたが寒気はきびしく、暖房の効果があらわれにくい、天井の高い講堂で、話を終えるころには、僕も聴衆もすっかり冷えこんでいた。会場は私立小学校にあり、そこから川をはさんで向こう斜面に敷地のひろがる私大構内を横切って、隣接する住宅地の自宅に歩いて帰る手はずだった。
演壇に立つためにはいた革靴が、薄く地面に凍りついた雪に滑るので、難渋しながら橋のたもとまで降りたところで、足もとを見つめて歩く僕の視野の外から、声をかけられた。衿もとに裏地の毛皮の覗く軍服のようなコートの大柄な娘。その大きい体に、なおゆったりして見える草色のコートと、雪にそなえた頑丈なブーツには、制服のような統一感があった。髪を自然に肩へたらした造作の大ぶりな顔が、大学の頃の友人の、誰かれの妹という印象だったが、思えばすでにわれわれみな、この若さの妹がいる年齢ではなくなっているのである。

――講演に出かけて来る時は、そのまま帰るつもりでしたが、話を聞くうち、私のいうことをわかっていただけそうなので、と娘は生真面目さにのんびりしたところもまじる話しぶりでいった。せんだって奥様に、カリフォルニアまで質問をつたえていただいた者です。

――あ、あれはお役に立てませんでした、と僕は答え、娘が赤んぼうのように天真爛漫な微笑を浮かべ、すぐさま表情をひきしめて、こちらとの距離をはっきりさせるのを見て、彼女が妻に好感をあたえている理由を推測できるようにも思ったのだ。

――お宅に帰られるのでしょう? その途中、話を聞いていただけないでしょうか? 突然のことですから、今日はお宅まで歩きながら話を聞いていただくだけで、奥様にはご迷惑をおかけしません。

僕は承知した。そもそもの切り出し方にも示されていたとおり、娘は必要かつ充分な展開をこころえている話し手であった。自分の名は石垣ほそみだが、兄ふたりをはさんで、十歳ちがいの、しおりという姉がいた。先生が短篇に書かれた「左派赤軍」の事件で処刑された。名前のつけ方から感じとられるかも知れない。自分らの父親は先生と同じ大学を出て、神戸の大学で国文科の教師をしている。姉の出来事より以前、まだ自分らの家に母親を中心として話し合い、笑い声をあげるということがあった頃、もうひとり女の子が生まれていたら、さびという名をつけられて悩んだはずだとみんなで笑っていたのを、子供心に覚えている。

姉が惨めな殺され方をした後、兄たちは下宿をして、自分が年少のこともあり、笑い声のある家族ぐるみの話し合いはなくなったまま年がたった。両親とも神戸で健在だが、自分は短大を出た後、ＯＬとして東京で暮らしながら、姉の死んだ年齢に達した。姉の引きこまれた党派の思想と行動とについて、なにも知らぬのを気にかけるようになったのでもある。

それがたまたまあの短篇を読み、自分に出来事の意味を話してくれそうな人物がいるのを知って、先生の留守宅に連絡した。それでも片方では、なぜ自分が十年前に死んだ姉のことをよく知りたいとねがうようになったのか、理由がわからなかった。ところが今日の先生の講演の、エリアーデの日記の内容について聞くうち理解できる思いがした。あらためてアフリカで河馬に嚙まれた人物から、直接姉の話を聞きたいとねがっている……

——あの事件に関係のあった人間の話を聞きたいというのなら、探しようによっては、東京で見つけだすこともできるのじゃありませんか？

——その通りだと思います、と娘は建物の陰になっていて、まだ一面に凍てついている雪の間の、わずかに地面が露出した二筋の通路の、どちらへ自分が踏み出すかを、僕の革靴を慮《おもんぱか》るように見きわめていた。それから一方へきっぱりと踏み出して、これまででも、そのつもりになればできたはずです、とつづけた。

姉の日記や、友達からの手紙の類は、ずっと以前に警察から戻ってきて、神戸の家にあります。被害者の遺族同士の連絡もありますし、姉の最後の仲間への、連絡のとりようはあったと思います。

……けれどもやってみる気持にならないまま、これまで来たのでした。殺した側のというか、姉を死なせた側のリーダーの手記が、雑誌に載ったのも知りましたけど、読んでみる気はありませんでした。親たちは読んだようで、ある日、家に帰ると二人で青い顔をしていました。

前後しますけれど、指導者の男性が獄中で自殺したことがありましたね。あの時が、私にはいちばん恐ろしかったんです。姉はアジトで殺されたが、もし殺されなかったとしても、自分で自分を殺したのじゃないかと感じて、クモの巣にからめとられたような姉を思って。

……アフリカで河馬に嚙まれたという青年に会いたいと思うようになったのは、先生が書かれている、青年がスロオ・スターターなりに新しい方向に歩きはじめた、ということがあるからです。先生は、自分の願望を青年にたくしているだけ、というふうにも読めるように書いていられたでしょう？　けれども繰りかえして読むうちに、しだいに、このようにして新しい方向へ歩きはじめた、死んだ姉の仲間が、すくなくともひとりいる、という思いがかたまってきたんです。水のなかを猛然と泳いでいる河馬の眺めにも、実感がともなってきました。

僕自身も、小原氏の著書で読んだナイル川の、水草の繁茂のなかの河馬の盛んな活動を、記録映画のフィルムで見た情景のようにくっきり思い描いていることに気づいたが、その瞬間、足もとをかすめるように出現したものにバランスを崩されて、尻もちをついたのだ。大学構内を出て街筋を歩き、凍てついた雪がところどころ路面を覆う十字路を通り過ぎたところだった。

実際に足をすくって僕を転倒させたのは、金属パイプで組んだ運搬器のようなものに、赤ちゃんと買物袋を載せて押して来た若い母親で、その低い押し車に向けて倒れ込みそうだった僕を、強い視線で見おろし敵意すらあらわすかのようだ。翌日からはじまるはずの腰の痛みを思いながら、暗い気分で僕は立ちあがり、かつはもうひとつの、転倒しながらしていた観察を反芻《はんすう》した。僕が尻もちをつこうとした際、娘は安定感のある腰のかまえで腕を伸ばし、いったんこちらを支えようとしながら、当の試みを放棄したのである。

さらに娘はいたわりの言葉を発することもせず、なにごともなかったように、こう質問をしかけていた。

——いまとなってはおかしなことをお聞きするようですけど、姉はマルクス主義者だったのでしょうか?

僕は抱えていた資料ファイルをかばったため直接強く打った尻から腰を、溶けた雪泥に汚れたズボンの上から指でふれた後、自分でも情けない声で答えた。

——大きい分類をするならばね、マルクス主義者として、「左派赤軍」というひとつの党派に加わっていたのだと思います。かれら、彼女らみな……

——大きい分類といわれるのは、今日のお話でエリアーデがキリスト教徒やヒンズー教徒と対比させた規模でのマルクス主義者、ということですね? それならばエリアーデに近づけていうとして、姉の仲間のマルクス主義者たちが、未来のパラダイスの実現をあきらめてしまったなら、死んだ姉は本当に哀れだと思います。

……私はどうしても河馬に嚙まれた青年を、ウガンダの観光ロッジに訪ねて、話を聞きたい。その人は新しい方向に向けて、つまり未来のパラダイスへ向けて仕事をはじめているはずだと思いますから。私はなにひとつマルクス主義のことは知りません。姉も思想的な本を勉強するタイプではなくて、みんなの話があまりよくわからなかったから殺されたのじゃないかと、母がいったこともありました。それを思うと、二重に酷たらしいといっていたのでした……

それでも今日のお話を聞いているうちに、キリスト教徒、ヒンズー教徒と、大きく分類して、その規模でのマルクス主義者ということならば、姉はそこに入ったはずだと思ったんです。そして、姉の仲間がすっかり未来のパラダイスをあきらめて、自殺したり自己批判したりするとしたら、それはないよ、という気持なんです。私がウガンダまで「河馬の勇士」に会いに行きたいのは、そのためだと、今日のお話を聞いてわかったんです。ロッジの、正確な場所を教えていただけませんか？　なんとかアフリカへ行く方法を見つけたいと思います。

いったん自分の準備していた話を終えると黙りこみ、またそれが不自然でない娘と並んで自宅に帰りつくと、門の脇で待っていてもらい、報道写真家からの手紙を渡した。汚れた指のしみが封筒についたが、僕には一種賭けをしている気持があり、手を洗う間にためらい始めるのを避けたのだと思う。若い娘の希望をいれ、その上で彼女が引きこまれうる厄介事については、彼女の人生全般についての運動神経とでもいうものに期待しようと、さきに僕が倒れた際の、周到かつ機敏な彼女の反応を思いあわせて心にきめたのだった。

三十年も前の、年上の女友達あるいは庇護者の、いまの自分の年齢でふりかえればあきらかに若いマダム「河馬の勇士」の、自由なふるまいへの意志に一歩踏みこんで加担することは思いつきもしなかった、胸うちの嚙み傷の思いも働いていたはずだが……

当の娘がいまや「河馬の勇士」の働いているロッジの場所を確かめ得て、ウガンダを訪ねるための方法を講じていること。それを僕は気にかけることにもなった。新聞や電車の中吊りに、女子大生やOLの新風俗ということで、当節の若い娘らの金の稼ぎ方を特集した広告へ眼が行く。ついには午後のテレビの番組で、同種の特集をわざわざ視聴してみたりもする。そういう僕のなりゆきを見かねた妻がこういった。

――こんな仕事をして旅行の費用をつくりだす娘さんだったら、いくらか話しただけで、あなたは拒否反応をおこしたでしょう。まずあの娘さんは愚かしいことはされないでしょう。難しい所にさしかかっても、なんとか通り過ぎて、厄介なめには遭わない人だと思う。不幸なお姉さんのかわりに幸運の星を担ったようなタイプじゃないかとも思う……

実際、そのとおりだった。しばらく後、やはりテレビのクイズ番組をなんとなく居間で見ていたのだが、慎重に答を選ぶので、はじめ遅れをとっていたもっとも若い女性解答者が、番組の終わりには一位を獲得していた。それまでかけていた眼鏡をはずし、ヨーロッパ旅行の航空券を受け取るところで、妻と僕は、生真面目さとおおらかな素直さのあきらかな彼女の微笑から、それが石垣ほそみと名乗った人物にほかならぬと気がついたのだ。加えて彼女が、微笑の印象のみにとどまらぬ性格のひだも備えているらしいという発見があった。解答者席の名札に書かれた彼女の名は、石垣ほそみではなかったのだ。手続き上、テレビ局へは本名を名乗る必要があったらしい。その姓は、ある哲学の専門家と結ぶもので、名前もしおり、ほそみ、さびという三幅対と対比できるような、三つ一組の美学用語のひとつなのであった。

クイズ番組を記憶のなかで巻き戻して見るようにして、思ったこと。この娘はなんとも自然にカメラに写されている。自意識なしに集中して考える。周りより一拍遅れて、しかしいったん決断した解答は揺るがない。正解した後に示す、控えめだが天真爛漫な安堵の表情の、なんと好ましいことか。しかし彼女と似た顔かたちをしていたはずの、もうひとりの娘は、同じ年で絶望のうちに殺されたのだ。

三月なかばにも雪が降りつもる、荒れた気象の春だったが、ウガンダから、あいかわらず石垣ほそみと署名した手紙がきた。はじめ僕は、厚ぼったいが粗末な紙の封筒にアフリカの切手が貼ってあるように感じていたが、封を切ろうとしてよく見ると、旅行者にたくされたということか、ロンドンから投函されており、切手はイギリスのものだった。そのまま僕は、手紙を書棚の端に乗せたのである。直接アフリカから発信されていたならば必要としたはずの郵送の時を、手紙自体に、あるいは読み手の僕に、猶予としてあたえてやるように……

このところ息子の養護学校卒業に加えて、義父が大病をするということがあり、妻は実家につめることが多く、僕の手はふさがっていたのでもあった。養護学校の卒業式では、中等部、高等部の、障害と積極的な個性とが各自あいかさなっている面がまえの卒業生たちが、体育館に入場してくる。その間の腹にこたえる大太鼓、吹奏楽。陽気な叫び声をあげてピョンピョン跳ねる、夢見るような眼つきの高校生や、友達が軽くからむたび悲痛にたえぬ号泣の声をあげて、すぐさまケロリとする小柄な中学生の動きに加えて、整列した子供らの間で起こる重い呻き声。そうしたものにかえって式へ引きこまれて、僕は時をすごした。

教室で発作がでてきそうな時――まっ黒な雨雲のもとで驟雨《しゅうう》がやってくるのを待つような内臓感覚で、と僕は想像したのだが――、息子はかれ同様大男の友達と、片手をかさねあってじっと坐っていると、ある日連絡帳に書いてあった。親身な観察力を働かせてくれた先生方とも、頼りになる友達とも、これでまったくのお別れということなのだが、下級生や教師たち職員方が、花束を差し出している長い列をくぐりぬけると、息子はいっさい未練を示さず校門を出た。ＰＴＡのお別れ会に廻る妻を残し、息子とふたりバス停留所まで歩きながら、どうして先生によくお別れをいわなかった？　と訊ねると、――**先生よりも、生徒の数が、多いですからね！**　という返事である。つまりはあらかじめの教室の訓示を、固く守ったということであろう。

卒業式の翌日から、眼につくほど元気をなくした息子は、不順な天候に風邪ぎみのこともあり、永く愛してきてくれている祖母に病気見舞いがてら会いに行こうという、妻の誘いをことわって家に残った。翌朝の日曜日、子供らの朝食の準備をしている脇に起きてきた息子は、ペーストをのせた歯ブラシを不思議そうに見まもりつつ、――**僕はなにもかも**

忘れてしまいました、これはどういたしましょう？　と聞いていた。まだ眠っている次男はそのままに、息子と娘に目玉焼きとフレンチ・トーストを出し、台所に引きかえして自分のお茶をいれていた僕は、娘の押さえた悲鳴に食堂へ跳び出し、息子が斜めに床へ倒れるのを見た。黒い鳥のように肱《ひじ》を張って脇にしゃがみこみ、しきりに声をかける娘を励まして毛布と枕を持って来させ、自分は発作を起こした息子を長椅子に運び、眼をつむり口をモゴモゴさせて神妙な表情の、大きく重い頭を膝に支えてやっていた……

さて息子の横たわっている長椅子の脇で、床にじかに坐り、僕は所在ないままウガンダからの手紙を読んだのである。アフリカに来て時がたちながら、めざましい動物の生態を報告することもできない、と手紙は書きおこされていた。キリンと象とアフリカ水牛はよく見かけるが、季節のせいか、河馬がナイル川に群がっているという眺めはなく、遠方の水たまりに赤い泥のかたまりのように転がっているのを、あれが河馬だ、と教えられたきりだ。

「河馬の勇士」自体、いまは砂漠のなかの町の、倉庫兼自動車修理工場で働いている。私も同じ町に来て、以前は教会の宿泊所だった建物に、イギリス人の女性舞踊家と仮のやどりをしている。本場の英語でよくわからないが、正規の部屋の借り手である同宿者は、あと二、三週間は居てもいいといっているようだ。同性愛者というのではないが、フェミニストとして、男性に対してより、なににつけ女性の味方の彼女は、私が日本の女性ながら、ひとりアフリカに滞在している勇気を評価するのらしい。

もっとも宵の口は俳優のボーイ・フレンドが彼女を訪ねてくるので、部屋にいられない。それを口実に、私は「河馬の勇士」が作業をしているガレージへ、ランド・ローヴァー整備の仕事を見に行く。せっかくウガンダまで来たが、私と「河馬の勇士」はつかずはなれずの、こういう間柄だったのだ、すくなくともこの間までは……

秘密の場所を教えてもらった観光ロッジ自体、ナイル川のすぐ脇にあるというのではなく、乱暴に伐りひらかれた森につながる赤土の高台にあった。到着した日、もうそこをやめて町なかの倉庫兼自動車修理工場で働いている「河馬の勇士」が、折よく残して置いた荷物を取りに来て、かれを探している日本人女性、つまり私の部屋へ立ち寄ってくれた。私は姉が、「左派赤軍」の武闘訓練アジトで殺されたことを話した。「河馬の勇士」は、当時自分は意識の遅れた子供あつかいの高校生メムバーで、とくに女子大生からは相手にされなかった、石垣しおりという人は覚えているが、こまごました具体的な記憶はない、と答えた。そのまま別れるほかなかったのである。

翌日、ロッジで知り合った舞踊家が、費用の安い部屋を町に借りたといって誘ってくれる。ついて行ってみると、「河馬の勇士」は彼女の仲間であった。アフリカ全土を超大型バスとやはり大きいトラック、ランド・ローヴァーで移動する演劇グループが、半年前、ここまでやって来て解散した。一年のち公演ツアーは再建される約束で、十幾人ものメムバーが、この一帯に残留している。ヨーロッパとアメリカの様ざまな国出身の混成メムバーに加わっていた、フランスの劇団に所属する日本人の口ききで、「河馬の勇士」は演劇グループの道具類と車輛の保管、整備に傭われたのだ。

ごく最近になって、訪ねてくる舞踊家のボーイ・フレンドといれかわりにガレージに行って、整備をつづける「河馬の勇士」と話をしていると、なにげない調子でかれが、――嬢ちゃん、あんたは「左派赤軍」の兵隊らを再召集して歩く、組織のオルグか？と口に出した。

そうではないと答えると、今度は本気の口ぶりになって、――それじゃなぜアフリカまで自分を探しに来たんだ？という。私は問いつめられた感じになり、ついこれまでひとりで考えつづけていた言葉を、つぎつぎ口に出してしまった……

姉はともかくもマルクス主義者であったのだから、明日のパラダイスを最後まで夢みて死んだのだろう。ところが姉のもと同志は、自殺するか自己批判するかで、明日のパラダイスの建設はあきらめたようじゃないか？　私はひとり沈黙しているあなたに、希望をかけて来た。あなたは冬の山岳ベースでも、便所づくりに独特な構想で働いた。いまはまたあらためて、新しくなにか始めようとしているとも聞く。ここに来てはじめて知ったことだが、ウガンダには大きい難民居留地がある。その非衛生な共同便所を、全面的に改良する計画を立てているのじゃないか？　そうならば、私はあなたと共同して働きたい。姉のために未来のパラダイスをつくる方向で。……しかし目下のところあきらかなのは、あなたがアフリカ人難民のために奉仕する様子はなく、ヨーロッパ人とアメリカ人の移動劇団のための、荷物番と自動車整備係で満足している。そういうことだ。失望したから、ちかく日本へ帰るつもりでいる……

石垣ほそみと署名した長文の手紙について、後半は彼女の文章のままに引用したい。それはいまや確かに「河馬の勇士」とアイデンティファイされた、かつての引っ込み思案の少年と彼女の、僕への批判的な呼びかけをもふくんでいるから。もっとも彼女と「河馬の勇士」が現にいる場所と、これからの行きさきについては、詳細がむきだしにならぬよう、いくらかの修正をほどこす。

《ヒステリーを起こした私が、そんなことをまくしたてますと——旧英国統治以来の方法で醸造されている現地のビールを飲んでいたこともあります。ガレージ自体、煉瓦造りの英国領当時のものなのです——、「河馬の勇士」は三十歳の男らしい、しっかりした判断力で、それも鷹が獲物にとびかかるように、私がもらした新情報を問いかえしたのでした。

どうして私のように若い女が、昔の事件の山岳ベースの便所のことまで知っているのか？　そこでとうとう私は、アフリカについてから全財産身につけて持ちまわっている革袋から、あなたの小説の切りぬきを出して見せるほかなかったのです。これまでは、あなたの名を出さぬのが、ふさわしい仕方だと思っていたのですけれど……

実際、あの時の「河馬の勇士」の迫力は、こちらがすくみこんでしまうほどでした。ふだんは半分眠っているふうで、ノロノロ手仕事をしている人ですが、やはり「河馬の勇士」だけのことはあります！

あまり小説など読んだことのない人らしく、切りぬきは長い時間をかけて読みました。それから、ガレージのドアのない戸口のむこうの、本当にアフリカらしい暗闇のなかの誰かにいうように、「そうかい、嬢ちゃんは、このような人間に会いに来たのかい」とつぶやいたのでした。また「あの人はいま自分について、このようなことを考えているのかね」ともいいました。なんだか話の相手のこちらは無視されていると感じ、ますますヒステリックになって、「嬢ちゃんは、やめてくださあい！」と私は爆発してしまいました。

かれが切りぬきを読む間、不安があり、やはり革袋に入れてある、免税で買ったウィスキーのポケット瓶から、ビールに少しずつたらして飲んでもいたのでした。「この作家は、あなたたち母子のことばかり書いて、自分は傷つかないでひとの傷のことばかり平気で書いて、お金をかせいでいる！　死んでしまったお母さんの分と、自分の分と、この作家をブッとばしてやりに行かない？　あなたももとは『左派赤軍』でしょ？　『河馬の勇士』でしょ？」

ごめんなさあい、私はそんなことを口走り、雪に滑ってあなたが倒れた有様や、起きあがっての表情を、ザマミロ、と思い浮かべさえした始末です。

するとかれは私よりずっと経験のある男らしいおちつきをあらわして、こういったのでした。「Oは0で、自分の河馬に嚙まれているのじゃないか？　自分もそのうちにはOの前に立って、自前で考えた返答をするつもりでね」。それからはゆっくり話しこんで遅くなり、ドミトリーまで——そのように私らの宿舎は呼ばれています——送ってもらう際、真っ暗な街路でキスもしました。

さて明日は修理のできたランド・ローヴァーで、マーチソン・フォールズ国立公園の、例の船着場に連れて行ってもらいます。「いろいろあったが、やはり河馬はあすこが一番」だそうですから、その際ナイル川で水浴して、とくに私が体をよく洗うことができれば、かれと性関係も持つでしょう。

ヨーロッパ、アメリカ混成部隊の移動劇団が活動を再開すれば、輸送チームに私の仕事を見つけられるかも知れないそうです。無計画な外国旅行に、自分の可能性をためすといって出かけたという、一昔前の若い人たちを不審に思っていましたが、実際に旅に出て見ると、確かに自分で選びとりうる、可能性の幅はひろがるものだと思います。まずは途中経過の報告まで。

もっともこれからあと、あなたへの報告をするかどうかはわかりません。「河馬の勇士」にまつわりつく、愛らしいラベオになる私の計画が、たんなる夢想に終わってしまうならば、報告することもないわけです。「河馬の勇士」との協同が、本当によくなしとげられたなら、かれがあなたの前に立って行なう報告こそ、私らの報告となるでしょう。さようならあ！》

ロンドン経由ウガンダからの手紙には、当の書き手と、痩せているが骨格の大きい青年のカップルが写り、一頭だけ横向きの赤黒い河馬の頭と胴も遠景に見えるカラー写真が同封してあった。湖ほどのひろがりの川なかばに乗り出した、遊覧船の上で写したのだろう。じつは手紙を読む前にスナップ写真を見て、僕は青年に、こちらは額にかざってあるのを見たその母親の曽祖父の立派な容貌を思い出すふうでもあったのだ……

僕は『河馬に噛まれる』に、動物学者小原氏の著作にならってこう書いていた。《河のなかに緑の植生のかたまりができると、河は氾濫する。水中で盛んに活動する河馬は、植生のかたまりに通路を開き、水の流れを回復させる働きをする。河馬にはまた、ラベオという魚がまつわりついており、河馬が陸上からおとしこむ植物や、河馬自体の糞を食べる。そのようにして河馬は、アフリカの自然の生物の、食物連鎖に機能をはたしている。小原氏の記述に僕は誘われる。ラベオと呼ぶ魚の群れをまつわりつかせつつ、水流をとざす緑の植生のかたまりに通路をあけるべく、猛然と泳ぐ河馬の暮らしぶりが、有用なものとして排泄されるそいつの糞便ともども、人を励ます眺めではないか？　おそらくは気の荒い牡の若い河馬に噛みつかれるほどまぢかから、活動を見まもっていた者にとって、河馬の

働きはいかにも勇ましく奮いたたしめるていのものではなかっただろうか?》

「河馬の勇士」の批判どおりに、僕もこの二十年ほど、時に自分内部の河馬に嚙みつかれて、ワーッ、ワーッと叫びながらも、なんとか生き延びてきたのだったと思う。そのような自分を端的に励ます契機こそを、猛然と活動する河馬の生態に見出しつつ、僕はウガンダの観光ロッジの日本青年へ思いをはせたのだ。ナイル川のほとりに立つ青年と自分の情動を綯《な》いあわせるようにして、勇ましい河馬の光景を思ったのだが、それは自分の発した声援が、コダマのように戻ってくるのへ耳をかたむけようとねがったのでもあっただろう。

遠からず僕の前に立ち、返答を示すつもりだという「河馬の勇士」に向けて、こちらこそ態勢をととのえておかねばならない。しかしまずはそのメッセージが届いたと、近頃の洋画会社の宣伝部ならば『河馬に嚙まれる part 2』とタイトルをつけそうな、かれらへの返信を書き記した次第である。

Ⅲ　後期短篇

「涙を流す人」の楡《にれ》

N大使の公邸の離れで、ベルギー滞在の第一夜を過ごした後、妻ともども大使夫人からこまかな配慮をあたえられて、僕らは穏やかな朝食の時を過ごしていた。

Nさんはいくらか皮膚の底が暗い感じだったが、きびきびしかつは荘重なテーブル・マナーは、あいかわらず気持が良かった。それでいて夫人に弟のようなわがままさをあらわす仕方で、ペシミスティックなことを口にしたりもした。——生の盛りの時は過ぎた。もう余生だ！　というようなことを、大使より二歳年下にすぎぬ僕には具体的な寂しさの共感もあったのだが……　もっとも、それは不思議な印象でもあった。

たとえばこういうことがあるからだ。テーブルについてすぐの会話で、N大使は東京からとりよせた『ニーベルングの指輪』全曲のビデオの話を簡明にしていた。その新演出の録画が演奏はドイツ人芸術家によるものであれ、当初から日本人の愛好者向けの企画だったこと、発表されると驚くほどの早さで予約が完売し、手に入れるのに苦労したこと。それは日本人の文化的な活力・精力をあらわしているじゃないか、すくなくとも！　わずかなイロニーもこめながらそういう大使自身、すでに全曲通して当のビデオを見終えた上でのことなのだから、つまりはかれの文化的活力・精力も健在なのだ。

N大使が本来の職務で確実な成果をあげていることへの評価も、専門家筋から聞いたところだった。昨夜は、森をへだてて湖の遠望される丘の公邸から小一時間とかからぬブリュッセル中心部で、ECのエウロパリア祭「日本特集」の催しを記念するパーティーが開かれ、N大使夫妻の車に便乗して僕らも出席していた。

そこでやはり旧知のベルギー大使と文化参事官から、EC大使のNさんが対日赤字の拡大傾向という逆風のなか、EC諸国との摩擦解消のために有効な立案を次つぎに実現し、近くECの議長、委員長と日本の首相との共同声明がなされる方向へと新しい協調関係をかためている。N大使へのEC高官側の個人的な信頼がそれを確かなものにしている、という話を聞いたのだ。

そこで少し離れた噂の本人のテーブルに眼をうつすと、Nさんは地位のある外交官が公的なパーティーでこれだけ沈鬱な表情でいていいものかと気がかりになるほど、顔色のすぐれぬだけ塑像めいた端正なマスクを前にかたむけて正面の客の肩と肩の間を見つめている。それは夫人がテーブルの談論を闊達にリードしていられるのと決して不似合いではない対照をなしていた……

僕の視線の向かうところに眼をやった妻も、屈託なく、――タキシードにフリルのついたシャツの大使は、『モロッコ』のアドルフ・マンジューね、口髭こそないけれど、といったのだった。

　公邸の本棟から木煉瓦を敷きつめた暗渠《あんきょ》のような廊下を渡って行く、豊かな農家の納屋か修道院の一室のような広い寝室に帰りついた頃には、僕はパーティーで目撃したNさんの鬱屈ぶりを自分の気のせいかと感じていた。ところが秋の朝の乾いた光のみちるサンルームで香りの良いパンと幾種ものジャムに卵の朝食をとりながら、僕はあらためてNさんに軽い鬱屈ぶりを確認したのである。

　もっともNさんの動作に渋滞がしのびこむことはなく、パンのおかわりをテーブル・クロスにじかにとったりコーヒーをスプーンで浅くかきまわしたりする際の、肩から頭の角度、眼のくばり方は、朝食もこうして正面から立ち向かうべき成熟した男の仕事かと、Nさんのいつにかわらぬ生き方の習慣を感じとらせるものなのだった。激しい公務にかさねての、『指輪』のビデオを見る数時間は、くつろいだ楽しみというよりやはり労作《トラヴァーユ》であり、心身の疲労の恢復とは逆方向に働くのではないか？　そう臆測してみれば、顔色のすぐれぬ軽微な鬱屈も、Nさんの内面からは切り離して、ただ過労によると納得しうる気もしたのだが……

　そのうち食卓のなにか気がかりなヴェールが一枚覆いかぶさっているような——それをN大使の鬱屈のせいととらえていたわけだ——あまり活潑ではない会話は、僕が東京からの途上、一週間立ち寄ったモスクワのことになった。すでにその朝のヨーロッパの新聞を数種分析しているNさんは、ソヴィエトと東欧の民主化の勢いは逆行せぬが暗さは幾様にもかさなりうると、先行きを解説した。

Nさんの引用したジョージ・ケナンのコメントに、僕はたまたまその前の夏プリンストンで彼の同僚を介して聞いた、「強大なソヴィエトにおびやかされることをかさねてきたが、弱いソヴィエトこそさらなる世界への脅威なのだ」という談話を思い出して話し、少し前に読んだレイモン・アロンの論文につないだのである。両者をかさねるとひとつの文脈のなかにおさまって来るようですね、と……

一拍置いて、Nさんは沈鬱な翳《かげ》りをたたえた強い眼で、この朝はじめて僕をまっすぐ見つめると、

——ケナンもアロンも、あなたの世界観とはむしろ逆の側の人だと思うがなあ、といって、決して嘲笑《ちょうしょう》には近づかぬけれどもやはりイロニーにみちた微笑を浮かべた。

——そのとおり。核の課題についてはケナンからずっと学んできたけれど。これまでも、かれらの予見性ということには、抵抗しながらひきつけられていたと思います。

——抵抗しながらね。……しかしケナンは別にしてアロンもあなたに面白い？

——この前パリでお会いした時、Nさんに教えられて、アロンの遺した仕事の新しい出版のものを幾冊も買って来ました。

そう口を出した妻へ不意をつかれたふうに生真面目な顔を向けるN大使に、彼女はフランスからの飛行機に始まり帰宅してからもずっと僕が読みつづけて、実際に見聞きしたことよりそれらの内容を編集者の友人と話していた、と説明した。パリのマロニエの薄紅や白の花のことを尋ねられても、あれだけ花盛りの巨樹に囲まれた大使館の庭園で『日本短篇集』仏訳記念のパーティーがあったのに、まだマロニエの季節じゃなかったと思う、と澄ましこんで答えていた。そして、この朝初めて、四人そろっての笑い声が、折から陽の翳りのまぎれこんだサンルームをみたした……

大使は公務をとりにブリュッセル市中へ、そしてエウロパリア文学賞を受賞したということで招かれている僕は、「クリュヴ・ゴーロワ」というフランス語系ベルギー人の組織で話す原稿の検討に離れへ引き返した。長い廊下にそって幾つもある、漆喰《しっくい》で塗りなおした小部屋のドアが換気のために開かれている。そこを覗き込みながら歩いてゆく僕に、

——朝食の間、沈みこんでいるものだから、気がかりだったわ、と妻が声をかけてきたのである。中庭の奥の大きい木を見ないように、体を斜めにしているのも不自然だったし……　あなたが木が好きだということで、奥様はあの不思議な木を特別な御馳走のおつもりだったはずなのに。

——そこで話題が樹木の方向に進むように、とマロニエの花へ誘導してくれたのか……しかし、沈みがちだったのはNさんじゃなかったかい？　それでもホストとしてしっか

りつきあってくれていて……　むしろそれをむりに笑わせるのもと、冗談をいわないようにしていただけだよ。……中庭の大きい木はチラリと見たように思うけれど、つまりはNさんの鬱屈と思いこんだものに気をとられていたから。

——あなたが、あれだけめずらしい樹木をチラリとなり見て、そのままにしてしまうというのは、自然じゃないでしょう？　いつもなら、すぐさま中庭へ廻らせていただいて、幹にさわってみるなりしたはずよ。そうやってあなたが楽しむのを、大使たちは期待されていたと思うわ。

——そういわれればね。昔きみには話したけれども、ある特別なかたちの大きい樹木で、それを見たり思い出したりすると、近年は鬱屈というほどでもなくなったけれど、気の滅入るやつがあるわけだ……

——あれじゃないかと、私も感じていたわ。N大使がやはり沈んでいられたとしたら、あなたがあの木をチラリとなり見て、意識しないで影響されたのが、Nさんに感染したのかも知れないわよ。

——敏感な人だからね……　実社会での仕事をかさねてきて、かつ現役の盛りの人なのにね。精神的にタフなはずだし、ラオスでは青年海外協力隊員に空手を習ったというから、肉体的にもさ……　Nさんがこちらの鬱屈に気をつかってくださっていたのなら、僕とあのかたちの木の因縁を話さなければならないかなあ……　さて、そうするとなると、中庭のあの木から逃げ廻ってだけいるわけにはゆかない。正面からそれをちゃんと見なければならない。

　僕は空元気をふるいたてて寝室を大股に突っきると、藍色の厚手のカーテンを閉ざしたままの中庭側の窓に歩みよった。黒く太い梁《はり》が剝《む》き出しの高い天井に近いところから垂れるカーテンを開くと、すぐ眼の前にあるのは窓半分をふさぐ巨大な栗の木の茂りだ。夜の間、強い音をたて繰りかえされる実の落下に、妻がカーテンの合わせ目から確認していたところ。その向こう、公邸の本棟と離れとを正三角形に結ぶもうひとつの頂点に、あらためて見ればもう自分がそれを眼にしていたことを認めるほかはない、赤茶けはじめているこまかな葉で覆われた大きい樹木が、芝生のきわまでその長い枝をしだれさせていた。

　僕はギクリとし、かつその樹木全体の眺めに深い懐かしさの思いを呼びさまされた。この木と、自分の内側に永年茂っているあの木とは、おそらくともにニレの仲間だろう。しかし両者はそのなかで、お互いにまったく遠いはず。しかもこの木は確かに記憶のなかのあの木とつながるパイプを一挙にとおして、こちらを宙ぶらりんの思いにする……　いま眼の前にそそり立っている木は、ひとつの根株から二本に幹のわかれたものだが、それが僕の記憶の光景の木に結ぶ理由はあきらかだ。僕のなかの木は落雷によって梢を折り曲げられたハルニレ。こちらの木はその種類としての属性で、梢が両方とも手頸を強く折り曲げたかたちをし、そこからすべての枝が根方に向けて指のようにたれさがっている。こまかな葉の茂りがそれをつつむ様は、踝《くるぶし》までとどく雨合羽を着た巨人ふたりが向こうむきに背を並べているようだ。

朝食を始めた頃にはただ真っ青だった空に急速に雲がひろがって、しだれにしだれた枝のこまかな葉の茂りが凶々《まがまが》しいほどに翳ってゆく。僕はつい溜め息をついて、整えられたベッドのカヴァーの上へ横になり、これからすくなくとも一日二日は沈んだ気分においてつきまとうはずの、幼年時の記憶に面とむかった。海外にいることもあり、いくらかは進んでこちらからそれをかきよせるようだったと思う。そのうち僕は当の記憶の光景が、今朝早くからの気分を裏側でコントロールしていたことを認めるほかなかったのである。昨夜、月明りのなかの広大な前庭を大使の車で廻り込んだ時か、今朝の起きがけの散歩で、僕はねじ曲げられた梢をチラリと見かけ、すぐ眼をそむけて見なかったふりをし、意識の表層ではそれに成功していたのだったろう……

そのうち僕は、さきほど妻にはいわば思いつきでそういったにすぎなかったけれども、記憶から抹消できぬあの木の光景をこの年になってあらためて誰かに話すとすれば、確かにN大使こそ最良の聴き手だという考えに辿りついたのだ。

小説家として永年暮らし、四国の森のなかの谷間についてもおよそ数多いページを書いてきたのに、あの記憶の光景については書くことをしないできた。その理由として自分を説得していたのは、いつまでも当の光景にあいまいなところがついて廻っているということ。それでいながらあえて小説に書き、想像力的な整合性をあたえてしまうと、今度はそれが実生活にフィードバックして、とくに父親の晩年の仕業の思い出に黒ぐろとした影を投げかけるのではないか？　つまり僕はいつまでも幼児的なものの残る性格として、この記憶の光景を直視するのから逃れていたことになる……

それがいまブリュッセル郊外のあの木を思い出させる巨木のある屋敷で、文学に深い理解を持ちつつ外部でしたたかな経験を積んできたN大使に話すことで、なにかこれまでにない把え方が自分に可能であるような気がする……

さて実際に話しはじめてみると、幼年時のひとつの光景の記憶という主題は、やはり夢のように淡い不定形なものなのだった。大使がその公的生活にはまぎれこむことがないにちがいない、こうした小説家の個人的な話に寛大な、またとない聴き手であったことをしみじみ思う。沈黙してこちらを穏やかに見まもっている沈着かつ機敏なかれの眼を、すでに現世ではもう再び見ることはできぬこととなったいま、さらに色濃く……　そしてあの最後の話し合いはなにか自分らを越えたもののはからいではなかったかとすら疑うのだ。

われわれの坐っている居間の大きいガラス仕切りの向こうには、全体に総毛立つふうなorme-pleureurが、斜め下方の谷間から夕陽を受けて濃いワインカラーに燃えあがりもした。あの梢を押しひしいでいた見えない力と、繋《つな》がっているところのものが、どこかでとりはからってくれていたのではなかったかと……

――確か七、八歳の頃の記憶なんですが、背景の樹木をふくめて画像としてくっきり頭にきざまれているのに、その光景を構成している人びとがすべてあいまいな、そういう記憶にね、永年とりつかれているんです。さらにこの光景につづいての出来事に、ぼんやりした罪障感があるんですね、自分自身と父親とに関わって……　しかし自分や父親が実際になにをしたか、ということは霧に包まれています。そういうわけで小説に書くこともできない記憶なんです。

ところが、きっかけがあってその記憶が表層の方へ浮かびあがってくると、いつでも気持が沈んでしまう。それが一、二日は続く。とくに学生の頃、罪障感として意識するようになって、ずっとそうなんです。

その話を聞いてもらいたい。そう思いたって考えてみると、これは文章に書かなかったばかりか、結婚する直前、妻に話したのがひとにうちあけた唯一の経験だったと、奇妙な言い方ですが気がついたわけなんです。それだけに妻に話した状況を思い出すのは容易で、その時も桂離宮のちかくの森で、記憶の光景のなかに立っている木とおなじように思える巨木を見て、そしてドンドン記憶のなかに入りこんで僕が鬱屈したのがきっかけでした。妻との結婚式の打合せに京都へ行っていた際で、僕は端的に傷ついている、まだ少女めいたところもあった妻を納得させねばならなくなったのでした。

中庭に見えるあの樹木は、桂離宮近くの森の老木よりもさらに本質的に、僕の記憶のなかの木に似ていると思います。そこで今朝から僕におなじ鬱屈が起こっていたのでしょう。奥様から樹名を教えていただいたところですけれど、ヨーロッパの、それもこの地方に特別な樹木のような気がします。大きい図鑑でも、日本の出版のものでは見たことがありませんから。

つまり、おなじ種類が四国の森の奥にあるはずはない。しかも自分の記憶のなかの木に確実につながっているんですね。墓地の奥に僕の記憶の光景の樹木は立っている。種としていえばハルニレ。ただ、落雷にやられて梢がねじ曲げられ、枝という枝が下向きにしだれている。あの中庭の樹木のように……

七、八歳の僕は、ひとりで森のなかを歩き廻っては、夕暮になってやっと谷間に降りて来るという、いま思えば風変りな習性の子供でした。一度は森のなかで発熱して三日間も谷間に降りて来られず、とうとう消防団に救助されて、「天狗のカゲマ」という綽名《あだな》がついた……　そうした日々の暮らしのなかで、ある夕暮出くわした光景が記憶にしみついているんです。

あの orme-pleureur のように、全体にしだれにしだれた大きい木が森のきわに立っている。すでに森をうめつくしている赤っぽい暗がりが、わずかに森からへだたって一本だけぬきんでた高さの木に押しよせてきてもいる。その根方に三、四人の大人たちがじっと立っているんです。そしてやはり大人の両腕で囲いこめるほどの広さの真っ暗な穴が、かれらの足もとに掘られている。

大人たちみなが不思議な様子をしているので、僕はその全体が子供らしく誇張された夢に発するかとも疑うことがあるんですが、大人たちの真んなかには白い布をかぶった若い女の人がいて、やはり白い縦長の包みを、赤んぼうを抱く仕方で胸にかかえています。この女の人は頭の白い布のほかは普通のワンピースで、そのころ村で簡単服といった作り方のものだと思いますね。ところがその脇に立った、これまで自分の出会ったことのない、絵本で見る曲芸師のような恰好の、黒い鍔《つば》なし帽子をかぶった男の人が、黒い本を持っている。そしてやはりサーカスにでもいるようなモンペに布靴の老人と、鶴嘴《つるはし》を持った、上半身白いシャツに土方のズボン、ゲートルの若い男がいる。

ずっと鳥の歌のように聞こえる言葉で鍔なし帽子の男がしゃべっていたのが、灌木に覆われてトンネルをなす山道から子供が出て来たもので口をつぐんで、こちらを見る。女の人のほかみんながそれにならう……　こうした光景がわずかに動きの変化する絵のようにして、記憶にきざまれているわけです。

僕は村の子供で、その他所者だか天狗だか、ともかくも見知らぬ人たちに挨拶の声をかける才覚もなくて、そのまま墓地へ向かう古い敷石道へ走りぬけ、菩提寺の境内へ降りる石段に到ったはず。そして谷間を川ぞいにつらぬく村道に出て、家に帰ったのだろうと思います。このコースが森に昇っては降りて来る子供たちのルーティンだったから、そうしたにちがいないけれども、さきの光景だけを覚えていて、それよりほかの直接の記憶はないんです。

したがって、もうひとつの僕にしみついている固定観念のようなものは、実際的なイメージとして視覚にあるというのじゃありません。むしろ夢のなかの雰囲気というようなレベルのものです。夜ふけに父親が、家業の内閣印刷局におさめる三椏《みつまた》の工場にいた若い衆たちと、ものものしいほどの身支度をして、鶴嘴やスコップを持って森に昇って行く……

それからずっと時がたって、僕はこのふたつの記憶を――最初のくっきりした光景のそれと、あとは自分の頭でなかば作り出したのかも知れない、ただ雰囲気の印象だけ強いものと――ある日ハッと気がつくようにして結び、さきにいった罪障感を抱くようになったわけです。それを具体的にあかしだてる証拠はないのですが、最初の記憶の光景そのもののなかに、当の罪障感はすでにプリントされていたようにも思う。それに脅《おびや》かされるうち、第二の記憶の光景を夢に見たのだったかと思うこともあります。

それが夢だとすると、僕はまだ子供のうちから、村の墓地に埋めることを拒まれている家族がおそらく赤んぼうの遺体を墓地のはずれに埋葬したのに、そこを見てしまった僕に報告を受けて、父親が若者たちを指揮して掘り起こしに行き、森の奥へ捨ててしまったと臆測していたのでしょう。それから三年近くたって、父親が急死した際、ひそかに僕はあのことのせいだと怯えて、葬儀の後、埋葬に墓地へ向かうことを恐れたのを思い出しますから。あれ以来ひとりで森に入る事も少なくなってしまったんです。

N大使は、僕もその葬儀で弔辞のうちにのべたことだが、美しく明敏で母親や教師や友達の誇りだった少年が、そのまま大人になった面影の人だった。しかもそれと矛盾せぬ、したたかな洞察力を働かせるタイプ。僕の話を聞き終わった後、ゆっくり反芻《はんすう》するように間をおきつつ、かれはもうすべて見ぬいているかのようだった。

——あなたが七、八歳だったならば、まだ太平洋戦争は始まったばかりでしょう。それなら四国の村にやって来た他所者といっても、疎開者ではない。谷間を囲む森から材木を伐採して運び出すために朝鮮人労働者が連れて来られて、川原に近い所に集落をかまえていたと、あなたはたびたび書いている。あれが事実を反映しているとして、こういうことじゃなかっただろうか？

子供のあなたが見たのは朝鮮人の家族で、若い母親が白い布をかぶっていたとすれば、キリスト教の人たちじゃなかったのか。神父様も朝鮮人の方をひそかにお迎えしての、埋葬の場面じゃなかったか？　朝鮮人労働者の仮の集落に墓地はないだろうし、川原の隅などに埋めては大水で流されるかも知れない。森のなかの狭い土地で、どこかしっかりと埋葬のできるところといえば、村の先住者の墓地に自然に近づくのじゃないですか？

反対に村の人間の側からいえば、とくに差別的でなくても、他所者の、それも朝鮮人の遺体を先祖伝来の墓地のへりへなりと埋葬されては困るという反応もあったのではないか？　そうしたことを考えあわせれば、あなたが意識化することを望まないできたトラウマのもとはくっきりしてくるでしょう。

　しかし、困るなあ、あはは！　あなたにそんなベソをかいたような顔をされては！　……あのしだれた楡は、家内もいったとおり orme-pleureur で、pleureur というのは、枝がしだれにしだれているということですね。しかし、言葉の表面の意味としては「涙を流す人」の楡《にれ》であるわけで、あの木の確かにベソをかいているような雰囲気が、あなたのみならずね、われわれみなを影響づけているかも知れない……

　この夏の終わり、N大使は癌にもとづく肝不全で急逝された。自分の弔辞で、この樹木の思い出についてのべたところを引用したい。

《ブリュッセルの朝から東京の夕暮に向けて、かつて聞いたことのない夫人の悲しみの声が大使の死をつたえる国際電話を受けてから、私はこの夏の終わり、暗く茂っているはずの orme-pleureur の影に覆われるようにして時を過ごしてきました。

　あの秀れた異分野の友人は去った、かれと共にあることでのみ開かれたこの世界の独自の側面は自分から捥《も》ぎとられた。そのことを私は繰りかえし思っています。現実と、あるいはその外部との関わりにおいて、こちらとは比較にならぬ経験をかさねた人物に、しばしば私は自閉的な思い込みを越える展望を開いてもらいました。それが自分にとってかならずしもすべて受け入れやすかったのではない。しかしある時がたつと、私はその展望を介してはじめて可能な、積極的なものをかちえていることに気づいたのです。

そのあれこれを思い出していると、いま自分がいくらかなりとタフな成熟をなしえているとすれば、しばしば対立しながら豊かな談論を楽しむことのできた、大使との交遊の日々にそれがもたらされていることをさとらずにはいられません。

N大使、私はいまもなおあなたがまさにそのようにタフな成熟と純粋さをあわせもつ眼で、微笑しつつ、わずかなイロニーも漂わせて、私を見おろしていられることを感じます。残された生の時、それを感じつづけもすることでしょう。》

葬儀の後で、僕にとっても大使にとっても歯に衣着せぬ率直さが貴重だった共通の女友達から――彼女はピアノ留学していたパリで、やはり研修中のNさんからなにごとか打ち明けられたが、表現があまりシックで十数年たってやっと真意に思い到った。霧の夜のモンマルトルの丘でと、そうした言い方をする人――沈んだ声をかけられた。

――Nさんがサンフランシスコの総領事だった時、あなたはカリフォルニア大学バークレイの特別研究員《リサーチ・アソシエイツ》で、日本研究所の市民サービス・プログラムにベイ・エリアを講演して廻らせられてたのでしょう？　下手な英語でヘドモドしているあなたにNさんが襲いかかった話は有名だわ。日本の近代化が絶対制の天皇なしでやれたか、というような質問を並べて……　その議論がきっかけであんなに特別な友達になったのね、男の人は面白いわねえ。

——そうですね。……あの二、三日後公邸の夕食に招待されて、他のお客が帰った後、朝方ちかくまで立派な蔵書を見せてもらった、その際の純粋な愛書家ぶりも印象深かったけれども。

——しかしあなたに年相応の成熟があるとすれば、やはりそれは小説家としてのものじゃないの？　外交官のあの人からタフな成熟へのきっかけをみちびかれたというくだりは、いくらか受けとめにくく感じたわ。

葬儀の列席者の多くにもそれは不審なことであったかも知れない。山門からの坂をくだるおびただしい喪服の人らの列のなかで、自分の内面に関わることを詳しくは語れぬまま、僕は自分の弔辞を具体的に裏うちする経験について手紙を書くむね約束した。じつをいえば下書きがしだいにこの回想的な物語へとふくらんだのである。

ブリュッセルで僕の永年の記憶の光景について一挙に新しい読みとりを示されたのは、一九八九年秋のことだ。その年の暮れ、僕は四国の生家に帰っていた。ある朝早く子供たちのクリスマスの歌が、小さな行列をしのばせて、僕の寝ている座敷から川をへだてた疎林への道を登って行く。——赤いお鼻のトナカイさんは……

朝食をとりながら、どういうことで一日遅れのクリスマスを祝うのかと妹に尋ねると、あれは谷間の子供たちが隣町の保育園のクリスマスの会で使った金紙や銀紙のかざりを、造花とももらって帰って、対岸の山ふところに分け入った、三椏《みつまた》工場の廃屋奥のお墓にそなえるのだという。それはもう三年も続けられている。対岸に新しい道路を造る工事が始まり、藪に覆われていた斜面が整地されて、20×40センチの大きさで厚みのある墓石が見つかった。十字架となにやらわけのわからぬ文字と、ほぼ五十年前の、めずらしく西暦を刻んだ石がただひとつだけ。その周りは、狭い区劃ながら放置されて久しいはずが、破壊をうけつけぬ堅固さで石積みがなされていた。労働者のなかに、そのわけのわからぬ文字をハングルによる女の子の名前に当歳の、ということだと読みとってくれる人がいた……

それからキリスト教徒であることのあきらかなハングルの国の小さな死者のために、保育園のクリスマスの会のかざりがそなえられる。子供たちは祝いの日が一日のびることとして楽しんでいる。

——もともとあの一帯は、うちの山じゃなかったの？

——昔むかしの話。道路工事の補償がいくらかでも入るかと、お祖母ちゃんは期待している様子だけれど、理由がないわ。……子供たちの楽しみも、来春そうそう道路工事が終わる頃にはね、お墓もなにもすっかり鋪装の下よ。地蔵さんの脇に、墓石だけ移すという案も出たそうだけど、なにしろ宗旨がちがうでしょう？……私がここで生きている間、谷間には良い変化というものはもう起こらないのじゃないかしら。

妹もまた年をとって、ペシミスティックな話しぶりだったが、逆に僕の気分はめずらしく登り坂にあった。梢のねじ曲げられた樹木を見るたびに沈みこむもととなった、幼年期の記憶の光景から、暗いものをすっかり洗い流し、亡くなって久しい父親との和解もまたもたらされようとしている……

ブリュッセルの orme-pleureur を媒介に、N大使はまず僕を新しい危機に向けて押し出すようだった。それはいかにも苦しかったが、しかしいま訪れつつある幸いな乗り越えに、それは必要な過程であったのだ。あの人によって自分の生に幾らかはタフな成熟がみちびかれたと、どうして言いえないだろう？

ベラックヮの十年

『神曲』から様ざまに引用して、自分の生の出来事と、めぐりあった人びとに関わらせつつ、ひとつの長篇小説を書いた。多くの批評にめぐまれたが、あるヨーロッパ文学研究者の指摘が胸にこたえたのである。イタリア文学が専門ではないが、永い年月にわたってダンテを読んでこられたことのあきらかな評者は、全体に励ましにみちた解読のあとに、――自分の愛する登場人物ベラックヮについてふれてないのが残念、と微妙な味わいをこめて書きつけていられた。

おお、ベラックヮ！　「浄火」第四曲の、端倪《たんげい》すべからざる怠け者。わが国でボッティチェリの『神曲』挿画ファクシミリ版が刊行された際、家庭の経済ということでは無理をして一冊を手に入れたが、それもまずベラックヮの肖像に心が動いてのことだった。《またそのひとりはよわれりとみえ、膝を抱いて坐し、顔を低くその間に垂れゐたり》と山川丙三郎訳にあるベラックヮの面影を、精巧な版で見たい、という気持が働いていたわけなのだ。

それというのも、初めて『神曲』をこの翻訳で読んだ時――いまそれは岩波文庫に入っているから、以後の引用もそれに従うが――いかなる地獄の景観、魂たちの苦患《くげん》にもまして、ベラックヮの挿話に怯えさせられたのであったから。当時の僕は高校の二年生で、まだなにほどのことも学んだり経験したりせぬうちに、ひっさらわれて海を渡り、朝鮮戦争の雑役夫として働いて死ぬという、近い未来についての奇態な恐怖をいだいていた……

四十歳を過ぎて発心した僕が、イタリア語を個人授業してくれる人を探し、父親の任地のローマから大学に入るためひとり帰国していた、仮名にするが由木百合恵という娘さんを紹介された時も、最初からまずベラックヮのくだりを読む心づもりだった。動詞活用やら基本の文型やらを習うとすぐ、『神曲』冒頭はあとまわしに「浄火」第四曲から読むことにしてもらった。百合恵さんが不思議だという表情をしたのを覚えている。まだ週一度の授業が始まってから五週間ほどで、おたがいに遠慮があったから、一応はひかえめに……

そのうち百合恵さんは大学を卒業し、在学中からアルバイトをしていた映画輸入会社に就職して、遊びにも恋愛にも精を出す、ということになった。ところが、論文を書いていた大学の頃より時間ができたということで、百合恵さんが個人授業に熱心になるのと反比例して、僕は下調べをおこたり、毎回テープにとる講読を復習していないと批判されることにもなったのである。

たいてい僕は三行詩《テルサ・リマ》の三つほどしか辞書を引いておくことができなかった。いったんこう書いてから、僕は自分の当時の準備ぶりを、もっとも勤勉にやった水準でいっていることに気がつく……　ともかく二時間の授業がなんとか雑談で水ましされるように、新聞で読んだヨーロッパの政治状勢や、百合恵さんの恋愛やらへと話の誘い水をし、イタリア語を講読する時にくらべ、一挙に年齢よりも稚《おさな》くなる彼女の日本語の感想や打ち明け話を引き出そうとした。

その結果、僕は百合恵さんが外交官の家庭の子女らしく律義に贈ってくれた誕生祝の薔薇《ばら》の花束に、さきに書いたベラックヮの挿画の絵葉書がそえられているのを見出すことになったのである。僕は絵葉書を机の前にかざり、繰りかえし眺めては自分の生をふりかえり、高校二年の時の怯えを思い出した……

ここで「浄火」第四曲のテキストから、まずベラックヮに関わるところを示しておく。地獄をへめぐった後、煉獄の浜辺にいたって、藺草《いぐさ》を腰につけ顔を洗って穢《けが》れを去ったダンテと、師匠ウェルギリウスは、救いへの山道を登りはじめる。両者ともにリフレッシュして生気にみちているわけだ。師匠は、まめまめしく太陽の運行について弟子に説明する。ダンテは新しい心に気負い立っているが、煉獄の山の高さ・険しさに不安をいだかずにはいられないのでもある。師匠はさらに優しく励ます。高く登って行きさえするほど、登高はやさしくなり、楽しみとなる。この山道を登りきって、浄罪をなしとげる時こそ、きみの休む時だ……

そこへタイミングよく、水をさす言葉を投げてよこすやつがいるのだ。《彼その言葉を終《を》へしとき、あたりに一の声ありていふ。おそらくは汝それよりさきに坐せざるをえざるなるべし。》

ダンテはあたりを見廻し、岩かげに坐っているいかにも怠惰そうな人びとを見出す。なかでもこれ以上怠けに怠けている様子はあるまいというのが、フロレンスの楽器職人ベラックヮで、声をかけてきたのは旧知のかれなのだった。ごく近年でも、ヨーロッパでたとえばギターを発注して、できあがるまでに十年、十五年かかった、という話を聞く。楽器製造という仕事には、怠ける——すくなくとも素人眼には怠けているように見える——ということが、むしろ本質的かつ実際的な職業の知恵なのではあるまいか？　単純にいっても、資材の乾燥のための期間が長いはず。

僕はそのように思いもするが、フロレンスの楽器造りとして名高い人であったというベラックヮは、一瞬もおこたらず浄罪のために山を登ろうとする者たちとは対極をなすところの、胸のうちに確固たる思想をいだいて怠惰を選んだ人物なのである。

かれはダンテに告げる。自分は悔い改めること遅く、生の終わりにおいてやっとそれを行なった。いまさら急いで登って行っても、天使は煉獄の門のうちになかなかいれてはくれぬだろう。自分が俗世に生きた間だけ、門外で待っていなければならないはずだから、急がないのだ。

《われ終りまで善き歎息《なげき》を延べたるにより、天はまづ門の外《そと》にて我をめぐる、しかしてその時の長さは世にて我をめぐれる間と相等し／若し恩恵《めぐみ》のうちに生くる心のさゝぐる祈り（異祈《あだしいのり》は天聴かざれば何の効《かひ》あらむ）、これより早く我を助くるにあらざれば。》

ただ神を信じ恩寵に生きている現世の者が、自分のために祈りを捧げてくれるならば、門外で待つ時間も短縮されようもののといいつつ、ベラックヮにはそうした知り合いの心当りもない模様で、しかし平然としているのである。

十七歳の僕を怯えさせたのは、ベラックヮが煉獄の門にいたる山道なかばの岩かげで、同じ境遇の仲間こそあれ——若年の僕には、それらの仲間たちがむしろわずらわしい人びとに感じられた——現世で生きた生涯の時間の分待たねばならない、その時間の長さということなのであった。

これほど長い時間に耐えながら、ベラックヮは、昔なじみのダンテを批評的にからかう気力を持っている。それはなんという心の強さだろう。この世で様ざまな経過のうちにやり過ごした何十年という時間を、気晴らしもない道ばたの岩かげでもういっぺん耐えしのばなければならぬということは、自分の身の上にも起こりうる事とすると、思ってみるだけで息苦しくなるほどであるのに。

ふりかえって、ある奇妙さを感じるのだが、当時の僕は、いま信仰を持たない自分ではあるが、死のまぎわにはベラックヮ式に「善き歎息《なげき》」を告白し、地獄にはおちず、煉獄に行くはずだと思いこんでいたのだ。なぜなら、そうしないで死んでゆくほど自分は強い人間ではないからと。

それならば、英文の聖書の読書会に行ったことのある教会で、今すぐにもキリスト教徒になる教育を受け始めればいいではないか？　しかし一方で僕には、アッシジのフランチェスコについて読んだことからの思いこみがあり、――信仰を持つならば俗世間のすべてを棄てて修道院に入るところまで行かねばならず、いまの自分にはそうすることができない、という気持があったのである。なぜなら、そうしてしまっては、本当に生きることをしないままとなるからと。

ジレンマに悩むうち、追いつめられてさらに奇態な思いつきを自分のうちに見出すことがあった。高校のキャンパスでささやかれる不思議な噂があり、市内から三十分で行ける海水浴場で、高校生が突然襲われ手足の自由をうばわれて、韓国向け特需の船に乗せられた。そして三十八度線の戦場で使い走りの用をさせられているという。さきに書いた通り、僕は自分が誘拐されることを心底恐怖していたのに、時には次のような熱望をいだいている自分を発見したのであった。

朝鮮半島で、塹壕に弾丸を運んでいて射ち殺されるのが一番いい死に方なのではないか？　十七歳で、自殺するのでなく、しかし死なざるをえないことになるなら――戦場の赭土の上に倒れて、「善き歎息」をどうしてもらさずにいられよう——、自分は煉獄の山の岩のかげで、十七年間待つだけでいいのだ……

授業が二年目に入って、今度は百合恵さんの事情から、その日になって休講が連絡されたり、いったん始まっても、テープ・レコーダーに向けてテキストを読んでくれている声が中断し、いぶかって眼をあげると、わが師匠は息をつめるようにして宙を見つめている、というようなことが重なった。

百合恵さんに、同じ大学を出たいくらか年下のボーイ・フレンドがいることは知っていた。僕の家の応接間での授業の終わりがた、全体に丸っこいラインの黒い外車が、生垣のはずれに駐《と》まっていることがある。百合恵さんもそれに気がつくと、玄関から送って出ようとする妻を押しとどめて、小走りに門を出て行く。車は勢いよく発進し、ついにそのボーイ・フレンドの横顔なりと見ることはなかったが、夕方、散歩に出ようとすると、車の駐まっていた脇に、ツツジの小枝が沢山折り棄てられているのを見たりした。ずっと手塩にかけて生垣を育ててきた妻に気づかれないよう、僕は小枝をひろってポケットにいれ、また生垣のツツジの折れ口の目立つところをなんとか塩梅しようとつとめたりもしたものだ。

授業のたび、百合恵さんが加速度的に鬱屈を深めるようだった一箇月ほどの後、ついに僕はこういう話をうちあけられたのである。一度だけの不注意から妊娠してしまったが、自分はローマで洗礼を受けたカトリック信者であり、妊娠中絶をすることはできない。ところがボーイ・フレンドは、むしろ自然なこととして中絶を主張する。それを拒んで、なにより赤ちゃんのために結婚することを提案すると、かれはたちまち逃げ腰になった。あまつさえ、胎児が本当にかれとの性交によるとは思えないと、こちらを疑うことまである。ボーイ・フレンドは、これまでにもおかしな嫉妬を示していたのだ。私がイタリア駐在の両親と別れて暮らしているために、父親型の年長男性にひかれるところがあるといって、ここで授業のある日は待ち伏せするように車で迎えに来ることがあった。

仰天のあまり僕がブツクサいうと、百合恵さんはたまたまその日の授業で読んでいた一節を引用してこちらをあしらった。quasi ammirando, あたかも驚いたかのように？　同じ週だったか次の週だったか、読んでゆく詩行になぞらえて彼女がその苦しい思いをのべたこともあわせ思い出し、いま『神曲』のテキストを調べて見ると、それらは「浄火」第七曲にある。いったんベラックヮの挿話を読んでから、「浄火」第一曲に戻って再び始めたのであるが、僕らはまだそこまでしか進んでいなかったのである。

百合恵さんは、まのびするほど間隔が開いているが小ぶりでかたちの良い目鼻だちを、クシャクシャにして涙を流し、ウェルギリウスが地獄での自分の居場所を語るところに胸をつかれると訴えたのだ。

《下に一の処あり、苛責のために憂きにあらねどたゞ暗く、そこにきこゆる悲しみの声は歎息《ためいき》にして叫喚《さけび》にあらず／かしこに我は、人の罪より釈《と》かれざりしさきに死の歯に嚙まれし稚児《をさなご》とともにあり。》

百合恵さんが、中絶された胎児の行く場所を、地獄の辺境リムボと見なしていることに僕は共感をいだいた。慰めの声をかけずにはいられなかったのでもあった。その幾分simpatizzante に過ぎた僕の態度と関係があったともいわねばならぬかも知れないが、百合恵さんはイタリアにいる両親へ妊娠を知らせる前に、結婚する相手を確保しなければならぬ必要に七転八倒したあげく、僕をさらに仰天させる思いつきにいたったのである。

翌週の授業の日、百合恵さんはみるからに疲れている様子で、つくりは古風なコケシ人形のようであり頰には赤い艶のあったマンマルな顔が、ひよわな頸《くび》すじと同じ土気色をしているほどだった。つわりということで、授業をしている応接間から走り出ると、隣りの客用トイレに走りこんで嘔《は》いた。そして戻って来ると思いきめた様子で、彼女と僕との「新生活」の話をしたのだ！

あなたはいま、『神曲』を原語で読もうとあせっていることが端的に示すとおり、作家として、良くいえば転換期、悪くいえば行きづまりにあると思う。決意をかためて「新生活」に入るのでなければ、根本的には突破できない難所にいるのではないか？　あなたはこれまで書物をつうじてのみヨーロッパを学んできた。学生の頃から、その点では変わっていない。あなたの「新生活」は、実際にヨーロッパに移り住んで、そこで現実を生きることではじめて達成されよう。

　さてそのためには、いま自由に海外へ行き来する若い人たちとはちがって、四十歳をすぎたあなたには、現地で生まれ育った私のような「先導役」が――「新生活」ということにかさねて、ここでも百合恵さんはダンテのイディオムで話していたわけだ――必要だと思う。私と結婚することにすれば、あなたは新しい生活に入るきっかけを得ることになる。

　奥さんは家庭を守ることで立派な人だが、障害のあるお子さんの養護学校と、他のお子さんたちの受験教育とに、関心のすべてを向けているようだ。すでに彼女は情緒的にも、現実的にも、あなたを必要としてはいないのではないか？　この家とこれまでに出した本の版権を家族に渡して、あなたは私とヨーロッパに出発し、これからまる裸で「新生活」を始めてはどうだろう。生まれて来る子供を、私たちの子供として認めてさえくれれば、自分はあなたの「新生活」のためにどのようにでも献身するつもりだ。あなたはカトリックでないのだから、あなた自身の離婚・再婚に問題はないと思う……

　こういう突然の提案に答えようがあるはずはない。百合恵さんのあくまで自己本位な考え方に、不用意な笑いをもらしてしまったりせぬよう心がけるのがせいぜいのところだったのである。僕の沈黙に百合恵さんは苛立つふうで、これまでも、大きいフランス語の辞典をイタリア語の辞書と対照する時など、自由に出入りしていた二階の僕の書斎へひとり上がって行ってしまった。

そのうち思いがけなく手ぶらで戻って来ると、

――あなたの本棚には、女性のヌードの写真とか絵とかいう図版の本はいっさいないのね、と言いだすのだ。

――いまの書斎の本の並べ方ではね。

――理由があって、自分にエロティシズムを禁じたの？　まさかホモではないでしょう？

そこで僕もつい本気になって、今度は自分が書斎へ上がって行き、本棚を見廻して、ある前衛的な芸術家の回顧展カタログを見つけ出した。それに大きいガラス箱におさめたコラージュ作品の写真があって、僕は確かにエロティックな衝撃を受けていたのである。ガラクタというほかないほどの、こまごました寄せ集めの品物に囲まれて、大腿部と胴だけの女体が転がっている。淡いセピアの陰毛が恥骨の高みにひとつまみこびりついて、右の太腿が外側にねじ曲げられている。そこで局部というほかにない性器は開き、割れ目が鉛筆の幅ほど覗いている。凌辱され、扼殺されて、落葉の散りしいた地面に置きざりにされた娘の下半身、というように見える。

――そうか、これがあなたのエロティシズムなのか、と百合恵さんは見開きの写真版をためつすがめつし、しばらく黙って、細い眼をキッと見張ったりもするようであった。

それから三、四日たっていたが、まだ次の授業には間のある日、妻が長男を養護学校に迎えに行くとすぐ、玄関のベルが鳴り、出てみると百合恵さんが立っていた。

——奥さんの姿が見えなくなるまで、ひとつ向こうの角に車を駐めて見張っていたわ、と勢いこんでいう百合恵さんの顔は、いま思い出して冬の一日だったことが確かめられるのだが、化粧気のない皮膚に寒イボがたって、粉がふいたようでもあった。時間はあるから、準備がすっかりできるまで待っててね。そうだな、十分たったら上がって来てちょうだい。書斎には入らないで、手前から洋服簞笥《だんす》の鏡を見て！　おうちでやってみた時は、鏡の角度の調整が難しかったよ。

——一体、なにをやるつもり？

——あとでね！　お楽しみに！

僕は、正直に十分間待っていた。階段を上がると短い廊下をドアが仕切っている。それを開くと廊下の続きが書斎につながるのだが、この日は角に作りつけた洋服簞笥の扉が半開きになって行く手を閉ざしていた。斜めに引き出されているベッドの裾も、薄暗がりになにやらものものしい。娘の力として、それは相当な労働だっただろう。近づいて、扉の裏の鏡に、ベッドサイドの傘を外したスタンドの光を受け、もうひとつの、コ、ラ、ー、ジ、ュ、が構成されているのを、僕は見出した。

この国の食事で育った娘とはちがうふくらみ方の——妊娠のせいではないだろうと感じ

た――腹に枯草色のレースのショールがかけられ、開いて伸ばした腿の、視野に入る片方の膝も、おなじショールでおおわれている。鏡の像の中心をなす下腹部にはかざりのように陰毛が細く剃《そ》り残してあって、そこから不連続的に感じられる下方に、やはり剃刀《かみそり》をあてた痕が赤らんだ、むきだしの「局部」が見える。爪を切りすぎて先のふくらんでいる華奢な指が、腿のつけ根の一方へ皮膚を押しつけているので、茶色がかったピンクの絵具をなすりつけたような割れ目が、狭い逆U字型に覗いている……

　ともかく動悸はするし、なんとか一息つくと荒涼とした気分で僕は階下へ降りて行った。たまたま電話がかかり、それが厄介な用件のまま話が長びいていると、すっかり服装をととのえた百合恵さんが、すましこんで食堂にあらわれ、椅子にかけて煙草をプカプカ吸っていた。そして電話を終えるのを待ちうけていたように、次の言明を行なったのだ。

――あのコラージュにエロティシズムを感じたのは、落葉に埋まっているのが死体だと思ってのことじゃなかった？　そう考えついて、ゾッとしたわ。……お宅にワインないかしら？　出版社などがお歳暮にくれるでしょう？　キャンティ・クラシコでも飲みたいわね。心理の襞《ひだ》ひだが、不愉快なふうにトンガッテるのよ。

　百合恵さんが顰蹙《ひんしゅく》しないほどの立派な銘柄があるわけもなかったが、僕はなんとか彼女がひとり坐っている食堂のテーブルにグラスとワインの瓶を並べて置いた。百合恵さんはワインそのものには文句をつけぬかわり、保存の仕方が悪いためにコルクの粉がグラスに浮かぶというような、ヨーロッパ育ちらしい不満をのべたてたものだ。そうしながらもたてつづけにグラスを開け、妻が息子を連れて戻った時には、不自然なほど張った肩の間に——パッドを大きく仕込んだ服がトップ・モードになりかけていた頃の話——妙に細い頸すじをたれて、テーブルの、砕けた栓のコルクがふちについているグラスをじっと見つめていた。ロートレック式の絵柄だったが、丸い顔はいかにも東洋人の、それも日頃は健康な娘のものなのである……

——**これは、これは！　どういうことでしょう？**　と障害を持っている息子は遠慮しながらも驚きの声をあげた。

それでも妻は、百合恵さんのこのところの鬱屈に一挙の噴出ということが起こったものとして、酔っている年下の女性に対していかにも寛大だったのである。サラミ・ソーセージやチーズを皿に並べて、百合恵さんがやはり外国育ち独特の健啖家ぶりでそれを食べワインを飲みつづけるのにずっとつきあい、話を聞きもしてやった。妻にバトン・タッチしたつもりで僕は書斎に上がり——洋服箪笥の装置はもとに戻してあり、ベッドもととのえてあった——、さて机に向かったものの、その時になってさきの心悸亢進がぶりかえすふうで、前衛芸術家の回顧展プログラムから、問題のコラージュを探し出すとあらためて眺めたりしていた……

そのうち妻が書斎に顔を出して、いま百合恵さんは塩水を沢山飲んで嘔き、インスタント・コーヒーを幾杯もおかわりしたところだと報告した。五時までに酔いをさまして、自分のかかりつけの医院に相談に行く。問題点は産科・婦人科のことであなたに詳しく話すつもりはないが、いま百合恵さんが涙ながらに訴えることを聞くと、正常な妊娠というのではないように思える。医師によって異常が発見され、そこで妊娠中絶がすすめられるなら、法王様もそれを罪とはされぬのではないか？

——男には逃げられるし、妊娠はしているし、出血までしてウットウしい！　良いことはなにもない！　と百合恵さんは悲憤しているのだという。

この時点で、僕にもなんとなくカンのようなものが働いたのだ。百合恵さんが窮地に追いつめられて、僕などをまで緊急避難の結婚相手にもくろんだこと、その突飛な思いつきに失敗して、まさに常識の側の人間の妻に相談をもちかけるにいたった以上、良いことは<u>いいいい</u>なにもないという局面はここらで終わるのじゃないか？　蒼ざめてしおらしくなった百合恵さんに保護者然とつきそってゆく妻を送り出しながら、僕はそう思ったのである。

やがて病院からひとり戻った妻によると、百合恵さんはすくなくとも現在、妊娠しているとは考えられず、不規則な経血が見られる他は、子宮他に疾患がある様子もない、ということであった。

さて、この想像妊娠か自然流産かという微妙なところにもとづいた大騒ぎの結果、悪びれた百合恵さんが個人授業にあらわれなくなったので、ダンテをイタリア語で読むこちらの勉強はそのまま放棄されることになった。百合恵さんは、妻に向けてクリスマス・カードや外国からの絵葉書を送りつづけてくれたので、僕はそれらを介してずっと彼女の暮らし向きに関する情報を得てはいたのだが……

さきの出来事には、ちょっとした後日談がある。百合恵さんの悪夢からの解放から四、五日して、深夜に電話がかかり、彼女のボーイ・フレンドだと思われたが、――おまえは女の裸を覗いて、マスをかいたな？　鏡には、おまえのケツが映って見えるんだよ、バカ！　と罵るのだ。

『懐かしい年への手紙』が本になった時、それはあらためてひとりで読み始めたダンテに支えられた仕事であったから、僕は思いついて百合恵さんの東京の連絡先へ一冊送った。年が明けてからの電話で、百合恵さんは今度の日本滞在でいちばん懐かしい経験をこの小説からあたえられた、と妻に話したようだ。彼女は僕と同年輩のイタリア人と結婚し、ミラノと東京を二拠点とする高級婦人服店を経営して、年の三分の一をイタリア、三分の一を東京、そしてあと三分の一はニューヨークで暮らしているということなのである。

今年の僕の誕生日に――思いこみから一日まちがえて、前日の午前中に、というところも彼女らしい気がしたが――、百合恵さんは鉢植えの胡蝶蘭をかかえて訪ねて来た。車に外套《がいとう》を脱いで置いてということか、黒いジャケットに、シンプルな花びらがかさなっているような衿の、白いシャツを着た百合恵さんは、乗馬ズボン式に脇に張り出した繻子《しゅす》のスカートより他は、国際的な高級婦人服店の経営者という様子ではなかった。あいかわらず蒼白い頸すじに丸い頭がのっている懐かしさだったが、頸はひとまわり大きくなり、コケシ人形に似ているのに目鼻立ちは翳って見えるところなど、年齢のもたらすものもあきらかだった。

　百合恵さんは、年の始めに放映された僕のテレビ対談を見て、——あまり老けこんだようなことをいうから、心配になって来てみたのよ、と挨拶した。近頃は、性的な冒険というようなことは皆無？

——ちょうど一週間前、定期の健康診断に行って、尿酸値のほかは、変わりがなかったけれどもね。胆嚢や肝臓の高周波検査というのが新しく加わっているんだよ。カーテンを引いた区切りのなかのベッドでね、腹をむき出して、ゼリーと称するものを塗られて、そこを硬いゴム板でコスリつけられるわけ。ディスプレイを見ながらゴム板を操作するのは、頭の良さそうな生真面目な娘さんで、彼女に対してというのじゃないんだが、ゼリーでヌメヌメしたゴム板の運動自体にね、性的な動揺を感じたよ。

——勃起して、みっともなかった？　アハハ。

——心理的な範囲内でさ、と僕は腑甲斐なく言葉をにごし、百合恵さんと妻のさらなる笑いの標的となった。

そのうち昼食を御馳走するからと、妻が駅前の新しいスーパーまで買物に出て行った。すると百合恵さんは、それまでの笑いのなごりを一挙に振りはらって、次のような提案をしたのだ。

――二十分間あるわ。ふたりで罪をおかしましょう。あなたの場合、このまま老けこんでしまうのじゃ、もうその機会もないでしょうが！

食堂の隅で水蒸気を噴出する機器のシューシューいう音を聞きながら、僕は十年前にはこんなものもなく、喉がイガイガしてよく朗誦できないと、百合恵さんが不平をいったことなどを、脈絡なく思い出していた。

――もう三分過ぎたよ。やる気はないの？　あなたはベラックヮ贔屓《びいき》だものね。ものぐさなんでしょう、なににつけても。十年前、こんな怠惰な人を誘って、無意味だったわ。

――いや、無意味どころじゃなかったよ。僕は確かにベラックヮ型の人間だからね。なにもしないでじっと考えこむようにして、あれから例のいちいちを、どんなに思い出したか知れない。とくに細部をクッキリ思い出すということは、僕の職業の技術だしね。

百合恵さんのマンマルな顔に、劃然たるといいたいほどの変化があらわれた。それが若わかしくみずみずしい羞恥の発露なのだ。一挙に僕は十年前へと運び去られた。繰りかえし思い出すたびに、あの鏡のなかのシーンには「欠落しているもの」がある、と感じられてきた。その「欠落しているもの」のために、暗い光のなかに浮かびあがる下腹部・大腿部が、むしろこちらを拒むようであったのだ。

しかし十年前、大きい不安と絶望からのヤケクソな勇敢さにおいて、「局部」をさらし横たわっていた、未成熟な死体のような身体には、わずかに鏡の上隅を覗きこみさえすれば、羞恥に赤らんでいる若い娘の一所懸命な顔がついていたのである……

――あれ、あれ。いまになってその気になっても、もう遅いわ、と百合恵さんはシャツの衿の花びらのかさなりを青白い喉で押しわけると、こちらの頭上を透かして見るような距離のある眼をしていった。十分間、遅かったわね。

――十年間、遅かった！ と僕はいったのだ。

マルゴ公妃のかくしつきスカート

僕は歴史を専門的に学んだことはなく、歴史に題材をとって作品をつくる小説家でもない。ところがフランス十六世紀のこまかな事柄について、時おり問い合わせを受ける。それはフランソワ・ラブレーの研究に生涯をささげられたW先生の著作集を、やはりフランス・ユマニスムが専門の学者である先輩と編集したことがあるせいだ。もう全巻揃いを手に入れることが難しい著作集から適当なページをコピーし、おなじ巻の参考文献リストにあわせて送ることで返事の手紙に代えている。

二年前の梅雨時のある朝、やはりこの時代の一人物について問い合わせる電話がかかってきた。しかもその質問の仕方にこれまでのものとはちがうところがあった。不思議な切実さがひそんでいて、それは最初に電話を受けた妻にまず作用を及ぼしたほど。

――しばらく前のモスクワのテレビ局の仕事の日本側スタッフに、篠君という方がいられたでしょう？　ビデオ・カメラを肩に乗せて山野草の棚の間を移動しながら、なにひとつ壊したりひっくり返したりされなかった……　あの方からの電話ですけど、十四人の死んだ愛人の頭蓋骨をスカートのポケットに入れていたフランスの公妃の話を聞きたいということで……

用件について切り出す前に、妻が電話相手の人柄の印象を口にしたのは、午前中にやるのが習慣の仕事を中断されて聞く話題の奇怪さに、僕がムッとするのじゃないかと慮《おもんぱか》ったのだったろう。外国のテレビ局が日本で仕事をする際に、技術的なスタッフとして雇われるのが主な仕事だといっていた三十歳前後の篠君に妻は好意を持っており、かつ電話の用件については危惧の念をいだいていたわけだ。

確かに僕は、テレビ取材のインタヴュアーとして来たロシアの作家にこの奇怪なふるまいに及んだ公妃のことを話していた。あの時、こちらは気がつかなかったが、ビデオ・カメラをがっしりとした肩に載せて、確実な距離を保っていた篠君には、撮影に向ける頭の働きとはまた別の興味が心のうちで動いていたのだ。僕は仕事をしている肱掛椅子までコードドレスの受話器を運んできてもらい篠君に答えることに、いかなる億劫《おっくう》さも感じなかったのである。

——お仕事中を申し訳ないんですが、私には歴史辞典やそのほかをあたってみても知りたいことを探しあてられないので、直接、教えていただくほかないと……

その緊張している声音から、僕は篠君の強度な外斜視の眼が、ビデオのレンズにもう片方の眼がふれている間、宙を睨んでいた様を思い出した。ビデオ・カメラは音もなく撮影し始めるので、カメラマンの表情に注意を向けている余裕はなかったものだ。それでいて撮影しているある一瞬の篠君の表情がくっきり浮かんできたのである。

——自分が調べることができたのは、本当に知りたいこととはまた別なんですが、フランス国王のアンリ二世とカトリーヌ・ド・メディチの娘で、のちにアンリ四世となるアンリ・ド・ナヴァールと結婚した、しかし不品行のために離婚された、という程度です。この不品行のためにというところから、あなたの話していられたマルゴ公妃だと思うんですが……　ほぼ同じ頃、同じ名前の女性が三人もいて……

——きみのいってる人がマルゴ公妃です、アンリ・ド・ナヴァールと結婚した直後、サンバルテルミの大虐殺が行なわれるのを目撃したとも書いてあったのじゃないかな？　と答えながら、僕は篠君が自分で一応調べてみた上で電話をかけてきたことに良い感じを受けていた。不品行のためにといってしまうと問題点もあるけれども、公妃の不品行は有名だったんです。もっとも新教と旧教とを股にかけたアンリ四世とはちがって、マルゴ公妃はずっと旧教徒だったのに、宗教と政治のはざまで政略結婚させられた、気の毒な人でした。オーヴェルニュの山のなかに十八年間も軟禁されて、夫と暮らした時期は短かったし……

——色情狂の公妃と呼ばれたと、あなたはいっていられましたね。身分の低い男たちとも関係して、……死んだ、殺されさえした愛人の頭蓋骨をスカートのポケットに十四個もしまっていたと。あまり性的に執着したものだから相手の肉体から離れられないというのか……　その話をお聞きしたいんです。

——色情狂《ナンフォマニー》ということなら、大きい辞典にもそう書いてあります。しかしスカートにうんぬんは、頭蓋骨ではなくて、心臓。大の男の頭蓋骨を十幾つも身につけることは無理だったでしょう。鯨骨でひろげた、大きいスカートだということだけれども。マルゴ公妃のことを書かれたW先生の本は文庫にも入っていますが、手に入れにくいはずだから、問題の部分をコピーして送りましょう。

——コピーをいただく際に、自分の話を聞いてほしいんですが……

篠君の要請には、取材に走り廻ることでなりたつ職業の習慣でというのではない、強い鬱屈をひめた頑強さとでもいうものがあった。その鬱屈が、つまり僕になにごとか話すことを必要とさせているのだろう。僕は承知して日時を決めた。

マルゴ公妃の詳細な伝記を、W先生はパリのグレヴァン陳列館で見た蠟人形のことから描き始めていられる。謹厳な人文学者《ユマニスト》にしてグロテスクな笑いの愛好者でもあった先生らしいといえば、確かにそうだし、先生の著作として意外なといえばやはり首肯されそうな手法だが。そして陳列館《ミユゼ》の蠟人形第三十五番「マルゴ公妃。ナヴァール公だった頃のアンリ四世の最初の妃マルグリット・ド・ヴァロワが、ルゥーヴル宮の忍び階段で、ほどなく斬首される騎士ラ・モルに会う場面」という人形の写真を見ると、W先生は真実それに魅惑されてしまわれたのではないかとも僕は思うのである。

　グロテスクと可憐なエロティシズムが優美かつ危ういバランスで結んでいる若い娘、しかも彼女は浮気心のはずみでいまにも苛酷な歴史の歯車にのみこまれようとしている。その一瞬をかいま見て深い感慨をいだく、というようなところがやはり先生らしい。そこを出発点に手に入るかぎりの古文献と研究を参看して、大ラルース百科辞典にすら色情狂《ナンフォマニー》と書いてある厄介な人物に、等身大の肉づけと内面をあたえる。そうした書き方が晩年のW先生のものなのである。

　篠君の問いただしてきたマルゴ公妃のスカートについて、W先生はタルマン・デ・レオーの記述を訳出していられる。この十七世紀の随筆家がマルゴ公妃の死後の生まれで、実際に彼女の生涯についての見聞を記録しているのではないことを注意してから……

《公妃は、大きな鯨骨張りスカート(vertugadin)をつけて居られたが、その周囲にぐるりと、いくつも懐《かくし》がついて居り、その一つ一つに、亡くなった一人一人の愛人の心臓を収めた小箱を入れて居られた。と申すのは、愛人たちが死ぬ度毎に、わざわざその心臓に防腐処置をお施させになっていたからである。この鯨骨張りスカート《ヴェルチュガダン》は、公妃の寝台の背凭《せもたせ》の後の、南京錠で閉る鉤金《かぎがね》に、毎夜吊りさげられた。》

　さて会いに来た篠君は僕のコピーを熱心に片眼で辿り、やはりもう一方の眼は宙を睨んで、古風な顔立ちが百姓一揆で処刑される百姓というようなことを思わせたが、つづいて自分のショルダー・バッグからもファイルを取り出して三種のコピーを見せてくれた。そのひとつの新聞記事には僕も記憶があった。しかし事件の当事者が客商売用に盛装した写真が載っている週刊誌二種の記事は、初めて見る、およそおぞましいものであった。僕としては、W先生の著作のコピーとそれらとが眼の前に並べて置かれていることを、正直なところ不当に感じたほどだ。もっともそれらを読んでみることで、篠君が事件とマルゴ公妃伝説とを結ぶ単純なほどの思い込みをザッハリヒに了解することはできたのだが……

昭和六十一年の夏――ということが重要なのは、気温の上昇が、段ボール箱や衣装箱のなかのミイラ化した嬰児の悪臭を高めたので、近所の人たちが騒ぎはじめ、発覚の端緒をなしたということがあるから――北海道警富良野署が四十一歳のホステスを逮捕した。彼女は四十六年頃から十年間に、あわせて九人の子供を生んだが、生活苦のため育てられずバスタオルをかぶせて窒息死させた。そして遺体はずっと身近に置いてきた、と自供している。そら豆のかたちのふっくらした顔に、さらにも肉感的な下唇の写真を大きくあつかった写真週刊誌のコピー。そしてもうひとつ女性週刊誌のコピーの記事から、ホステスとしての彼女が出会った客の談話に篠君は僕の関心をひこうとした。

――評判では、彼女はとてもセックスがよかったらしいよ、とありますね。それは彼女と寝た男たちにとって、ということであるでしょうが、それは彼女自身もセックスをすることがとても好きだった、ということじゃないでしょうか？　たいていこういう評判をえる女性はそうだと思うんですが……　並はずれてセックスが好きで、コンドームやペッサリーなどを使っては大切な快感を高めることができない、相手もそのはずだと信じていて、いつもヌキミでやる。そういう女性は現にいるでしょう？　自分のセックスに追いつめられて、引っとらえられてさえいるというタイプが……

　マルゴ公妃を揺り動かした性的な情熱の、神秘的なまでの高揚をW先生は書いていられる。しかしそれを富良野のキャバレー・ホステスのセックスのよさとかさねていいものだろうか？　逆にこのホステスからマルゴ公妃の性的陶酔への渇望を解釈するとなると、思いがけず身ぢかな不安をかきたてられるようで、居心地が悪い……

　僕は憮然として黙り込んでいる、というふうであっただろう。もっとも篠君の方も、いったん質問を切り出してしまうと、こちらの答えを待ちかまえるというより、その問いが自分のなかで転がって行く先をひとり追いかけているふうに、一息にしゃべって紅潮していた顔がむしろ暗いほどの皮膚の色に戻るまでじっと黙っている……

　そこへ妻が受話器を持って来て、篠君への電話だと告げた。そしてW先生の本の脇に並べられたコピーに、フランス・ルネサンスの版画や古地図の写真版を見るつもりで視線をやったのだろう、怪訝そうな顔つきになるのを見て、篠君はあからさまに狼狽《ろうばい》した。あわせていかにも単純なシンタックスの英語で、しきりにいいきかせようとする。その電話への話しぶりはじつに気のせいたものだった。そのうち篠君は、――いま、すぐいま、《ナウ・ジス・モメント・》

おれが行く《アイ・ゴー》。動くな《ドント・ムーヴ》！　と怒っているような声をあげて受話器を置こうとし、一瞬とまどって無闇にボタンを押してから妻に返していた。

　そして篠君は腰をあげたが、そうなっての立居振舞には、一瞬前の態度とは裏腹に、ビデオ撮影の時のしっかりした秩序感がある。堅固にかつ静かに歩いて、玄関に出ると、篠君は時間をかけて真新しいスニーカーの紐《ひも》を結んだ。ジーンズの上下が、趣味の良いものであれ金はかかっていない様子なのに、スニーカーは風格すらにじむ特別さであるのは、やはりビデオのカメラマンという職業と直接関係しているわけなのだろう。さらには靴紐を結ぶ間に思案してということか、篠君はどちらの側もこちらをまっすぐ見てはいないが力のこもっていることはあきらかな眼を宙にすえると、立っている僕にこういいかけてきた。

　――そこのバス停の、公衆電話のところに、友達を待たせているんですが、……今日はもちろん話をしていただく気はないんです　……ただ、こちらからちょっと見ておいていただけませんか？　またお会いして彼女のことで御相談したいので、様子を見るだけでも見ておいていただけると……　あなたの見方は、独特だと思うから……

　篠君の懇願には、ここでもやはりふりはらいかねるものがあったのだ。僕はサンダルを突っかけて篠君の後にしたがい、信号機のある隣家の角に立ちどまって、三十メートルと離れていないバス停を見やった。妙にゆったりと両脇に張り出したデニムの長いスカートの——ついマルゴ公妃のスカートを思い出したものだが、竪《たて》にした小型トランクに腰をおろしスカートでそれをゆったりと覆う、時代離れした恰好だったからだと思う——、やはりデニムの刺繡つきブラウスを着た、大きい目鼻だちの浅黒い女性がまっすぐ頭をもたげてこちらにふりむく……

ところが当の女性のスカートかトランクかに興味を示したビーグル犬が、いつもこの犬を連れて散歩している顔見知りの婦人を引きずってジリジリ近づこうとしているのだ。篠君もそれに気がつくと信号が赤になろうとしているところへしっかりしたダッシュを行ない、そのまま駈けて行って犬を追い払いにかかった。信号待ちしていたバスが僕の視野を遮《さえぎ》って動き、バス停にとまった後、発車して行くと、もう女性も篠君もそこにはいなかったのである。

年をとったビーグル犬を連れた中年婦人は、鋪道の向こう側をこちらへ向けて歩きながら、犬をなだめるとも僕へ間接的に説明するともつかぬ、こうしたことを口にしていた。——おかしな臭いがしたのよね、それでつい常軌を逸することになったのねえ！　しかし、いけませんよ、東南アジアの方の、エスニックな香水かも知れないでしょう？

一週間をへだてて、篠君から手紙が、といっても文字を書いたものではなく、編集したビデオ・テープが説明ぬきで送られて来た。いかにも専門家が使っていそうな、高画質のものだが録画時間は短いテープが選ばれている。再生しようとするこちらの心理的な抵抗を推しはかってのことだったはずで、それでも実際にテレビ画面に映して見るまで四、五日放置しておいたものだ。それがあのバス停の、流行とは無関係にゆったりとひろがり、丈も長いスカートでトランクを覆うように腰をかけた、東南アジア出身の娘を撮ったものであることは想像がついた。

この前、待ちくたびれた娘から電話で呼び出しを受けて出て行きながら、僕にその人を一瞥なりとしておいてくれといったのは、そのための配慮だったのだろう。つまりはカメラマンとしてビデオ作品を作ってきた経験から、篠君はこちらが実際に彼女を見ているのでなければ、架空の映画でも見るように、そこにしこまれている現実の相談事を素通りさせてしまうのじゃないかと惧《おそ》れたのだろう。

つまり篠君のいった、僕が独特な見方をなしうるという評価は、こちらにしっかり見ておくようにと釘をさすほどの言葉だったわけだ。事実、小説家は志賀、井伏といった例外的な「眼の人」をのぞいて、見る瞬間にではなく、文章を書き、書きなおしつつ、かつて見たものをなぞる過程で、しだいに独特なものを作ってゆくのだ。

もっともあの東南アジアの娘さんについては、こちらの見方というより向こうのありよう自体において、思い出すたびギクリと記憶のなかを見ている眼をそらす、というところがあったのである。彼女がたまたま小旅行に出る途中、篠君につきあって小田急沿線の僕の住む町まで同行した、そのまま乗り継いで箱根なり伊豆なりへ行くために篠君をあれほどせかせたとでも、筋みちを作れば納得はできる。それでもこの程度の小旅行に、女性がトランクを携行するものだろうか？　気配をかぎつけた犬がアスファルトを爪で引っ掻いて闇雲の前進をはかるほどの、東南アジアのエスニックな香水の匂いのするトランクを……

つまり端的に僕は篠君が結ぶマルゴ公妃と富良野のキャバレー・ホステスに方向づけられた空想に悩まされていたのである。たまたま篠君の宅配便が届いた翌日、妻が子供たちを送り出す時間を確かめるためにつけているテレビで、男のところへ出奔してしまった三十代の女性の部屋から紙箱に入った嬰児の遺体が見つかった、という事件を報道していた。同じようなことが起こるものだが、ひとり残された中学生の娘の、友達が四、五人遊びに来て、永く掃除をしたこともないアパートを片付けることを思い立った。もともと部屋に悪臭がこもっているから、という動機だったようだが、共同玄関の外まで運び出した箱を開けて、ミイラ化した遺体を発見してしまった。男女の中学生たちはみな嘔いていた、と同じアパートの老婦人が目撃談を話した……

結局、僕がビデオ・テープを見たのは、篠君からの感想を聞こうとする電話に督促されたからだ。あわせて僕は、その週末に篠君およびかれの女友達マリアさんと会うことも約束させられた。とくにテープの後半、マリアさんが英語で話しているところが、言葉は言葉として、真面目な話かどうか自分にはよくわからぬ。そこを聞きとって、本人にも確かめながら、第三者としての感想を聞かせてもらいたい、と篠君は注文を出していた。

ビデオ前半は、マリアさんの池袋のアパートでの日常を描写している。その部屋の眺めは、突飛な言い方になるが緑と紅の植物の城の印象。マリアさんの生まれた熱帯との連想でというよりも、僕はしばらく前に見たフィリッピンの魔術的リアリズムの映画の、ジャングルに造られた玩具工場の眺めを思い出した。両者とも照明が暗いせいでピントが鮮明でなく、緑も紅も滲んでいた。

六畳ほどの床にビニールの茣蓙《ござ》を敷いて、そこいらじゅうに花を咲かせたブーゲンビレアの鉢が並べられている。ほかにも各種の観葉植物の鉢があり、花束にした百合とグラジオラスがポリ・バケツから斜めに突き出ていた。その花と緑の氾濫の向こうにベッドが置かれて、白いドレス姿のマリアさんが膝を抱えて坐っている。彼女の頭の上には前景の植物の混雑と対照的に、なにもない墨色の壁があり、ベッドの裾に衣類をつるした洋服ケースが妙に古風な赤革のトランクともども押しつけられている……

ビデオ・カメラは花と観葉植物を確実にゆっくりととらえながら、ベッドに近づいた。マリキテンシュタインがタブローにしてみせたアメリカ漫画のようなおかしみのある、マリアさんの黒ぐろとした大きい眼、桃色の舌がチラチラ嘗める肉厚の唇。もっともマリアさんは思い屈しているふうで、カメラには反応しない。そのままカメラはマリアさんの頭上を通過して、近くから洋服ケースとトランクを撮り、斜め下方へ角度を変えると、食器類と炊飯器とのある狭い隅を映した。そして後退し、再び緑葉と紅の花鉢とベッドの上のマリアさんを撮りつづけている……

　画面が切りかわると、カメラは床にべったり尻をつけて坐った人の眼の高さになり、ベッドの上で右肱を枕にこちらを向いたマリアさんが、やはり唇を嘗めながらなにも見ていない眼で、カメラに向かっていた。ずっと無音だったが同時録音はされていた模様で、突然部屋の外から男女が激しく言い争う中国語の声が入りこみ、マリアさんは身内のことを羞《は》じらうように眩しそうな微笑を浮かべた。それが彼女の示したはじめての表情だったことになる。

　再び画面が切りかえられると、今度は緑と紅の氾濫のなかで莫蓙に身体を縮めて坐り込んだ篠君がカメラに向かっていた。はじめ僕はマリアさんが写しているのかと思ったが、カメラは三脚に固定してあり、むしろマリアさんがそれにいたずらをするのだろう、時どき不連続的にズームしたり後退したり、激しくブレたりした。篠君はそれにかまわず考え考えして話すのだ。

　――マリアさんはフィリッピンから来日して五年になります。もちろん不法残留《オーヴァー・ステイ》です。はじめはいろんな地方から集められた同勢五人でやってきて、高崎のバーで働いていました。そのうち熊谷、大宮と東京へ近づいてきて、いまは池袋で働いています。一緒に来た娘たちのなかで、彼女の生活は例外的にめぐまれています。それは家庭の幸せとはまた別なのですが……

ともかく彼女には送金しなければならない家族が居ない。詳しいことは話しませんが、ミンドロ島サンホセで事故が起こり、家族と連絡がとれなくなったのです。こちらで働き始めてすぐ、彼女を搾取していた人物から自由になったのも、めぐまれている理由のひとつです。マニラから一緒に来たヤクザが強制送還されたからですが、その時までに出発前の借金は返していました。そうもゆかなかった仲間の女性たちは、別のヤクザにとり込まれたのですが、マリアさんは独立できた。個人的なつながりだけで商売をする道が開け、誰にも搾取されないで、気持のおもむくままに働いています。端的に彼女との関係に満足している中小企業主やテレビ会社幹部、室内装飾家というような人たちがいるんです。いわば共同で彼女をパトロナイズして、月に二、三回から週のきまった曜日ごとというふうに、彼女をホテルに呼びよせるわけです。エイズはじめ性病の惧れがないように、パトロンたちは自分らより他の客をとらないようマリアさんを説得しました。彼女は真面目にそれを守っています。

もっともね、ヒモにあたるのかも知れない人物はひとりいます。おなじミンドロ島出身の青年ですが、本拠を神戸において移動システムの「教会」を主催しているという人物。二月か三月ごとに池袋に姿をあらわして、マリアさんと関係を結び、その間に彼女が貯めておいたお金の三分の一を持って立ち去ります。この青年が、マリアさんの家族総ぐるみの不幸を知らせに来てくれたことから関係が始まったようです。

彼女はこのフェルナンデス青年の来訪を楽しみに待ちうけています。お金も全部あげるといっているのに、受け取ってもらえなくて残念だといっています。それは「教会」への献金ということなのですが、観察するかぎり、マリアさんの気持は個人への、つまりヒモへの感情そのもののように見えます。実際、フェルナンデス青年が来た後の一日か二日、マリアさんはハイの状態で、それは特別な性的陶酔が続いているといっていいものだと感じます。

マリアさんは性的にずばぬけた資質と体力をそなえているようです。私の会った中小企業主はあけっぴろげな人で、マリアさんはただ性的な目的だけで作られたような女性であり、相手に快楽をあたえるばかりか、自分が楽しむことにかけても熱心、あのようにスキな娘は、日本人には見られぬのではないか、といっています。それが証拠ですが、フェルナンデス青年は性的に彼女と対抗しうる素質を持っているのでしょう。

さてこれが不思議なことなのですが、マリアさんは、トランクのなかにしまってあるなにものかを、それこそ大切にしています。もしそれを奪い取られるようなことがあれば、自分が殺されるよりもっとひどいとすら考えているのではないか？　彼女が偽造パスポートなり売春容疑なりで逮捕されれば、このトランクが開けられないですむはずはないでしよう。私はそれを恐れています。

このアパートは中国人留学生がおもに住んでいるのですが、マリアさんの部屋は私が自分名義で確保しました。マリアさんが同国人の集まっている区域で暮らしているかぎり、入管に密告されるのではないかと心配だからです。私は最初、東南アジアから出稼ぎに来た人たちをレポートする企画で彼女に会いました。その時、マリアさんは友達ふたりと同居して暮らしていましたが、とくに友達の方は仕事のノルマもピンハネも大変でした。マリアさんには先にいった良い条件があり、なんとか自立させることができたのですが、その過程ではいろいろ苦労もあったのです。

ビデオの最後に、ベッドに坐りなおし足を斜めに伸ばしたマリアさんが、あらためて安定した画面構成でとらえられた。黒ぐろと剛《かた》そうな髪に小さな蝶のような黄色の蘭を――ハワイでそれが「ポップコーン」と呼ばれるのを耳にしたことがある――まといつかせている。クローズ・アップされてひとり語る演出の前に、自分を新しくかざったということなのだろう。さきほどまでの放心やあいまいな笑顔とは別の思いつめた印象もあって、唇は閉じていた。もっともそれは、すぐにもしゃべるつもりの言葉への、ひっくりかえしの効果を狙ったものであったかも知れない。

――私がエッチ大好きの、マリアですよ、日本人はスケベで面白いです！　とマリアさんはまず日本語で叫ぶようにいったのだから。しかし続いての、甘やかに鼻にかかる幼い印象でありながらスピードを持った英語の話は――完全にそれを聞きとれているという自信はないが――次のように生真面目に展開した。

……私は本当に辛く悲しいことを経験したので、朝起きるとすぐにそのことを考え始めて、夜までそうしている。死んだと思われてお棺におさめられたのに生きかえってお棺の木の板を見出すように、私はベッドの脇の壁を毎朝眼がさめて悲しい気持で見出すのです。そして眠るまで、辛く悲しい気持で昔のことを後悔しています。それが私の人生です。なんであれ悲しい気持が忘れられると嬉しい。いつもいつも、きりなく悲しい気持でいると年より老けてしまうというから。

フェルナンデス君が来ると、なにより嬉しいです――そういってマリアさんは言葉と裏腹にしかめっ面でカメラを睨みつけ、ひとつ間を置くと、真珠光沢のある薔薇色の歯茎と見事な歯をあらわして、声なく笑っていた――。篠さんは私がフェルナンデス君にお金をやるのに反対。私がフェルナンデス君にとらわれ過ぎている、そう心配しています。フェルナンデス君ともセックスするけれど、それは他のエッチとちがいます。フェルナンデス君は移動する「教会」ですから。フェルナンデス君といると「救い主」の声が聞こえます。

「憐れな小さい者ら《プア・リトル・クリーチュア》！」

篠さんはフェルナンデス君の「教会」のことで不機嫌になるのをやめてほしい。篠さんが「教会」をトヨタの四輪駆動のワゴン車で運んでくれるといい。それでは篠さんのために「救い主」を待ち望む歌をうたいましょう。――そして、また最初の日本語の幼いノーテンキな話しぶりに戻って、――《ウーエヲムーイテ、アアルコオオウ、ナミダガコッボレナイヨニ》、アハハ、冗談、冗談!

週末の午後、妻ははじめて家庭にフィリッピンの女性を迎えるということで、あれこれ気にかけて準備をしていた。僕はマリアさんの職業のことも彼女が携行するかも知れない小型トランクのこともいわず、観葉植物や花が趣味のようだからきみと話があうのじゃないか、とだけいっておいた。ところがこの日も篠君はひとりで来たのである。そしてそういう始末になったことでマリアさんに鬱屈した腹の立て方をしているように――僕への気兼ねからそうふるまっているのでなければ――見えた。

――今日は朝から、身体の具合が悪いとかグズグズいっていたんですが、フェルナンデス君から呼び出しがかかると、宙を踏むようにして出かけて行きました。こちらへうかがってから廻ればいいじゃないか、ともいったんですが……あれこそまさに色情狂《ナンフォマニー》ですね。良いセックスをしてもらえるとなると自分を抑制できないんですから。ただそれだけを一心に考えて。

――そのようなこともビデオでマリアさんは話していたけれども、しかし「教会」については真剣そのものだと感じた。「救い主」のことも……

――「救い主」というのは、まったくわけがわからないですよ。私は「教会」もフェルナンデス君の名目じゃないかと思っています、お金集めの。マリアさんはひとりでいる時祈っている様子はないし、大体聖書も持っていないんですから。フェルナンデス君が実際に「教会」を組織しているとしても、それは頼母子講《たのもしこう》のようなものじゃないのかなあ。どうして聖職者が「教会」と一緒にやって来て、信者とセックスするんですか？

そこへ紅茶を運んで来た妻が、

——お友達は部屋中に植物を置いていられるそうですね、陽あたりはどうですか？　と尋ねた。

——陽の光は一切あたりません、小さな窓がひとつ開いているだけで……　部屋の掃除をしないものだから花は臭いをまぎらせようとしているのじゃないですか？　かえって花瓶の水が腐って、廊下まで臭いと苦情が出るけれど、相手の中国人たちも勝手に幾人も同居させているので、そちらが厭《いや》な臭いをたててるじゃないか、と突っぱねて……

篠君としては自分の不機嫌の鉾《ほこ》をおさめる手だてが見つからず苦しんでいるわけなのだ。そのうち妻にまでマリアさんのことで不穏当な話を始めるかも知れない。僕は思い立って、さきにマルゴ公妃について引用したW先生の本からの別のコピーを示したのである。

W先生は、実際にマルゴ公妃に接したばかりか庇護を受けてもいた伝記作者ブラントームの、公妃の信心深さについて記録している文章を丁寧に訳出した後、次のような感想をのべていられる。それを読むと、愛人たちの遺体の一部を身につけていた色情狂《ナンフォマニー》とマルゴ公妃を単純化してしまうのでは、せっかく四百年後、東方の国で彼女をまともによみがえらせようとしたW先生に申しわけないという気がするのだ。さらにマリアさんのビデオが思いがけなく辛く悲しい経験や「教会」について語っていたということもあって、僕はこのコピーを篠君に示したかったのである。

《ブラントームの文章から感ずることは、不運なマルゴ公妃が、すべてを忘れ、何かに酔うために、神信心にすがりついた面が多いということである。そして、神に祈念することが消極的な自己忘却法とすれば、重なる不幸の渦中で、積極的に自己証明する道としては、愛慾（神の美の破片である美男子を愛撫する）生活だけが、マルゴ公妃に残されていたのかもしれない。

……………

表面は行い澄ました僧侶や尼僧が愛慾にふけることもある。こういう場合にも、マルゴ公妃と同じような心境を持つ人々もいるかもしれないが、それは決して多くはあるまい。むしろ、祭壇にぬかずく姿が、淫蕩な姿を匿《かく》すための隠《かく》れ蓑《みの》になっている二重生活の場合が多いのではないかと思われる。マルゴ公妃の場合は、二重生活といえば二重生活かもしれないが、公妃の神信心はその愛慾生活の隠れ蓑にはなっていない。強いていえば、公妃の生活は一重生活だった。》

篠君は例のとおり右眼だけで活字を追うようだが、しかもその眼の焦点をあわせるためにというわけか、コピーを斜めにしてこの前よりさらに熱心に読んだ。それから内心の強い気がかりをあらわして、まっすぐ僕に右眼をあてると、

——二重生活というのは耳なれぬ言葉で、といったのだ。よくわからないのですが、著者は消極的と積極的というのが、マルゴ公妃にとって楯《たて》の両面のようだったというのですか？　それならば対立しているはずだと思いますけど、二重生活だから、そのふたつの面がひとつにかさなっているということですか？

——そうでしょう、おそらく。もちろんマルゴ公妃は、なによりもまず情欲にいれあげた人で、その伝説が幾つも語られているわけね。

公妃自身が書いた本にも「こんなにはかないものでなかったら、これほど甘美なものはないのだが」と性関係についてのべられているそうだし……　しかしその陶酔と信仰生活にもたらされるものとがダブっていたのじゃないか、とW先生は考えていられるわけです。むしろはっきりと、彼女のキリスト教信仰自体に官能的なものを見ていられたのじゃないかなあ。

——そんなことが、キリスト教でありえるんですか？　……私は、マリアさんが信仰と称するものを見ていて、フェルナンデス君の移動する「教会」に行くのが、同国人の若い男に抱かれるための隠れ蓑だと思うほかないんですが……　実際に、フェルナンデス君とセックスをしているんだし。しかしマルゴ公妃にそういうことがありえたのなら、マリア

さんもビデオに向けてしゃべっているとおりに、「教会」からセックスと信仰と二重生活の陶酔をあたえられることがありえますか？

――僕はそう受けとって、もう一度マルゴ公妃の本にかえってみたのだけれども。あのマリアさんには、頭で作ってそうしたことを話す感じはないのじゃないですか？　むしろ本当に二重生活の人、という気がしました。不思議な率直さの、魅力的な個性だねえ、ともかくも。それで篠君はマリアさんとどういう関係なんですか？　立ち入ったことを聞かせてもらえば……

――え!?　ともの思いの深みへ沈みこみかけていたのが無理に引き戻されて、篠君はすっかり充血の濃くなっている眼を伏せると唇を噛んで黙りこんだ。

――きみはマリアさんを保護しているわけで、現に部屋の面倒も見ているのでしょう？　それでいて中小企業主とか誰とか、幾人もの男たちが彼女と関係するのに干渉はしないようだし。

――性的なことには、……私は興味がないんです、自分のこととしては。それで家内とも別れたくらいですから。マリアさんの場合、あのように官能的なものへというか性欲的なものへというか、それに執着があって、その才能だけを頼りに勇敢に生きている東南アジアの娘、ということが面白かったんですよ。それでビデオにいろいろ写したのが、マリアさんの面倒を見始めたきっかけです。一方、小型トランクのなかに隠しているものとか、時どきひどく滅入りこむこととか、妙に気になることがかさなってもいるんですが……まあ彼女も私を頼みの綱としていますしね。

――そういうふたりの心理的な関係は、このビデオによく表現されていますよ。ひとつの作品として見てくれ、ということではなかったわけだけれども、僕はこれまで知らなかった人物像を見た気がするな。これを展開して短篇映画にすればいいのに。

そのように批評したことで、僕としてはマリアさんのビデオを見ての自分としてなしうることは終えた、というつもりでいたのだから、懊悩《おうのう》する篠君にしてみれば、ずいぶん相談しがいのない相手だったことだろう。あえて弁解すれば、ビデオの画面のマリアさんには、人生の苦しみについて直截《ちょくせつ》に口にしていながら、スッキリ筋のとおったものの考え方をする点では明るくさえあり、異様な臭いのする小型トランクという――現に画面に映ってもいる――もうひとつの情報を相対化してしまうところがあったのである。篠君はそれからあまり話をせず、さきのロシアの作家の最近の消息を教えてくれたくらいで、長居せず帰って行ったのだが……

ところが一週間たって、篠君からかかってきた電話は、およそ切迫したものだった。

――マリアさんが池袋のアパートから出て行ってしまいました！　と篠君はやり場のない憤懣におののいている、喉の破れかけたような声で訴えるのだ。マリアさんの客の薬局主に直接会って確かめたんですが、昨日が毎週会う定まりの日だったのに、ホテルに来ないし、変更の連絡もないというんですよ。マリアさんに頼まれて隠しごとをしているというふうじゃなくて、露骨に残念がっていて……　彼女が不用意に新宿へでも稼ぎに出れば、すぐさま捕まってしまうでしょう。そうなればトランクの中身を点検されて、悲惨な騒ぎになるにきまっています。テレビにも新聞にもいまのところその報道は出ていませんが、一体どこに潜んでいるのか……

　挨拶の仕様もない僕に向けて、一方的に篠君がしゃべり続けたことをまとめると、次のように事態は展開した様子。フェルナンデス青年の急な到来で、マリアさんが僕の家に同行するかわりに「教会」に出かけた翌日から、篠君が毎日朝夕アパートを訪ねてもマリアさんは帰っていなかった。四日目の夕暮、かつてなかったほどの性的陶酔のあとを――と篠君は思い込んだわけだが――荒廃のようにあらわして戻って来ると、例の肱《ひじ》まくらをした恰好でベッドに丸くなり、篠君の問いかけにもはかばかしく応答しない。

　そのうちつい妥協的になった篠君が、フェルナンデス君とのセックスは良かったかい？と尋ねると、――今度は私の体が悪くてセックスはしなかった、ずっと「救い主」のことを話してもらっていた、という。そして篠君には、マルゴ公妃についての新しい認識がきっかけとなってでもあろう、これはすばらしいセックスへの陶酔などというものではない、いまにも彼女を自分の手の届かぬ所へ押しあげかねぬ、超越的なものとの関係なのだと、絶望のような確信が湧いた。

とっさに篠君はマリアさんに、——もうこんな暮らしはやめて、とくにフェルナンデス君の「教会」とは縁を切って、自分と結婚しよう、と申し出ていたというのだ。マリアさんは驚きのあまりいつもの素早い反応を示すようになって、フェルナンデス君の「教会」についての篠君の言及には一顧もあたえず、ただ、結婚などしなくても私とエッチしたいのならいつでもしてあげる、これまでアレに興味のない、ただ親切な人とだけ思っていた、まだ病気で疲れていて良いセックスができないから今日はしないけれど、と答えた。

篠君は、そういう関係になればきみの売春の客たちと同じことになるから嫌なのだ、と説得を始めた。正式に結婚しよう。ついてはまずきみが自首して出て不法滞在の裁判を受け、本国に送還された後、自分がマニラに出かけて、移動式などじゃないカトリックの聖堂で正式の結婚式をあげたい。あの忌いましいトランクの中身を入管当局の役人に曝《さら》しものにされるのが嫌なら、今夜のうちに錘《おもり》をつけて東京湾に沈めて来てやる、ああした気色の悪いものからまずスッパリ縁を切り、つづいてフェルナンデス君の「教会」からも離れて、新生活を始めるのだ、といった。

もとより篠君とマリアさんに十分な英語のコミュニケーションがあったわけではないから、それにはずいぶん時間がかかった。そのうちマリアさんの態度に業をにやした篠君は、ベッドの奥から小型トランクをサッとぬきとると、アパートの前に停めてある自分の四輪駆動ワゴン車めがけて駈け降りようとした。

初めて自分の腕に提げたトランクは、ガサガサいうけれども異様な軽さで、かえって篠君はゾクリとしていたが、階段なかばで赤いネグリジェのまま追いすがって来た泣き叫ぶマリアさんの体当りに、そのままふたりからみあって転げ落ちることになった。

それでもマリアさんをかばっていたから、したたか腰を打った篠君が体勢をとりなおす前に、マリアさんは衝撃で開いているトランクからこぼれおちた包み二個を急いでしまい込むと——篠君は自分がビニールごしになにを見たかはいわなかった——さらにも大声で泣き叫びつつ、すでに深夜だがまだ車や人通りのある狭い鋪道に駈け出して行った。

篠君はワゴン車で追いかけようとして、やはり無理な駐車をしていた乗用車が脇から発進して来るのへブッつけ、動きがとれなくなったのである。そのまま篠君は前方の大通りに出るところで、大切にトランクを抱えた赤いネグリジェのマリアさんがタクシーに乗り込む、夢のような不確かさの後ろ姿を見た。

——「救い主」が私らの「教会」に来られて「憐れな小さい者ら《プア・リトル・クリーチュア》」をよみがえらせてくださろうとしているのに！　と聞きとられる英語の叫び声を、マリアさんが泣き叫んでいた声音のまま耳に残している、とも篠君はいっていた……

今日まで東京の盛り場を探して来たが、これから大宮、熊谷、高崎というようなところまで、また神戸を中心に関西も廻ってみるつもりだ。とくにフェルナンデス君の「教会」に匿《かくま》われているということはおおいにありうるから、移動する「教会」を探したい。彼女を無事保護することができるまで、あなたに連絡もできぬと思うから、この前置いてきたビデオ・テープは保管しておいてもらいたい。あれは一本きりのオリジナルで、カメラマンが職業の人間として不注意なことだったがツメを折っていないし、テープ自体になにも書き込んでいない。まちがえて新しい映像をかさねることがないようお願いして、マリアさんを探しに出発してゆきたい。見つけることができたら、私はもうマリアさんの「教会」にも「救い主」にも疑いの声は発しないつもりだ。ひとりの人間が、あのようにも信じていることなのだから、と篠君はいって電話を終えたのである。

あれからすでに満二年がたっている。篠君からの連絡はとだえたまま。ロシアのテレビ局の仕事をした際の通訳の女性にたまたま会って尋ねたところ、篠君の不意の消滅は「業界」でもしばらく話題になったが、近頃は噂にも出ないようだ、ということ。僕の方もかれとの最後のいきさつを話したのだ。ところがそれがきっかけで、篠君の別れた奥さんから連絡があり、かれの作品を集めているのでビデオ・テープがあるのなら自分の方にあずからせてくれ、ということである。

篠君との約束もあり、僕はダビングしたテープを送ることにして、自分でその操作をしながら、あらためて篠君とマリアさんの画像を見た。マリアさんは確かに人生の不幸の悲しみと苦しみをのべるのだが、画面の映像としての彼女は、いかにも稀なことに善意の日本の男(たち)に保護されている、東南アジアからの例外的に幸福な娘に見えたのだ……

　その印象に誘われて、もとよりおよそ現実的なものではないが、僕は次のような夢想を抱くことがある。マリアさんの捜索行から戻った篠君が、さきに僕のすすめた短篇映画のためのシナリオをたずさえて会いに来る。その導入部のために、僕のあずかっているビデオ・テープが必要ということで取りに来たわけだ。シナリオの物語は、かれが二年前に電話で叫ぶようにしてつたえた出来事から動き始める。ワゴン車での探索行は高崎から神戸へと続き、篠君はとうとうマリアさんが小型トランクと防臭剤としての大量の花とともに暮らしているアパートの一室を探りあてる。しらみつぶしに生花店を訪ねては、しばしば花や観葉植物を大量に買うフィリッピンの女性はいないかと探してゆけば、それは確かな手がかりでありえたはずだ。

　シナリオをしめくくるシーンはこうである。屋台のような移動式の「教会」に、ふたりの幼い子供を両脇に抱えた篠君と、こちらは生まれたばかりの嬰児を抱えたマリアさんがミサを受けに訪れている。あるいはその赤ちゃんの洗礼を受ける日ですらあるかも知れない。喜ばしいことに、マリアさんはもう小型トランクを携行していない。訪れた「救い主」をたたえる歌が屋台の周りの娘たちによって合唱される……

　もとより僕としても、よりリアリスチックで忌わしい予感とともに、新聞に日ましに増える東南アジアからの女性のトラブルの記事に眼を向けることの方が多いわけだが。

火をめぐらす鳥

（私の魂）といふことは言へない
その証拠を私は君に語らう

右の一節は、若い時のめぐり合い以来、つねに透明な意味をあらわしてきたというのではないが、僕にとって大切なものだ。しかも最近、それとの関係に新しい光がさしてくる体験があり、短い物語を書くことにした。詩の書き手伊東静雄は、声高に語るという人柄ではなかったようだ。作品にもそれはうかがわれる。詩人の死後、おなじく好ましい寡黙さで、遺された作品を註釈し・編纂する研究者たちがあることも知っていた。しかしこの国の風土の中でしばしば異様な共鳴音をたててひずむ、ロマンティシズムの声調で作者を追懐する論者も数多かったから、僕はこの詩への思いを人に語ることはなかった。

もともと僕はこの詩「鶯《うぐいす》」といかにも若いうちに出会い、一挙にそれを理解したと信じてしまった。そこで、詩人の研究書に眼をくばる能力も余裕もないまま、むしろ権威のある解釈など意識的に避けてとおるようであったのだ——すくなくとも、ある時期までは——。そのうちこの詩への思いこみは、なまなかなことでは作りかええぬ堅固さにかたまってしまった。現在の僕は、若いうちに詩の読み方を良い師について「まなび」、身体の感覚のなかで「おぼえ」、さらには魂において「さとる」、柳田國男流の教育システムが望ましいと考えているけれど……

まず僕が幼いような徒手空拳で出会い、深い印象を受けたままにこの詩のことを語っておくなら、最初の二行につづけて詩人は——まだ二十代であったはずだが（一老人の詩）としてこの詩を書いており、それも少年であった僕が妙に惹きつけられる理由だったという気がする——その幼時の思い出を語るのだ。

深い山のへりにある友達の家に遊びに行くと、いつもかれは山ふところに向かって口笛を吹き、鷲を呼びよせた。そしてその歌を聞かせてくれた。やがて友達は市《まち》の医学校に行ってしまう。ふたりとも半白の頭髪をいただくようになって、町医者となった友達と再会したが、この話をすると、かれは特別にはそれを思い出さないと言う。

しかも（私の魂）は記憶する
そして私さへ信じない一篇の詩が
私の唇にのぼつて来る

　私はそれを君の老年のために
　書きとめた

　このようにして成立したとされる詩を、まだ少年の僕が読んで、それまで印刷されたものをつうじて経験したことのない激しさの感情をあじわったのである。身体の芯に火の玉があり、その熱でシュッシュッと湯気がたつような涙が噴出するのに茫然としながら……まったく、こうしたことはある、と僕は感じ入っていたのだ。その時、僕はやはり山のへりの生家に、新制高校三年の夏休みでかえってきたところ。この年の七月、創元社の選書で出た詩集をなんらかの本能にみちびかれてすぐさま買っていたことが、いま詩人の年譜を見てわかる。

　狭い川をへだてる栗の林には時鳥《ほととぎす》や郭公《かっこう》が啼《な》き、それは直接この前の帰郷の際の鶯の声を思い出させた。こちらも鶯を呼ぶことにたくみで、それのみならず僕にこの谷間の植生に始まり宇宙のなりたちにいたるまで、それこそ森羅万象の指南をしてくれた友達は村を去っていた。僕の方も市《まち》に出ていながら、しかしかれが去ったことを不当に感じていた。やがて自分らは再会するにちがいないが、たがいに半白の頭をかかげながら話すうち、友達は僕に教えてくれた最上のことは忘れているのを認めるだろう、特別にはそれを思ひ出せないと、微笑しながらであれ……　その時、僕はなお、しかも(私の魂)は記憶する、と静かな確信をこめて言いかえしうるだろうか？　（私の魂）といふことは言へない、とも……

僕はこの詩を、文字使いのいちいちまで正確に諳《そら》んじることになった。幼時には正字で覚えていた漢字を、新しい教室の習慣のまま、ためらわないで当用漢字に置きかえてしまったにもかかわらず、僕には詩人の用いる文字と仮名づかいがいちいち動かしがたく感じられたのである。なぜならそれはそのように、自分の老年のために書きとめられたものであるから……

鶯という字。あらためて僕は父親が死のまぎわまで枕許に置いていた辞書で引いてみた。この詩を受験勉強の数学の計算用に使っていた藁半紙《わらばんし》に書き写して眺めるうち、いかにも神秘的な文字に思えてきたから。しかし辞書には、小鳥の名、うぐいす、とのみ書かれていた。僕は失望したが、思いついて別の字を引いてみることにした。そして着想は正解であったのだ。この時から、僕にとって辞書が特別な意味を持ち始めたという気さえする。螢。形成「𤇾」（＝火をめぐらす）＋「虫」。光を放って飛びまわる虫の意。それならば鶯は、火をめぐらすように、光を放つように、歌いながら飛びまわる鳥ではないか。さきの春、栗林と川にはさまれた藪に鳴きみちていた鶯がまさにそうだった……

僕はこの漢字のかたちと音とについての、幾千年前の、それも外国人による説明を、いま現にこの一瞬の過ぎ去る現象として自分の耳によみがえる鶯の声をとおして納得していた。かつはすぐにも夕暮が来て川岸にあふれるはずの螢のイメージを媒介に、さらに一段上の秘密を教えられているようにも感じたのである。教えられていることの内容を、まだ自分の言葉にすることはできない。しかしそれは、ほかならぬいま、自分が書き写している詩につながっているはずのものだ……

（私の魂）といふことは言へない
しかも（私の魂）は記憶する

十八歳の僕が感じとっていたことを、いま老年に進みよって自分の言葉で書きとめるとすると、それはこういうことになるだろう。個を超えた、そして個を含みこむ（私の魂）の光の群がりに向けて、一匹の螢として自分も光りながら飛んでゆく。そのために自分のこれからの生がある。そうしたことはもうずっと以前から（私の魂）につながる自分が知っていたことだし、それ以上のことは（私の魂）の外に個としてあるかぎり、いつまでも知ることができない……

それから十年目に生まれた僕の長男には、頭蓋のディフェクトにもとづく知的障害があった。生後六年間、親の僕たちに言葉を介してはコミュニケーションの関係を開くことのなかった息子が、初めて積極的に、自発する言葉をかけてきたのは、鳥の声を介してであった。

生後しばらくたって、つねに沈黙しているにもかかわらず聴覚に敏感なところがあって、ラジオやテレビの効果音としての野鳥の声がすると、微細な、しかし新鮮な反応を示すのに気がついた僕と妻は、野鳥の声のテープを息子の子守歌がわりにしていた。その頃東京に滞在してつきあいのあった外国の詩人が、この頃になって記憶にいくらかの混乱を生じているまま、——林の傍にあって、いつも鳥の声が響いたあなたの家が懐かしい、とクリスマス・カードに書いて来たこともある。

野鳥の声のテープは、ＮＨＫの技術班が録音・製作したもので、ひとつひとつの啼き声の後に、若い女性アナウンサーが、いかにもニュートラルな声音で鳥の名を告げていた。それもあわせ聞いていたわけだ。そのようにして二、三年の月日がたち、あいかわらず黙っている息子を連れて、群馬県北軽井沢の山荘に出かけた。妻が屋内を掃除している間、息子を肩車して、夏のはじめの高原の、夕暮が静かに濃くなるダケカンバの林に立っていた。近くに戦前法政大学の学者たちが作った組合が湿地から流れ出る小川を塞《せ》きとめた湖がある。由緒ある古い組合別荘地の端に、僕らも山荘を建てさせてもらっている。

その人造湖でしきりにクイナが啼く、僕がそう思った時、一瞬たって頭の上の息子が澄みわたった声を発したのだ。

――クイナ、ですよ。

その日から、僕と妻は野鳥の声のテープをかけては、アナウンサーがその名を口にする前に一時停止のボタンを押し、息子に答えさせるゲームを行なうことになった。また直接に野鳥の声を聞ける場所に出かけて、息子があれこれの鳥の名を告げるのを楽しむこともした。とくに感興をそそられてというのではないようだが、耳を澄ませてよく考えてのその上で、ということは感じられる声音で、――シジュウカラ、ですよ、ヒガラ、ですよ、サンコウチョウ、ですよ、と告げ知らせる……

たいていの野鳥の声をおなじものに聞いてしまう僕は、息子が口をひらく前に、あ、鶯だ、と気がつくような時は嬉しく、はずみたつ気持を押さえて、――ウグイス、ですよ、という息子の声に和したものだ。

そのような時、僕は自分が二十歳前にあの詩に強く惹かれ、鶯の正字を辞書で引いた時のことを思い出すのがつねだった。さらには少年の頃、例の友達があの詩の通りに、どうしても僕には真似られぬ口笛で――酷薄なほど鋭いかたちのかれの唇自体に、音色の秘密があると感じられた――誘いだした鶯を思ったのである。

そして僕は、詩人とかれの友達のともに少年の面影の脇に、僕と自分の友達と息子とが――われわれも少年である以上、息子との共存は不合理だが――、重ねたセルロイドの絵のように一緒に坐っている情景を、つまりそのような仕上げでくっきりと見た。

（私の魂）といふことは言へない、という一行の意味が、自分の心と身体のうちに生きていることを確かめたのだ。しかも、その時すでに亡くなっていた友達の魂が、鶯の声のように山や野のいたるところで光を発している。自分の魂は息子の魂とピッタリ一致して、それに照応する、それがしかも（私の魂）は記憶する、ということだ……

さらにもうひとつ。不幸な事故死をとげた友達とは、青年時を過ぎてからも様ざまに心理的な行き違いがあったのだし、息子はあきらかに僕とは別の人格として生きているのだから、たとえいまひとつの記憶に結ばれていても、友達と息子と僕の三者の内面をつなぎ、外側からスッポリ覆い込みもする、この懐かしいものを（私の魂）といふことは言へない。そこに僕も孤独な魂として参入しているのだ。

息子が小学校の特殊学級に入り、いまとなってはむしろ不思議な気がするが、まだ癲癇の発作がなく動作も機敏であったので、一年もたつとひとりで登下校するようになった。午前と午後、いくらか暇な時間ができた妻は、家の前後の空地に雑木と呼ぶのがふさわしいような小灌木を数だけは多く植えた。それが台地のきわの疎林から隣家まで続いていた緑の通路につながって、庭に野鳥が来はじめたのである。メジロ、シジュウカラ、ヒヨドリ、とくにヒヨドリはしばしばあらわれた。ほかの小鳥たちにくらべてがさつなところのあるオナガも来た。春さきからは、まだ柔らかに鈍色《にびいろ》の若芽が出たのみの、柘榴《ざくろ》の枝に縛りつけた獣脂がめあてで、鶯もあらわれるようになった。

ところがついしばらく前までのテープへの熱中にもかかわらず、息子は実物の野鳥の声にまったく関心をはらわなかったのである。プリズムのついたレンズで矯正してもなお眼に異常の残る息子にとって、こまかな網模様の枝から枝へ素早く移動する小鳥の姿をとらえることは、まず無理だ。しかし小鳥は庭木にとどまって啼き声をあげもするのである。

朝早く、シジュウカラの数羽の群れがせわしなく移って来て、また通り雨のように過ぎさるのを見た。翌朝も同じことが繰りかえされたので、不審な思いにとらえられ、数日たってからだが、まだ露も乾かぬ朝の庭にシジュウカラの先廻りをしてみた。そして数は多いが貧弱な雑木にまといつき、あるいはぶらさがるこまかな青虫のおびただしさにおどろいたのである。さらに妻が小鳥たちの餌をつねに補給する、ということもあったのだった。

そのようにして日ましに増えてくる小鳥たちはしきりに啼いたが、息子はいつまでも興味を動かされるふうがなかった。

――イーヨーがテープで覚えた野鳥と、このあたりの野鳥の啼き声とでは、ピッチがちがうのかも知れないね、山奥のゆったりした場所で録音されたはずだしさ、とついに僕はいったものだ。

――北軽でも伊豆でも、耳ざとく聞きつけたのにねえ、遠方のヨタカまで……

そのように妻は懐かしさをこめて、かつは冗談にまぎらした僕の言い方への微妙な批判もあらわして答えた。その頃、息子の肉体と心理はあきらかな別のレベルへの移行の段階にあり、そういう時まず妻は不安をあらわしたので――僕も内心では共振するようであった――、ふくみのある応答を記憶にとどめているのである。

つまり妻は、息子が特殊学級に入《はい》れたことを喜ぶ一方、かれの感受性に、僕らの日常を超えたものにつなぐ仕方で特別な背光をあたえるようだった、数十種におよぶ野鳥の声への認識を一挙に失ったことで喪失感をあじわってもいたわけなのだ。こういうことならば、家族のなかに囲い込んだままにして、息子が小鳥の声と共生する時間をディスターブしないでいた方がよかった。自分らは子供が小鳥の声とともに生きていた――彼女によれば、アッシジのフランチェスコのように――その期間に発していたのかも知れないメッセージを受けとりそこねたままにしてしまったのではないか？

ところが妻は、僕がしばらく抛っておかれた野鳥の声のテープから庭に来る種類を選んで息子に再学習させようとすると、不自然な逆転を惧れるふうに、押しとどめもするのだ。息子はわずかに巨視的に見ればみんなおなじような・そしてわずかに微視的に見ればそれぞれ決定的にちがった障害を持つ仲間たちと出会い、とくに教室にいつも流されているFM放送を聴くことで、人間の作った音楽への急速な傾斜を示していた……

たまたま日曜日で食堂に息子が一緒にいた時、鶯が啼いた。――ン!? という反応を示すのは僕のみであり、妻は小柄な啼き声の主が麻紐で枝に縛った獣脂をうまく啄《ついば》みえているかどうか、腰を浮かして確かめてから、まず彼女の心に起ったはずの思いからは、ズレていると感じられる話をした。

早く亡くなった映画監督の父が、結核に病臥していた暮らしで、庭に来る、とくに啼き声のすぐれた鶯を「小式部」と名づけていたこと。自分の方は、まだ幼鳥で、ホーホケキョと鳴いた後にもう一声つけ加えてしまい、ホーホケキョピと聞こえる鶯を、父親の表現にくらべて子供ながら下品に感じつつ、「キョピ助」と呼んでいた、というような……息子は鶯の声にも僕らの会話にも無関心で、その頃から日曜の朝永遠に続くようだった吉田秀和氏のFM番組でモーツァルトにひたすら聴き入っていたものだ。

さてこの頃、京都のフランス文学者杉本秀太郎氏がこの詩人について書かれた本を、当の学者の別の主題の本に感銘した続きとして読んだ。そしてこれまではどの解説者も、あの僕がもっとも大切に思う詩について冷淡であったのに、杉本氏が懇切な読み解きをされているのに出くわしたのである。しかもそれは、少年時からの自分の思い込みを覆《くつがえ》してしまう解釈なのであった！

それでいて、この詩人の専門研究者としては確かにこう解釈されるほかにないだろうと納得があったのは、刊行時の詩集におさめられた順序で前後の作品がしっかりと読みとられ、そこに成立する解釈の枠組にこの詩の内包する思想がつなぎとめられていたからだ。

まず杉本氏は、先行する「寧ろ彼らが私のけふの日を歌ふ」という詩と関係付けていられた。

　耀かしかつた短い日のことを
　ひとびとは歌ふ

しかし自分はそうではないと、詩人はかれに重要な暗喩《メタファー》であることがその愛したジードの作品を介してもあきらかな、この世界にひろがる「沼」について語りつついう。

　私はうたはない
　短かかつた耀かしい日のことを
　寧ろ彼らが私のけふの日を歌ふ

そして詩人からこの詩を示された老人が、そうだ、（私の魂）といふことは言へない／その証拠を私は君に語らう、と応じるかたちで「鶯」の詩が書き記された、というのだ。老人は山ぎわに住んでいた幼時の友達のほかならぬその魂が、口笛で呼ばれた鶯だと信じていた。しかし友達はそのことを思い出しもしない。魂とはそのようにあやふやなものなのだ。（私の魂）といふことは言へない。しかも（私の魂）は記憶する。永い間、あの鶯のことを忘れないでいたのが（私の魂）である以上……

杉本氏によれば、詩人は魂の自発性を信じず、いわば楽器のような魂を外部から訪れたものが鳴らすのだと考えていたという。寧ろ彼らが私のけふの日を歌ふ。外部にある耀かしい日たち、かれらが（私の魂）を訪れて、魂という楽器を鳴らすように、私のけふの日を歌ふのだ。それ自体の、中心的な力としての歌を自発して歌いいずる（私の魂）というものはない。しかしいったん楽器として鳴り響かせた歌を（私の魂）は記憶する……

そのように記憶されたものとして、もうひとつ（読人不知）の短詩が付け加えられる。その終わりの二行が同じ字数であるのと、先行した詩の結びにも同じ工夫がしてあるのとが照応することに、杉本氏は注意をうながしていられた。

　水の上の影を食べ
　花の匂ひにうつりながら
　コンサートにきりがない

僕はこの解釈に説得された。そしてそれから深く大きい寂しさがやって来た。少年時のある特別な日、身体の芯に熱い火の玉ができてシュッシュッと湯気をたてるように噴出した涙。あれは詩的な言葉に無経験な少年の、誤読の結果にすぎなかったのか？　そして死んだ友達の魂が鶯の声のように野や山いたるところで輝き、その魂を追って僕の魂はかさなり、野鳥の声のみを理解する知恵遅れの息子の魂と照らし合うと感じとっていたのも、誤読の上に築いた砂の砦にすぎなかったのか?

あの詩人が否定の文脈においていたのは「私の」という形容句ではなく、「魂」という名詞だった。「私」を超えて大きく包み込む共通の魂のことなど、いっさい語ってはいなかったのだ。死んだ友達と知恵遅れの息子と僕自身の、その三者の内面をつなぎ、すべてを覆いつくしもする懐かしいものとしての共通の魂というようなことは、ただ僕のみが考えだしたものだ。

僕は杉本氏の文章をつうじて、かつて自分の立ちえなかった明晰さの読みとりに到る快さをあじわってはいたが、その足もとにヒタヒタしのびよる深く大きい寂しさというものは、かつて経験したことがないと感じられる規模なのだった。友達が死んでから永い時が経った。はるかに壮年を過ぎている僕も遠からず死ぬだろう。障害のある息子ひとりがあとに残る。その時、もともとバラバラであった三つの魂のすでにふたつは喪われ、ひとつは壊れている。(私の魂)などということは友達にも僕にも息子にとっても、脆《もろ》く不確かなものにすぎない……

おそらくこの認識は正しいのだろう。しかもなお僕には、——もしかしたら、あるいは？　という未練がましい思いが残り、そこから表沙汰にはしにくい通路を辿って、つつましい魂の慰安が浮上してくるのを、感じることがあるのだ。しかも僕は自分もひとつの詩を書いて老人の語り口のまま、私はそれを君の老年のために書きとめておく、といいたい気持にも誘われる。その君が誰であるかは、漠然としか予想のつかぬままに……

この春の終わりがたのことだ。烏山にある福祉作業所に息子を送って行くため、朝早く家を出た。晴れた日でバスも混まず、すぐ新入生とわかる幾人もの小学生たちも、のびやかな表情をしていた。支えの金属パイプに摑まりながら、――もうずいぶん、作業所に通っているなあ、何年になるかねえ？　と話しかけると、――四月十日で、六年目に入りました、と息子はかれ独自の正確さ指向で答えていた。

電車の乗換駅の上りと下りの線路が、きわめて長い石斧の形に囲むプラットホームに並んで立つと、僕らはもう話をかわすことはなかった。下りの側のコンクリート鋪装した斜面には苔とタンポポのみが育って花開き、自分の向かっている上りの側の斜面には青草とやはり花開いたハナダイコンが群生している。少年時、旧家の屋敷に揃っていた有朋堂文庫から『通俗三国志』を貸してくれたのも、疎開者が撒いたということで谷間の川ぞいに目立つようになっていたアブラナ科の一年草が、諸葛菜《しょかつさい》ともいうと教えてくれたのも、ギー兄さんと呼んでいた、あの友達だった。当のプラットホームで毎年一度は思い出すことを、僕は反芻《はんすう》していたわけなのだ。青草の斜面の上には、こまかな芽をふいたケヤキ、明るいワインカラーに萎《しお》れた冬芽の鞘から長い葉を伸ばしているホオノキと、ぼってりした花を堅固につけている八重の桜が並び、その向こうに竹藪が覗いている。そしてそれらの高みからすぐにもなにか始まりそうな気配が呼びかけをよこすようなのだ……　そこへ上り電車が入って来ていた。

自分の耳を澄まして放心する感じが、ボーッと発熱して来るふうな息子の異変の前ぶれを見過ごさせたのだと思う——全体にゆったりした身体の動きがむしろ生命を救いもしたのだと救急病院の医師から教えられたが——。停車しようとしてスピードを緩めている車体へ向けて、息子がユラリと吸いよせられる。それを斜め前から抱きとめようと、気持より一拍遅れて進み出た、こちらの肩と側頭部を、その順に、巨大な重さのものが一触、二触した。僕は息子の胴を抱えとめざま、あお向けに倒れていた。わずかな時間ながら、気を失いもしていたと思う。

……僕は濃密な懐かしさとともに、ギー兄さんと本気とも戯れともつかぬ格闘をしており庚申山《こうしん》の裏側斜面を転がり落ち頭を打った、春の日の一瞬に帰っていた。同時に息子の頭部がプラットホームにじかに叩きつけられぬよう、なんとか自分の胸に乗せえたことを安堵していたのだから、分裂した感情のありようなのだが……

そのうち気がついてみると自分の両腕はもうなにも抱えていず、萎《な》えたふうに体側に伸ばされて、僕は冷たくない水たまりに横顔をつけたまま、眩しい青空とそこを大きくかぎる黒い頭を片眼で見上げていた。周りに狭い人垣ができているのもわかった。僕は水たまりから首をもたげようとし、頭の側面に疼痛を感じて怯み込んだ。またその自分の額のあたりにおずおずとふれてくる、形良くそろえた息子の指先が赤く汚れているのから、水たまりと思っていたのが自分の血によるものだとも認めていた……

それならば、今にもこの人垣を分けて来るはずの駅員が、救急車を呼んでくれるまで動かずにいるのが妥当であろう。また癲癇発作の後遺症状のなかの息子を励まして、これ以上動揺させないようにしなければならない。そこで頭にこたえぬよう小さな声を発してみるが、それは端的に滑稽な酔っぱらいの口ぶりとなってしまう。――イーヨー、イーヨー、困ったよ。一体なんだろうねえ？

そして斜め上方の竹藪の高みから響いてくる鳥の声について、またあきらかにそれ以上のものについて、息子は答えたのだ。

――ウグイス、ですよ。

（私の魂）といふことは言へない
その証拠を私は君に語らう

生きることの習慣《ハビット・オブ・ビーイング》——あとがきとして

1

昨年秋、『晩年様式集《イン・レイト・スタイル》』を刊行しました。文芸誌への連載のかたちで書くことを「三・一一」のしばらく後から始めていたのですが、書き進めるうち、それが自分の長篇小説の最終のものになるという実感が深まりました。

それが本になると、私は自分が書いてきた小説のすべてを読み直すことを思い立ち、まず短篇小説を保存してある単行本や雑誌をコピーしてまとめました。そこからこの自選集を編集する方向に進みました。これはのちにふれますが、私にとって読み直すことは部分的にであれ書き直すことです。いま短篇小説の総体からある数を選んで(そのようにして残すものより除外するものが思っていたより多くなりました)、この場合にも私は必要に思う書き直しはして、最終的な定本作りをこころがけました。そうしながら、それらの短篇のいちいちから、自分の生きた「時代の精神」が読みとりうることを(しばしば消極的・否定的な表現となっているのではありますが)信じるようになりました。

いま、「時代の精神」という言葉が私に浮かんでくるのは、たまたま先の作業を続けている間に、漱石が『こころ』を書いて百年を記念する企てが幾つもあり、私もひとつのインタヴューに起用されたことからです。朝日新聞、吉村千彰編集委員による記事から一節を引用します。「先生」は『こころ』のなかで若い友人に自分の生を書き遺す役割の人物。《今回『こころ』を読み直し、最終二章に動かされた。先生は四十代後半のようで漱石と同年輩、漱石の感じ方が直接反映している。改めて引きつけられたのは、明治天皇の崩御のところ。

「その時私は明治の精神が天皇に始まって天皇に終ったような気がしました。最も強く明治の影響を受けた私どもが、その後に生き残っているのは必竟《ひっきょう》時勢遅れだという感じが烈《はげ》しく私の胸を打ちました。（中略）私は妻に向ってもし自分が殉死するならば、明治の精神に殉死するつもりだと答えました」

若い僕は、漱石にも国家主義的なところがあるのかと反発した。

しかし今回、注意深く読み返すと、違ったものに読めました。自分が生きた明治という時代の「人間の精神」を「明治の精神」と言っているのだと。天皇や大日本帝国ではなく、明治の人々の精神が、今までの日本の歴史の中で特別なものだと言いたいのだと。つまり漱石自身の精神をふくめて。

「時代の精神」というものがあると、はっきり表現し得た小説として、『こころ』は特別な作品だと思います。（中略）

漱石の「明治の精神」を僕自身にあてはめると、「戦後の精神」ということになります。》

私は、この「戦後の精神」を次のように説明してもいます。

《十歳で戦争が終わり、進駐軍のジープが村にやってきて子供心にも恐ろしかった。ところが、十二歳で日本国憲法が施行され、中学の三年間、憲法や教育基本法について習った。「良い時代」になったと思った。

今の若い人には想像できないでしょうが、当時の混乱には何か生き生きと動いている感覚があった。個人の権利が保障され、僕も、東京あるいは世界へ出て行って何かやりたいと思った。戦後は明るかった。今七十九歳の僕にとっては、六十七年間ずっと「時代の精神」は不戦と民主主義の憲法に基づく、「戦後の精神」でした。》

2

もっとも、初期短篇の幾つかを書き始めた私に、それらの小説の主題として「時代の精神」の表現が意識されていたかというと、当然のことながらそうではありません。私が小説家としての自分の進み行きをはっきり方向付けていたかというと、そうではなかったのです。

そもそも私が（それまでも幾つかの習作はしていましたが）、その主題というよりひとつのイメージを核として短篇小説を書きあげ、それが東京大学新聞に掲載されたばかりか、よく知られていた批評家の文芸時評で評価されたことから、文芸誌の注文を受けることになった、……その成り行き自体、まったく偶然の積み重なりでした。

私は大学のフランス文学科の三年生でした(浪人したので、二十二歳)。春休みに四国の森のへりの生家に戻り、卒業論文を予定して年初から集中していたJ＝P・サルトルの"Baudelaire"(Gallimard)を読み終えました。他にフランス語のテキストを持ってなかった私は、残った三日間で短篇小説をひとつ書いたのです。

その『奇妙な仕事』の冒頭と結びのイメージは、大学病院の裏の囲いに収容されている実験用の野犬たちが、夕暮に吠え続けるということを入院していた友人から聞いて、忘れることができなかったのです。帰京した私は、当の友人にそれを見せ、かれは東京大学新聞の編集部に持って行きました。学期が始まってすぐ大学は五月祭ということで休みになり、私も学科の学生たちがやる、フランスの新聞の社会種の展示会とでもいう種類のものに駆り出されました。校門を入ったところで買った大学新聞で、私は自分の短篇が「五月祭賞」というものに選ばれ、活字になっているのを見たのでした。

二、三週たって学生課から呼び出された私は、文芸誌から届いていた手紙を受け取りました。それは私とあまり年齢差のないように感じられる編集者からの、率直かつ具体的な提案でした。きみはこれで文壇に登場することになる。大学新聞に載った短篇の再録でもいいが、もう少し長いものに書き直さないか？　私が興味を持ったのは、いったん書き終えて発表し、ひとつの評価を得もした作品を、書き直さないかという呼び掛けで、じつは初めて活字になったものを繰り返し読んでいた私は、それをこそねがっていたのです。この提案に応じたのが、現在にいたって(八十歳を目前に)締め括りをつけたつもりの、生涯の仕事の始まりです。

3

この進み行きをあらためて振り返れば、まず私は友人から妙に胸に突き刺さるところのあるイメージをあたえられて、それをきっかけに、ひとつの短篇小説を書いたのでした。その段階で私が意図していたのは、友人との日頃の冗談のやりとりの、ちょっと手の込んだ展開に過ぎなかったのです。ところがそれが活字となり批評までされてみると、私はそのテキストを書き直したいという熱望(といいたいほどのもの)に捉えられていたわけです。しかもそれをする場所をあたえられ、目の前に自分のいったん作りあげたテキストがあるのですから、その作業は、これまでの確かな手がかりもなく試作していた行為とは違う、という思いがありました。

私の『奇妙な仕事』書き直しのプランは、この短い小説を二部構造にすることでした。『奇妙な仕事』は戦後社会に生きている学生が犬を殺すアルバイトをする話ですが、その書き直しを検討しているうちに私は敗戦二年前の（しかしすっかり違った「時代の精神」のなかでの）自分の経験を思い出して（それがやはり犬を殺す男と関わっていたのです）いま現在の若者である自分とその少年とを結んでみようと思いついていました。

私は戦中の小学校の（当時の呼び方では、国家主義のドイツの初等教育機関にならって国民学校）三年でしたが、朝礼の訓辞で校長が、自分らで飼っている犬を連れて来るよういいました。北方で戦っておられる兵隊さんの外套にするための毛皮を集めている人が来るから、と。

私がリーと呼んでいた犬を紐に結んで登校すると、学校の運動場は犬でいっぱいでした。そこに接した草の茂っている空地にシートで囲んだ場所が造られ、犬を殺す人が早くから働いている……。自分の犬の番を待っている私の脇に学齢前の弟が現れると、かれは私から犬の紐を受け取り、森へ上る細い道へリーを導いて、高みに来ると紐をほどき、その背をバシッと叩いて逃がしました。（翌朝、リーは戻ってきましたが、大方の犬は、殺す人にシートの囲いのなかで処理され、そのえたいの知れぬ人物は剝いだ毛皮を大きく束ねて、自転車に結んだリヤカーで運んで行った後でした。）

さて私は少年時の自分がやろうとしたことと、戦後の学生の自分がやるアルバイトの話を結ぶことで二部仕立ての短篇を作ろうとしたのですが、小説を書き始めたばかりの自分の技術ではムリでした。生まれて初めて締切りの催促を受けた私は、『奇妙な仕事』の犬を殺すアルバイトの代りに、医学部の大きい水槽に保存されている解剖用の死体の処理という空想を据えて、『死者の奢り』を書きました。さきの批評家からは同工異曲という当然な批判をこうむったのでしたが、私はとにかく書き直しという訓練が自分には必要だと信じたのでした。

それというのは、『死者の奢り』が『奇妙な仕事』の単純な置きかえだとしても（私にはその意識が強く残り、最初の短篇集からは後者を削りました）、この書き換えの前の、不発に終わった書き直しにかけたかなりの長さの時間が、自分の生涯の仕事についての積極的な準備であったことを自覚していました。

私は『奇妙な仕事』と『死者の奢り』をこの自選短篇集の巻頭に並べています。そして私が試みながら仕上げることのできなかった先の思い出からの物語は、私の「戦後の精神」のうちに生き残っていたもうひとつの「時代の精神」の表現として、幾つもの初期短篇に書き表されているのに気が付きます。弟は、最初の長篇小説『芽むしり仔撃ち』のなかで作者の思い出通りの働きをしています。

4

さてこの文章のタイトルにかかげたのは、私がほとんど同世代の短篇小説の名手として愛読していたフラナリー・オコナーのエッセイから見つけた、the habit of being という一句を自己流に訳したものです。オコナーは、フランスからアメリカの大学に移って彼女に本質的な影響をあたえた哲学者ジャック・マリタンから示された定義として、この一句の意味するところを要約しています。

小説を書くことは、全人格が参加する行為であり、芸術は人間の全体に根をおろしている習慣である。

長い時をかけて、経験を通して、それを養わねばならない。そうすれば自分が知らない大きさの困難に出会った際に、この習慣が助けになる。……

私は若い年で始めてしまった、小説家として生きることに、本質的な困難を感じ続けてきました。そしてそれを自分の書いたものを書き直す習慣によって乗り超えることができた、といまになって考えます。そしてそれは小説を書くことのみについてではなく、もっと広く深く、自分が生きることの習慣となったのでした。

二〇一四年春

大江健三郎

初出一覧

I　初期短篇

奇妙な仕事　「東京大学新聞」一九五七年五月刊
死者の奢り　「文学界」一九五七年八月号
他人の足　「新潮」一九五七年八月号
飼育　「文学界」一九五八年一月号
人間の羊　「新潮」一九五八年二月号
不意の唖　「新潮」一九五八年九月号
セヴンティーン　「文学界」一九六一年一月号
空の怪物アグイー　「新潮」一九六四年一月号

II　中期短篇

頭のいい「雨の木《レイン・ツリー》」　「文学界」一九八〇年一月号
「雨の木《レイン・ツリー》」を聴く女たち　「文学界」一九八一年一一月号
さかさまに立つ「雨の木《レイン・ツリー》」　「文学界」一九八二年三月号

無垢の歌、経験の歌　「群像」一九八二年七月号
怒りの大気に冷たい嬰児が立ちあがって　「新潮」一九八二年九月号
落ちる、落ちる、叫びながら……　「文芸春秋」一九八三年一月号
新しい人よ眼ざめよ　「新潮」一九八三年六月号
静かな生活　「文芸春秋」一九九〇年四月号
案内人《ストーカー》　「Switch」一九九〇年三月、Vol. 8 No. 1
河馬に嚙まれる　「文学界」一九八三年一一月号
「河馬の勇士」と愛らしいラベオ　「文学界」一九八四年八月号(「河馬に嚙まれるPart 2」を改題)

Ⅲ　後期短篇

「涙を流す人」の楡　「Literary Switch」一九九一年一一月、Vol. 1 No. 3
ベラックヮの十年　「新潮」一九八八年五月号
マルゴ公妃のかくしつきスカート　「文学界」一九九二年二月号
火をめぐらす鳥　「Switch」一九九一年七月、Vol. 9 No. 3

〔編集付記〕

一、本書を編集するにあたっては、『大江健三郎小説』（全十巻、新潮社、一九九六―九七年）の、第一巻、第二巻、第七巻、第八巻を底本とした。ただし、今回の岩波文庫化にあたっては、収録作品全体にわたって、作者による加筆修訂が施されている。また、作者と相談のうえ、漢字や片仮名の表記を一部変更し、送り仮名の削除・追加をおこなった。

二、それぞれの短篇の初出は、前掲の通りである。

三、今日ではその表現に配慮する必要のある語句を含む作品もあるが、作品が発表された時代の状況に鑑み、原文通りとした。

（岩波文庫編集部）

大江健三郎自選短篇《おおえけんざぶろうじせんたんぺん》

2014年8月19日　第1刷発行
2023年4月14日　第13刷発行

作　者　大江健三郎《おおえけんざぶろう》

発行者　坂本政謙

発行所　株式会社　岩波書店
〒101-8002 東京都千代田区一ツ橋 2-5-5

案内 03-5210-4000　営業部 03-5210-4111
文庫編集部 03-5210-4051
https://www.iwanami.co.jp/

印刷・理想社　カバー・精興社　製本・牧製本

ISBN 978-4-00-311971-6　　Printed in Japan

読書子に寄す

——岩波文庫発刊に際して——

岩波茂雄

真理は万人によって求められることを自ら欲し、芸術は万人によって愛されることを自ら望む。かつては民を愚昧ならしめるために学芸が最も狭き堂宇に閉鎖されたことがあった。今や知識と美とを特権階級の独占より奪い返すことはつねに進取的なる民衆の切実なる要求である。岩波文庫はこの要求に応じそれに励まされて生まれた。それは生命ある不朽の書を少数者の書斎と研究室とより解放して街頭にくまなく立たしめ民衆に伍せしめるであろう。近時大量生産予約出版の流行を見る。その広告宣伝の狂態はしばらくおくも、後代にのこすと誇称する全集がその編集に万全の用意をなしたるか。千古の典籍の翻訳企図に敬虔の態度を欠かざりしか。さらに分売を許さず読者を繋縛して数十冊を強うるがごとき、はたしてその揚言する学芸解放のゆえんなりや。吾人は天下の名士の声に和してこれを推挙するに躊躇するものである。このときにあたって、岩波書店は自己の責務のいよいよ重大なるを思い、従来の方針の徹底を期するため、すでに十数年以前より志して来た計画を慎重審議この際断然実行することにした。吾人は範をかのレクラム文庫にとり、古今東西にわたって文芸・哲学・社会科学・自然科学等種類のいかんを問わず、いやしくも万人の必読すべき真に古典的価値ある書をきわめて簡易なる形式において逐次刊行し、あらゆる人間に須要なる生活向上の資料、生活批判の原理を提供せんと欲する。この文庫は予約出版の方法を排したるがゆえに、読者は自己の欲する時に自己の欲する書物を各個に自由に選択することができる。携帯に便にして価格の低きを最主とするがゆえに、外観を顧みざるも内容に至っては厳選最も力を尽くし、従来の岩波出版物の特色をますます発揮せしめようとする。この計画たるや世間の一時の投機的なるものと異なり、永遠の事業として吾人は微力を傾倒し、あらゆる犠牲を忍んで今後永久に継続発展せしめ、もって文庫の使命を遺憾なく果たさしめることを期する。芸術を愛し知識を求むる士の自ら進んでこの挙に参加し、希望と忠言とを寄せられることは吾人の熱望するところである。その性質上経済的には最も困難多きこの事業にあえて当たらんとする吾人の志を諒として、その達成のため世の読書子とのうるわしき共同を期待する。

昭和二年七月

《日本文学（現代）》〔緑〕

怪談 牡丹燈籠	三遊亭円朝
真景累ヶ淵	三遊亭円朝
小説神髄	坪内逍遥
当世書生気質	坪内逍遥
ウィタ・セクスアリス	森鷗外
青年	森鷗外
阿部一族 他二篇	森鷗外
山椒大夫・高瀬舟 他四篇	森鷗外
舞姫・うたかたの記 他三篇	森鷗外
渋江抽斎	森鷗外
鷗外随筆集	千葉俊二編
森鷗外 椋鳥通信 全三冊	池内紀編注
浮雲	二葉亭四迷 十川信介校注
野菊の墓 他四篇	伊藤左千夫
吾輩は猫である	夏目漱石
坊っちゃん	夏目漱石
草枕	夏目漱石
虞美人草	夏目漱石
三四郎	夏目漱石
それから	夏目漱石
門	夏目漱石
彼岸過迄	夏目漱石
漱石文芸論集	磯田光一編
行人	夏目漱石
こころ	夏目漱石
硝子戸の中	夏目漱石
道草	夏目漱石
明暗	夏目漱石
思い出す事など 他七篇	夏目漱石
文学評論 全二冊	夏目漱石
夢十夜 他二篇	夏目漱石
漱石文明論集	三好行雄編
倫敦塔・幻影の盾 他五篇	夏目漱石
漱石日記	平岡敏夫編
漱石書簡集	三好行雄編
漱石俳句集	坪内稔典編
漱石・子規往復書簡集	和田茂樹編
文学論 全二冊	夏目漱石
坑夫	夏目漱石
漱石紀行文集	藤井淑禎編
二百十日・野分	夏目漱石
五重塔	幸田露伴
努力論	幸田露伴
渋沢栄一伝	幸田露伴
子規句集	高浜虚子選
病牀六尺	正岡子規
子規歌集	土屋文明編
墨汁一滴	正岡子規
仰臥漫録	正岡子規
歌よみに与ふる書	正岡子規

獺祭書屋俳話・芭蕉雑談　正岡子規
子規紀行文集　復本一郎編
金色夜叉 全二冊　尾崎紅葉
二人比丘尼 色懺悔　尾崎紅葉
不如帰　徳冨蘆花
謀叛論 他六篇 日記　徳冨健次郎 中野好夫編
武蔵野　国木田独歩
愛弟通信　国木田独歩
運命　国木田独歩
蒲団・一兵卒　田山花袋
田舎教師　田山花袋
一兵卒の銃殺　田山花袋
縮図　徳田秋声
あらくれ・新世帯　徳田秋声
藤村詩抄　島崎藤村自選
破戒　島崎藤村
春　島崎藤村

千曲川のスケッチ　島崎藤村
桜の実の熟する時　島崎藤村
新生 全二冊　島崎藤村
夜明け前 全四冊　島崎藤村
藤村文明論集　十川信介編
生ひ立ちの記 他一篇　島崎藤村
にごりえ・たけくらべ　樋口一葉
大つごもり・十三夜 他五篇　樋口一葉
修禅寺物語 正雪の二代目 他四篇　岡本綺堂
高野聖・眉かくしの霊　泉鏡花
歌行燈　泉鏡花
夜叉ケ池・天守物語　泉鏡花
草迷宮　泉鏡花
春昼・春昼後刻　泉鏡花
鏡花短篇集　川村二郎編
日本橋　泉鏡花
外科室・海城発電 他五篇　泉鏡花

湯島詣 他一篇　泉鏡花
鏡花随筆集　吉田昌志編
化鳥・三尺角 他六篇　泉鏡花
鏡花紀行文集　田中励儀編
俳句はかく解しかく味う　高浜虚子
回想 子規・漱石　高浜虚子
有明詩抄　蒲原有明
上田敏全訳詩集　山内義雄 矢野峰人編
宣言　有島武郎
一房の葡萄 他四篇　有島武郎
寺田寅彦随筆集 全五冊　小宮豊隆編
柿の種　寺田寅彦
与謝野晶子歌集　与謝野晶子自選
与謝野晶子評論集　鹿野政直 香内信子編
私の生い立ち　与謝野晶子
入江のほとり 他一篇　正宗白鳥
つゆのあとさき　永井荷風